L'OPPOSITION
A
NAPOLÉON

OUVRAGES DE LOUIS DE VILLEFOSSE

Histoire

MACHIAVEL ET NOUS (*Grasset*).
LAMENNAIS OU L'OCCASION MANQUÉE (*Jean Vigneau*).
ABRAHAM LINCOLN (*Club français du livre*).
LINCOLN (*Le Seuil*).

Romans

ELLENA MORE (*Julliard*).
LE TOCSIN (*Julliard*).

Divers

SOUVENIRS D'UN MARIN DE LA FRANCE LIBRE (*E.F.R.*).
PRINTEMPS SUR LE DANUBE (en collaboration avec J.B.).
L'ŒUF DE WYASMA (*Julliard*, Dossiers des Lettres Nouvelles).
GÉOGRAPHIE DE LA LIBERTÉ, LES DROITS DE L'HOMME DANS LE MONDE, 1953-1964 (*Robert Laffont*).

OUVRAGES DE JANINE BOUISSOUNOUSE

Histoire

JEUX ET TRAVAUX, d'après un livre d'heures du XVᵉ siècle (*Droz*).
ISABELLE LA CATHOLIQUE (*Hachette*).
LA VIE PRIVÉE DE MARIE STUART (*Hachette*).
JEANNE ET SES JUGES (*E.F.R.*).
JULIE DE LESPINASSE (*Hachette*).
CONDORCET, LE PHILOSOPHE DANS LA RÉVOLUTION (préface de Louis de Villefosse, *Hachette*).

Romans

LE CHEMIN MORT (*Denoël*).
L'ÉTOILE FILANTE (*Gallimard*).
DIX POUR UN (*E.F.R.*).
NATALIE (*E.F.R.*).

Documents

MAISON OCCUPÉE (*Gallimard*).
PRINTEMPS SUR LE DANUBE (en collaboration avec Louis de Villefosse, *Editions de Minuit*).

LOUIS de VILLEFOSSE
et
JANINE BOUISSOUNOUSE

L'OPPOSITION
A
NAPOLÉON

L'HISTOIRE EN LIBERTÉ

FLAMMARION

Il a été tiré de cet ouvrage :

Vingt-cinq exemplaires sur pur fil des Papeteries d'Arches dont vingt exemplaires numérotés de 1 à 20, et cinq exemplaires, hors commerce, numérotés de I à V.

Les Idéologues, cette vermine...

Le Premier Consul.

LE GÉNÉRAL DE VENDÉMIAIRE

Le 20 frimaire an VI (10 décembre 1797) les Parisiens couraient vers le palais du Luxembourg. Toutes les fenêtres des rues avoisinantes étaient pleines de curieux. Certains s'étaient même hissés sur les toits. Avec un peu de chance ils pourraient peut-être apercevoir le général Bonaparte, commandant en chef de l'armée d'Italie, que le Directoire s'apprêtait à recevoir en grande pompe. Bonaparte... Nom qu'on aimait à répéter depuis des mois. Ce Corse qui avait maté l'insurrection royaliste de Vendémiaire éclipsait la renommée des Hoche et des Jourdan. Il avait conduit de victoire en victoire les troupes loqueteuses qu'on lui avait données. Et maintenant, ayant couvert la France de gloire, il revenait. On ne le connaissait pas et l'on était grisé de ses succès retentissants. Bonaparte, c'était la joie, c'était l'espoir.

Le monde officiel a pris place dans la cour du Luxembourg ornée de drapeaux venant d'Italie et de tapisseries des Gobelins ; une haute estrade a été dressée, dont le plancher et les gradins ont été recouverts de tapis empruntés à l'ancien garde-meubles de la Couronne. Au centre s'élève l'autel de la Patrie dominé par les statues de la Liberté, de l'Egalité et de la Paix, et au pied duquel siègent les cinq directeurs avec leurs capes et leurs plumes. Moins voyant, l'Institut, principal corps de l'Etat, est là aussi. On attend avec autant de respect que d'impatience le jeune vainqueur qui s'avance, chétif, suivi de ses aides de camp, plus grands que lui, mais courbés devant sa gloire. Quelque part dans les tribunes, Mme de Staël et Mme Récamier qui ne se connaissent pas encore, ne quittent pas des yeux cet étrange triomphateur. Talleyrand le conduit vers l'autel de la Patrie, le présente aux directeurs qui se sont levés et prononce un discours : « Ah ! loin de redouter ce qu'on voudrait appeler son ambition, je sens qu'il faudra peut-être le solliciter un jour pour l'arracher aux douceurs de sa studieuse retraite... »

Le général répond rapidement en remettant au ministre le traité signé à Campo-Formio. Il parle vite, d'une voix sourde, avec beaucoup d'accent. Seuls, les premiers rangs peuvent saisir quelques-unes de ses paroles : « Citoyens directeurs... la Constitution de l'an III et vous, vous avez triomphé de tous les obstacles... De la paix que vous venez de conclure date l'ère des gouvernements représentatifs... Lorsque le bonheur du peuple français sera assis sur de meilleures lois organiques, l'Europe entière deviendra libre. »

Barras, à son tour, prononce un discours affirmant bien haut : « Votre cœur est le temple de l'honneur républicain. » Puis il donne l'accolade à Bonaparte. Et l'on écoute, chanté par les chœurs du Conservatoire, l'hymne composé pour la circonstance par Marie-Joseph Chénier sur une musique de Méhul et se terminant ainsi :

Tu fus longtemps l'effroi, sois l'honneur de la terre
O République des Français
Que le chant des plaisirs succède aux cris de guerre
La victoire a conquis la paix.

Cette victoire, ces victoires plutôt, une longue inscription les exalte sur le drapeau que le Directoire, pour clore cette cérémonie du Luxembourg, va décerner à l'armée d'Italie :

« L'armée d'Italie a fait cent cinquante mille prisonniers, elle a pris cent soixante-six drapeaux, cinq cent cinquante pièces d'artillerie de siège, six cents pièces de campagne, cinq équipages de pont, neuf vaisseaux, douze frégates, douze corvettes, dix-huit galères...

« Armistices avec les rois de Sardaigne, de Naples, le pape...

« Préliminaires de Leoben... Traités de paix de Tolentino, de Campo-Formio.

« Donné la liberté aux peuples de Bologne, de Ferrare, de Modène... aux peuples de la mer Egée et d'Ithaque.

« Envoyé à Paris les chefs-d'œuvre de Michel-Ange, du Guerchin, du Titien...

« Triomphé en dix-huit batailles rangées, Montenotte, Millesimo, Lodi... Arcole, Rivoli... Livré soixante-sept combats. »

Jamais tant d'honneur n'avait couronné aucun de nos étendards, jamais aucun de nos soldats n'avait reçu pareil hommage. Il est vrai que la paix de Campo-Formio était la plus avantageuse qu'ait connue la France : elle lui donnait la Belgique et lui confirmait la rive gauche du Rhin. La République, enfin, se trouvait puissamment implantée sur le continent. Issue inespérée d'une guerre de cinq ans qui avait failli tourner au désastre.

A l'intérieur, l'assainissement, l'affermissement du régime démocratique s'ensuivront. Le peuple le croit, mais aussi l'élite. C'est à elle que Bonaparte s'est adressé en évoquant la libération de l'Europe entière, en déclarant ouverte l'ère des gouvernements représentatifs, en laissant entendre qu'une amélioration des institutions s'imposait. Pesant ses mots, loyaliste et déférent, rassurant et protecteur, il a marqué des égards au Directoire tout en lui parlant d'égal à égal, voire avec une nuance de supériorité ; mais surtout c'est à l'attente des hommes fidèles à 89 que ses paroles répondaient, des personnalités du monde intellectuel et de l'Institut. Il va cultiver leur confiance, leur amitié, et deux ans plus tard, en brumaire, ils ne lui ménageront pas leur concours ; après quoi, déçus, réfractaires à la dictature consulaire, ils s'efforceront de lui opposer les principes républicains.

L'épopée napoléonienne a pour ainsi dire submergé les noms, la mémoire de ces héritiers de la pensée du XVIIIe siècle épargnés par la Terreur. Leur stature historique n'est pas comparable à celle du nouveau César ; pas un des géants de la Révolution n'était encore là qui aurait pu affronter son ambition. Pourtant le rôle de ces hommes trop oubliés fut loin d'être négligeable. Ce qu'ils étaient, ce qu'ils firent, on le verra plus tard. Arrêtons-nous d'abord devant ce jeune vainqueur honoré comme le sauveur de la République.

Pourquoi la sympathie lui était-elle acquise des partisans

sincères d'un ordre démocratique ? Quels avaient été ses opinions, ses réactions, sa conduite, lors des grands épisodes révolutionnaires et ses sentiments à l'égard de la monarchie ? Dans quelle mesure s'était-il ouvert aux idées nouvelles ? De son caractère, de son éducation, de ses origines, quels traits faut-il retenir qui puissent éclairer ce problème : Napoléon Bonaparte en face de la Liberté ?

*
**

Il est né dans le sillage épique d'une révolte contre l'occupant. Ses parents étaient des maquisards : Charles de Buonaparte et Laetitia Ramolino ont fait le coup de feu avec Paoli le grand chef de l'insurrection. S'ils ont baptisé ce second fils *Napoleone* (que sa mère appellera *Nabulio*) c'est en mémoire d'un cousin héroïquement tombé trois mois plus tôt à Ponte-Nuovo, combat malheureux qui marquait la fin de la Résistance. Français, il l'était de justesse, par l'état-civil et non par le cœur ; état-civil peut-être modifié après coup, qui a fixé au 15 août 1769 la date de sa naissance à Ajaccio, soit un peu plus d'un an après le rattachement de la Corse au royaume de France. Les années de sa formation militaire, il les vivra en patriote corse et c'est encore en patriote corse qu'il s'exprimera à la veille de la Révolution, écrivant en juin 1789 à Paoli exilé : « Je naquis quand la patrie périssait. »

Cette constance ne fut pas le fait de son père. Les Buonaparte étaient nobles, d'une petite noblesse que leur chef s'efforçait de grandir, d'enrichir d'un arbre généalogique plongeant dans la Toscane médiévale. Moins par vanité que par sens pratique. Avocat pauvre et père de famille, Charles ne s'obstine pas dans une lutte devenue sans espoir, il opère son ralliement et fait sa cour au gouverneur de l'île, le comte de Marbeuf, dont il espère la protection. Marbeuf est très exigeant sur le chapitre de la naissance. Charles de Buonaparte réussit à produire les titres exigés et à obtenir des places gratuites dans les écoles du continent pour ses deux fils aînés. Lui-même sera député à la Cour par la noblesse corse. Le 15 décembre 1778 ils s'embarquent tous trois pour Marseille. Charles poursuivra vers Versailles après avoir laissé les deux garçons au collège d'Autun. Le plus grand, Joseph, y restera plusieurs années, son père souhaite en faire un ecclésiastique. Mais Nabulio, en qui Laetitia reconnaissait l' « esprit de principauté », voulait depuis toujours être soldat. Le 21 avril 1779 il part pour Brienne où il restera cinq ans.

L'enfant sauvage qui, en Corse, aimait à rêvasser dans sa grotte du Casone, se tient le plus possible à l'écart : « J'avais choisi dans l'enceinte de l'école un petit coin où j'allais m'asseoir pour rêver à mon aise (...) Quand mes compagnons voulaient usurper la propriété de ce coin, je le défendais de toute ma force... » Il dira cela, il est vrai, de l'Ecole militaire (de Paris), mais le Nabulio de Brienne était encore plus inadapté et irascible. Que représente Paoli, son grand homme, pour ses camarades ? Et lui-même, n'est-il pas un vaincu ? Bien des anecdotes se rapportent à ces années de collège et à son refus de se laisser humilier. Une des plus authentiques semble celle qui, à l'exclamation d'un professeur :

— Qui êtes-vous donc !

fait répondre à ce gamin de onze ans :

— Un homme !

En 1784, il entre à l'Ecole militaire. Nabulio devient le « cadet gentilhomme Buonaparte ». Grand travailleur, bien noté, estimé de ses professeurs, il reste si profondément corse qu'un de ses maîtres lui aurait dit : « Monsieur, vous êtes élève du Roi, il faut vous en souvenir et modérer votre amour de la Corse qui, après tout, fait partie de la France. »

L'année suivante, en 1785, Charles Buonaparte, malade, s'arrête à Montpellier et y meurt. Plus jeune que Joseph, Napoléon se sent certainement le véritable chef de la famille ; et la disparition de son père, qui s'était rallié, sans qu'il se permît, lui, son fils, de l'en blâmer, le libère. Il regagnera la Corse. Il agira en Corse. C'est à la Corse bien-aimée qu'il veut se consacrer. Mais reçu à ses examens et affecté au régiment de la Fère, il lui faut d'abord rejoindre cette unité qui, en réalité, tient garnison à Valence. Nommé lieutenant en second le 1er janvier 1786, il arbore fièrement l'uniforme bleu à parements rouges dont il dira sous le Consulat, en adoptant la tenue de colonel de grenadiers : « Je n'en connais de plus beau que mon habit d'artilleur de la Fère. »

Son exceptionnelle puissance de travail avait étonné tous

ses maîtres. A Valence il va assouvir son appétit de lecture. Comme tous les hommes de ce siècle, il dévore les ouvrages des philosophes. Rousseau lui inspire une admiration particulière, Rousseau auteur d'un projet de constitution pour la Corse et qui en a écrit qu'elle était destinée à « étonner le monde ». Avec ferveur, il fait siennes les théories du *Contrat social*, il va même plus loin ; une violente passion démocratique le saisit. On lit dans un de ses manuscrits daté du 26 avril 1786 :

« C'est aujourd'hui que Paoli entre dans sa soixante et unième année. Son père Hiacinto Paoli aurait-il jamais cru (...) qu'il serait au nombre des plus braves hommes de l'Italie moderne (...) Voyons, discutons un peu. Les Corses ont-ils le droit de secouer le joug gênois ? Ecoutons le cri des préjugés : les peuples ont toujours tort de se révolter contre leurs souverains. Les lois divines le défendent. Concevez-vous l'absurdité de cette défense générale que font les lois divines de jamais secouer le joug d'un usurpateur ? Ainsi, un assassin assez habile pour s'emparer du trône après l'assassinat du prince légitime est aussitôt protégé par les lois divines et tandis que, s'il n'eût pas réussi, il aurait été condamné à perdre sur l'échafaud sa tête criminelle.

« Ou c'est le peuple qui a établi ces lois en se soumettant au prince, ou c'est le prince qui les a établies. Dans le premier cas, le prince est irrévocablement obligé d'exécuter les conventions par la nature même de sa principauté. Dans le second ces lois doivent tendre au but de gouvernement qui est la tranquillité et le bonheur des peuples. S'il ne (le fait) pas, il est clair que le peuple rentre dans sa nature primitive et que le gouvernement ne pourvoyant pas au but du PACTE SOCIAL se dissout par lui-même ; nous disons plus : le pacte, par lequel un peuple établit l'autorité souveraine dans les mains d'un corps quelconque n'est pas un contrat, c'est-à-dire que le peuple peut reprendre à volonté la souveraineté qu'il avait communiquée.

« ... Ainsi les Corses ont pu, en suivant toutes les lois de la justice, secouer le joug gênois, et pourront en faire autant de celui des Français. AMEN (1). »

Texte significatif que l'esprit de Rousseau n'est pas seul

(1) Frédéric Masson : *Napoléon inconnu. Papiers inédits (1786-1793).*

à inspirer. Formulée avec un excès de virulence, on y reconnaît aussi la doctrine de l'*Encyclopédie* sur l'autorité, doctrine qui remonte à Locke et aux révolutions d'Angleterre, puissant ferment de contestation qui anime le XVIIIe siècle français. Le jeune Buonaparte s'en est nourri, s'en exalte. Non qu'il ait soif de justice pour tous les hommes. Bien moins que la foi au progrès de l'esprit humain, que l'aspiration à un avenir de concorde universelle, le ressort révolutionnaire chez lui c'est littéralement l'amour-propre. Humilié par sa pauvreté, blessé par l'impertinence de ses camarades de l'Ecole militaire plus nobles que lui, exaspéré contre les privilèges, il trouve plus insupportable encore la domination exercée sur son pays par la monarchie qu'il est obligé de servir. Ce petit officier de seize ans, sous l'uniforme du vainqueur, brûle d'un orgueil farouche. La poussée de sa révolte intérieure débouche sur une libération de sa patrie.

Obsédé par cette idée, il veut écrire une Histoire de la Corse qui, sans cesse convoitée par l'étranger, garde si fortement son besoin d'indépendance. Il écrit des *Lettres sur la Corse* témoignant d'une confiance totale en Paoli. L'abbé Raynal les aurait communiquées à Mirabeau qui, après les avoir lues, se serait écrié : « Il y a là du génie ! »

A la fin de l'été 86, Napoléon demande un congé qui lui est accordé et dans un délire de joie il retrouve sa terre natale, sa famille, ses amis. Avec Joseph à qui le liera toujours une réelle affection, il fait de longues promenades au bord du golfe le soir, ils déclament des vers des grands auteurs tragiques. Napoléon aime aussi s'entretenir avec Carl Andrea Pozzo di Borgo, un jeune avocat fanatiquement corse qui a fait ses études à Pise et juge donc mieux les affaires de l'île que ceux qui n'en sont jamais sortis. Il l'interroge sur l'Italie et conclut, paraît-il, de sa relation méprisante : « D'après ce que vous dites, si j'avais 10 000 hommes, je me ferais souverain de ce pays. »

Napoléon a trouvé les siens dans une situation assez difficile : « Tous mes soucis de famille, dira-t-il, ont gâté mes jeunes années ; ils ont influé sur mon humeur et m'ont rendu grave avant l'âge. » Les Buonaparte possèdent un peu de terre, un peu de vigne — pour Napoléon le vin de la *Sposata* sera toujours le meilleur de tous — et une pépi-

nière de mûriers qu'il faudrait restaurer, ce que Laetitia
demande en vain. Napoléon se résigne à abréger son séjour,
se rend à Paris, court les ministères. Il obtient ce qu'il
voulait, mais juge plus sage de retourner à Ajaccio s'assurer
que les promesses qu'on lui a faites seront tenues.

Le 15 juin 1788, il rejoint enfin son régiment maintenant
cantonné à Auxonne. Il y mènera une vie aussi austère
qu'à Valence, travaillant jusqu'à l'épuisement, se privant
littéralement de tout pour louer des livres : « Quand à
force d'abstinence, écrira-t-il, j'avais amassé deux écus de
six livres, je m'acheminais avec une joie d'enfant vers la
boutique d'un libraire qui demeurait près de l'évêché. Souvent j'allais visiter ses rayons avec le péché d'envie ; je
convoitais longtemps avant que ma bourse ne me permît
d'acheter. Telles ont été les joies et les débauches de ma
jeunesse (1). » En plus d'ouvrages techniques, cela va sans
dire, il relit Rousseau, il lit Plutarque, Corneille, Racine,
Montesquieu, Voltaire, Platon, Cicéron, Tite-Live, Tacite ; il
lit tout ce qu'il peut se procurer sur la Perse, la Grèce, Car-
thage, l'Egypte. Il annote, il commente, il va jusqu'à résumer
les ouvrages qui le retiennent particulièrement. Ses connaissances lui permettent, selon sa propre expression, de « faire
la conquête de l'Histoire », c'est sur l'Histoire qu'il concentre
avec fièvre son attention.

Naturellement, il ne se désintéresse pas du grand mouvement qui ébranle la France. Il suit passionnément l'ouverture des Etats généraux et tout ce qui se passe à Paris
à l'été 89, il applaudit à l'abolition des privilèges. Ce qui
se prépare contre la monarchie ne l'effraie pas, au contraire.
Dans un texte très court et inachevé d'octobre 1788, sous
le titre *Dissertation sur l'autorité royale*, il écrivait : « Il
n'y a que fort peu de rois qui n'eussent pas mérité d'être
détrônés. » Un autre écrit de sa main, achevé celui-là, montre
comment il entendait appliquer à la vie militaire ses idées
démocratiques. Il s'agit de son *Projet de Constitution de la
Calotte du Régiment de la Fère*.

Dans chaque régiment, à la fin de l'Ancien Régime, existait un groupement formé par les officiers de grade inférieur
à capitaine, pour maintenir les traditions, régler les affaires

(1) *Mémorial de Sainte-Hélène.*

d'honneur et même se défendre contre l'arbitraire des chefs. C'est ce dernier point qui compte le plus aux yeux du jeune Buonaparte, petit noble « plus jaloux que tout autre de ses droits d'homme et d'officier » ; en un temps où les règlements fondent l'autorité sur la naissance plutôt que sur le mérite, il voudrait assurer l'égalité entre officiers du même grade à l'association en question. Dans son projet de statuts de ce « tribunal fraternel » il écrit :

« Tous sont égaux, tous sont animés par l'intérêt du corps, tous doivent avoir une voix délibérative (...) Tous ceux qui partagent également le danger doivent partager également des honneurs. »

Le chef de la calotte sera le plus ancien lieutenant,

« Mais si jamais il prétendait s'affranchir de l'esprit de la loi ; si jamais (...) si jamais (...) si jamais (...) il faut pourvoir aux moyens de réprimer son autorité sans tomber dans le chaos de l'anarchie. »

D'où l'institution de deux « Infaillibles » pouvant lui faire opposition. Ce qui fait inévitablement penser aux deux consuls que Bonaparte s'adjoindra après Brumaire — à la différence près que ceux-ci n'étant là que pour approuver auront le rôle exactement contraire. On ne peut donc pas suivre ici certain historien éminent qui dans la *Calotte* d'Auxonne voit une préfiguration de la Constitution de l'an VIII.

Révolutionnaire ombrageusement égalitaire, résolument subversif si ses droits, si sa dignité, lui semblent méconnus ou menacés, le jeune officier est en même temps un révolutionnaire autoritaire en ce sens que l'anarchie, le désordre, les débordements populaires, lui font horreur. Ainsi, quand une révolte éclate parmi les bateliers et les paysans d'Auxonne et gagne une partie de la garnison, le colonel préfère ne pas intervenir, le régiment est dispersé : Bonaparte, lui, dira plus tard qu'il n'eût pas hésité à tirer sur les mutins.

Dans cette première phase de la Révolution, rien cependant ne peut le détacher du sort de son île. Il achève ses *Lettres sur la Corse*, imaginant qu'un vieux paysan, avant de mourir, raconte à Necker les malheurs de sa terre bien-aimée — l'ensemble forme un mémoire que le jeune artilleur souhaitait effectivement envoyer à l'illustre directeur des Finances... Adversaire de la France d'Ancien Régime, il n'a plus de raison de l'être de la France des Droits de l'Homme. La liberté annoncée aux individus et aux peuples, cela ne signifie-t-il pas la Libération de la Corse ?

En septembre 89, les nouvelles qu'il reçoit de là-bas l'incitent à rentrer sans délai. On y attend le retour de Paoli. Napoléon ne doute pas de gagner la confiance du vieux soldat, de devenir son bras droit puis son successeur lorsque l'âge et la fatigue le forceront à prendre sa retraite. Cet officier de 20 ans n'a pas d'autre ambition.

En fait, son pays lui paraît être resté en dehors de la Révolution. En accord avec son ami Pozzo di Borgo, il propose aux patriotes d'Ajaccio de rédiger une adresse à l'Assemblée. Une violente manifestation — qu'il a sans doute préparée — a lieu à Bastia et la Constituante instruite de ces troubles, ayant lu l'adresse d'Ajaccio, réaffirme la réunion de la Corse au royaume en des termes pleinement rassurants, le 30 novembre, sur l'intervention de Volney et de Saliceti. Cette fois il s'agit moins d'un rattachement que d'un affranchissement : L'île, dit Napoléon, profitera des bienfaits de la Révolution, sera intégrée à la France et régie par sa Constitution. Durant l'hiver 89-90, il s'inscrit à la garde nationale enfin formée, et dans l'attente de Paoli pour qui Mirabeau a obtenu une amnistie — ainsi que pour tous les anciens maquisards — il demande en avril que son congé soit prolongé de trois mois.

Reçu à Paris, à Lyon, à Marseille, Paoli s'embarque enfin et se fait acclamer à Bastia. La joie éclate dans l'île. Toutes les églises chantent des *Te Deum*. La maison des Buonaparte étale sur sa façade une grande banderole : *Vive la Nation ! Vive Paoli ! Vive Mirabeau.*

Paoli doit rencontrer ses électeurs à Orezza. Napoléon s'y rend accompagné de Joseph en passe de devenir député. Que fut au juste l'entrevue ? Il semble bien que le héros de la Résistance n'ait pas fait un accueil chaleureux au « fils de Charles », ce partisan qui s'est rallié et a même envoyé ses enfants dans les écoles françaises. Entouré d'un peuple en liesse, le *Babbo* aurait été agacé par les questions pressantes de ce petit lieutenant, agacé au point de répondre à ce gringalet qui lui dit vouloir écrire l'histoire de la

Corse : « L'Histoire ne s'écrit pas, monsieur, dans les années de jeunesse. »

La réunion d'Orezza n'apporte rien aux Buonaparte. Paoli reprend ses anciens compagnons restés comme lui anti-français. Joseph qui espérait être un des quatre membres de son directoire, doit se contenter d'un poste moindre à Ajaccio. Napoléon prend sur lui d'écrire une lettre à Matteo Buttafuoco, personnage symbolisant pour ses compatriotes la contre-révolution depuis que, député de la noblesse à la Constituante, il y combat les plus justes réformes. Buttafuoco est oublié. Mais la lettre, elle, vit toujours. Le caractère violent du futur dictateur y éclate et les qualités s'y affirment de l'écrivain puissant qu'il sera bientôt. Sans réfréner ni sa colère ni son enthousiasme, il écrit :

« O Lameth ! O Robespierre ! O Pétion ! O Volney ! O Mirabeau ! O Barnave ! O Bailly ! O Lafayette ! Voilà l'homme qui ose s'asseoir à côté de vous ! Tout dégouttant du sang de ses frères, souillé par des crimes de toute espèce, il se présente à votre confiance sous un habit de général, inique récompense de ses forfaits ! Il ose se dire représentant de la nation, lui qui la vendit et vous le souffrez ! Il ose lever les yeux, prêter l'oreille à vos discours et vous le souffrez ! Si c'est la voix du peuple, il n'eut jamais que celle de douze nobles ! Si c'est la voix du peuple, Ajaccio, Bastia et la plupart des cantons, ont fait à son effigie ce qu'ils eussent voulu faire à sa personne. »

Napoléon lit sa diatribe au club d'Ajaccio. On l'applaudit. Il la soumet à Paoli qui lui conseille de laisser Buttafuoco « au mépris et à l'indifférence du public ».

En février 91, soit après un an et demi d'absence, il regagne la France. Pour soulager Laetitia, il emmène avec lui son frère Louis, rejoint son régiment à Auxonne et reprend son ancienne vie, un peu plus difficile encore. Il doit parfois se priver même de livres, il ne boit que de l'eau, raccommode ses vêtements et verrouille jalousement « sa porte et sa chambre sur sa misère ». En juin 1791 il est nommé premier lieutenant et retourne en garnison à Valence. Lecteur passionné des gazettes, il discute âprement la Constitution de 91 avec trois nouveaux amis, trois roya-listes auxquels il déconseille d'émigrer. Plus tard empereur, présentant l'un d'eux, Hédouville, il dira : « Voilà un de mes anciens camarades avec qui j'ai rompu bien des lances sur la place des Clercs à Valence, à propos de la Constitution de 1791 ; je ne voulais accorder au roi que le veto *suspensif*. Il s'obstinait à lui donner le veto *absolu*. » Et d'ajouter : « Je reconnais aujourd'hui qu'il avait raison. »

La fuite du roi l'amène à la République. Il s'inscrit à la *Société des amis de la Constitution* qui tient ses assises chez Aurel le libraire. Il est élu secrétaire du club dont on voudrait même lui donner la présidence.

Son régiment, le 4e d'artillerie, est franchement révolutionnaire ; avec Buonaparte, les membres du club prennent position contre l' « infâme Bouillé ». Plusieurs maisons amies se ferment au jacobin, les dames le boudent. « La liberté, dit-il, est une femme plus jolie qu'elles et qui les éclipse toutes. »

Il s'isole. Il écrit. Il prend part au concours de l'Académie de Lyon sur ce sujet : *Quelles vérités et quels sentiments il importe le plus d'inculquer aux hommes pour leur bonheur.* Toujours sous l'influence de Rousseau, il compose pendant des nuits et des nuits un texte laborieux, sans véritable inspiration, dans le goût rhétorique de l'époque et n'annonçant nullement le style lapidaire qui sera le sien. Son travail fut jugé au-dessous du médiocre, classé le dernier. Et, chose curieuse, le lauréat qui fut distingué (en 1793, après avoir remanié son texte) fut Daunou, un de ses principaux adversaires et sa bête noire sous le Consulat.

Empruntant comme de coutume à Aurel le libraire tout ce que celui-ci peut lui procurer, Buonaparte se plonge dans Machiavel et dévore l'*Essai général de tactique* du comte de Guibert. Guibert plus connu aujourd'hui par les lettres que lui adressa Julie de Lespinasse que par ce qu'il écrivit lui-même, s'était battu en Corse. Il avait gagné la croix de Saint-Louis et le grade de colonel à la fameuse bataille de Ponte-Nuovo, mais, fait plus remarquable, ce soldat avait compris dans la guérilla ce qu'est le patriotisme, il avait vu des hommes et des femmes paisibles se conduire en héros. Publié aux Pays-Bas, longtemps interdit en France, l'*Essai* fit de Guibert pour tous ceux qui l'avaient lu, le plus grand théoricien militaire de son temps. Quand la vente en fut autorisée chez nous, son succès fut comparable à celui de la *Nouvelle Héloïse*. Napoléon qui annote l'*Essai* estime

à la première lecture que la préface en est « fort hardie » ;
plus tard il déclarera que cet excellent ouvrage technique
est de plus un livre « propre à former de grands hommes ».

Curieusement, en cet été 91, il ne voit pas que la guerre
approche. Il en discute dans une lettre adressée de Valence
à son ami Naudin. « L'Europe est partagée par des souverains qui commandent à des hommes et par des souverains
qui commandent à des chevaux. Les premiers comprennent
parfaitement la Révolution : ils en sont épouvantés. Ils
feraient volontiers des sacrifices pécuniaires pour l'anéantir,
mais ils n'oseront jamais lever le masque de peur que le
feu ne prenne chez eux. »

Vers la même époque, c'est-à-dire après la fuite du Roi,
Buonaparte griffonne quelques lignes, couvrant une page à
peine, et où l'on relève ceci : « L'on injurie les républicains,
on les calomnie, on les menace (...) J'ai lu tous les discours
des orateurs monarchistes. J'y ai vu de grands efforts pour
soutenir une mauvaise cause. »

*
**

En octobre 1791, il obtient un troisième congé. Il voudrait
pousser Joseph vers la Législative, malheureusement il arrive
trop tard. A Corte, siège du directoire du département, il
fait une rencontre qui le dédommage, celle de Volney, auteur
célèbre par un *Voyage en Syrie et en Egypte* et dont il a
invoqué le nom dans sa lettre à Buttafuoco. Après avoir tellement lu les philosophes, il va pouvoir s'entretenir avec l'un
des meilleurs esprits de ce temps.

Nommé par Necker directeur de l'Agriculture et du Commerce de la Corse, Volney n'avait pas rejoint tout de suite
son poste, mais tenu au courant de ce qui se passait dans
ce petit pays déchiré par la lutte des factions, il en défendait
les intérêts à la Constituante ; il y débarque au début de 92.

Le 17 février de cette année, Buonaparte écrit à un ami,
commissaire des Guerres à Valence : « M. Volney est ici et
dans peu de jours nous partirons pour faire un tour de l'île.
M. de Volney, connu dans la République des Lettres par
son *Voyage en Egypte*, par ses mémoires sur l'agriculture,
par ses discussions politiques et commerciales (...), par sa

Méditation sur les Ruines (1), l'est également dans les annales patriotes par sa constance à soutenir le bon parti de l'Assemblée constituante. »

Volney a pris la défense de Paoli, Volney songe à s'installer en Corse et Buonaparte écrit encore fièrement : « Il veut s'établir chez nous et passer tranquillement sa vie dans le sein d'un peuple simple, d'un sol fécond et du printemps perpétuel de nos contrées. »

Le rêve de Volney n'est pas si purement bucolique. Pour réaliser ses projets politiques, il pense qu'il lui faut devenir gros propriétaire ; il va donc acheter la Confina del Principe. Pour commencer, il se doit d'explorer ce pays, mal connu, que l'Assemblée veut faire bénéficier des progrès accomplis en France. Quel meilleur guide trouverait-il que l'impétueux jeune homme si désireux de lui faire aimer sa patrie ? Ils s'en vont de Corte à Ajaccio à travers la montagne, s'arrêtant ici et là pour bavarder avec les bergers. La beauté du paysage, le parfum du maquis, l'enthousiasme de Buonaparte ne grisent pas Volney observateur sagace. Le pays qu'il découvre lui paraît dans un état lamentable : pas de livres, pas de journaux, les élections se font sous la contrainte. Il pense créer un journal et s'adresse aux administrateurs du district d'Ajaccio, prévenus en sa faveur par Buonaparte. La famille de Buonaparte est à la dévotion du voyageur. Napoléon, naturellement, l'a présenté à Laetitia qui lui a dit un jour :

« M. de Volney, j'aurai une prière à vous faire. Voudriez-vous permettre à mon fils Napoléon d'aller de temps en temps vous visiter et causer avec vous ? Il profiterait, j'en suis sûre, de vos savants entretiens et des bons conseils que vous ne manqueriez pas de lui donner. »

Cette mère vigilante confie en somme pour un moment au voyageur Volney le soin de parfaire l'éducation de son Nabulio...

Hélas, il est moins facile d'exploiter un sol aride que de parcourir un désert. Volney échoue dans son entreprise de planteur. Il se prépare à rentrer en France.

Napoléon, lui, a pu acquérir avec son oncle Fesch, prêtre

_____

(1) Le titre exact de cet ouvrage est : *Les Ruines ou Méditations sur les révolutions des Empires.* — Voir Jean Gaulmier : *Volney.*

assermenté, une maison et de la terre ; il se dépense pour rétablir la situation de sa famille ; il voudrait surtout s'imposer militairement en Corse tout en restant le partisan et l'admirateur de Paoli dont le pouvoir s'est accru. Mais il s'aliène définitivement sa confiance en réussissant à se faire élire lieutenant-colonel des volontaires d'Ajaccio contre le candidat du clan paoliste. Bien plus, il fait forcer par ses volontaires l'entrée de la citadelle défendue par les troupes régulières (8 avril 1792). Les habitants s'en mêlent. La bagarre s'étend. Il y a des morts. Des plaintes sont adressées à Paris : *Napoleone è causa di tutto...* D'autre part, sa permission avait expiré fin décembre (91) ; du fait de son absence illégale, on lui avait nommé un remplaçant. Il était temps, grand temps, qu'il rentrât en France.

Au début de mai il s'embarque. Arrivé à Paris, il se loge modestement rue du Mail à l'hôtel des Patriotes hollandais. Il observe la capitale en effervescence. Son ardeur jacobine faiblit. Naturellement il ne néglige pas ses propres affaires, il obtient d'être réintégré, avec le grade de capitaine.

Le 14 juin il écrit à Joseph : « M. de Lafayette, une grande partie des officiers, tous les honnêtes gens (...), tous sont d'un côté ; la majorité de l'Assemblée, les jacobins et la populace sont de l'autre. » Il assiste en témoin méprisant de la faiblesse royale aux grandes journées de cet été tragique. Le 20 juin, étant avec son camarade Bourrienne sur la terrasse du Bord de l'Eau, il voit les faubourgs se ruer vers les Tuileries et quand le Roi, dans l'embrasure d'une fenêtre, se coiffe du bonnet rouge et vide un verre de vin, Buonaparte, indigné, s'écrie : *Che coglione !* Et le soir même il écrit à Joseph, encore : « Je n'ai jamais aimé les mouvements populaires, je fus indigné des allures grossières de ces misérables », et cette pensée lui vient qui porte bien sa marque : « A partir de ce moment, je conclus que Louis XVI avait cessé de régner ; car en politique, on ne se relève point de ce qui avilit. »

Le 3 juillet, à Lucien cette fois, il envoie ce billet : « Il faut avouer, lorsqu'on voit tout cela de près, que les peuples ne valent pas la peine que l'on se donne pour mériter leur faveur. »

Et c'est la journée du Dix Août, Roederer entraînant la

famille royale vers la salle du Manège où elle sera sous la protection de l'Assemblée : « Si Louis XVI se fût montré à cheval, écrit Napoléon à Joseph, la victoire lui fût restée. »

Pour un tempérament aussi ardent, le spectacle de ce Paris-là n'aurait-il pas dû être fascinant, et combien passionnante l'instauration du nouveau pouvoir sur les ruines de la monarchie ? Non, c'est la Corse, c'est encore la Corse qui appelle le jeune capitaine, c'est de la Corse que son besoin d'action attend tout. Il se fait donner un nouveau congé sous prétexte de reconduire chez elle — la maison de Saint-Cyr étant fermée — sa jeune sœur Marianna, la future Elisa, qui y était pensionnaire.

Ce cinquième retour sur la terre natale (15 octobre 92) va être un échec complet. La situation là-bas est devenue on ne peut plus contraire aux projets et ambitions de Napoléon. Paoli est maître de l'île, le commandement militaire lui en a été accordé par Paris. Pourtant, antifrançais plus que jamais et séparatiste, homme d'ordre en même temps, il est horrifié par les développements de la Révolution, ses excès. Chez Napoléon au contraire, le patriotisme corse ne s'oppose plus au loyalisme à la République. Les premiers succès de nos armées l'enthousiasment : « Les soldats de la liberté triomphent toujours des esclaves stipendiés des Princes. » Pour lui, l'intérêt de la Corse est d'unir son sort au sort de la France. Aussi se rapproche-t-il du parti jacobin de Saliceti député à la Convention. L'hostilité de Paoli pour Napoléon et toute sa famille se durcit.

Dans ces conditions, que peut faire le capitaine Buonaparte redevenu lieutenant-colonel des volontaires d'Ajaccio ? Une occasion s'offre : un débarquement en Sardaigne a été ordonné par Paris. En janvier 93 une première expédition commandée par l'amiral Truguet a échoué. Buonaparte s'arrange pour participer à la seconde qui a lieu un mois plus tard. Il commande l'artillerie qui doit bombarder la Maddalena ; mais il a juste le temps de recevoir le baptême du feu, un ordre de retraite arrive, qui met fin à l'opération. Napoléon comprend que Paoli a trahi.

Deux envoyés de la Convention arrivent à Bastia accompagnés de Saliceti. Paoli, destitué, refuse de les suivre sur le continent. Il est décrété d'arrestation ; toute la Corse se soulève en sa faveur. Le jeune Lucien Buonaparte, qui est en France, n'est pas étranger à la mesure prise contre le Babbo. Il a dénoncé en lui un ennemi de la République et écrit joyeusement et imprudemment à ses frères : « Vous ne vous y attendiez pas ? Paoli et Pozzo (1) sont décrétés et notre fortune est faite. » La lettre est interceptée.

Pour leurs compatriotes paolistes, les Buonaparte sont devenus des gens à abattre. Napoléon veut faire front. On l'avertit qu'un attentat est à craindre. Il quitte Ajaccio pour Bastia guidé cette fois encore par des bergers à travers le maquis. Il est pris par des partisans du Babbo, reconnu, réussit à s'enfuir, regagne Ajaccio, se cache, est de nouveau découvert et de nouveau s'échappe vers Bastia... La Corse qui a proclamé sa fidélité à Paoli condamne les Buonaparte à « une perpétuelle exécration et infamie » tandis que la Convention se prépare à déclarer Paoli hors-la-loi. De Bastia Napoléon a prévenu sa famille qui se tient prête. Il parvient à la rejoindre près d'Ajaccio et embarque avec elle vers la France.

Un chapitre de sa vie est fini. Il ne sera pas le successeur de Paoli. Il ne fera pas du maquis son empire. Il ne sera pas l'homme rêvé par Jean-Jacques Rousseau. Il ne pressent peut-être pas son destin, mais il a compris qu'il devait chercher à défier la vie ailleurs que sur sa terre natale : « *Questo paese non è per noi...* »

***

Ayant installé les siens, bien pauvrement, à Marseille, il reprend du service avec la charge d'organiser en Avignon des transports de poudre pour l'armée d'Italie. C'est le moment où la proscription des Girondins soulève une grande partie du pays. Lyon chasse les Jacobins, Marseille se révolte, Toulon va se donner aux Anglais. Repris par le besoin d'écrire, ce qui est une autre façon d'exister quand on n'agit pas, Buonaparte pour tromper l'ennui de son travail d'intendance, rédige et publie le *Souper de Beaucaire*. Affectant la plus grande impartialité, il se livre à une apologie

---

(1) C.A. Pozzo di Borgo, resté partisan farouche de Paoli et devenu ennemi des Bonaparte.

raisonnée du coup d'Etat de la Montagne, lui dont toutes les sympathies allaient aux Girondins. Comment expliquer ce revirement ? Lui était-il inspiré par l'instinct de son intérêt, n'était-il pas naturel que, chassé de cette Corse natale en laquelle il avait toujours placé toutes ses ambitions, il ait décidé, arrivant en métropole, d'épouser la cause du parti le plus fort ? Mais en même temps, sincèrement, ne pouvait-il pas déplorer la lutte des factions déchirant la France ? Quoi qu'il en soit, le *Souper de Beaucaire* vaut d'être lu, tant il est révélateur de la nouvelle position adoptée par Buonaparte.

Dans une auberge de Beaucaire, des négociants venus de Marseille, de Montpellier, de Nîmes, discutent des événements en présence d'un jeune militaire qui engage la conversation avec eux à propos de l'insurrection du Midi contre la Convention :

— Quel effet a produit dans la République le mouvement que vous avez fait ? Vous l'avez conduite près de la ruine ; vous avez retardé les opérations de nos armées. Je ne sais pas si vous êtes payés par l'Espagnol et l'Autrichien, mais certes ils ne pouvaient pas désirer de plus heureuse diversion. Que feriez-vous de plus si vous l'étiez ? Vos succès sont l'objet des sollicitudes de tous les aristocrates reconnus...

Le Marseillais lui objecte :

— Mais Brissot, Barbaroux, Condorcet, Vergniaud, Guadet, etc., sont-ils aussi aristocrates ? Qui a fondé la République ? Qui a renversé le tyran, qui a enfin soutenu la patrie à l'époque périlleuse de la dernière campagne ?

Et le militaire qu'aucune objection ne démonte répond :

— Je ne cherche pas si vraiment ces hommes qui avaient bien mérité du peuple dans tant d'occasions, ont conspiré contre lui (...), les Brissotins étaient perdus sans une guerre civile qui les mît dans le cas de faire la loi à leurs ennemis (...) Le sang qu'ils ont fait répandre a effacé les vrais services qu'ils avaient rendus.

La suite de la discussion tend à faire ressortir l'intention des habitants de Marseille de se donner à l'ennemi, en l'espèce aux Espagnols, plutôt que de se laisser égorger par les montagnards. Le militaire s'efforce de convaincre le Marseillais que la coupable politique de ses concitoyens est vouée à l'échec...

Frédéric Masson, s'attachant à suivre la métamorphose du Corse en Français à travers le style de Bonaparte, a insisté sur le *Souper de Beaucaire* : son auteur vient de lire Voltaire et ne doit plus rien à Rousseau. On ne trouve en effet dans le *Souper* ni apostrophes, ni imprécations, ni boursouflures ; son objet est de démontrer en restant sur le terrain du concret. Mais peut-on dire qu'ici déjà, la phrase napoléonienne « se sèche, se durcit comme l'acier », que dès lors « sa forme est trouvée » ? Cette dissertation appliquée ne manque pas de ton, mais n'annonce pas encore les appels fulgurants qu'inaugurera la guerre d'Italie (1).

C'est en décembre 1793, par son action décisive à Toulon, que Napoléon Bonaparte entre vraiment dans notre histoire.

Contre le grand port de guerre d'où la municipalité jacobine a été chassée et qui a ouvert à l'amiral Hood sa rade, son arsenal et ses forts, les troupes de la République, à la fin d'août, ont entamé des opérations de siège. Elles sont dirigées par un général sans-culotte, Carteaux, ancien peintre en bâtiments qui ne connaît même pas la portée de ses canons. Les représentants de la Convention s'en inquiètent, en particulier Saliceti qui, n'ayant pu se maintenir en Corse, est maintenant en mission dans le Var. Aussi bondit-il sur l'occasion quand Bonaparte, allant d'Avignon à Nice, passe le voir : ce « capitaine instruit », il va lui faire donner le commandement de l'artillerie assiégeante. La suite est connue : Bonaparte, à force de ténacité, imposant son plan, le faisant approuver par le Comité de salut public, puis méthodiquement appliquer ; les positions-clés ennemies bombardées et emportées les unes après les autres, aux applaudissements des représentants Saliceti, Barras, Fréron et Augustin Robespierre ; l'escadre de Hood prise sous le feu de nos canons, obligée d'évacuer la rade embrasée, l'incendie par les Anglais de l'escadre française qui s'était donnée à eux, croyant servir Louis XVII ; l'entrée des troupes républicaines le 19 décembre dans la « ville infâme », le déchaînement des massacres, du pillage, de la vengeance, la douce jubilation de Fouché venu admirer les exécutions...

Bonaparte, lui, n'a pas pris part aux atrocités, il est

_____

(1) Disons tout de suite que dès 1799 Bonaparte fit retirer de la vente le *Souper* qui avait été imprimé en 1793.

même intervenu, au dire de Marmont, pour sauver plusieurs personnes, il s'est consacré à la remise en état des positions conquises. Le 22 décembre, il est promu général de brigade et peu après chargé d'inspecter les côtes de Marseille à Nice. En février 1794, Augustin Robespierre (le frère de Maximilien) le fait nommer commandant de l'artillerie de l'armée d'Italie.

Toute la famille Buonaparte s'installe au château de Sallé, à Antibes. Joseph a épousé Julie Clary, fille d'un riche négociant marseillais. Napoléon a courtisé Désirée, la sœur de Julie qui, par la suite, deviendra la femme de Bernadotte.

On offre au vainqueur de Toulon de remplacer Hanriot à la place de Paris. Il fait part aux siens de cette proposition :

— Je dois donner ma réponse ce soir. Eh ! bien, qu'en dites-vous ?

« Nous hésitâmes un moment », a raconté Lucien.

— Eh ! eh ! reprit le général, cela vaut la peine d'y penser, il ne s'agirait pas de faire l'enthousiaste ; il n'est pas si facile de sauver sa tête à Paris qu'à Saint-Maximin. Robespierre jeune est honnête, mais son frère ne badine pas. Il faudrait le servir. Mais soutenir cet homme... Non, jamais ! Je sais combien je lui serais utile en remplaçant son imbécile de commandant de Paris, mais c'est ce que je ne veux pas être. Il n'est pas temps. Aujourd'hui, il n'y a de place honorable pour moi qu'à l'armée ; prenez patience. *Je commanderai Paris plus tard* (1).

Cette déférence à l'égard de la tribu ne doit pas surprendre. Nabulio est resté bon frère, bon fils. Il traînera les siens après soi dans les honneurs et la fortune. Il sera toujours indulgent à Joseph, même en s'irritant de son indolence, même en lui reprochant ses faiblesses pour l'opposition. Il passera longtemps sur les défauts de Lucien, ses imprudences et ses turbulences — obligé sans doute de reconnaître que toutes ses initiatives n'étaient pas tellement maladroites. Il respecte, il vénère sa mère, cette grande femme restée belle, courageuse, ombrageuse, corse jusqu'à la moelle. Elle s'est battue dans son île au côté de son

_____

(1) Th. Jung : *Lucien Bonaparte et ses Mémoires* (la dernière phrase est soulignée dans le texte).

époux, elle s'est réjouie des succès scolaires de son Nabulio, elle l'a suivi en France. Elle ne s'étonne pas plus de vivre au château de Sallé qu'elle ne s'étonnera plus tard d'être aux Tuileries. Et là encore, ayant une maison, traitée en reine-mère, elle demeurera soucieuse, parcimonieuse, parce que, n'est-ce pas, on ne sait pas ce qui peut arriver...

Au début de l'été 94, sur les instructions d'Augustin Robespierre, le jeune général Bonaparte s'est rendu en mission à Gênes, accompagné de Marmont. Il en revient le 27 juillet. 27 juillet : 9 thermidor. Le lendemain, Augustin, en même temps que Maximilien, est exécuté.

Apprenant la nouvelle le 5 août, Bonaparte écrit à Tilly, notre chargé d'affaires à Gênes : « J'ai été un peu affecté de la castrophe de Robespierre que j'aimais et que je croyais pur, mais fût-il mon père, je l'eusse moi-même poignardé s'il aspirait à la tyrannie. »

Peu après, il était dénoncé par Saliceti devenu ardent thermidorien et prétendant que le voyage à Gênes entrepris avec l'accord de Robespierre avait pour but de livrer nos secrets militaires : « Qu'allait faire ce général en pays étranger ? Tous nos soupçons se fixent sur sa tête. »... Représentant à l'armée des Alpes, Saliceti n'avait pas vu sans irritation l'appui donné à son compatriote par les Robespierre, appui qui semblait favoriser l'armée d'Italie. Décrété d'arrestation, Bonaparte fut sommé de se présenter à Paris devant le Comité de salut public. En réalité, après dix jours d'arrêts de rigueur à Antibes, il fut reconnu innocent par Saliceti lui-même et remis en liberté.

Emus, de jeunes officiers déjà dévoués à son service avaient songé à le délivrer et à passer avec lui dans l'Etat de Gênes. Bonaparte s'y refusa. « Ma conscience est calme quand je l'interroge, écrivit-il à Junot. Ne fais donc rien, tu me compromettrais. » Et à Saliceti : « Saliceti, tu me connais, as-tu rien vu dans ma conduite de cinq ans qui soit suspect à la Révolution ? (...) Entendez-moi, détruisez l'oppression qui m'environne, restituez-moi l'estime des patriotes. Une heure après, si les méchants veulent ma vie, je l'estime si peu, je l'ai si souvent méprisée... oui, la seule idée qu'elle peut être encore utile à la patrie me fait soutenir le fardeau avec courage. »

Libéré, il se rend à Nice où il trouve Volney, lui-même

sorti de prison depuis peu. Rentrant de Corse et s'apprêtant à partir pour l'Amérique, Volney avait été arrêté en novembre 93, « incarcéré comme royaliste, lui que naguère on avait accusé d'être jacobin ». Après une longue détention, il était venu se refaire au bord de cette Méditerranée qu'il aimait et qui le ramenait à la vie. Garat, tout puissant à l'Instruction publique, devait bientôt faire appel à lui. Dix écrivains étaient chargés par la Convention de rédiger des livres pour les écoles primaires, Bernardin de Saint-Pierre écrivait un traité de morale républicaine, Garat un ouvrage d'histoire, Lagrange un manuel de calcul, Daubenton d'histoire naturelle... On réservait à Volney les « Développements ou explications des Droits de l'Homme et de la Constitution ».

La rencontre des deux amis de Corse semble avoir été des plus cordiales. Bonaparte invite immédiatement Volney à dîner, ainsi que le représentant Thureau et Chaptal, et il leur expose avec fougue le plan de conquête de l'Italie auquel il réfléchit depuis des mois, plan qui porte « la marque du plus surprenant génie ». En Amérique, deux ans plus tard, Volney se souviendra de cette soirée en apprenant que Bonaparte a remporté ses premières victoires au-delà des Alpes, il étonnera ses interlocuteurs en prophétisant la suite triomphale des opérations.

La situation militaire de Bonaparte, relevé de son commandement lors de son arrestation, était restée incertaine. Les bureaux se souvenaient de son amitié avec Augustin Robespierre, le tenaient pour un « ex-terroriste », et ne répondaient pas à ses demandes d'affectation. Il se fait plus mal voir encore quand il est question de l'envoyer dans l'Ouest contre les Chouans en avril 95 et qu'il demande un congé de convalescence. Il décide d'aller à Paris. Doutant pour un instant de sa fortune, il écrit à Joseph : « Je suis constamment dans la situation d'âme où l'on se trouve à la veille d'une bataille, convaincu par sentiment que lorsque la mort se trouve au milieu pour tout terminer, s'inquiéter est folie. Tout me fait braver le sort et le destin, et si cela continue, mon ami, je finirai par ne plus me détourner lorsque passe une voiture. »

Un peu plus tard, le 29 fructidor an III (16 septembre 95), le Comité de salut public présidé par Cambacérès décidait : « Le général de brigade Buonaparte, ci-devant mis en réqui-

sition près du Comité, est rayé de la liste des officiers généraux employés, attendu le refus de se rendre au poste qui
lui a été désigné... » Mais en même temps, Jean de Bry,
rapporteur au Comité, déclarait « qu'il ne fallait pas éloigner,
dans ce moment surtout, de la République, un officier aussi
distingué ». En fait, la sanction prévue ne fut pas appliquée,
et il fut même question de lui confier le commandement
d'une mission en Turquie. Toujours soucieux de sa tribu, il
écrivit à Joseph : « Si mes espérances avec un bon traitement
sont secondées par ce bonheur qui ne m'abandonne jamais,
je pourrai vous rendre heureux. »

Est-il besoin de dire que ce projet n'aboutit pas ? En
fait, depuis sa disgrâce, Bonaparte rêvait « organiser l'artillerie du Grand Seigneur ». Il s'en était ouvert à Volney,
probablement en prairial, c'est-à-dire en mai 95 :

— Me voilà sans emploi ; je me console de ne plus
servir un pays que se disputent les factions. Je ne puis rester
oisif ; je veux chercher du service ailleurs. Vous connaissez
la Turquie, vous y avez sans doute conservé des relations ;
je viens vous demander des renseignements et surtout des
lettres de recommandation pour ce pays : mes services dans
l'artillerie peuvent m'y rendre très utile.

Et Volney de répondre :

— C'est parce que je connais ce pays que je ne vous
conseillerai jamais de vous y rendre. Le premier reproche
que l'on vous y fera sera d'être chrétien : il sera bien
injuste, sans doute, mais enfin on vous le fera et vous en
souffrirez. Vous allez me dire peut-être que vous vous ferez
musulman : faible ressource, la tache originelle vous restera toujours ; plus vous développerez de talents, plus vous
aurez à souffrir de persécutions (1).

Qu'à cela ne tienne ! s'écrie Bonaparte. S'il ne peut pas
aller en Turquie, il ira en Russie. Les Français y sont bien
reçus et Catherine a donné à son ami Volney des preuves
de sympathie.

Mais Volney rappelle à Bonaparte qu'il a rendu à Catherine la médaille que celle-ci, en effet, lui avait offerte et
ajoute, fort justement, que les Français bien accueillis actuellement en Russie ne sont pas de la même opinion que lui :

_____

(1) Jean Gaulmier : *op. cit.*

— Croyez-moi, renoncez à votre projet ; c'est en France que vos talents trouveront le plus de chances favorables.

Bonaparte objecte qu'il a tout tenté pour être réintégré, que rien n'a réussi. Oui, répond Volney, mais La Révellière-Lépeaux aura sans doute beaucoup d'influence dans le prochain gouvernement ; il le connaît bien et va l'inviter à déjeuner avec le général dès le lendemain.

La Révellière ayant ainsi fait la connaissance de Bonaparte et impressionné par lui, tient à le présenter à son tour à Barras. Barras pouvait-il avoir oublié le brillant soldat qui, sous ses yeux, avait emporté les défenses de Toulon ? Et n'avait-il pas été frappé par une ressemblance — qui nous étonne — avec son vieil ami Marat ? Quoi qu'il en soit, les deux hommes, maintenant ont renoué, ils vont se retrouver dans la journée du 13 vendémiaire.

*
**

Bonaparte habite avec Junot et Marmont le modeste hôtel du Cadran Bleu, rue de la Huchette.

Là, comme ailleurs, on peut lire sur les murs ce genre d'appel : « Peuple français, reprends ta religion et ton Roi et tu auras la paix et du pain. » L'abolition de la loi du maximum, la montée vertigineuse des prix, ont plongé le pays dans la misère. Le peuple a faim. Le 12 germinal (1er avril), les femmes entrant dans l'Assemblée ont réclamé du pain et la Constitution de 93. Le 1er prairial (20 mai) nouvelle invasion de la salle de la Convention, cette fois par les ouvriers des faubourgs Antoine et Marceau : ils ont tué le député Féraud et présenté sa tête au bout d'une pique à Boissy d'Anglas qui l'a saluée, imperturbable. L'insurrection s'est étendue. Les émeutiers se sont battus pendant trois jours contre la garde nationale puis contre des troupes commandées par Pichegru ; ils n'ont cédé que sous la menace d'un bombardement du faubourg Antoine. Dix-sept députés de la Montagne qui avaient pactisé avec eux ont été arrêtés.

La Convention, décidément, aura connu une existence mouvementée jusqu'à ses derniers jours. La nouvelle Constitution, celle de l'an III, doit entrer en vigueur à la fin d'octobre 95 et créer, avec un Directoire exécutif, deux

« Conseils », celui des Anciens, celui des Cinq-Cents. Craignant que le corps électoral (restreint) n'envoie aux Cinq-Cents une majorité contre-révolutionnaire voire royaliste, les conventionnels, avant de se séparer, préparent deux décrets stipulant que les deux tiers des Cinq-Cents seront choisis parmi les conventionnels. Que l'ancienne assemblée prétende se perpétuer dans la nouvelle paraît inacceptable à nombre de Parisiens, anciens constituants, gens de robe, bourgeois, simples artisans. Exploitant ce mécontentement, les royalistes se dressent contre les décrets. Leurs grands centres de résistance sont l'Odéon et la « Section » Le Pelletier. Siégeant en permanence, la Convention charge le général Menou de désarmer cette section et de prendre la tête de la petite troupe qui doit défendre les Tuileries.

Le 12 vendémiaire au soir, Bonaparte apprend que Barras recrute les officiers disgrâciés pour leur « républicanisme ». Il court à l'Assemblée qui tient une séance de nuit, il y entend son nom parmi ceux mis en avant pour remplacer Menou jugé trop faible...

La fameuse journée du 13 vendémiaire, Napoléon la raconte à Joseph dans un billet écrit à deux heures du matin : « Enfin, tout est terminé ; mon premier mouvement est de te donner de mes nouvelles. Les royalistes devenaient tous les jours plus fiers. La Convention a ordonné de désarmer la section Le Pelletier ; elle a repoussé les troupes. Menou a été sur l'heure destitué. La Convention a nommé Barras pour commander la force armée ; les Comités m'ont nommé pour commander en second. Nous avons disposé nos troupes ; les ennemis sont venus nous attaquer ; nous avons tué beaucoup de monde. Nous avons désarmé les sections. Le bonheur est pour moi... »

Ce qu'il ne dit pas à son frère, c'est ce qu'il confiait à Junot avant d'être appelé par Barras : « Ah ! Si les sections me mettaient à leur tête, je répondrais bien, moi, de les mettre dans deux heures aux Tuileries et d'en chasser tous ces misérables conventionnels... »

Trois semaines plus tard, la Convention se séparait. Bonaparte, ayant maté l'insurrection qu'il était tout prêt à servir, recevait le commandement de l'armée d'Italie (4 ventôse an IV — 25 février 1796). Les portes de l'immortalité s'ouvraient, comme le dira à peu près Marmont.

3

Entre temps, il s'était marié. Barras était encore mêlé à l'affaire : non content de donner une armée à son protégé, il lui avait donné pour épouse sa maîtresse, une des femmes les plus jolies, les plus en vue de Paris, Joséphine Tascher de la Pagerie, veuve du vicomte Alexandre de Beauharnais. « Barras assure que si j'épouse le général, écrivait-elle, il lui fera obtenir le commandement en chef de l'armée d'Italie. Hier, Bonaparte en me parlant de cette faveur qui fait déjà murmurer ses frères d'armes, quoiqu'elle ne soit pas encore accordée : « Croient-ils donc, me disait-il, que j'aie besoin de protection pour parvenir ? Ils seront tous trop heureux un jour que je veuille bien leur accorder la mienne. Mon épée est à mon côté et avec elle j'irai loin. »

Ses frères d'armes placés sous ses ordres ne resteront pas longtemps sans savoir à quel chef ils vont avoir affaire. Le 25 mars, au quartier général de Nice, il doit s'entretenir avec les généraux d'Italie, Augereau, Masséna, Sérurier. Ils sont plus âgés que lui et voient d'un mauvais œil ce « mathématicien » qui s'est distingué dans des combats de rue ; ils considèrent avec dédain ce jeune homme malingre et, pour marquer sans doute qu'il ne les impressionne aucunement, gardent leur chapeau devant lui. Bonaparte enlève le sien. Ils l'imitent, c'est la moindre des choses. Il se recouvre, les regarde, et eux, les gaillards, ils n'osent pas, ils restent immobiles, leur couvre-chef emplumé à la main, l'écoutant exposer son plan. « Ce petit bougre m'a fait peur, dit Augereau en sortant, je ne puis comprendre l'ascendant dont je me suis senti écrasé au premier coup d'œil. »

Cet ascendant, il va l'exercer immédiatement sur la troupe. Il galvanise les soldats par des proclamations enflammées, les conquiert par sa familiarité bourrue : il passe dans leurs rangs, les questionne, semble s'intéresser à chacun ; et cette affectation de confiance et de simplicité lui gagne tous les cœurs. Au soir de Lodi, les plus vieux soldats lui confèrent le grade de caporal. Du moins est-ce la légende qui va se répandre dans Paris en même temps que la gravure montrant le général en chef entraînant ses hommes sur le pont en brandissant un drapeau. Et c'est ce soir-là aussi que le Petit Caporal fraîchement promu s'est juré de commander la France, s'il faut en croire ces passages du *Mémorial* soulignés par Madelin (1) : « Ce soir-là je me regardai pour la première fois, non plus comme un simple général, mais comme un homme appelé à influer sur le sort d'un peuple. Je me vis dans l'Histoire. » Et encore : « Ce n'est qu'après Lodi qu'il me vint l'idée que je pourrais bien devenir, après tout, un acteur décisif sur notre scène politique. Alors naquit la première étincelle de la plus haute ambition. »

Cette ambition politique, il la dissimule. Entré en triomphateur à Milan le 15 mai 1796, il se prépare à y fonder une République transpadane, solution bien différente de ce qu'on désire à Paris, mais il se garde, il se gardera longtemps, de heurter de front le Directoire. Il est vrai que le Directoire est obligé de ménager Bonaparte dont le prestige, après Arcole (15 novembre), s'est encore accru et qui, d'autre part, envoie beaucoup d'argent. On s'efforce seulement d'entraver ses initiatives diplomatiques ; quand il a suscité en Romagne une République cispadane, on lui délègue Clarke pour négocier une paix avec l'Autriche à sa place. Mais Clarke, dès qu'il est devant lui, comprend l'inanité de sa mission. Rivoli (14 janvier 97) porte à son comble une popularité qui, des masses, atteint le gouvernement. « Vous êtes le héros de la France entière » lui écrit Carnot, Carnot à qui il devait son commandement autant qu'à Barras, mais qui, devenu méfiant au cours de l'été, avait songé à le faire remplacer par Kellermann.

Ce qu'on attendait désormais de lui, c'était la destruction du Saint-Siège. Projet en partie inspiré par la passion antireligieuse : il fallait « éteindre le flambeau du fanatisme » ; mais explicable aussi par l'alliance nouée entre Rome et Vienne, la belligérance effective de l'Etat pontifical — son armée fut bousculée par la nôtre à Castel-Bolognese —, les appels à la guerre sainte lancés (en vain) dans les campagnes. Toujours est-il que Bonaparte, se refusant à chasser Pie VI, se contenta de le terrifier. Le 19 février 1797, il signait avec ses plénipotentiaires le traité de Tolentino qui était un compromis. Le pape renonçait à Avignon, au Comtat, aux Légations (Bologne et Ferrare), à Ancône ; il versait à la France trente millions et lui abandonnait des œuvres d'art par cen-

---

(1) *Mémorial de Sainte-Hélène*, T. I, cité dans l'*Ascension de Bonaparte*.

taines ; mais grandement soulagé d'avoir sauvegardé l'essentiel, il assurait le général de sa « plus grande estime » et lui donnait en outre sa « paternelle bénédiction apostolique ». Immédiatement, Bonaparte répondait par une lettre apaisée et déférente : « Toute l'Europe connaît les inclinations pacifiques et les vertus conciliatrices de Votre Sainteté. La République française sera, j'espère, une des amies les plus vraies de Rome... »

A Paris, ces lettres connues, l'orage éclata. Chez les républicains sincères, dans le « parti philosophique », on était consterné ou scandalisé. Au Luxembourg Barras estimait que Bonaparte s'était « noyé », Rewbell s'affligeait, le théophilantrope La Révellière sanglotait, jurait, tonnait ; mais Talleyrand, plus ou moins ouvertement, louait l'habile conduite du général.

Celui-ci va continuer son jeu personnel. Le 18 avril, il signe avec les plénipotentiaires de l'empereur les préliminaires de Leoben, sans se soucier des instructions du Directoire. Barras, La Révellière, Rewbell se fâchent. Bonaparte offre sa démission par lettre. Effrayés, les directeurs lui confirment ses pouvoirs de négociateur.

En mai il s'est installé près de Milan, au château de Mombello ; il va y rester tout l'été, y régner plutôt, au milieu d'une Cour. N'a-t-il pas fondé des républiques, occupé Venise, abaissé le Saint-Siège et la Maison d'Autriche ? A Mombello il installe Joséphine comme une souveraine et Laetitia comme une reine-mère, il marie ses sœurs — Pauline à Leclerc, Elisa à Bacciochi — il donne des réceptions fastueuses, il appelle autour de lui les poètes, les artistes et les savants italiens. Il organise ses conquêtes et dicte des lois, il crée la Cisalpine en unissant la Cispadane et la Transpadane. Mais il ne perd et n'a jamais perdu de vue ce qui se passe à Paris.

Le complot de Babeuf lui avait fait craindre que le Directoire ne manquât d'énergie envers tous les fauteurs de désordre, « les jacobins, les royalistes, les monarchiens ». Dans les premiers jours de 1796, on distribuait à travers Paris un papier résumant la doctrine de la Société des Egaux : « La nature a donné à chaque homme un droit égal à la jouissance de tous les biens... Il y a oppression quand l'un s'épuise par le travail et manque de tout, tandis que l'autre nage dans l'abondance sans rien faire... Le but de la révolution est de détruire l'inégalité et de rétablir la commune... »

C'est parmi les disciples de Robespierre, comme les Duplay père et fils, parmi les « vrais hommes du peuple », que Babeuf recrutait ses adeptes. Il était manœuvré à son insu par Barras qui comptait opposer terroristes et jacobins aux royalistes. Le ministère de la Police, nouvellement créé, favorisait son agitation jusqu'au jour où elle parut dangereuse. En mai 1796, son complot contre les directeurs ayant été « découvert », le fondateur de la Société des Egaux était arrêté ; en septembre une vingtaine de ses partisans étaient fusillés au camp de Grenelle, au commandement du futur général Hugo, le père de Victor. Après un long procès, Gracchus Babeuf devait être exécuté à son tour en mai 1797.

Apprenant cette conspiration, donc, la réaction de Bonaparte encore que discrète avait été violente. Une lettre à un ami, membre des Cinq-Cents, Fabre de l'Aude, en dit long sur l'évolution politique du héros de Vendémiaire placé à la tête de l'armée d'Italie : « Je tombe de mon haut lorsque je vois de telles extravagances occuper les Parisiens (...) Votre Babeuf est à un tel degré de déraison que je le plaindrais si je ne voyais en arrière combien la férocité de tigre de pareils êtres dégoûterait du système républicain malgré son excellence (....) Je crains que la force ne soit seulement stable que là où règne un souverain unique, et dont toute l'autorité du pays repose dans la main (1). »

Le général ne se contente pas de livrer à un confident son sentiment sur la situation : il tient à faire connaître à qui de droit qu'il se propose pour la redresser :

« La République se repose sur mes victoires et se croit invincible en France parce que je triomphe en Italie (...) mes succès ne préviendraient pas sa chute : elle serait tombée que je n'en saurais rien encore et que le temps me manquerait pour venir à son secours. Parlez sérieusement à Barras de tout ceci. Dites-lui que nos ennemis sont infatigables, qu'il y en a de toutes sortes ; mais qu'avec de la fermeté on les fera taire ; que je lui offre mon concours, ainsi qu'aux autres membres du Directoire et que, pour peu qu'on

(1) *Histoire secrète du Directoire*, T. II.

me croie nécessaire, je me hâterai de venir. Je tiens au
titre du général *de vendémiaire ;* ce sera dans l'avenir mon
premier titre de gloire ; car ce jour-là je sauvai la République du royalisme. Est-ce du jacobinisme qu'il faut la délivrer
maintenant (1) ? »

A l'été 97 c'est le danger royaliste et non plus jacobin qui
menace encore. Effrayé par le complot de Babeuf et la tentative de soulèvement qui a provoqué les exécutions du
camp de Grenelle, le corps électoral a envoyé aux Cinq-Cents
une forte proportion d'ultra-modérés, voire de royalistes. Le
nouveau président de cette assemblée est Pichegru, le conquérant de Hollande nommé « sauveur de la patrie » par la
Convention, mais qui, dès 95, a pris des contacts avec les
émissaires des Princes, Pichegru devenu agent de Louis XVIII
et de l'Angleterre et d'ailleurs ne cachant plus ses sentiments
contre-révolutionnaires.

Bonaparte ne se montre pas moins inquiet que lors de
la conspiration babouviste. Cela se conçoit : que deviendrait
le général de Vendémiaire si les partisans de Louis XVIII
triomphaient à Paris ? Un certain Dumolard, au club royaliste de Clichy, n'a-t-il pas demandé sa destitution et son
arrestation après l'occupation de Venise ? Les journaux de
droite ne l'accusent-ils pas d'avoir volé des millions en
Italie ? Aussi réagit-il avec une vigueur farouchement républicaine. Le 25 messidor, il prescrit à son chef d'état-major
des mesures contre les gazettes « tendant à porter le découragement dans l'armée, à exciter les soldats à la désertion
et à diminuer l'énergie pour la cause de la liberté ». Le lendemain, anniversaire du 14 juillet, il lance une proclamation
brûlante de loyalisme envers la République, la Constitution
et la liberté. Puis il écrit au Directoire pour lui faire part
de l'indignation de ses troupes : « Je vois que le club de
Clichy veut marcher sur mon cadavre pour arriver à la
destruction de la République. Faites arrêter les émigrés (...)
Si vous avez besoin de forces, appelez les armées ! »

Mais ce qu'on attendait de l'armée cette fois, ce n'était
plus de canonner des insurgés, c'était de balayer des députés.
Cette opération-là, tout en y poussant, Bonaparte ne tenait

(1) *Ibid.*

pas à l'exécuter lui-même : il envoya à Paris, porteur de preuves supplémentaires de la trahison de Pichegru, son subordonné Augereau, et Augereau, les 17 et 18 fructidor, fit parfaitement l'affaire.

Le 19 septembre 97, soit quinze jours plus tard, Bonaparte, écrivant à Talleyrand, définit ce que devrait être la politique du gouvernement, critique les institutions, déplore sinon le coup d'Etat, du moins les mesures qui l'ont suivi : « Que l'on ait de l'énergie sans fanatisme, des principes sans démagogie, de la sévérité sans cruauté. » Et encore : « C'est un grand malheur, pour une nation de trente millions d'habitants et au XVIIIᵉ siècle, d'être obligée d'avoir recours aux baïonnettes pour sauver la patrie. Les remèdes violents accusent le législateur. »

Par rapport à ce qu'il avait écrit à Fabre de l'Aude, ce sont là des sentiments modérés et rassurants. Même si le reste de la lettre laisse percer une tendance très nette à réduire le pouvoir législatif au profit de l'Exécutif, il s'en dégage la volonté de sauver l'Etat républicain des forces de décomposition qui le minent, de le raffermir face à la Contre-Révolution qui le guette. Et c'est pourquoi Talleyrand juge opportun de la faire lire autour de lui à des personnalités influentes, Mᵐᵉ de Staël, Benjamin Constant et leurs amis ; il n'oublie pas de la montrer à Sieyès, ce que Bonaparte, d'ailleurs, lui avait demandé, Sieyès qui n'aimait pas la Constitution de l'an III.

Voilà comment le général veut qu'on le considère à Paris. Il doit rester l'espoir des républicains authentiques. Il faut qu'on le sache, les convictions du général de Vendémiaire devenu le vainqueur d'Italie n'ont pas changé. Il a seulement beaucoup médité sur la chose publique.

Parfois il lâche des propos qui donnent un son de cloche tout autre. Dans le parc de Mombello, s'entretenant avec Miot, ministre de France en Toscane et le comte milanais Melzi, il leur dit : « Croyez-vous que ce soit pour faire la grandeur des avocats du Directoire, des Carnot, des Barras, que je triomphe en Italie ? Croyez-vous que ce soit aussi pour fonder une république ? Quelle idée ! Une république de trente millions d'hommes ! (...) C'est une chimère dont les Français sont engoués mais qui passera comme tant d'autres.

Il leur faut de la gloire, les satisfactions de la vanité. Mais la liberté, ils n'y entendent rien (1). »

Imprudence, écart de langage ? Heureusement, quantité d'autres visiteurs repartent de Mombello vers la France, la tête pleine de paroles édifiantes. Et à des généraux lui demandant ce qu'il ferait, une fois rentré, il a répondu : « Je m'enfoncerai dans une retraite et j'y travaillerai à mériter un jour d'être de l'Institut. »

Pour le moment, encore dans le feu du succès, il continue à prendre de haut les instructions de Paris. Le Directoire voudrait continuer la guerre et pousser Hoche jusqu'à Vienne. Bonaparte, lui, veut signer une paix conforme aux préliminaires de Leoben. Le 29 septembre, le Directoire lui envoie un ultimatum à transmettre à l'empereur. Mais déjà Bonaparte avait fait partir une lettre de démission. Les directeurs vont le supplier de la retirer : « Le Directoire croit à la vertu du général Bonaparte, il s'y confie. »

Alors, Bonaparte négocie, puis signe le 26 vendémiaire (17 octobre 1797), le fameux traité de Campo-Formio.

*
**

Rentré à Paris le 3 décembre au soir, Bonaparte se cacha dans sa petite maison de la rue Chantereine qui allait bientôt s'appeler rue de la Victoire.

Le 6 décembre à onze heures, Talleyrand le recevait au ministère des Relations extérieures. En sortant de son cabinet, le général regardant le salon plein de monde lança une de ces formules qui impressionnaient autant les citoyens que les soldats : « Je suis sensible à l'empressement que vous me montrez ; j'ai fait de mon mieux la guerre et de mon mieux la paix. C'est au Directoire à savoir en profiter pour le bonheur et la prospérité de la République.

Ce que fut la cérémonie dans la cour du Luxembourg, on l'a vu. Puis les fêtes succédèrent aux réceptions ; quand Bonaparte pouvait s'en abstenir, il se tenait à l'écart. Sa simplicité étonnait. Il sortait peu, dans une voiture à deux chevaux. Au théâtre, s'il était applaudi, loin de se prêter

(1) *Mémoires du comte Miot de Melito*, I.

aux ovations il se renfonçait dans l'ombre de sa loge et disparaissait sans qu'on s'en aperçût. C'était la société des intellectuels qu'il recherchait.

Dès le lendemain de son accueil par le gouvernement au Luxembourg, François de Neufchâteau, président de l'Institut (et directeur depuis Fructidor), conviait à dîner une vingtaine de ses confrères en l'honneur du général. Celui-ci les étonna tous par l'étendue de ses connaissances, par la diversité de ses lectures dont son immense mémoire ne perdait rien. Il parla métaphysique avec Sieyès, politique avec Gallois, mathématiques avec Lagrange, poésie avec Chénier. Bernardin de Saint-Pierre était au nombre des invités.

— Je vous connais, citoyen, lui dit Bonaparte. J'ai lu vos ouvrages. Jean-Jacques était votre ami.

— Oui, général, Jean-Jacques était mon bien bon ami. Il vous a prédit en parlant de la Corse.

Avec Daunou, principal fondateur de l'Institut, il se montra particulièrement empressé. Daunou venait de rédiger la Constitution de la République Batave. Bonaparte l'entretint de législation et de droit public ; il était heureux, lui dit-il, de voir un des hommes dont la sagesse contribuerait au bonheur de la République. Lui-même ne voulait soutenir la Constitution que par des moyens justes et raisonnables.

Le 5 nivôse (25 décembre), il était élu dans la classe des Sciences (section mécanique) et adressait aussitôt ce remerciement au président :

« Le suffrage des hommes distingués qui composent l'Institut m'honore. Je sens bien qu'avant d'être leur égal, je serai longtemps leur écolier...

« *Les vraies conquêtes, les seules qui ne donnent aucun regret, sont celles qui sont faites sur l'ignorance. L'occupation la plus honorable, comme la plus utile pour les nations, c'est de contribuer à l'extension des idées humaines.* La vraie puissance de la République française doit consister désormais à ne pas permettre qu'il existe une idée nouvelle qu'elle ne lui appartienne. » *(sic)*

La gloire s'inclinait devant la raison. Pour les sages qui siégeaient à l'Institut, pour ces continuateurs de Voltaire, de Condillac, d'Helvétius et de Condorcet, rien ne pouvait être aussi exaltant. Cette profession de foi démentait tous les soupçons, apaisait toutes les critiques par exemple celles soulevées par l'attitude du guerrier diplomate envers la papauté.

Les trois classes de l'Institut tinrent une séance solennelle au Louvre, dans l'actuelle salle des Cariatides, le 15 nivôse (4 janvier 1798). Cent cinq membres prirent place autour de trois longues tables en fer à cheval. Bonaparte parut en civil, très applaudi dès son entrée. On entendit des rapports, des textes savants, des discours ; Garat sut dans le sien glisser un éloge de Bonaparte : « A voir ses goûts simples et modestes, son amour de la retraite, sa passion pour les arts et les sciences, ne croirait-on pas que c'est un philosophe qui s'arrache un moment à ses études chéries pour vaincre et qui revient, après avoir vaincu, s'y livrer avec un nouveau charme. » Mais ce fut un poème de Chénier à la mémoire du général Hoche qui déchaîna l'enthousiasme : après l'éloge du chef de l'armée de Sambre-et-Meuse, évoquant le projet de descente en Angleterre, il célébra le vainqueur de l'Italie :

Vous franchîtes les monts ; vous franchirez les flots ;
Des tyrans de la mer punissez les complots.

Toute la salle acclama alors le poète et le général.

**
**

Les directeurs ont en effet donné à Bonaparte le titre de général en chef de l'armée d'Angleterre. Mais leur projet de débarquement dans la grande île lui paraissait alors irréalisable. C'est à une expédition bien différente qu'il pense, tout en inspectant les ports de la Manche en février 1798 : dans sa voiture, il a emporté tout ce qu'il a trouvé d'ouvrages sur l'Egypte.

Pourquoi l'Egypte ? L'idée d'occuper ce pays avait déjà été examinée sous l'Ancien Régime. Depuis, le fameux *Voyage* de Volney l'avait mis à la mode ; Bonaparte avait lu cet ouvrage, il avait entendu aussi les récits de son auteur, il lui avait ensuite confié son désir d'offrir ses services à la Turquie. Maintenant, il songe à chasser les Turcs de Constantinople et à frapper les Anglais non pas dans leur île imprenable, mais dans l'Orient et aux Indes.

A vrai dire, l'élément déterminant de sa décision fut un *Essai*, présenté à la seconde classe de l'Institut par Talleyrand en juillet 97 et consacré aux avantages à retirer des colonies ; Talleyrand y soulignait que Choiseul avait cherché à préparer l'acquisition de l'Egypte. Dès le 16 août, une dépêche de Bonaparte attirait l'attention du Directoire sur l'intérêt que présenterait la conquête de ce pays. Et le 14 février 1798, Talleyrand remettait au gouvernement un « Rapport sur la Question d'Egypte » qui concordait pleinement avec les visées du général.

Les directeurs se laissèrent convaincre sans trop de peine. La paix conclue, il ne leur déplaisait pas que cet ambitieux partît si loin satisfaire son besoin de conquérir et de dominer.

Etait-ce vraiment ce vulgaire appétit de puissance qu'il fallait prêter à Bonaparte ? Ses collègues de l'Institut pensaient au contraire qu'un des résultats de la grandiose expédition serait d'élargir les domaines de l'esprit humain. Jusqu'à son départ de Paris, le général allait fidèlement se rendre à leurs convocations, assistant à seize séances de la classe des Sciences et à quatre séances générales. Et chose jamais vue, il va se faire accompagner de savants et d'artistes : Monge, Berthollet, Geoffroy Saint-Hilaire, Denon, Larrey et bien d'autres. L'ensemble formera là-bas l'Institut d'Egypte. Bonaparte souhaitait leur adjoindre un philosophe membre de la classe des Sciences morales, Destutt de Tracy, celui-ci déclina l'invitation. Enfin, il demanda à Jean-Baptiste Say de lui établir une liste de livres à emporter... Sans doute eût-il voulu emmener Volney, mais Volney n'était pas rentré des Etats-Unis.

Le 4 mai 1798, le général quitte Paris. A Toulon, à la veille d'embarquer, il passe en revue cette étrange armée de militaires et de penseurs et leur dit : « Je vais vous mener dans un pays où, par vos exploits futurs, vous surpasserez ceux qui étonnent aujourd'hui vos admirateurs. »

Une immense clameur lui répond : « Vive la République immortelle ! »

*
**

Pendant que Bonaparte, avec des fortunes diverses, mène sa guerre d'Orient, la situation de la France s'aggrave. La seconde coalition s'est formée, provoquée par la politique d'annexions et d'exactions du Directoire qui ne respectait guère le traité de Campo-Formio. Autrichiens et Russes (l'archiduc Charles et Souvorov) exercent une pression terrible sur nos armées démesurément étirées du Zuyderzee au golfe de Tarente. Au printemps 1799, elles subissent une lourde série de revers en Allemagne, en Piémont, à Naples. A l'intérieur, le mécontentement, le dégoût, s'accroissent, contre le régime impuissant et décomposé. Les élections de germinal an VII (renouvellement des Conseils par tiers) traduisent une forte poussée jacobine ; une virulente opposition de gauche s'installe aux Cinq-Cents, menée par des tempéraments exaltés (Arena, Destrem, Augereau, Jourdan). D'autre part, une volonté de redressement, de sauvetage, de reconstruction, se faisait jour dans les milieux modérés qui échappaient à la corruption. Le personnel gouvernemental et parlementaire du Directoire ne comptait pas que des incapables. Un Talleyrand et un Roederer étaient assez avisés et soucieux de leurs intérêts pour songer aux moyens de mettre un terme au chaos ; et les intellectuels du « parti philosophique » et de l'Institut, les Cabanis et les Chénier, ne se montraient pas moins anxieux de sauver la République, de la raffermir une fois pour toutes. Aux uns et aux autres, un homme s'était imposé peu à peu comme le seul susceptible de mener à bien l'opération nécessaire : Sieyès. Sorti de l'ombre où il s'était tapi pendant la Terreur, il s'était fait nommer ambassadeur à Berlin, sa « cote » avait considérablement remonté, il redevenait ce qu'il avait été dix ans plus tôt, une puissance. Comme au temps où Mirabeau l'appelait « mon maître » en toute occasion, où Mme de Staël, après un dîner avec lui en disait : « Les écrits et les opinions de l'abbé formeront une ère nouvelle en politique, comme ceux de Newton en physique. »

Le 27 floréal an VII (16 mai 1799), Sieyès était élu directeur (en remplacement de Rewbell) ; revenu de Berlin, il avait sans tarder poussé ses pions en avant, travaillé les Conseils, mis Barras dans son jeu, monté une intrigue obligeant les trois autres directeurs (dont Merlin et La Révellière) à démissionner (30 prairial). Gohier, Roger Ducos et Moulin, un obscur militaire, allaient les remplacer. Mais l'entente ne règnera pas plus que par le passé au sein de ce nouveau directoire. D'affreux désordres agitent les séances des Conseils. L'atmosphère devient terriblement tendue. L'ancien club des Jacobins, reconstitué sous le titre Société des Amis de la Liberté et de l'Egalité, s'installe dans la fameuse salle du Manège, vote des motions délirantes, hurlantes ; le cauchemar de la Terreur, avec les spectres vengeurs de Robespierre et de Babeuf, menace Paris d'une « résurrection des piques ».

En ces circonstances redoutables, Sieyès ne déçut pas ses amis. Il résista aux attaques du *Journal des Hommes Libres*, organe du club du Manège, il osa dire que les excès des terroristes faisaient peser sur la République une menace bien plus grave que les sursauts du royalisme, ce qui redoubla la colère de ses adversaires. Aux Cinq-Cents, Cabanis prenait sa défense, et aussi Garat : « Quel délire de vouloir nous persuader que Sieyès soit un conspirateur, lui qui, dès les premiers jours de la Révolution, se montra le plus ardent défenseur de la liberté. »

L'extrême-gauche pouvait bien l'accuser de conspiration, il ne faisait guère mystère de ses projets. Il s'était assuré l'appui des Talleyrand, des Roederer, des Cambacérès, des Fouché. « Il faut une tête et une épée », dit-il à Fouché nommé ministre de la Police. L'épée choisie fut Joubert qui, à l'égard des « avocats » nourrissait les mêmes dispositions que la plupart des autres généraux : « Moi, quand on voudra, je finirai tout cela avec vingt grenadiers. » Mais Joubert, qui se battait en Italie, est tué à Novi.

Privé de son épée, Sieyès paraît un moment désorienté. Si la France est envahie, l'ennemi étranger sera aidé par l'ennemi de l'intérieur. Un nom hante les mémoires, une ombre domine les assemblées : « C'est Bonaparte qui nous manque » imprime un journal. Le reverrait-on jamais ? Où était-il ? Reviendrait-il de cette lointaine Egypte où il avait voulu aller ? Les directeurs qui n'avaient pas été fâchés de voir s'éloigner ce héros aussi redoutable par son ambition que par sa popularité, auraient tout donné, y compris l'Egypte conquise, pour qu'il revînt.

Le *Journal des Hommes Libres* révéla l'ampleur de la défaite de Novi, imité par d'autres journaux jacobins que le Directoire se résolut d'interdire. Des rédacteurs de feuilles de droite, Fontanes, Laharpe, Fiévée, Suard, furent également atteints.

Jourdan qui désespérait de « l'apathie de la nation » pressentit Bernadotte. Il s'agissait d'écarter Sieyès, de le faire arrêter, de se débarrasser de Barras et de constituer un gouvernement jacobin qui seul serait capable de sauver la République. Bernadotte se déroba. Le 27 fructidor (14 septembre 99), Jourdan, à la tribune des Cinq-Cents, déclara la Patrie en danger ; et elle l'était si l'on se souvenait de 1792, il fallait pour un temps mettre fin au régime parlementaire, oublier la Constitution. Parties des tribunes, des voix soutinrent la proposition jacobine que combattirent Marie-Joseph Chénier dans un discours improvisé, fougueux, incohérent, Daunou qui fut plus calme et Lucien Bonaparte qui fit preuve d'une remarquable présence d'esprit... Au fait, dans le chaos, que pensaient les frères ? Ne pensaient-ils pas comme d'autres : « Pourquoi pas moi ? » Ils avaient une clientèle. Lucien, qui parlait bien et ne pensait pas toujours mal, pouvait s'appuyer sur l'Institut où il comptait beaucoup d'amis. Il professait un républicanisme à toute épreuve, encore que modéré, ce qui n'était pas pour déplaire à des hommes d'étude. Joseph, plus pondéré et très homme du monde, donnait de brillantes réceptions dans son château de Mortefontaine, près d'Ermenonville, domaine immense acquis après cinq mois d'ambassade à Rome. Très cultivé lui aussi, il avait noué des liens encore plus étroits que son frère avec le parti philosophique, comptant parmi ses amis Cabanis, Bernardin de Saint-Pierre, Benjamin Constant, Roederer, Moreau, Volney et Mᵐᵉ de Staël.

Après la tumultueuse journée du 27 fructidor qui avait vu les députés se battre en pleine assemblée, la consternation paralysa Paris ; même le Palais-Royal, rendez-vous des affaires et des plaisirs, demeurait silencieux. L'alerte avait été si vive que pendant plusieurs jours les grenadiers protégèrent le Luxembourg. Les jacobins faisaient peur. La loi des otages votée un mois plus tôt et qui frappait les familles de ci-devant et d'émigrés, renforçait dans l'Ouest la combativité des partisans ; des villages entiers se vidaient : plutôt

combattre dans la chouannerie que risquer la déportation !
La conscription obtenait le même résultat, les jeunes recrues
rejoignaient les bandes de *chauffeurs* et de brigands.

Au dehors, la situation empirait. Les troupes de l'archiduc
Charles remontaient la rive gauche du Rhin et nous repre-
naient Mannheim ; la République Cisalpine et le Piémont
étaient perdus ; la menace d'invasion se précisait. Heureusement, pour l'anniversaire de la République, Brune infligeait
une défaite aux Anglo-Russes en Hollande, Masséna reprenait Zurich et arrêtait Souvorov à la sortie du Gothard. On
se remit à espérer. On chanta la *Carmagnole*.

Et le 13 vendémiaire — cette date lui est heureuse —
éclate comme un coup de tonnerre la nouvelle à laquelle
on n'osait plus croire : une dépêche du général Bonaparte
vient d'arriver. Il vit. Il vaincra. Il reviendra.

Si Bonaparte, peu après son arrivée en Egypte l'année
précédente, avait envoyé au Directoire une longue lettre sur
le désastre d'Aboukir qui le coupait de l'Europe puisque
Nelson avait anéanti notre flotte, le public n'avait eu alors
qu'une vague idée de la catastrophe ; ce qui ne l'empêcha
pas de se réjouir quand un coup de canon, le 18 vendémiaire,
lui apprit que devant ce même port d'Aboukir, les Français
venaient de remporter, sur terre cette fois, une victoire
éclatante. Mais depuis la veille déjà, Bonaparte est en France.
Il s'est embarqué avec cinq généraux, deux savants (Berthollet et Monge), des mamelucks, sur la frégate *Muiron* qui a
mouillé devant Saint-Raphaël. Il marche sur Paris, partout
acclamé. La merveilleuse, l'incroyable nouvelle, commence à
se répandre le soir du 21. Le lendemain, personne n'en doute
plus. On regarde avec indifférence des prisonniers russes
défiler sur les boulevards et aux Champs-Elysées, mais c'est
Lui qu'on attend.

Au Luxembourg, Sieyès reçoit Moreau qui rentre d'Italie.
Pourparlers ? Propositions ? « Voilà votre homme, dit Moreau,
il fera votre coup d'Etat bien mieux que moi. » Lucien est
élu à l'unanimité président des Cinq-Cents.

Pour les Français las de la guerre, Bonaparte c'est la
paix, c'est le respect de la vraie Révolution. « Le peuple ne
voyait en lui, dit Jourdan, qu'un général toujours victorieux,
destiné à rétablir l'honneur des armes de la République. »

Quant aux hommes de l'Institut, ce guerrier reste à leurs yeux le défenseur des principes et des idées.

Le 24 vendémiaire an VIII (16 octobre 1799), le soldat-philosophe entre sans tapage dans Paris et gagne son logis de la rue de la Victoire. Toute la journée il se repose et se rend le soir au Luxembourg où il fait visite à Gohier, président du Directoire. Peu après, il est reçu par les directeurs en séance publique, drôlement vêtu d'une redingote, coiffé d'un « chapeau rond », portant un cimeterre ; il n'avait pu se mettre en uniforme, ses bagages lui ayant été volés entre Fréjus et Aix par les brigands qui tenaient les routes. Gohier lui donne l'accolade. Bonaparte proteste de son dévouement à la République et, mettant la main à la poignée de son arme orientale, affirme « qu'il ne la tirerait jamais que pour la défense de la République et de son gouvernement ».

On eût pu lui objecter qu'il avait abandonné son armée, qu'il était rentré sans en avoir reçu l'ordre, on eût même pu l'arrêter. On eût pu tout au moins douter de la sincérité de ses convictions en se rappelant avec quelle facilité l'ancien protégé des Robespierre s'était débarrassé de cette amitié compromettante pour tout obtenir de Barras qui les avait fait tuer. Taine, le soulignant, a-t-il eu tort d'écrire du jeune Bonaparte : « Aucune des croyances politiques ou sociales qui ont alors tant d'emprise sur les hommes n'a d'emprise sur lui » ?

La nation adore le héros. Paris voudrait le voir, l'entendre, l'applaudir. Il quitte rarement sa maison qu'assaillent toutes sortes de visiteurs. Il a retrouvé Joséphine sur le compte de qui courent de méchantes histoires. Il l'a boudée. Hortense et Eugène ont plaidé la cause de leur mère. Il a pardonné. Il s'est entretenu avec Joseph, avec Lucien, avec Fouché. Il s'instruit de ce qui s'est passé en son absence, s'informe de l'opinion, il reçoit Volney, le félicite de son article paru dans le *Moniteur* le 1ᵉʳ frimaire an VII, après la défaite d'Aboukir. Volney, en effet avait expliqué les difficultés de l'expédition. Il fréquente surtout l'Institut. On lit dans la *Décade Philosophique* du 10 brumaire : « Bonaparte s'est rendu le 5 de ce mois à la séance générale de l'Institut, avec Monge et Volney. Il était difficile qu'il n'y fût pas question de l'Egypte, c'est-à-dire des objets relatifs aux sciences et aux arts qui ont attiré dans ce pays l'attention de ces trois voyageurs ; car Bonaparte, dans le sein de l'Institut, n'est plus qu'un voyageur instruit, un savant au milieu de ses égaux, et paraît ne plus se souvenir de ses autres titres de gloire. »

L'une de ces communications concernait la fameuse pierre de Rosette ; appuyé par des explications de Volney, le général exposa l'intérêt de sa triple inscription (en hyéroglyphes, en copte et en grec) : « Voilà donc, poursuit la *Décade,* un moyen d'acquérir quelque intelligence de ce langage jusqu'à maintenant inintelligible. » Il fut aussi question du canal de Suez. Le *Publiciste* qui, le 1ᵉʳ brumaire, note que Bonaparte à l'Institut s'assied tout simplement parmi les autres membres, signale qu'il y est retourné le 5 : « Il y a pris la parole et donné des détails sur l'état où se trouve maintenant l'Egypte et ses anciens monuments. Il a assuré que le canal de Suez qui joignait les deux mers a existé, qu'il est même très possible de le rétablir sur les débris qui en restent et qu'il a fait prendre les plans et les nivellements nécessaires à ce grand travail. »

Ses collègues exultent. Il rend contents de lui tous ceux qui l'approchent. Laplace lui a envoyé son essai sur la *Mécanique céleste ;* Bonaparte lui répond : « Les six premiers mois dont je pourrai disposer seront employés à le lire. Si vous n'avez rien de mieux à faire, faites-moi le plaisir de venir dîner demain à la maison. »

Emmené par Talleyrand, ou Sieyès, ou Cabanis, ou, plus vraisemblablement, croyons-nous, par Volney, Bonaparte prit le temps de se rendre à Auteuil chez Mᵐᵉ Helvétius. La vieille dame, qui n'avait plus beaucoup à vivre, était toute fière de lui faire les honneurs de son petit domaine ; elle devina qu'il le trouvait tout de même un peu petit : « Vous ne savez pas, général, le bonheur qu'on peut trouver dans trois arpents de terre » dit l'amie des philosophes au nouvel Alexandre qui avait dû renoncer à l'Asie mais allait s'approprier l'Europe, cette « taupinière ».

CHAPITRE II

LA SOCIÉTÉ D'AUTEUIL

Pourquoi Bonaparte allait-il à Auteuil rendre visite à Mᵐᵉ Helvétius ?

Il savait, naturellement, que depuis longtemps, les plus grands représentants de l'intelligence française se réunissaient chez cette dame qui avait gardé l'esprit, le goût et les manières du XVIIIᵉ siècle. Il savait que Condorcet, l'illustre mathématicien, un des fondateurs de la République, avait vécu dans le village, et que maintenant y demeuraient ou y fréquentaient Cabanis, Sieyès, Destutt de Tracy, Daunou, Marie-Joseph Chénier, Garat, tous membres de l'Institut, hommes de talent qu'il admirait, qu'il respectait, qu'il flattait, qu'il voulait mettre dans son jeu. Et déjà, en Corse, Volney avait dû lui vanter le «charmant hermitage» où lui-même était resté dix-huit mois à écrire son *Voyage en Syrie et en Egypte*...

Mᵐᵉ Helvétius qui appartenait à la vieille famille lorraine de Ligniville d'Autricourt, avait été élevée par sa tante, Mᵐᵉ de Graffigny, amie de Voltaire, remarquée toute jeune par Turgot et demandée en mariage par Claude-Adrien Helvétius. Celui-ci, d'origine hollandaise, maître d'hôtel de Marie Leczynska, puis fermier général, était l'ami de d'Alembert et de Diderot. Voulant apporter sa contribution à l'entreprise encyclopédique, il avait écrit *De l'Esprit*. Son livre, publié en 1758, fut condamné et brûlé ; en 1792, son buste sera brisé à coups de talon aux Jacobins. La plus belle réussite d'Helvétius était incontestablement ses dîners du mardi qu'on put appeler « les Etats généraux de l'esprit humain » et qui attiraient rue Sainte-Anne tout ce qui savait parler, penser, tenir une plume, y compris des étrangers notoires comme David Hume et le duc de Brunswick dont on appréciait surtout alors les qualités intellectuelles.

Au seuil de la vieillesse, Mme Helvétius était aussi charmante que séduisante étant jeune. Sans regretter, semble-t-il, cet étourdissant Paris où elle occupait une si belle place, elle s'était établie à Auteuil après la mort de son mari, achetant au peintre Quentin de la Tour sa maison dans la grand'rue du village. En face de sa demeure, dans des jardins anglais, s'élevait la somptueuse résidence de Mme de Boufflers, la « Minerve savante », qui, plus tard, accueillera Talleyrand ; tout près, coulait la fontaine à l'eau si pure, que Louis XV, disait-on, ne manquait pas de s'arrêter pour en boire quand il se rendait à La Muette. Relativement modeste, la maison de Mme Helvétius était assez vaste pour accueillir une cinquantaine de personnes dans le salon du premier étage. Ses amis de toujours qu'elle attendait en soignant ses fleurs et ses oiseaux, prirent le chemin de sa retraite. Certains même s'y installèrent, à commencer par Morellet qui travaillait dans un pavillon du jardin où il s'était aménagé une bibliothèque, Morellet auteur d'un *Manuel des Inquisiteurs* et que, Voltaire, enchanté de son esprit, surnomma *Mords-les* (mais qui, dès 1789, se détachera du groupe d'Auteuil).

Un peu plus tard, le jeune Cabanis qui achevait ses études de médecine et à qui on recommandait l'air de la campagne, était littéralement adopté par Mme Helvétius. Elle avait perdu un fils que ce grand garçon, à la jolie figure, aux manières douces, lui rappelait au point de lui faire dire qu'elle croyait retrouver en lui l'âme de l'enfant disparu.

Deux ans après que grâce à elle le village d'Auteuil eut apporté au siècle des Lumières un salon de plus, Louis XVI était monté sur le trône ; il appelait au contrôle général des Finances Turgot qu'entouraient Malesherbes, protecteur de l'Encyclopédie, Condorcet, d'Alembert, Suard, Morellet. On croyait venu le règne des philosophes. La raison allait guider le pouvoir. Hélas ! Marie-Antoinette obtenait sans peine le renvoi du grand réformateur dévoré par « la rage du bien public ». Voltaire écrivait : « Je ne vois que la mort devant moi depuis que M. Turgot est hors de sa place ».

Franklin, chargé de négocier l'alliance avec la France et fixé à Passy, était introduit chez Mme Helvétius par Malesherbes et Turgot. Il aimait cette maison. Il aimait ces discussions qu'animait, sans l'autorité pesante d'une Mme Geoffrin ni la pédanterie guindée d'une Mme Necker, cette femme spirituelle, et pour la retrouver, le bonhomme descendait souvent de sa colline, le bâton à la main, s'arrêtant au passage pour bavarder avec les enfants et les paysans. Il devait même la demander en mariage avant de regagner l'Amérique. Mais fidèle au défunt son unique amour, elle refusa. Lui, n'oublia jamais sa très chère *Notre-Dame d'Auteuil*.

Tous ceux qu'il rencontrait chez elle suivaient avec passion la guerre d'Indépendance et souhaitaient la victoire des Insurgents. Plus que tous, peut-être, Condorcet, admirateur de la jeune démocratie du Nouveau Monde et ami de Thomas Paine, principal auteur de la Constitution de Pennsylvanie dont tous les libéraux « raffolaient ». Franklin avait fondé à Philadelphie l'*American Philosophical Society*. En 1775 il y faisait entrer Condorcet (et Daubenton), puis deux autres familiers d'Auteuil, Volney et Cabanis ; c'est à celui-ci que le grand Américain, en quittant la France, laissa son épée de commandant général.

Malgré sa mauvaise santé, Cabanis visitait ses malades à cheval par tous les temps et ses malades l'adoraient. La médecine ne l'avait pas détourné de la philosophie. Persuadé que l'univers est régi par un être d'une intelligence infinie et convaincu que le meilleur moyen de l'atteindre est de se consacrer à l'humanité souffrante, il avait composé en 1783 le *Serment d'un médecin*. Il jurait devant Dieu de dévouer sa vie à son art et de soigner de préférence les pauvres. Ce n'était pas de vaines paroles : Membre de la commission des hôpitaux de Paris durant les années 1791-92-93 il proposa des réformes que son ami Pinel finira par faire adopter : augmenter le nombre des lits de façon que plusieurs malades ne soient pas couchés dans le même, s'assurer que les morts sont bien morts avant de les mettre en terre, ne pas s'en débarrasser pour donner leur place à d'autres. Le sort des prisonniers qui pour lui sont encore des hommes, des fous soumis à un traitement inhumain et des enfants trouvés le préoccupe également et, comme Condorcet, devenu son beau-frère quand il aura épousé Charlotte de Grouchy, sœur de Sophie, femme du philosophe, il estime que la Société a le devoir de secourir tout citoyen incapable de subvenir à ses besoins, mais que l'aumône est une injure à la misère, une atteinte à la dignité.

C'est Cabanis qui avait amené Volney à Auteuil. Volney (contraction de Voltaire et de Ferney ?) s'appelait de son vrai nom François Chassebeuf. Ayant fait ses classes chez les oratoriens d'Angers et des études de droit et de médecine à Paris, cet excellent latiniste s'était mis à l'hébreu « pour relever les erreurs dont fourmillent les traductions de la Bible ». Sa passion de l'érudition ne l'avait pas enfermé dans une bibliothèque : en 1782 il était parti pour l'Orient, parcourant pendant deux ans l'Egypte et la Syrie ; il a vu Alexandrie, ville déchue qui va lui inspirer *Les Ruines*, le Delta, le Caire et contemplant le Nil il a pensé à... la Seine entre Auteuil et Passy. Il a poussé jusqu'aux Pyramides ; une épidémie de peste l'a chassé d'Egypte, il a séjourné à Damas, à Beyrouth, à Alep, à Jérusalem, à Jéricho.

Trouvant auprès de Mme Helvétius un accueil intelligemment maternel, il a été son hôte tout le temps qu'il lui a fallu pour rédiger le récit de son voyage. Ce livre lucide, assez désenchanté, œuvre d'un sociologue avant la lettre a eu beaucoup de succès, les philosophes l'ont adopté, les traductions se sont multipliées. S'il ne se laisse pas prendre au pittoresque levantin, Volney ouvre la voie aux auteurs de *l'Itinéraire de Paris à Jérusalem* et du *Voyage en Orient ;* il est aussi le précurseur des grands voyageurs attachés à l'étude des réalités humaines. D'ailleurs, Lamartine fera grand cas de son récit dont Berthier, dans sa *Relation de la Campagne d'Egypte*, assure que c'est là « le guide des Français en Egypte, (...) le seul qui ne les a jamais trompés ».

Naturellement l'optique de Volney est celle d'un penseur du XVIIIe siècle. « Ils savent vaincre, mais ne savent pas gouverner », écrit-il à propos des Turcs, tout en gardant confiance dans l'avenir de ces pays qui, un jour, conduits par la raison, seront atteints par nos progrès.

Il expose les tares du despotisme et du cléricalisme, ce

qui lui vaut sans doute d'être envoyé aux Etats généraux
par le Tiers de la sénéchaussée d'Angers (1). Il a adhéré à la
Société des Amis des Noirs ; comme tant d'autres, il publie
des pamphlets et, dans *La Sentinelle du Peuple* qu'il destine
aux gens de toute profession composant le Tiers et qui
paraît en novembre 1788, il précise quelle doit être la position de cet ordre, insiste pour qu'en aucun cas le Tiers ne
se fasse représenter par un noble.

A Versailles, il est un des fondateurs du Club Breton
qui sera bientôt Club des Jacobins. Cet homme qui écrit
fermement parle avec difficulté, d'une voix aussi faible qu'un
« soupir de femme ». L'ami de Cabanis jouit de toute la
confiance de Mirabeau que soigne le médecin. A l'Assemblée,
le « voyageur Volney » se sent aussi dépaysé qu'un homme
de cabinet qui n'aurait jamais quitté ses livres. « Je ne vais
jamais à la salle des Etats, écrit-il, sans un sentiment de
contraction. Cet appareil, ce tumulte, me fatiguent... » Mirabeau mort, il se contente d'un rôle d'observateur ; il reste
à l'écart, même après Varennes, ne paraît plus aux Jacobins.
« L'agitation, le babillage, les jugements décisifs et précipités
des sociétés me dégoûtent. »

N'est-ce pas ce mépris de la médiocrité qui allait permettre à ce solitaire, dont la timidité était surtout orgueil,
de pressentir la grandeur du jeune Bonaparte qu'une tournée
d'inspection lui donnait heureusement pour guide ? Dès son
séjour en Corse, il lui a voué une admiration affectueuse
que leurs longues conversations à Nice ont renforcée et qui
durera longtemps.

*
**

Au printemps 1792, après que la guerre eut été déclarée,
Anacharsis Cloots, ce jeune Allemand venu en France par
amour des idées nouvelles et se disant orateur du genre
humain, avait vanté le patriotisme du village d'Auteuil dans
une longue lettre à sa mère : Deux jeunes gens avaient
quitté leur régiment ; eh ! bien « aucun parent ne voulut les
recevoir, aucun voisin ne voulut les hanter », les déserteurs

(1) Jean Gaulmier : *Op. cit.*

ont dû regagner les Flandres. On est prêt à tout pour défendre la Révolution. Si les Autrichiens approchaient de Paris, on romprait les ponts, on inonderait les plaines ; même les femmes attendraient les soldats étrangers avec des lances et des frondes, même les écoliers se battraient.

« Nous sommes tous jacobins, écrit-il encore, mais non à la manière de Robespierre et des robespierrots.» Pour Anacharsis, déclaré, comme Paine, citoyen français par la Législative et qui sera guillotiné deux ans plus tard, pour toute la société d'Auteuil, ce n'est pas l'Incorruptible, nouveau tyran, qui incarne la pensée révolutionnaire, c'est Condorcet, collaborateur de l'Encyclopédie et survivant de la grande époque. Il ne doit pas son prestige à sa renommée scientifique : secrétaire perpétuel de l'Académie des sciences, il s'est détaché assez vite de la pure mathématique. Ni à sa philosophie qui n'a rien de très original. Moins créateur que disciple, disciple de Turgot en particulier, il a adopté la théorie du progrès. Mais sa conviction ardente à exposer et à défendre les idées de son siècle l'a fait reconnaître comme chef de file. Ecrivain engagé, il s'est acharné, au côté de Voltaire, à faire réparer des crimes judiciaires révoltants : ainsi, grâce à ses longs efforts, la mémoire du chevalier de La Barre devait être réhabilitée par un décret de la Convention, en novembre 1793. Il a tenté d'humaniser la justice, il a flétri la torture, fait campagne pour l'abolition de l'esclavage, souhaité la fin du colonialisme. Dès la fuite du Roi il a été un des premiers, sinon le premier, a demander l'instauration de la République.

Son mariage n'avait pas nui à son influence, loin de là. Sophie de Grouchy, devenue « la belle marquise de Condorcet », était une femme d'une intelligence rare, fort cultivée et se passionnant pour la politique. Le salon qu'elle avait créé à l'Hôtel de la Monnaie, nouvellement construit (Condorcet avait été nommé inspecteur des Monnaies par Turgot) devait rappeler au dernier Encyclopédiste celui de Julie de Lespinasse où d'Alembert l'avait introduit. Dans les années prérévolutionnaires, lieu de rencontre des gens de lettres, des savants, des étrangers notoires — Morellet, Beaumarchais, Garat, Cabanis y coudoyaient Cloots, Adam Smith, Paine, Jefferson —, il put être considéré comme l'endroit le plus brillant de Paris, et même comme « le centre de l'Europe éclairée ». Bientôt, on pourra l'appeler « le foyer de la République » : A l'été 92, Sophie n'a pas hésité à ouvrir ses salons à quelque cinq cents Marseillais qui apprennent aux Parisiens le chant de Rouget de l'Isle.

En septembre Condorcet qui venait de plus en plus souvent à Auteuil — il y avait passé la nuit du 9 au 10 août — s'y installa pour de bon dans la même maison que le député Jean de Bry. La mère de Sophie, malade, vint habiter avec ses enfants. Cabanis la soigna et, quand elle mourut, l'année suivante, elle fut enterrée dans le cimetière de la petite commune.

Dans le courant de cet été 1792 arrivait à Auteuil, avec sa famille, un officier qui avait refusé de suivre La Fayette quand celui-ci avait quitté son armée pour se rendre chez les Autrichiens. Il se nommait Destutt de Tracy. Descendant d'une vieille famille écossaise fixée en France, et par sa grand-mère petit neveu du grand Arnauld, ses débuts dans la carrière militaire avaient été des plus brillants : une alliance avec les Penthièvre, en 1778, lui avait donné le régiment de ce nom. Mais féru de philosophie — il deviendra le théoricien de l'Idéologie — le jeune homme lit les Encyclopédistes, passionnément, et malgré les siens accomplit le pèlerinage de Ferney. Frappé de son intelligence, le Patriarche aurait posé la main sur le beau front de son visiteur, comme pour lui transmettre une mission.

Envoyé aux Etats généraux par la noblesse du Bourbonnais, en dépit de ses opinions, Destutt de Tracy se sépare de son ordre pour rejoindre le Tiers ; il renonce sans hésiter à ses titres et privilèges et, lors de la fuite à Varennes, dénonce à l'Assemblée son régiment tout près d'obéir à Bouillé.

Narbonne le nomme maréchal de camp et lui confie la cavalerie de l'armée de La Fayette. Destutt en était l'ami, jusqu'aux événements du 10 août qui le font rompre avec le Héros des Deux Mondes. Il s'installe donc à Auteuil, fréquente assidûment Mme Helvétius, Cabanis, Condorcet auxquels s'est joint Daunou.

Ce savant oratorien, professeur de philosophie et de théologie, a adopté les principes de 89, applaudi la victoire du 14 juillet, et va même plus loin : dans l'église de l'Oratoire, ordre relativement libéral, après que le supérieur eut béni le drapeau de la Révolution, Daunou prononçant l'oraison funèbre des combattants morts pour la liberté, s'attache à unir patriotisme et religion ; ensuite il approuve la Constitution civile du clergé, accepte de devenir vicaire diocésain d'Arras, puis vicaire métropolitain de l'évêque de Paris. Il quitte l'Eglise quand il est envoyé à la Convention où il siège du côté des Girondins.

Quoi qu'on en ait dit et écrit, Condorcet, lui, n'a pas appartenu à la Gironde. Il l'a déclaré formellement en entrant à la Convention : « Je ne serai d'aucun parti, comme je n'en ai été d'aucun jusqu'ici. » Bien loin de soutenir en tout les Girondins, il est souvent en total désaccord avec eux. Mais il se solidarise avec les Girondins vaincus après le coup de force du 2 juin 1793 qui, sous la menace du canon, exclut de l'Assemblée vingt représentants de la Nation.

Retiré dans sa maison d'Auteuil, il ne veut plus que travailler au journal qu'il vient de fonder avec Sieyès. Ce *Journal de l'Instruction Sociale* se propose de familiariser ses lecteurs avec la « langue politique », d'expliquer « les principes du Droit naturel et politique, de l'Economie publique, de l'Art social ». Dans le premier numéro, paru juste la veille de la proscription des Girondins, il définit le mot *révolutionnaire.* « Ce mot ne s'applique qu'aux révolutions qui ont la liberté pour objet (...) L'esprit révolutionnaire est un esprit propre à produire, à diriger une révolution faite en faveur de la liberté. »

L'auteur du projet d'Instruction publique dont Jaurès admirera l'inspiration démocratique et sociale, estime qu'éclairer le peuple qu'on flatte, qu'on abuse pour mieux l'asservir, est « un des premiers devoirs des écrivains qui se dévouent à la cause de la vérité et de la patrie. »

Sieyès, l'abbé Sieyès, partage absolument ces vues et exige davantage encore : il faudrait, selon lui, réformer la langue avant de réformer la Société ; la fausseté des rapports entre les idées et les mots explique les erreurs des sciences et l'échec de la métaphysique ; il souhaite comme le fait Descartes qu'on efface ce qui est et qu'on reparte de zéro.

Quoique profondément différents l'un de l'autre — Sieyès est aussi peu démonstratif, aussi prudent, aussi secret que Condorcet est généreux, enthousiaste, vite emporté — l'homme d'Eglise et l'héritier de l'Encyclopédie se comprennent à merveille. Ils se connaissent depuis des années ; ils avaient à la même époque réclamé une Déclaration des Droits. Quand la Constituante fit place à la Législative, Sieyès, qui n'y siégeait pas, ne s'éloignait d'Auteuil que pour passer quelques heures à Paris, il allait chez Mme Roland, chez Sophie de Condorcet. On lui avait proposé l'archevêché, il avait refusé, prétextant qu'il n'avait jamais ni prêché, ni confessé. Il avait retrouvé Condorcet à la Convention où l'avaient envoyé les départements de la Sarthe, de l'Orne, de la Gironde. Il avait participé avec lui à l'élaboration de la nouvelle Constitution, puis s'était écarté du Comité composé en tout de neuf membres, comme si cette Constitution n'était pas sa préoccupation dominante.

Quel homme était donc ce Sieyès, difficile à connaître et souvent calomnié ? Sa discrétion l'entoure d'une espèce de mystère. A l'Assemblée, il se tient immobile à son banc, silencieux, prenant des notes, n'applaudissant jamais. On guette ses moindres gestes. On recueille ses rares paroles. On respecte son silence. Robespierre dit de lui : « l'abbé Sieyès ne se montre pas, mais il ne cesse d'agir dans les souterrains de l'Assemblée : il est la taupe de la Révolution. » Tout le monde a répété le fameux : « J'ai vécu » de Sieyès au sortir de la Terreur.

Etait-il fourbe ? Fut-il lâche ? Ni l'un, ni l'autre, sans doute, mais calculateur, peu disposé à l'action, trouvant un refuge dans la spéculation philosophique et politique, élaborant presque toute sa vie la constitution idéale qui le hantait.

Dans sa jeunesse, pourtant, cet ancien élève des Jésuites s'était cru destiné à la carrière militaire. Sa mauvaise santé la lui avait interdite. Influencé par l'ardente piété de ses parents, il avait opté pour l'état ecclésiastique et tout de suite après avoir pris cette décision, il la regretta. A peine la porte du séminaire fut-elle refermée qu'il se sentit assailli de scrupules, incertain de sa foi. Ordonné prêtre en 1773, à l'âge de vingt-cinq ans, il continuait à lire Locke et Condillac. Dans les mois précédant la convocation des Etats Généraux, des milliers de brochures parurent. Aucune, probablement, n'eut autant de succès que celle de Sieyès contenant la formule célèbre : Qu'est-ce que le Tiers Etat ? — Tout. —

Qu'a-t-il été jusqu'à présent dans l'ordre politique ? — Rien. — Que demande-t-il ? — A y devenir quelque chose.

Véritable coup de boutoir que le savant ecclésiastique assénait au régime établi. Ce théoricien était lucide et ne rêvait pas. Une révolution, à ses yeux, ne peut être qu'une guerre civile ; il prédit que les privilégiés consentiront au Tiers de petits avantages pour endormir sa méfiance ; il ose affirmer qu'il n'y a rien de commun entre les opprimés et les oppresseurs. Le Tiers ne doit compter que sur lui-même, le peuple ne doit pas se laisser berner, continuer à croire que le premier de ses devoirs est d'obéir à un monarque de droit divin. Le peuple est souverain, ce peuple qui vit et travaille dans les quarante mille paroisses qui font la Nation.

Elu député de Paris aux Etats généraux, le philosophe qu'un historien de nos jours (1) tient pour le « premier penseur révolutionnaire », agit tout à coup en chef. Michelet a souligné le rôle de « celui qui d'avance avait tracé à la Révolution une marche si droite et si simple, qui en avait marqué les premiers pas un à un. Tout avançait sur le plan donné par Sieyès d'un mouvement majestueux, pacifique et ferme comme la loi... » C'était le 10 juin 1789. Sieyès dit en entrant à l'Assemblée : « Coupons le câble, il est temps ! » Ce jour-là, ajoute Michelet, Sieyès « qui d'avance avait calculé si juste, se montra vraiment homme d'Etat ; il avait dit ce qu'il fallait dire et il le fit au moment ». Le Tiers devint l'Assemblée nationale.

Sieyès, la taupe, était resté le révolutionnaire tel que le concevait Condorcet, adversaire de Robespierre, nouveau pontife. Sieyès était bien le révolutionnaire capable de s'opposer aux « charlatans politiques » qui tous « veulent être les favoris du peuple afin d'en devenir les tyrans ».

Tout en consacrant la plus grande partie de son temps au *Journal de l'Instruction Sociale*, Condorcet ne cesse de s'intéresser à *La Feuille Villageoise*. Cette petite revue, sorte d'Encyclopédie populaire, se compose d'articles fort simples, rédigés par des « professeurs et journalistes des hameaux ». Elle veut pénétrer dans « tous les villages de France pour les instruire des Lois, des Evénements, des Découvertes qui

(1) J.-L. Talmon : *Les origines de la démocratie totalitaire.*

intéressent tout citoyen ». Créée en 1790, *La Feuille Villa-geoise* compte parmi ses fondateurs Rabaud Saint-Etienne et Pierre-Louis Ginguené. Curieux personnage que ce Ginguené qui fera pas mal parler de lui au cours des années à venir. Breton de Rennes, rêvant d'occuper une place importante dans le monde des Lettres, il s'était d'abord essayé à la poésie et au théâtre. Ce jeune homme bien doué, entré au contrôle général en 1780, aurait pu y réussir et devenir un bon bourgeois. Mais la convocation des Etats généraux, la prise de la Bastille et le reste l'incitent à reprendre la plume et deux ans plus tard paraissent sa brochure *De l'auto-rité de Rabelais dans la Révolution présente et dans la Constitution civile du clergé*, ensuite ses *Lettres sur les confessions de Jean-Jacques Rousseau*. Puis il se met au service de *La Feuille Villageoise*, tout dévoué à Condorcet, animateur de ladite Feuille. Celui-ci, s'il ne bouge plus guère d'Auteuil, suit attentivement ce qui se passe à Paris. Son attitude favorable aux Girondins l'a rendu suspect. Le 10 juin (93) son ancien ami Hérault de Séchelles lit à l'Assemblée le texte de la nouvelle Constitution, appelée la *Montagnarde*, démarquage éhonté de la sienne, appelée la *Girondine*. L'indignation dicte à Condorcet sa lettre *Aux Citoyens Français sur la Nouvelle Constitution* bâclée par cinq commissaires non compétents « dans un moment où la liberté de la presse était anéantie par des mesures inquisitoriales, par le pillage des imprimeries, où le secret des lettres était violé avec une audace que le despotisme n'a jamais connue ». Cet écrit qu'il ne signe pas, est imprimé clandestinement et diffusé dans les départements. Condorcet sait qu'il doit s'attendre au pire et « afin de demeurer en tout événement seul maître de sa personne », il partage avec Jean de Bry une dose de poison préparé par Cabanis...

L'auteur de la lettre ne tarda pas à être identifié. Le 8 juillet sur la proposition de Chabot, Condorcet est décrété d'arrestation. Mais Auteuil uni dans sa résistance sait protéger la fuite de son grand homme. Les deux policiers envoyés par Paris vont vainement de maison en maison. Personne n'a vu le philosophe. Pendant qu'on le cherche à travers le village, Condorcet a pu filer. Où est-il allé ? Se réfugier chez Mme Helvétius, à deux pas de son propre domicile, serait bien imprudent ; accepter l'hospitalité que Garat, ministre de l'Intérieur, lui aurait offerte, il n'y songe même pas. Garat, de longue date ami de l'Encyclopédiste a écrit dans ses *Mémoires sur la Révolution*, parus en 1795 : « A l'instant où Condorcet avait été obligé de chercher un asile, je lui en avais fait offrir un à côté de moi, à l'hôtel même de l'Intérieur, et jamais je n'aurais cru employer à un plus digne sage, ni une maison, ni un ministre de la République. Cette violation d'un décret eut été pour moi la plus sainte exécution de toutes les lois. »

Le fugitif s'en est remis aux deux hommes sûrs que Cabanis lui a recommandés : Pinel, le médecin, qui s'efforce d'humaniser Bicêtre, Boyer chirurgien en second de la Charité (et à partir de 1804, chirurgien de Napoléon). Ils le conduisent vers l'abri qui depuis longtemps lui est préparé. Dans une maison de la rue des Fossoyeurs — l'actuelle rue Servandoni — entre le Luxembourg et l'église Saint-Sulpice, devenue temple de la Victoire, habite une dame Vernet, veuve du sculpteur, neveu de Carle, qui loue des chambres. Ils ont logé chez elle lorsqu'ils étaient étudiants. Courageuse jusqu'à la témérité, elle va garder le proscrit pendant les huit mois qu'il a encore à vivre. C'est dans l'espèce de cellule sur laquelle elle veille qu'il écrit son œuvre capitale : *l'Esquisse d'un tableau historique des progrès de l'Esprit humain*.

Paris vit un cauchemar. La loi des suspects fait de chaque citoyen un coupable. Après Louis XVI et Marie-Antoinette, de vrais républicains sont guillotinés. Les Girondins montent à l'échafaud en chantant *La Marseillaise*. Condorcet sait qu'il n'échappera pas à la mort. Et pourtant, indifférent à son sort, il trouve dans son travail la sereine certitude que la Révolution qu'on pourrait croire trahie survivra, que l'humanité avance vers un avenir meilleur.

Son livre achevé, pour ne pas compromettre Mme Vernet menacée d'une visite domiciliaire, il échappe à son affectueuse vigilance et disparaît un matin de mars 1794. On croit qu'il a pu passer en Suisse. Il est mort dans la prison de Bourg-Egalité (Bourg-la-Reine). Ses vieux amis les Suard, terrés à Fontenay-aux-Roses, lui ont refusé l'hospitalité ; il s'est fait prendre dans un cabaret de Clamart.

Bien entendu il ne fut pas le seul de la société d'Auteuil à souffrir de la Terreur. Volney, Ginguené, Daunou, Destutt

de Tracy furent également arrêtés. Volney sous l'inculpation
de royalisme, Ginguené pour son activité de journaliste.
Daunou, comme Condorcet, avait refusé de voter la mort du
roi, optant pour la déportation et la réclusion, après trois
discours qui comptent parmi les meilleurs de l'époque. Saint-
Just lui opposait la *hauteur* de la Révolution. « Il ne faut
pas, répondit Daunou, il ne faut pas appeler la hauteur de
la Révolution ce qui ne serait que le régime des vautours ;
restons dans l'atmosphère de l'humanité et de la justice. »
Il s'éleva contre la proscription des Girondins. On le conduisit à la Force, il fut traîné par la suite dans quatre prisons.
Rien n'abattit son courage, ni les privations, ni les insultes ;
de même que Ginguené traduisait Platon, il se soutenait
par la lecture des grands écrivains de l'Antiquité, surtout
Cicéron et Tacite. Quant à Destutt de Tracy, il avait été
arrêté à Auteuil le 2 novembre 1793 et emmené à l'Abbaye ;
il y était resté six semaines dans un réfectoire où trois cents
autres prisonniers s'entassaient. On le transféra aux Carmes
où il se mit à lire et à travailler. Il pensait tenir la solution
du problème qui l'obsédait lorsqu'il entendit des pas dans
le couloir, puis des noms qu'on criait. C'était l'appel des
prisonniers promis à la guillotine pour le lendemain, un
appel qui n'en finissait pas. Son nom pouvait être prononcé
d'un moment à l'autre, la porte de sa cellule pouvait s'ouvrir,
mais, tout à sa pensée, Destutt de Tracy ne cessa pas
d'écrire. C'est pendant cette heure terrible qu'il formula
l'essentiel de ce qui servirait de base à tous ses ouvrages.
« A l'avenir, nota-t-il, je partirai toujours de ce point si le
ciel me réserve encore quelque temps à vivre et à étudier. »
La date de son jugement et de son exécution était fixée au
11 thermidor. La mort de Robespierre le sauva.

Ainsi, perdus dans la cohue des prisons, pendant que
tant d'autres tremblent, pleurent, crient, invectivent, eux
affrontent la mort sans faiblir, continuant stoïquement leur
œuvre exactement comme leur maître dans sa chambre de
la rue des Fossoyeurs, leur maître dont ils ne savent rien,
dont ils doutent qu'il vive encore.

La vérité sera révélée par un article de la *Décade philosophique* du 10 Nivôse an III (30 décembre 1794) : « Comment se fait-il donc alors que rien ne transpirât dans Paris,
qu'aucun journal ne dit un mot de l'aventure de Bourg-

Egalité, et que le nom de Condorcet ne fut même pas prononcé à la Convention ?... » Ce journal, organe du parti philosophique comme son titre l'indique, avait été fondée le 10 floréal an II (20 avril 1794), c'est-à-dire au moment où Robespierre venait de se débarrasser des « enragés » et des « modérés ». La *Décade* entendait défendre la liberté de pensée, les principes du siècle des lumières, les valeurs républicaines. Ginguené, dès le début, avait été son animateur (1) ; y collaboraient aussi Jean-Baptiste Say, Roederer, Fauriel, Marie-Joseph Chénier, Cabanis... Plus tard celui-ci analysera dans la *Décade* l'œuvre du grand philosophe disparu que Ginguené reconnaîtra toujours comme l'inspirateur de cette publication héritière de l'idéal du XVIIIe siècle. Il affirme : « La Révolution créée par la philosophie doit être conservée par elle. »

On voit la place tenue par Condorcet dans les années qui suivent la Révolution. C'est lui qui dicte leur conduite à la plupart des hommes fidèles à la liberté politique et aux droits de l'esprit ; en examinant de ce point de vue la question de l'opposition à Napoléon, on découvre tout un réseau dont presque tous les fils partent de lui, se croisent sur lui, remontent vers lui.

Reprenant sa place à la Convention, Daunou faisait décréter l'impression de trois mille exemplaires de l'*Esquisse d'un tableau historique des progrès de l'esprit humain* (23 germinal an III — 12 avril 1795). Dans le même temps il travaillait au projet d'une Constitution destinée à remplacer la *Montagnarde* qui n'avait jamais été appliquée. Il consulta Sieyès, grand maître en la matière. Sieyès ne voulut rien lui communiquer. Daunou poursuivit son travail, s'inspirant de la *Girondine*. Il semblait que la République désormais remettait en honneur les principes de 89, que les philosophes la guideraient, que la restauration des libertés irait de pair avec la réhabilitation des victimes de la tyrannie. C'est ainsi que Boissy d'Anglas s'écriait :

« Et moi aussi j'évoquerai les mânes sacrées de nos vingt-deux collègues ! Et moi aussi, je demanderai à Brissot, à Condorcet, à Rabaud s'ils croient que la liberté de la

---

(1) En mars 98, il interrompra sa collaboration pour aller à Turin, étant nommé ambassadeur auprès du roi de Sardaigne.

presse pour laquelle ils ont si glorieusement combattu puisse jamais être comprimée par des lois prohibitives, sans que la liberté publique ne soit détruite. »

Peu auparavant, au sein de la même assemblée, la grande voix de Marie-Joseph Chénier s'était élevée, s'adressant à « la véritable opinion publique », à celle que le 9 thermidor a tiré « d'une langueur léthargique ». Il proposait que les députés chassés de la Convention fussent réintégrés : « Ils ont fui, dites-vous, ils se sont cachés ; ils ont enseveli leur existence au fond des cavernes. Pourquoi ne s'est-il pas trouvé de caverne assez profonde pour conserver à la Patrie les méditations de Condorcet et l'éloquence de Vergniaud ? »... Plus tard, en 1803, on entendra un nouvel éloge de l'Encyclopédiste, prononcé à l'Institut par Lucien Bonaparte, sur le conseil de Cabanis.

C'est bien avant la Révolution que Marie-Joseph Chénier avait commencé à écrire ; en vers parce qu'il était poète, pour le théâtre parce que le théâtre était une tribune. En 1788, il terminait sa tragédie *Charles IX* et peu après un *Henri VIII* que M. Suard, censeur des spectacles refuse obstinément d'autoriser. Ne craignant rien tant que de se compromettre, l'aimable M. Suard avait aussi refusé *Le Mariage de Figaro*.

Le 19 août 1789, un spectateur du Théâtre Français, demande d'une voix de stentor pourquoi on ne joue pas *Charles IX* sur la première de nos scènes. Un comédien lui répond que l'autorisation de représenter cette pièce n'a pas été obtenue. La salle hurle qu'il ne faut plus d'autorisation. Le spectateur anonyme est Danton lui-même, flanqué de Fabre d'Eglantine et de Collot d'Herbois. Bailly pose la question à l'Assemblée nationale et, malgré les craintes de M. Suard, *Charles IX* est jouée pour la première fois le 4 novembre (89). De sa loge, Mirabeau donne le signal des applaudissements. Talma est un Charles IX magnifique ; il prête à son personnage une éloquence si véhémente qu'à la fin la salle trépigne pendant dix bonnes minutes, réclamant l'auteur que le grand tragédien amène et reconduit triomphalement.

Grimm affirme que *Charles IX* attire plus de monde encore que *Figaro* et, au sortir de la représentation, Danton s'écrie : « Si *Figaro* a tué la noblesse, *Charles IX* tuera la royauté ! »

En février 1792, Chénier donne *Caïus Gracchus* dont le succès est prodigieux. Quand cette tragédie est reprise pendant la Terreur, et qu'on entend :

Des lois et non du sang ! Ne souillez point vos mains.
Romains, vous oseriez égorger des Romains...

la salle médusée n'ose pas tout de suite applaudir. Quelques jours après, Billaud-Varennes, à la tribune, dénonce la pièce comme « l'œuvre d'un mauvais citoyen ». Deux ans plus tard, la répétition générale d'une autre pièce, *Timoléon*, est interrompue par un partisan de Robespierre qui crie : « Chénier, tu n'as jamais été qu'un révolutionnaire déguisé ! »

En mars 1794, André Chénier est arrêté et emprisonné à Saint-Lazare. Les ennemis de Marie-Joseph prétendront avec acharnement qu'il n'a rien fait pour sauver son frère. Or, il multiplie ses démarches pour obtenir sa libération, son prestige est assez grand auprès du Comité de salut public pour qu'il puisse espérer réussir. Après avoir écrit l'Hymne pour la fête de la Fédération, l'Hymne pour la fête de la Liberté, l'Hymne de l'Etre suprême, Marie-Joseph est devenu le chantre de la Révolution en composant *Le Chant du Départ*. Ce grand lyrique, bon citoyen, ne dédaignait pas les tâches plus modestes : ainsi, en décembre 92, il avait présenté un rapport sur les écoles primaires.

Si l'on ne peut douter de la sincérité de ses sentiments révolutionnaires, il faut reconnaître qu'il lui arrivait de manquer de courage. Robespierre l'intimidait. Mme de Staël qui fut une de ses amies devait écrire :

« Chénier était un homme à la fois violent et susceptible de frayeur ; plein de préjugés quoiqu'il fût enthousiaste de la philosophie ; inabordable au raisonnement quand on voulait combattre ses passions (1). » Cette sensibilité qu'il ne contrôle pas, alliée à une violence qu'il ne domine pas explique ses emballements et le manque de rigueur, les fléchissements qui parfois marqueront sa conduite.

---

(1) *Considérations sur la Révolution française*, IIIe partie.

*
**

A la fin de mai 1795 étaient arrivées à Paris deux personnalités étrangères qui allaient renforcer le parti philosophique et jouer un grand rôle dans les vingt années à venir :
Benjamin Constant et Mme de Staël.

Fille de Suisses et suédoise par son mariage, Germaine
de Staël était française d'esprit et de cœur. Elle retrouvait
avec des sentiments républicains ce Paris qu'elle avait quitté
trois ans plus tôt, et M. Necker, le père bien-aimé qu'elle
laissait à Coppet lui prodiguait de sages conseils : « Je crains
bien que tu n'aies le dessein secret de faire parler de toi.
Comment réaliser de tels projets sans des inconvénients
infinis ! Souviens-toi de toutes les tracasseries auxquelles tu
t'es exposée dans un autre temps. »

Le destin de Germaine de Staël était de s'y exposer toujours. Son ardeur à vivre, sa curiosité, son besoin de se
dépenser, la jetaient inévitablement dans l'action. Il lui fallait, où qu'elle fût, tout voir, tout entendre et se mêler à
l'événement.

La popularité de son père, homme médiocre, banquier
heureux, l'avait marquée profondément. Elle le vénérait, et
avouait qu'elle l'eût voulu pour époux. Près de M. Necker,
Germaine se sentait souveraine. Elle était toute jeune quand
il fut nommé Directeur général des Finances — étranger,
il ne pouvait être ministre — par Louis XVI, après une
cabale contre Turgot et ses sages réformes.

La belle, vertueuse et ennuyeuse Mme Necker, née Suzanne
Curchod, était fille de pasteur et douée d'une solide instruction. En dépit de ses principes rigides, elle avait su
s'adapter à cette société parisienne, futile et corrompue. Dans
son salon, un des plus fréquentés, sa fille, la petite Germaine,
a son tabouret. Elle écoute Galiani, Buffon et Diderot aussi
passionnément qu'elle lira bientôt Rousseau et Raynal ; elle
lira aussi Montesquieu et les Encyclopédistes qui lui font
croire au progrès et au bonheur.

Mme Necker voulait faire épouser à Germaine, William
Pitt. Germaine refusa énergiquement, surtout peut-être pour
ne pas s'éloigner de son père, et en 1785, âgée de dix-neuf
ans, opta pour l'insignifiant et commode baron Eric-Magnus
de Staël von Holstein, secrétaire de l'ambassade de Suède

dont M. Necker fit un ambassadeur. Lui épousait une dot, fabuleuse. Aucun autre mode d'existence que celui que son père lui procurait, n'eût convenu aussi bien à cette géniale bavarde qui attira tout Paris dans son salon de la rue du Bac. Elle cherchait moins à briller qu'à examiner des problèmes avec ses hôtes, à tenter de les résoudre. On parlait maintenant moins philosophie et littérature que politique. Germaine savait se taire pour écouter, mais quand elle se sentait inspirée et désirait convaincre, elle trouvait des accents qui subjuguaient son auditoire et la rendaient presque belle. Au fait, était-elle si laide qu'on l'a dit, Napoléon tout le premier ?

Elle s'empâta vite, ne sut jamais s'habiller et le trop pesant turban dont elle eut l'idée de couronner son visage trop rond l'a définitivement enlaidie. Mais le portrait exécuté en 1789 et conservé aux Estampes, montre un visage spirituel et attirant : l'acuité du regard, la finesse du demi-sourire, font oublier la lourdeur du menton et les boucles de caniche. Elle était alors âgée de vingt-trois ans et depuis trois ans baronne de Staël, ambassadrice de Suède.

Elle avait vu son père, citoyen de Genève, quasiment ministre du roi de France. Les plus grandes célébrités accouraient chez lui, chaque vendredi. Son fameux *compte rendu*, publié à gros tirage en 1781, prouvait que sa sage administration était la meilleure du monde — le budget en excédent de dix millions négligeait malheureusement les dépenses provoquées par la guerre — et faisait de M. Necker l'homme providentiel. Cependant, comme il avait désapprouvé les énormes pensions payées aux gens de la Cour, ceux-ci, Maurepas et Vergennes en tête, estimèrent qu'il fallait sans tarder se débarrasser de cet étranger gênant, roturier par surcroît malgré son titre de baron récemment acquis.

Supportant dignement la disgrâce, les Necker s'étaient retirés dans leur résidence de Saint-Ouen. Le 25 août 1788, après avoir confié les affaires à Calonne, à Loménie de Brienne et dressé contre lui le Parlement, Louis XVI rappelait Necker qui avait la confiance des financiers et des négociants en même temps qu'une réputation de libéral.

Necker étant de nouveau au pavois, Germaine assistait le 5 mai 1789 à la réception des représentants de la Nation :

« M. Necker fut couvert d'applaudissements dès qu'il

entra ; sa popularité était alors entière et le roi pouvait s'en servir utilement en restant fidèle au système dont il avait adopté les principes fondamentaux (1). »

A la vérité, le discours de Necker qui dure trois heures, ennuie. Pas plus que le roi, il ne fait allusion à cette Constitution qu'on souhaite, qu'on attend, et semble croire que le pays ne s'est réuni à Versailles que pour s'instruire en matière financière. Les jours passent. Necker cesse de plaire à Louis XVI et à Marie-Antoinette. Pour ses amis, il est toujours aussi grand. Pour le peuple aussi qui, à Paris, prend les armes, en apprenant la nouvelle de son nouveau renvoi, promène son buste en triomphe à côté de celui du duc d'Orléans, et exige son retour. On serait tenté de dire que la Bastille est tombée parce que M. Necker n'était plus là.

M. Necker est parti pour Bruxelles avec sa famille. C'est à Bruxelles qu'il garantit à des banquiers d'Amsterdam que le blé devant être livré à Paris leur sera payé. Deux millions qu'il ne récupérera jamais, que Germaine réclamera sans cesse.

Donc, le peuple français veut Necker, et rappelé par Louis XVI, poussé par sa femme, exhorté par sa fille, M. Necker, qui a gagné Bâle, prend le chemin de Paris. Acclamé tout le long du parcours, il est accueilli à l'Hôtel de Ville par une foule en délire.

Germaine sent alors qu'elle a « touché aux bornes du bonheur possible ». Et que ce père, dont elle partage toutes les pensées, soulève cette vague d'enthousiasme, apparaisse un instant comme le maître de la France, influencera profondément sa conduite future. La Révolution marche, que Mme de Staël croit guider. M. Necker rentre à Coppet en septembre 90. Jamais sa gloire n'avait paru plus grande qu'à la fête de la Fédération ; six semaines plus tard, hué par l'Assemblée prenant connaissance de son administration, il présentait sa démission.

Ce départ ne changeait en rien la situation de Germaine dans Paris. Tandis que l'ambassadeur s'adonne de plus en plus à l'illuminisme, elle accueille rue du Bac tout ce qui a une ombre d'importance, une parcelle de pouvoir. Talleyrand est un de ses habitués ; un de ses amants aussi, qui

(1) Mme de Staël, *op. cit.*

laisse sa place à Narbonne (fils naturel de Louis XV) lequel lui donnera deux enfants et qu'elle fera ministre de la Guerre. Sophie de Condorcet, avec qui elle s'est liée, l'aide à obtenir cette nomination. Sieyès est très assidu à ses réunions, ainsi que Brissot, les frères Lameth, Malouet et Barnave. En cette année 1791, Germaine a réussi ce qu'elle voulait : grouper chez elle les hommes les plus intelligents, assez modérés pour admettre la discussion. Sa haine du fanatisme est telle qu'elle songera, deux ans plus tard, à faire évader Marie-Antoinette.

Elle ne se contente pas de tenir un salon, elle prétend jouer un rôle prépondérant dans les affaires de la France. Quand Narbonne dut céder son portefeuille, c'est chez Mme de Staël que se tint un conseil de girondins et de fayettistes auquel assistait également Sophie de Condorcet. Narbonne ne fut pas réintégré, mais la chute du ministère fut décidée ainsi que son remplacement par un ministère girondin (avril 1792). Même si elle ne réussissait pas, Germaine avait l'impression de gouverner. De telles initiatives de la femme de son représentant à Paris ne laissaient pas de mécontenter le roi de Suède qui prescrivit au baron de Staël de fermer son ambassade. L'ambassadrice n'en continua pas moins ses activités, convoquant ses amis dans la maison de Necker et chez Mme de Condorcet.

Cependant, la violence des grandes journées révolutionnaires l'inquiète. Toute acquise à ces gens du peuple qu'elle avait vus acclamer son père, elle prend peur de leur colère. La marche du 20 juin vers les Tuileries la terrifie.

Le 10 août, elle se préoccupe du sort de ses malheureux compatriotes qui tiennent tête aux assaillants ; elle aide ses amis à se cacher, abritant Narbonne et Mathieu de Montmorency. Quand le 2 septembre, la « populace » commence à massacrer, la baronne de Staël monte dans une berline tirée par six chevaux, pour rentrer à Coppet.

Dans l'été de 1793, l'honorable famille des Constant avait vu Benjamin revenir d'Allemagne, plus exactement de Brunswick, où son père, le colonel Juste Constant de Rebecque, servant comme beaucoup de Suisses dans l'armée hollan-

daise, avait obtenu pour son fils le poste de « gentilhomme
ordinaire » ou, si l'on préfère, de chambellan du duc.

Le jeune homme avait passé cinq ans, donc presque toute
la Révolution, dans cette petite cour qu'il amusait de ses
saillies, où hélas ! il s'était marié à une dame d'honneur de
la duchesse, de dix ans son aînée. Tout en s'acquittant de
ses fonctions avec un loyalisme prudent, il suivait attentivement les événements de France. On peut s'étonner que
Benjamin, tout acquis, et de bonne heure, aux idées nouvelles, par son penchant naturel, par ses lectures, par ses
études, par ses amitiés, ne se soit pas indigné des termes
du fameux Manifeste ; d'autant plus que ce Paris menacé de
subversion totale n'était pas encore la proie de la Terreur.

Benjamin avait eu une adolescence des plus mouvemen-
tées. Après avoir suivi des précepteurs curieusement choisis
par son père et qui l'emmenaient dans des tripots et chez
les filles, il était enfin entré à l'Université d'Edimbourg et
y était resté deux ans ; dans ce foyer de libéralisme intellectuel et politique il entendit des maîtres tels qu'Adam
Smith et Adam Ferguson. En 1785, son père avait eu l'idée
de le faire vivre chez M. Suard. Dans leur salon, salon
modeste, salon d'amis, car ceux qu'on appelle affectueuse-
ment le « petit ménage » ne sont pas riches, Benjamin prend
l'air de ce XVIIIe siècle finissant. C'est là qu'il connaît Mme de
Charrière. Belle de Zuylen, une femme de lettres hollandaise qui habite Colombier près de Neuchatel, est venue à
Paris veiller à la publication de son roman *Caliste*. Ils se
voient chez M. Suard, à l'hôtel où Belle est descendue, bavar-
dent des nuits entières en buvant du thé. Est-il son amant ?
On a dit oui, on a dit non, ce qui importe moins que l'influence que cette femme mûre put avoir sur ce garçon de
vingt ans. Il est ébloui par tant d'esprit : « Mme de Charrière, dit-il, avait une manière si originale et si animée de
considérer la vie, un tel mépris pour les préjugés, tant de
force dans ses pensées et une supériorité si vigoureuse et si
dédaigneuse sur le commun des hommes, que dans ma disposition à vingt ans, bizarre et dédaigneux que j'étais aussi, sa
conversation m'était une jouissance jusqu'alors inconnue. »

Il ne faut pas cependant exagérer l'importance de cette
Belle sceptique, caustique, déçue, dans la formation politique de Constant. Malgré les désordres de sa vie privée, qui

permettent à certains de le traiter comme un fripon, sa pensée s'affirmera d'une netteté, d'une indépendance remarquables. Paul Bastid (1) qui l'a magistralement étudié, n'hésite pas à mettre Constant sur le même plan que Sieyès : « La liberté individuelle, écrit-il, a été leur commune religion. » Constant est un héritier du XVIIIe siècle, un admirateur depuis sa jeunesse de cette littérature qui se soucie moins de sa per- fection, comme celle du XVIIe, que des idées qu'il faut répandre et défendre.

Que dans ce siècle libérateur, Voltaire ait occupé selon Constant la première place ne peut surprendre. Le respect de l'individu, la haine du fanatisme, la rapidité de la pensée, la probité du style, les apparentent. Ce qui frappe c'est que Benjamin ait si vite compris les dangers de la doctrine de Rousseau, maître à penser de la plupart des hommes de son temps. Bonaparte en est imprégné. Robespierre raffolait non seulement du *Contrat social*, mais de la *Nouvelle Héloïse*. Pour Constant, écrit encore Paul Bastid, Rousseau « aboutit par l'aliénation totale des droits individuels, à l'absolutisme de la collectivité. Si l'autorité sociale n'est pas limitée, l'exis- tence individuelle se trouve d'un côté soumise sans réserve à la volonté générale, la volonté générale se trouve de l'autre représentée sans appel par la volonté des gouvernants. Or, le peuple qui peut tout, est aussi dangereux, plus dange- reux qu'un tyran ».

Naturellement, Constant est sensible à la puissance de Rousseau, il reconnaît qu'il cherchait lui aussi la liberté, mais les moyens qu'il préconise pour la sauvegarder créent un nouveau despotisme. Et Bastid rappelle que Constant, le 20 mars 1820 à la tribune de la Chambre, constatera qu'on s'appuie sur le nom de Rousseau chaque fois qu'on propose des lois contre la liberté.

Le *Cahier Rouge* nous apprend que dans l'année 1785, quand Benjamin entreprend son écrasante *Histoire du Poly- théisme*, il lit beaucoup les ouvrages d'Helvétius, enchanté de cette idée que la religion païenne est supérieure au chris- tianisme.

Ce ne sont pas seulement ses immenses lectures qui ont enrichi cet Européen, mais encore les entretiens qu'il eut

----

(1) *Benjamin Constant et sa doctrine.*

avec des interlocuteurs de différents pays et d'opinions les plus diverses. On sait qu'il était, lui, un causeur étincelant. La conversation l'animait, affermissait sa pensée, aiguisait son esprit, la conversation lui était nécessaire.

Quand il revient en 1793, il a vingt-sept ans. Il se prépare à divorcer. Il a joué et fait des dettes. Son père s'est égaré dans un procès inextricable dont Benjamin va s'occuper. L'admirable prosateur qui sera l'auteur d'*Adolphe* s'est évertué à faire des vers, très mauvais. Il travaille comme un tâcheron à son *Histoire du Polythéisme*. Et il n'est pas heureux. Il n'a encore rien réussi. Sa famille qui ne l'aime pas l'ennuie. Il se confie pourtant à Mme de Nassau « la chère tante » avec une lucidité qui donne à ce portrait sans fard une valeur incomparable : « Revoyez mon éducation, cette vie errante et décousue, ces objets de vanité dont on allaitait mon enfance, ce ton d'ironie qui est le style de ma famille, cette affectation de persifler le sentiment, de n'attacher du prix qu'à l'esprit et à la gloire et demandez vous si c'est étonnant que ma jeune tête se soit montée à ce genre... » Et il ajoute, aveu ô combien précieux : « Je suis fatigué de mon propre persiflage. »

Heureusement, oui heureusement en définitive, Germaine de Staël va paraître. Elle avait loué à côté de Lausanne le château de Mézery. Narbonne, venant d'Angleterre, y arriva ainsi que Mathieu de Montmorency le saint et Mme de Montmorency-Laval, maîtresse de Narbonne jadis, toute disposée à le redevenir. A la petite troupe se joignait un personnage assez inattendu, un Adonis régicide, le comte de Ribbing, âme du complot qui a tué Gustave III de Suède. Germaine tomba amoureuse du jeune exilé ; il sut lui faire partager ses convictions républicaines : « Je désire la république, lui écrivit-elle, comme le seul gouvernement qui puisse et vous convenir et ne pas déshonorer la France (1). »

Le groupe fut obligé de se disperser ; Ribbing partit pour le Danemark. Germaine, fait impensable, se trouvait seule.

Mme de Charrière qui jugeait sévèrement sa turbulente voisine, l'avait peinte à Benjamin de façon peu flatteuse, ce qui ne l'empêcha pas de désirer la connaître. Un jour de septembre 1794, ayant quitté Coppet pour se rendre à Lau-

(1) Christopher Herold : *Germaine Necker de Staël*.

sanne, elle s'aperçoit qu'un cavalier s'efforce de rattraper sa voiture. Il la rattrape. Elle reconnaît cet homme spirituel rencontré peu auparavant chez des amis. Elle le fait monter, le regarde mieux, le trouve laid avec ses cheveux rouges retenus sur la nuque par un peigne, ses joues piquées de taches de rousseur, ses yeux myopes, ses paupières fatiguées, mais elle est tout de suite, dès les premières paroles, émerveillée par son intelligence, et elle aime l'intelligence par-dessus tout. Et puis, tout de même, il y a cette bouche qui n'est pas pour déplaire, cette bouche à la fois sinueuse et charnue, prête à sourire, que nous livrent certains portraits.

Les voilà donc réunis. Ils dînent en cours de route chez des amis de Germaine, discutant à perdre haleine sur la liberté de la presse et Germaine offre à Benjamin l'hospitalité. Quelque temps après, une nuit que Mathieu de Montmorency et Narbonne étaient chez elle, Benjamin voulut s'empoisonner en avalant une dose d'opium, dose insuffisante que Sainte-Beuve appelle la dose de Coppet. Dérangé dans sa lecture des *Confessions* de Saint-Augustin, Mathieu cria qu'il fallait jeter par la fenêtre cet homme qui troublait le calme de la maison et risquait de la déshonorer s'il réussissait par la suite son suicide. Germaine, accourue dans la chambre de son nouvel ami lui abandonnait un bras qu'il couvrit de baisers. Elle aurait dit, une fois dans son boudoir, frottant ce bras d'une eau parfumée : « Je sens que j'aurai pour cet homme une antipathie physique qu'elle rien ne saurait vaincre. » Mais c'est sur cet homme qu'elle comptait pour préparer son retour en France.

Thermidor a délivré le pays du tyran, écrit Germaine sans illusions, et « a mis des scélérats pour leurs intérêts, à la place d'un scélérat par pur amour du crime ». En d'autres termes, le temps de la Vertu est passé, le temps des affaires est venu. Beaucoup de ceux qui tremblaient semblent n'avoir recouvré la liberté que pour tâcher de s'enrichir.

La Convention où le centre domine craint autant les excès du jacobinisme que le réveil du royalisme. Si corrompue soit-elle, il faut sauver la République. Aidée de Benjamin qui partage ses opinions et dont le style convient mieux que le sien au pamphlet, Germaine écrit *Réflexions sur la paix adressées à M. Pitt et aux Français :* à Pitt, aux Anglais,

pour qu'ils renoncent à l'entreprise insensée d'imposer par
la guerre à la nation française un retour à l'Ancien Régime ;
aux Français monarchistes constitutionnels pour qu'ils se
rallient à la République.

Eric-Magnus est de nouveau ambassadeur et va avoir
l'honneur, en tant que représentant de la Suède, de faire
signer le traité de paix entre la France et la Prusse. Il se
méfie de l'activité politique de sa femme qui lui envoie
lettre sur lettre pour lui annoncer son retour. « Moi et le
printemps nous arriverons ensemble », lui écrit-elle le 1er mars
1795. En effet, malgré l'inquiétude de M. Necker, elle se met
en route le 15 mai « avec Benjamin dans ses bagages ».

Ils trouvent Paris bouleversé par l'émeute. Constant racon-
tera beaucoup plus tard : « Je suis arrivé à Paris le 5 prairial
an III (...) En entrant dans la ville je rencontrai des char-
rettes chargées de dix-neuf gendarmes qu'on menait à la
mort. C'était deux ou trois jours après l'insurrection du
1er prairial, la dernière chance de succès qu'ait eu le parti
de Robespierre... »

La répression contre les « terroristes » bat son plein ainsi
que la chasse aux suspects, suspects d'avoir servi l'ancien
Comité de salut public. « On ne parlait que de grandes
mesures d'exécutions et de déportations (...) Les membres
de la Convention (...) s'étaient mis à se dénoncer les uns
les autres et à se faire expulser ou arrêter réciproquement.
Toutes ces choses ne cadraient pas trop avec mes idées
d'une république. Cependant (...) je ne disais rien et j'attendais avec un peu de chagrin au fond du cœur et beaucoup
d'envie de me mêler des affaires. Mme de Staël dans la société
de laquelle je me trouvais souvent, était alors tout entière
à la république à la fois et à la réaction. A la république
d'abord, parce que cette opinion cadrait avec ses idées et
puis parce qu'elle craignait toujours d'être exilée comme
royaliste ; ce qui donnait à son républicanisme un degré
de plus de ferveur. Mais elle était en même temps dans le
sens réactionnaire parce que les crimes de la Terreur
l'avaient révoltée comme tout le monde, et que les terroristes avaient fait périr ou banni tous les amis (1). »

---

(1) Notes dictées par Constant en 1828 et citées par Olivier Pozzo
di Borgo : Benjamin Constant, *Ecrits et Discours politiques*.

Impatient de se « mêler aux affaires », Constant n'allait pas attendre longtemps. En effet, pour endiguer la poussée contre-révolutionnaire, la Convention, préparant les décrets des Deux-Tiers (1), se retournait contre la droite. C'est ce procédé antirépublicain de défense républicaine qui provoqua une protestation de Constant. A la fois par principe et par complaisance pour Mᵐᵉ de Staël qui souhaitait voir la nouvelle assemblée s'ouvrir à ses amis modérés, il publia trois lettres (non signées) contre le « décret des Deux-Tiers » dans les *Nouvelles Politiques*, le journal de Suard (6, 7, 8 messidor — 24, 25, 26 juin 95). Ces articles firent un « bruit du diable », excitant l'indignation des républicains, la jubilation des royalistes. Félicité par ceux-ci, Constant en reçut des invitations à coopérer avec eux au rétablissement de la royauté. Ce qui le fit « sauter en l'air ».

« Je rentrai chez moi, raconta-t-il, maudissant les salons, les femmes, les journalistes et tout ce qui ne voulait pas la République à la vie et à la mort. » Et, pressé de se disculper et de s'expliquer, il accepta de rédiger, pour un membre de la Convention, Louvet, un discours « prouvant que sans les conventionnels la République serait impossible ». Il se peut que Benjamin se soit amusé en écoutant sa prose tombant de la tribune et démentant ses *Lettres*. Il se peut aussi que ce Suisse fraîchement débarqué et impatient de jouer un rôle, se soit senti introduit dans ce Paris si difficile à conquérir et réjoui de cette première réussite. Ce succès était peut-être plus important pour lui que l'achat du bien national d'Hérivaux qu'on lui a tellement reproché ; il s'agissait d'une excellente affaire, certes, mais aussi d'une nécessité : tout citoyen, aux termes de la nouvelle Constitution, devait être contribuable, seuls pouvaient voter les propriétaires. D'où la volonté de Constant d'acquérir une terre en France, ce qu'il put réaliser avec l'aide de M. Necker.

Le 26 octobre, soit trois semaines après l'émeute du 13 vendémiaire, la Convention se séparait aux cris de « Vive la République ! » ; le 27, la nouvelle Constitution entrait en vigueur, le gouvernement du Directoire se formait.

(1) Cf. page 31.

Cette Constitution de l'an III, c'est Daunou, on l'a vu, qui avait été chargé de la rédiger, Daunou dont l'autorité morale était respectée de tous. En réaction bien compréhensible contre la dictature montagnarde, le nouveau régime marquait un retour aux principes de 89 notamment par une séparation des pouvoirs très accusée : d'un côté un Directoire de cinq membres renouvelable par cinquième chaque année, le nouveau directeur étant élu par les deux Conseils ; de l'autre, ces deux Conseils, celui des Cinq-Cents qui prenait l'initiative des lois et les préparait, celui des Anciens qui les adoptait ou les rejetait. De ce système allait naître un antagonisme fatal entre l'exécutif et le législatif ; il marquait en outre un recul du point de vue démocratique, par rapport à celui de 1791, réduisant le nombre des électeurs en surélevant le chiffre du cens. Tous les défauts de cette Constitution ne sont cependant pas imputables à Daunou qui ne put réaliser intégralement ses idées : au lieu des cinq directeurs, il eût préféré un président comme celui des Etats-Unis, sinon deux consuls exerçant alternativement.

Elu au Conseil des Cinq-Cents, Daunou en fut nommé président. Mais aussi désintéressé qu'impartial, il n'entra pas dans le Directoire, ayant refusé de modifier en sa faveur la condition d'âge requise (quarante ans, il n'en avait que trente-quatre). Sieyès ayant également été pressenti sans succès, le Directoire se constitua avec La Révellière-Lépeaux, Rewbell, Letourneur, Carnot, Barras, et s'installa au Luxembourg.

*
**

En marge de l'agitation de la capitale, mais sans se désintéresser des affaires publiques, les intellectuels d'Auteuil continuaient à se réunir ; ils avaient trouvé dans Paris même un nouveau foyer : c'est deux jours avant de se séparer que la Convention avait créé l'Institut (24 octobre 1795). L'idée première en revenait à Condorcet qui, après la suppression des Académies, avait songé à une Société nationale des Sciences et des Arts ; ayant repris son projet, Daunou s'en était vu confier la réalisation en même temps que l'organisation de l'Instruction publique et notamment des « Ecoles centrales ». L'Institut ainsi fondé comprenait trois classes, sciences physiques et mathématiques, sciences morales et politiques, littérature et beaux-arts : « l'abrégé du monde savant, le corps représentatif de la République des Lettres » pour reprendre la définition de Daunou. Le 7 décembre, le ministre de l'Intérieur convoquait au palais du Louvre le tiers des membres nommés par le gouvernement, qui devait élire les deux autres tiers. Le plus âgé de l'illustre assemblée, le célèbre Daubenton, en assumait la présidence. Il y avait là, pour la seconde classe, Volney, Garat, Ginguené, Cabanis, Bernardin de Saint-Pierre, l'abbé Grégoire « fanatique de liberté et de christianisme », Roederer, Dupont de Nemours, Daunou naturellement, Sieyès... et enfin Talleyrand.

C'est Mme de Staël qui avait fait rentrer d'exil l'ancien évêque d'Autun. A sa demande, Chénier avait plaidé en sa faveur, fonçant avec sa fougue habituelle : « Je réclame Talleyrand-Périgord au nom de la patrie, de la philosophie et des lumières... » Ces belles paroles avaient ébranlé la Convention et Constant qui les a rapportées ajoutait : « M. de Talleyrand revint un an après, se brouilla avec Chénier au bout d'une autre année et laissa exiler Mme de Staël au bout de six mois. »

Pourquoi cet exil ? En lisant Constant, on comprend sans peine que le boucher Legendre ait mis en doute la foi révolutionnaire de la baronne et l'ait accusée d'être à la tête d'une conspiration : « Le salon de Mme de Staël se trouvait ainsi peuplé de quatre ou cinq tribus différentes : des membres du gouvernement présent dont elle cherchait à conquérir la confiance ; de quelques échappés du gouvernement passé dont l'aspect déplaisait à leurs successeurs ; de tous les nobles rentrés qu'elle était à la fois flattée et fâchée de recevoir ; des écrivains qui depuis le 9 thermidor avaient repris de l'influence, et du corps diplomatique qui était aux pieds du Comité de salut public en conspirant contre lui. »

Le Comité de salut public avait conseillé à l'ambassadeur d'éloigner sa femme de Paris. Elle s'installa à Ormesson, chez Mathieu de Montmorency, sans renoncer à son activité politique. Si bien que, quelques mois plus tard, elle était priée, par le Directoire cette fois, de quitter la France. L'am-

bassadeur ne put rien pour elle. Benjamin Constant la suivit
à Coppet où elle se proposait d'achever son essai sur
l'*Influence des passions*. M. Necker écrivait à Meister : « Ma
fille est arrivée après une assez longue route. M. Constant lui
a servi de compagnon de voyage. Ils sont tous les deux merveilleusement lestés en idées et en espérances républicaines. »
En avril 96, Constant qui, lui, écrivait *La force du gouvernement actuel et la nécessisté de s'y rallier*, repartait pour
Paris. Germaine ne put le suivre : le ministre de la Police
lui interdisait l'accès du territoire français. Benjamin revint,
repartit, chargé de distribuer aux amis de Germaine, Suard,
Roederer, Chénier, un exemplaire de son ouvrage qui venait
de paraître.

Ainsi patronné, le livre fut accueilli favorablement par
le Directoire, et Germaine autorisée à séjourner en France,
à condition de rester à huit lieues de Paris. Elle s'installa
donc chez Benjamin à l'abbaye d'Hérivaux. Depuis octobre
elle était enceinte. Peut-être d'Eric-Magnus. Peut-être de
Benjamin qui le crut. L'enfant, Albertine, naquit à Paris
en juin 97. Les directeurs s'étaient laissés fléchir, l'ambassadrice put se réinstaller à l'ambassade. A peine relevée de
ses couches, en juillet, elle reprenait son activité et obtenait
de Barras que le portefeuille des Relations extérieures
fût confié à Talleyrand. Dans le même temps, pour lutter
contre l'influence du club royaliste de Clichy, elle fondait
le Cercle constitutionnel, ou club de Salm, qui réunissait
rue de Lille d'anciens conventionnels, des républicains, des
intellectuels, des membres de l'Institut ; auprès de Talleyrand et de Sieyès on y voyait Constant, Chénier, Cabanis,
Daunou. L'alliance se confirmait de deux courants de pensée, l'un formé par ceux qu'on appellera les Idéologues,
l'autre par les grands libéraux qu'étaient Benjamin Constant et Mme de Staël.

Que fit-on, que pensa-t-on dans ce groupe lors du coup
d'Etat de Fructidor ? Mais d'abord, rappelons les faits :
l'agitation du club de Clichy, justement, consécutive aux
succès des royalistes aux élections de germinal an V (mai
1797), l'accession de Pichegru à la présidence des Cinq-
Cents, le retour de nombreux émigrés, la prolifération de
journaux hostiles à la République, la trahison de Pichegru
prouvée par les documents envoyés à Barras par Bonaparte

— qui lui a détaché en même temps Augereau à la tête d'une division. Barras a convaincu deux de ses collègues du Directoire qu'il faut agir ; mais, des deux autres, Barthélemy, directeur depuis peu, est un monarchiste notoire et Carnot ne croit pas trop au danger, en tout cas, il ne veut pas qu'on recoure à des moyens anticonstitutionnels pour y parer.

Le 17 fructidor (2 septembre), le bruit se répand qu'une conspiration vient d'être découverte, qui a pour but de mettre Louis XVIII sur le trône. Le lendemain, les Tuileries, siège des deux assemblées, sont cernées par la troupe. Barthélemy est arrêté, de même que Pichegru et une douzaine de députés ; Carnot, suspecté, parvient à s'enfuir. A la demande des trois directeurs restants, la minorité républicaine des Cinq-Cents et des Anciens annule les élections dans quarante-neuf départements, suspend pour un an la liberté de la presse, élimine sans les remplacer cent soixante-dix-sept députés, déporte soixante-cinq personnes en Guyane (dont Pichegru qui s'évadera et passera en Angleterre). Le 19, l'opération est terminée, aggravant le précédent de Prairial : l'appel au soldat contre la représentation nationale, contre des parlementaires régulièrement élus. Et des mesures impitoyables, rappelant une époque qu'on croyait révolue, vont frapper les émigrés et les prêtres rentrés : on leur donne quinze jours pour quitter la France sous peine de mort.

Daunou, qui n'était plus des Cinq-Cents, voit à regret ce coup de force et s'élève dans le *Conservateur* contre les déportations : « Nous sentons trop vivement que ce système est horrible pour démontrer froidement qu'il est injuste et impolitique. » Et quand revenu aux Cinq-Cents l'année suivante, il lui incombera d'évoquer l'anniversaire du 18 fructidor, son discours sera une critique amère de la conduite du Directoire.

Ce que Daunou condamnait, des républicains de ses amis l'avaient favorisé ou approuvé, des Cabanis et des Chénier et aussi Benjamin Constant et Mme de Staël. *Une* illégalité, à leurs yeux, était nécessaire pour sauver *la* légalité. Le vieux principe machiavélien, d'un maniement périlleux, certes, et au nom duquel tant de crimes ont été commis contre la personne humaine. Mais il faut recon-

naître que les fructidoriens ne manquaient pas de bons
arguments : la Terreur Blanche dans certaines provinces,
l'arrogance des chouans et des émigrés, la certitude que
les nouvelles assemblées se préparaient à renverser à la
fois le Directoire et la République.

Douze jours après le coup d'Etat, Benjamin Constant
s'efforçait de le justifier dans un discours plutôt gêné et
alambiqué prononcé au cercle constitutionnel.

Quant à Mme de Staël, elle se dépensa pour sauver ses
amis royalistes « fructidorisés » — se rendant ainsi, une
fois de plus, suspecte aux deux camps. Elle se défendait
d'avoir joué un rôle prépondérant dans l'affaire, répétant
qu'elle s'était bornée à faire nommer Talleyrand.

On connaît le mot de l'évêque d'Autun : « Mme de Staël
a fait le 18 fructidor, mais pas le 19. »

Pour en revenir à Constant, s'il s'est montré quelque
peu embarrassé, incertain, face à la péripétie de Fructidor,
du moins a-t-il eu le mérite, en cette année-là, de formuler
une doctrine saine, d'opposer les principes véritables de la
Révolution à tant de délits de justice commis en son nom,
bien mieux, d'établir le credo du libéralisme des temps à
venir. Son livre *Des réactions politiques*, publié en mars
1797 en réponse aux écrits réactionnaires des Maistre, des
Bonald, des Burke, est une apologie de 89, une ferme
critique de l'arbitraire. Ecrites avec une intelligence péné-
trante, une grande force de raisonnement, ces pages contiennent un siècle et demi à l'avance la condamnation des
régimes totalitaires, la réfutation des systèmes exclusivement fondés sur l'autorité. Comme Germaine de Staël suissesse et protestante, Constant est imprégné des valeurs du
XVIIe siècle anglais, du XVIIIe siècle américain et français,
de la conviction que le seul pouvoir légitime découle d'un
contrat librement passé entre gouvernants et gouvernés
(dans le sens de Locke et non de Rousseau). Lui aussi se
réclame de la théorie de la perfectibilité de l'esprit humain.
Un de ses commentateurs les plus autorisés (1), soulignant
ce fait, n'a pas manqué d'évoquer le fameux *Tableau historique* de Condorcet ni de rappeler la présentation de cet
ouvrage en 1795 par Daunou à la Convention. Ainsi s'éclaire

_____

(1) O. Pozzo di Borgo : *Op. cit.*

un des liens de Constant et des philosophes du groupe d'Auteuil, leur filiation commune. On en trouve une manifestation supplémentaire dans un texte que Constant ajouta dès mai 1797 à une réédition de son livre, sous le titre *Des effets de la Terreur*. C'est un réquisitoire dirigé contre les admirateurs de Robespierre, réquisitoire vigoureux, frémissant, lucide, démontrant que la Terreur fit à la cause de la liberté un mal affreux et que son souvenir ne sert que les amis du despotisme. « Honorez avec nous les fondateurs de la République... » conclut-il ; et comme si cela ne suffisait pas, il ajoute en note : « C'est aux noms des Vergniaud, des Condorcet, qu'il faut rattacher l'établissement de la République ; et mépris éternel à qui ne respectera pas ces noms chers aux lumières, illustres par le courage et sacrés par le malheur... » L'homme qui a écrit ces lignes pourra croire à la nécessité d'un coup d'Etat pour sauver l'existence de la République ; jamais il ne se fera le serviteur d'une dictature militaire.

Familier du groupe d'Auteuil qu'il rencontrait au club de Salm, Constant le retrouvait aux *dîners du tridi* (1) qui, chaque décade, réunissait chez un restaurateur de la rue du Bac, Cabanis, Destutt de Tracy, Garat, Chénier, Daunou, Ginguené, Andrieux et quelques autres. On y parlait littérature, philosophie, politique, sur le mode le plus amical.

Le 10 vendémiaire an VI (1ᵉʳ octobre 1797) une grandiose cérémonie se déroula au Champ-de-Mars en l'honneur de Hoche qui venait de mourir. L'orateur chargé du panégyrique fut Daunou à qui Mᵐᵉ de Staël écrivit quinze jours plus tard :

« Quoique je n'aie pas l'avantage de vous connaître personnellement, monsieur, je crois qu'il m'est permis de vous transmettre un hommage de plus. J'ai admiré dans votre éloge du général Hoche et le talent et le caractère de l'écrivain ; ce discours m'a paru plus qu'un écrit, j'ai cru y démêler une action courageuse et c'est au sentiment qui l'a inspiré que j'ai besoin de m'unir. Necker Staël de Holstein. »

A partir de ce moment, Daunou allait fréquenter le salon de l'illustre femme de lettres qui tenait beaucoup

---

(1) Tridi : troisième jour de la décade.

à son amitié. Ne devait-elle pas lui écrire un an plus tard, alors qu'il rentrait d'une mission à Rome (1) :

« Vous êtes arrivé et vous n'êtes pas venu me voir ; je m'en plains. Voici les moyens de réparer. Voulez-vous, quoique sauvage, entendre un peu de musique, le soir du 29 (juin 98), chez moi, avec de belles dames ? Si les belles dames vous font peur, voulez-vous dîner décadi chez moi, avec Chénier et Benjamin ? Il me faut vous voir. J'ose vous dire que mon esprit et mon âme ont besoin de vous entendre. »

Si l'évocation de Hoche, le général disparu, provoque chez Germaine une grande émotion, la gloire du général Bonaparte, bien vivant celui-là, la trouble et l'enthousiasme.

Elle l'a vu dans la cour du Luxembourg quand il a remis aux directeurs le traité de Campo-Formio. Il n'était pas encore rentré en France qu'elle demandait à Talleyrand, à Sieyès, à d'autres, de lui ménager une entrevue avec le héros, dès qu'il serait à Paris.

Mais Bonaparte se méfiait, éprouvant de loin pour cette femme célèbre une antipathie qui bientôt sera de la haine. Il écrivait (d'Italie) à son ami Fabre de l'Aude : « Tout ce que j'apprends de celle-là me la fait voir comme une coureuse de salons qui va, vient, cherche partout à s'accrocher, veut être quelque chose ; et attendu que ses jupes l'empêchent d'administrer directement, elle tâche de prendre l'autorité par ruse. On lui donne de l'esprit, qui n'en a pas en France ?... »

Quand Fabre lui demandera de la recevoir, il lui répondra, mi-sérieux, mi-plaisantin : « Pourquoi Mme de Staël n'a-t-elle pas été comprise parmi les déportés de Fructidor ? » Pourtant, il lui faut compter avec elle. Son livre sur l'Influence des Passions a eu un grand retentissement. Barras et La Réveillère sont ses amis. Talleyrand est « à ses genoux ».

Mme de Staël dispose ses batteries. Depuis des semaines, depuis des mois, elle se préparait. Quand le jeune Marmont, aide-de-camp de Bonaparte, est à Paris en octobre 97, l'entendant parler du général avec admiration, elle voit en lui

(1) Il avait été y organiser la République romaine.

un excellent messager et l'invite à ses soirées. Rencontrant Augereau le 18 fructidor et lui parlant de Bonaparte, elle lui demanda s'il songeait vraiment à se faire roi : « Non, assurément, répondit-il, c'est un jeune homme trop bien élevé pour cela. »

Fabre de l'Aude fait allusion de façon bien plaisante aux allées et venues fébriles de Mme de Staël à la veille de Fructidor qui est « son jour ». Il se trouve avec une trentaine de personnes, directeurs, membres des Conseils, fonctionnaires, militaires, quand elle entre dans les salons. Elle les « appelle » l'un après l'autre. Arrivée à Fabre, elle lui dit : « Nous touchons à la catastrophe. Le Directoire triomphera ; je lui ai préparé les voies ; il me devra de la reconnaissance et sera ingrat ; afin de rentrer dans la règle : n'importe ; j'aurai fait mon devoir et mon esprit sera satisfait. »

Il s'interroge encore sur ce qu'elle entend par « son devoir », mais avant qu'il ait pu répliquer elle poursuit : « Il faut que Bonaparte profite de ceci. Je veux qu'on le fasse directeur très incessamment. Je veux qu'il entre là, avec Barras, que je conserve, Sieyès, Talleyrand, Constant et lui ; la République sera parfaitement administrée. »

Combinaison qui, somme toute, pouvait se défendre, même si Fabre jugeait le projet absurde. Il ne trouve aucun mot à répondre, s'incline devant la baronne qui, d'un ton de chef d'Etat, continue :

« Mandez à votre ami ce qui se passe, ce que je fais pour lui, qu'il sache bien l'intérêt que je lui porte ; il y a des nuits où ses triomphes troublent étrangement mon sommeil : il y aura de la sympathie entre nous, j'en suis certaine. »

Et nous, si nous ne savions rien de plus, cette scène suffirait à nous faire deviner ce que sera dès son retour l'attitude du vainqueur d'Italie envers la dame de Coppet. Sachant combien elle désirait faire sa connaissance, Talleyrand prévint son amie qu'il recevait Bonaparte le 6 décembre au matin. Elle arriva au ministère une heure en avance, très émue dans l'attente du jeune vainqueur, et considéra, stupéfaite, ce petit homme fluet, au teint verdâtre, les joues barrées par de longues mèches, l'air épuisé. Talleyrand nomme Mme de Staël. Bonaparte va-t-il s'éloigner sans

rien dire ? Non, il fait un effort et l'assure très poliment
que, traversant la Suisse, il a beaucoup regretté de ne pas
joindre M. Necker. Une fois encore, le père tutélaire étend
sur sa fille des ailes protectrices. Mais elle s'étonne de
rester sans voix, de se sentir gênée.

Flatter l'épouse pour conquérir l'époux, c'est courant.
Mais Germaine et Joséphine ne peuvent se supporter. Joséphine la trouve laide. Germaine la trouve sotte, allant
jusqu'à dire : « Quand on pense et agit comme Joséphine,
on devrait être non la femme, mais la femme de charge
d'un héros. La belle conversation qu'ils font à eux deux !
Elle répond chiffons quand il lui parle batailles. »

Reste à savoir si le guerrier au repos tient tellement
à parler batailles à la bien-aimée.

Talleyrand donne une soirée en l'honneur de Mme Bonaparte, en réalité pour le général. Mme de Staël est de la
fête. Un peu plus mal accoutrée que d'habitude, dans une
robe mal taillée, de couleurs tranchantes qui rendent sa
peau un peu plus noire, et sur sa tête « un univers complet
de chiffons » qu'elle appelle toque. Une chaise près d'elle
est libre. Bonaparte, machinalement, s'y assied.

— Ah ! Général, s'écrie Germaine, vous à mes pieds !

— C'est un hommage que mon sexe doit au vôtre.

Suit un couplet de Germaine sur la victoire qui seule
compte pour lui, puis elle risque qu'il a des pensées si
étendues qu'elles lui font sans doute oublier parfois les
liens du mariage. Il réplique :

— Les mille qualités de ma femme sont là pour me
les rappeler.

— Votre femme est charmante.

— Son éloge a plus de prix passant par votre bouche.

— Oh ! Vous tenez peu à mon opinion. Vous supposez
que je n'ai point d'idée arrêtée. Cependant...

— Madame, n'amenez pas les grâces dans le domaine
de la politique.

Mme de Staël finit par s'impatienter :

— Général, ne vous jouez pas de moi comme d'une poupée. Veuillez me traiter en homme (1).

_____

(1) *Histoire secrète du Directoire*, T. III.

Dînant avec lui et Sieyès, elle peut l'observer plus à loisir. On imagine sans peine le regard que pose cette femme de trente ans à la chair généreuse — les épaules et les bras superbes font oublier les fautes de goût — sur cet être encore jeune, mais exténué, brûlé par on ne sait quelle passion. Elle s'y connaît en hommes. Elle a mis tous ceux qu'elle voulait dans son lit, sans trop se soucier alors de leurs opinions ; elle a réuni dans son salon les plus belles intelligences. Toutes les idées qui ont changé le monde ont été discutées devant elle, avec elle. Présentée à Versailles, reine à Coopet, active dans la Révolution, elle a fait des ministres, et ce qu'il ne faut pas oublier, c'est qu'elle est la fille du génial M. Necker.

Comment traiter ce petit général corse, couvert de gloire, mais n'ayant ni manières ni esprit ? Ne lui a-t-il pas répondu sottement, brutalement, quand elle lui a demandé quelle était selon lui la première des femmes : « Celle qui a fait le plus d'enfants (1). » Il souriait en disant cela. Du reste, elle remarque vite qu'il a l'art « d'ôter à ses yeux toute expression... », de placer à tout hasard un sourire sur ses lèvres « pour dérouter quiconque voudrait observer les signes extérieurs de sa pensée (2). »

Elle ne sait pas encore comment manœuvrer avec lui, elle ne doute pas de son pouvoir. N'a-t-elle pas pensé tout de suite à Benjamin quand elle a su que Bonaparte désirait qu'on envoyât des publicistes en Italie pour y diffuser les idées françaises ? « Je sais que le nom de Benjamin Constant s'est présenté à votre esprit », lui a écrit Talleyrand... Il est dans le projet du Directoire d'intervenir en Suisse où elle a les intérêts que l'on sait. Elle voudrait en dissuader Bonaparte et, pour commencer, se met à lui vanter les beautés de l'Helvétie. Il l'écoute. Mais elle sent bien qu'il lui échappe. Elle ne se décourage pas. C'est une lutteuse, elle aussi. Elle reviendra à la charge...

Le départ du général pour l'Egypte ne va pas éteindre cette flamme. Au contraire. En Orient il prend pour Germaine de Staël figure d'un dieu. C'était beau Arcole, Rivoli,

_____

(1) Ou : « La plus féconde ». Les mots ont été rapportés différemment par les témoins puis par les historiens.

(2) *Considérations sur la Révolution française*, T. II.

Mantoue. Mais Alexandrie, mais les Pyramides ! Il est vraiment « le guerrier intrépide, le penseur le plus réfléchi, le plus extraordinaire ». Elle l'admire d'autant plus qu'il signe ses proclamations « Bonaparte, général en chef et membre de l'Institut ». Et puis il a lu son ouvrage, *De l'Influence des Passions*. « Ainsi donc, écrivait ce bon, ce brave M. Necker à sa fille bien aimée, te voilà en gloire au bord du Nil. »

Cet engouement n'est pas que vanité, volonté d'annexer l'homme à la mode. Très certainement Bonaparte est inséparable de ses préoccupations politiques. A cette époque, elle souhaitait qu'on terminât la Révolution, ce qui était le vœu non seulement de Benjamin Constant, mais de tous les Français libéraux. Elle suppliait Garat qu'on fît rentrer les fructidorisés : « Il est un point sur lequel les républicains ont bien fait de n'avoir pas confiance en moi, c'est lorsqu'il s'agissait d'une mesure de rigueur quelconque ; mon âme les repousse toutes et mon esprit venant au secours de mon âme, m'a toujours convaincue qu'avec un degré de génie de plus, on arrivait au même but avec moins d'efforts, c'est-à-dire en causant moins de douleurs. »

De son côté, Constant, aussi attaché à la République, avait pris position contre le jacobinisme, dénoncé les méfaits du club du Manège. Il souhaitait que tous les citoyens conclussent une « alliance de moralité ».

*
**

En ces jours qui suivaient le retour d'Egypte, Paris s'en remettait à Bonaparte pour éclaircir une situation des plus troubles. On s'occupait peu des affaires politiques ; les mauvais propos de quelques jacobins contre le jeune général ne trouvaient guère d'écho. Vandal cite ce passage d'un rapport de police : « Paris est calme ; les ouvriers, surtout au faubourg Antoine, se plaignent de rester sans ouvrage, mais les bruits de paix généralement répandus paraissent avoir sur l'esprit public une influence très favorable. » Toutefois, peu après, un autre rapport signale que l'activité commerciale est comme paralysée : « Personne n'ose rien

entreprendre ; on dit qu'il se prépare un nouveau coup (1). »
Le bruit d'une conspiration, en effet, commençait à courir.

A la longue, les mouvements de troupes, les allées et
venues de grands personnages, ce qui filtrait de leurs conciliabules, inquiétaient tout de même la population. Rue de
la Victoire, les visiteurs se succédaient et étaient reçus à
toute heure ; les militaires et les savants de l'Institut s'y
coudoyaient. Joséphine, toujours gracieuse, toujours jolie
— surtout aux lumières — s'affairait, aidée par sa fille
Hortense. Bonaparte sortait peu de chez lui.

Le 15 brumaire an VIII (6 novembre 1799), dans le
temple de la Victoire, ci-devant église Saint-Sulpice, les
Anciens donnèrent un grand banquet en son honneur et en
l'honneur de Moreau de passage dans la capitale. Les deux
hommes se connaissaient depuis peu. Le repas fut sinistre,
bien qu'accompagné des grandes orgues. L'endroit, évidemment, manquait d'intimité. Moreau restait muet. Bonaparte,
après avoir porté un toast à l'union de tous les Français,
se fit apporter selon les uns un petit pain et deux demi-
bouteilles de vin par son aide-de-camp Duroc, selon d'autres
il ne mangea que des œufs durs, craignant d'être empoi-
sonné ou voulant montrer qu'il se tenait sur ses gardes.

Le lendemain on sut que tous les officiers avec lesquels
il était en relation, ainsi que les adjudants de la garde
nationale, étaient convoqués le 18 à six heures du matin
rue de la Victoire. On parlait de préparatifs de départ...
Il faisait encore nuit le 18 quand une grande troupe
s'ébranla dans un grand bruit vers la place de la Concorde.
Devait-on défendre les Tuileries ? Contre qui ? Contre quoi ?
S'agissait-il seulement d'une revue matinale ? Tôt levés, les
habitants du quartier de la Chaussée d'Antin s'étonnaient
de voir tant de militaires se porter vers la rue de la
Victoire. On admirait les officiers dont l'or des uniformes
brillait dans la grisaille. Bonaparte, en tenue de général,
apparaît sur un perron. Il parle. On l'entend mal. On répète
qu'il faut l'aider à sauver la République, que c'est ce qu'il
a dit. En fait, il a lu les décrets du Conseil des Anciens qui
viennent de lui être apportés : le transfert des deux Conseils
à Saint-Cloud a été voté, Bonaparte nommé commandant

(1) *L'Avènement de Bonaparte.*

de toutes les forces militaires doit se rendre aux Tuileries pour prêter serment. Il saute sur son cheval, prend la tête du cortège, dans un brouhaha de pas, d'épées entrechoquées, d'acclamations. Autour des Tuileries, il y a foule. Une foule qui se réjouit, qui rit, qui a confiance puisqu'il est là. Bonaparte et ses généraux pénètrent dans la salle des Anciens peu nombreux encore à cette heure. Il s'avance vers eux et dit très haut : « Citoyens représentants, la République périssait, vous l'avez su, votre décret vient de la sauver. Malheur à ceux qui voudraient le trouble et le désordre ! Je les arrêterai aidé du général Lefebvre, du général Berthier et de tous mes compagnons d'armes. Qu'on ne cherche pas dans le passé des exemples qui pourraient retarder notre marche. Rien dans l'Histoire ne ressemble à la fin du XVIIIe siècle, rien dans le XVIIIe siècle ne ressemble au moment actuel. Nous voulons une République fondée sur la vraie liberté... »

Garat voudrait faire observer que, si le général a juré, il n'a pas prêté serment à la Constitution de l'an III. Le président lui objecte que le transfert étant décidé, il ne pourra plus y avoir de discussion qu'à Saint-Cloud. C'est également ce que Lucien déclare aux Cinq-Cents, remettant la séance au lendemain. (Car le 18 brumaire, comme chacun sait, eut lieu le 19.)

Bonaparte redescend dans les jardins où s'alignent les grenadiers et les troupes qu'il commandera désormais. Il se dispose à parler lorsqu'il avise le secrétaire de Barras resté au Luxembourg, un certain Bottot. Il le prend par le bras. L'autre n'en peut mais. Une clameur s'élève. Alors Bonaparte, écartant Bottot interdit, lance aux soldats et à la foule l'apostrophe que l'Histoire a retenue :

« Qu'avez-vous fait de cette France que je vous avais laissée si brillante ? Je vous ai laissé la paix, j'ai retrouvé la guerre ! Je vous ai laissé des victoires, j'ai retrouvé des revers ! Je vous ai laissé des millions d'Italie, j'ai retrouvé partout des lois spoliatrices et la misère ! Qu'avez-vous fait de cent mille Français que je connaissais, mes compagnons de gloire. Ils sont morts ! Cet état de choses ne peut durer ; avant trois ans il nous mènerait au despotisme. Mais nous voulons la République assise sur les bases de l'égalité, de la morale, de la liberté civile et de la tolérance politique... »

Même si Bonaparte a emprunté certaines expressions à une adresse du club jacobin de Grenoble, il faut reconnaître que le mouvement vous emporte, que la période à la Cicéron est d'un effet admirable. Ce réquisitoire ne sera pas oublié. Chateaubriand, un jour, le retournera contre l'Empereur.

Alertée par Constant, Germaine de Staël a quitté Coppet où elle se trouvait, pour se rendre à Paris. Elle y arrive le 18 brumaire. A Charenton où elle change de chevaux, on lui dit que Barras vient de passer raccompagné par des gendarmes à sa terre de Grosbois. Les postillons commentent la nouvelle. L'émotion est grande. On dit aussi que Bonaparte est chargé du gouvernement de Paris, que les deux Conseils ont été transférés à Saint-Cloud. Bonaparte... Bonaparte... On ne parle que de lui.

« C'était la première fois depuis la Révolution, écrira-t-elle, qu'on entendait un nom propre dans toutes les bouches. Jusqu'alors on disait : l'Assemblée constituante a fait telle chose, le peuple, la Convention ; maintenant, on ne parlait plus que de cet homme qui devait se mettre à la place de tous, et rendre l'espèce humaine anonyme, en accaparant la célébrité à lui seul, et en empêchant tout être existant de pouvoir jamais en acquérir (1). »

Dès qu'elle est dans Paris agité par l'attente de la grande journée du lendemain, ses amis lui annoncent que Bonaparte est d'accord avec Sieyès, qu'une révolution va se faire contre les jacobins, ces jacobins qui la détestent et qui, s'ils gagnaient, l'obligeraient à reprendre le chemin de Coppet. A la suite d'un arrêté du Directoire jamais rapporté, elle n'est que « tolérée » à Paris. Mais Germaine se sent protégée par ses amis, tous du complot, qui la tiennent au courant de ce qui se passe à Saint-Cloud.

Cabanis, Chénier et Daunou, membres des Cinq-Cents y étaient déjà. A Auteuil, La Roche le maire, Destutt de Tracy, Ginguené, Volney, entouraient Mme Helvétius assise dans son grand fauteuil bleu et blanc. Debout sur le mur du jardin, Ambroise Firmin-Didot, un enfant de dix ans, guettait celui qui apporterait la nouvelle tant souhaitée. Les promeneurs s'attardaient, échangeaient leurs impres-

(1) *Considérations sur la Révolution française*, T. II.

sions ; certains poussés par l'impatience, durent aller jusqu'au château où le Directoire agonisait. La nuit venait.

Dans le salon de Mme Helvétius l'inquiétude grandissait. On voulait cependant ne pas douter du succès de ce nouveau coup d'Etat. Délivrée des excès du jacobinisme et protégée contre le retour des royalistes, la France allait enfin connaître les bienfaits qu'avait promis 89 ; et les hommes de pensée auraient désormais leur place à la tête du gouvernement.

Il faisait complètement nuit. L'attente continuait. Des gens du village rentraient chez eux, prétendant avoir entendu dans les bois comme des bruits de fuite ; d'autres racontaient que les jacobins avaient voulu tuer Bonaparte. Enfin on sut que Bonaparte avait gagné.

CHAPITRE III

LES BRUMAIRIENS MÉCONTENTS

Dix-huit Brumaire... Mots chargés par Hugo d'une résonance sinistre, crime originel de la grandeur napoléonienne. Ce coup de poignard dans le dos de la République, les plus éclairés des républicains, les plus purs, n'en furent-ils pas les complices aveugles, à commencer par les philosophes d'Auteuil ? Est-ce à dire qu'ils aient activement participé au coup d'Etat ?

Le coup d'Etat, vu de l'extérieur, c'est le fameux tableau du musée de Versailles : Bonaparte au Conseil des Cinq-Cents, tête découverte, cerné, pressé par des députés menaçants, les mains qui se lèvent, les poings qui se tendent et les baïonnettes des grenadiers arrivant à la rescousse et Lucien, du fauteuil de la présidence, dominant le tout. La suite n'est pas moins connue. La délibération tumultueuse continue après la « piteuse sortie » du général jusqu'à ce que celui-ci ayant repris ses esprits et harangué les troupes, les lance à l'assaut de l'Orangerie, Leclerc et Murat à leur tête, Murat qui hurle : « F... moi tout ce monde-là dehors ! »

Cela se passait à la fin de l'après-midi du 19. Jusque-là, la société d'Auteuil que Vandal appelle non sans dédain « la Révolution dogmatique, littéraire et philosophante », « les députés *brumairiens* (...) hommes de plume et de cabinet », effrayés par le saut dans l'illégalité s'étaient effacés, « laissant les violents ou les médiocres occuper la scène.

Les théoriciens, les penseurs, les savants, les lettrés, Daunou, Cabanis, Chénier, Andrieu, étaient là et se tenaient cois ; l'Institut était en train de manquer son coup d'Etat (1). »

Il y eut pourtant un membre de l'Institut, théoricien, philosophe et ami de nos amis, qui sut faire preuve de décision : Sieyès. Roederer raconte que Bonaparte se trouvait avec Sieyès et Roger Ducos dans le salon au-dessus de la porte d'entrée du château, quand un messager envoyé par Talleyrand vint lui annoncer : « *Général, ils viennent de vous mettre hors-la-loi.* Bonaparte pâlit, Sieyès, s'adressant à lui avec fermeté, lui dit : *Puisqu'ils vous mettent hors-la-loi, ils y sont.* Bonaparte mit alors l'épée à la main, et cria par la fenêtre : *Aux armes !* (2) »

Dans la nuit du 19 au 20, tout est consommé : le Conseil des Anciens et la minorité des Cinq-Cents ont voté la suppression du Directoire et la nomination de trois Consuls provisoires, Bonaparte, Sieyès et Roger Ducos. Quittant Saint-Cloud sans tarder, le général a filé retrouver Joséphine rue de la Victoire. Dès le lendemain il tient séance au Luxembourg avec ses collègues. Puis, à leur deuxième ou troisième réunion, il y convoque Roederer en même temps que Talleyrand :

« Nous nous rendîmes au Luxembourg. M. de Talleyrand et moi — c'est Roederer qui raconte — fûmes étonnés de nous y rencontrer avec M. de Volney, que nous ne savions pas avoir participé en rien aux opérations du 18 brumaire. Sans doute, il y avait coopéré par de bons conseils, car il n'avait dans Paris aucune influence, et par son caractère, il était habituellement peu disposé aux négociations. On nous fit entrer et le Premier Consul nous fit à tous trois collectivement des remerciements au nom de la patrie, du zèle que nous avions mis à faire réussir la nouvelle révolution (3). »

Si Bonaparte a pris la peine de remercier Volney en même temps que les deux autres, c'est probablement qu'il avait de bonnes raisons, que Roederer ne connaissait pas.

Est-il exact que Volney n'avait dans Paris aucune

---

(1) *L'Avènement de Bonaparte.*
(2) Roederer : *Mémoires sur la Révolution, le Consulat et l'Empire.*
(3). *Ibid.*

influence ? Ancien Constituant, il connaissait presque tous les membres des Conseils du Directoire : « On peut admettre qu'il a su guider utilement Bonaparte au milieu de la faune parlementaire et contribuer plus que personne, dans la nuit du 17 au 18, à l'établissement de la liste des Anciens qui allaient être convoqués pour approuver le transfert à Saint-Cloud des deux Chambres (1). »

Mais plus encore que les relations politiques de Volney, c'est évidemment le prestige dont il jouissait dans le monde intellectuel, la considération de ses collègues de l'Institut, qui lui ont permis de servir le jeune général auquel des souvenirs très personnels l'unissent : ce *Napoleone*, que lui avait confié Laetitia, n'a-t-il pas été son guide en Corse, sept ans plus tôt ? Ne lui gardera-t-il pas longtemps l'affection presque attendrie qu'il lui a vouée alors ? On a raconté que, devenu familier de la rue de la Victoire après le retour d'Egypte, le savant veillait sur la tasse de café du jeune général, l'empêchant de le boire trop chaud ou déjà froid... Toujours est-il que l'auteur des *Méditations sur les révolutions des empires* s'efforça d'orienter vers l'action politique l'enthousiasme bonapartiste de ses amis du groupe d'Auteuil membres du Conseil des Cinq-Cents : sinon Daunou réticent, du moins Garat, Chénier, Cabanis. Et l'intervention de Cabanis, à certains moments décisifs, fut d'un poids certain.

Revenons encore en arrière. Joseph et Lucien, Lucien élu président des Cinq-Cents peu après l'arrivée du vainqueur d'Aboukir, ont activement travaillé pour lui, mais sans réussir à rallier Sieyès. Blessé du dédain de leur frère — qui ne lui a pas accordé un regard au cours d'un dîner — le plus important personnage du Directoire laisse entendre que le jeune et outrecuidant général qui a abandonné sans ordre son armée d'Egypte, aurait dû être fusillé. Inimitié réciproque : Sieyès était la « bête noire » de Bonaparte : celui-ci le racontait vendu à la Prusse, et tentait de le faire destituer pour prendre sa place ; il essayait aussi de gagner Barras en lui proposant le pouvoir exécutif, tandis que lui, Bonaparte, nommé directeur, serait commandant de toutes les armées : le marché ne fut pas conclu... alors une seule voie s'offrait : composer, s'entendre avec l'adversaire.

(1) Jean Gaulmier : *op. cit.*

Ce rapprochement difficile, Talleyrand et Roederer étaient tout disposés à l'opérer : « Talleyrand et moi (raconte Roederer) fûmes les deux intermédiaires qui négocièrent entre Sieyès et Bonaparte. » Encore fallait-il auparavant fléchir la résolution de Sieyès, obtenir qu'il se prêtât à une négociation : ce fut Cabanis qui s'en chargea, Cabanis qui était très lié avec Sieyès et qui, d'autre part, comme son grand ami Volney, n'avait pas manqué d'aller faire une visite au général. C'est dans les *Mémoires* de Joseph que se trouve le récit de l'affaire :

« Je vis donc, écrit-il, M. Cabanis qui était encore aux Cinq-Cents, où je l'avais connu intimement lié avec le Directeur Sieyès, chez qui nous devions dîner le lendemain. Il le prépara à ma visite, et après le dîner Sieyès nous dit l'un à l'autre : « Je veux marcher avec le général Bonaparte, parce que, de tous les militaires, c'est encore le plus civil ; cependant je sais ce qui m'attend : après le succès, le général, laissant en arrière ses deux collègues, fera le mouvement que je fais. » Passant alors précipitamment derrière Cabanis et entre nous, qui fûmes acculés à la cheminée par l'effet de ses deux bras qui nous rejetaient en arrière, il se trouva au milieu du salon, au grand étonnement de ceux de ses convives qui étaient moins familiarisés avec sa brusque vivacité provençale. Napoléon à qui je racontai la scène, en rit beaucoup et s'écria : « Vivent les gens d'esprit ! J'en augure bien. »

Bonaparte avait en effet doublement lieu d'être satisfait ; on comprend qu'il ait ensuite volontiers fait le premier pas vers un Sieyès éclairé sur le sort qu'il lui réservait, et y consentant.

Mais Sieyès acceptait-il vraiment son éviction, ou ne la prévoyait-il que pour préparer une parade ?

En tout cas, son avertissement ne diminua pas la confiance de Cabanis. Ou bien Cabanis ne crut pas que Bonaparte allait s'emparer de tous les pouvoirs, ou bien il pensa que le général n'en userait que pour sauver la liberté. Mis dans le secret de la conspiration et convoqué par Lucien, en même temps que Boulay, Chazal et Gaudin, il se rend chez Mᵐᵉ Récamier, près de Bagatelle ; Lucien (alors très épris de la maîtresse de maison) y distribue les rôles pour l'opération imminente ; on arrête aussi le principe du fameux banquet de Saint-Sulpice qui rassurera l'opinion... Et à la date décisive du 19 brumaire, c'est lui Cabanis, l'ami de Mirabeau et de Condorcet, qui mettra au service du coup de force sa réputation d'homme de cœur, de savant, de républicain, qui se portera garant des intentions de Bonaparte. Oui, républicain convaincu, il croit à la nécessité, dans les circonstances présentes, de renforcer l'exécutif, peut-être même d'instaurer provisoirement un « pouvoir personnel ». A cet égard, sans doute reste-t-il influencé par des idées de Mirabeau, justement, qui l'avaient frappé : « Il pensait que la liberté conquise par l'insurrection devait être conservée par le respect des lois ; que les lois ne pouvaient être exécutées que par une force active ; que dans un grand empire, dont le peuple n'est pas encore éclairé, dont les mœurs sont avilies par des siècles d'esclavage, cette force doit résider dans les mains d'un seul (1). »

C'est donc Cabanis qui, le 19, rédigera l'adresse envoyée au peuple français au nom des deux Conseils. Auparavant, il aura fait un long discours au Conseil des Cinq-Cents — plus exactement devant les quelques dizaines de députés regroupés par Lucien vers neuf heures du soir dans l'Orangerie de Saint-Cloud. Lucien, ayant ouvert la séance à la lueur des chandelles, avait passé la parole à un ancien girondin, ami de Sieyès, Chazal, pour présenter la résolution légalisant (?) la transition d'un régime à l'autre : suppression du Directoire, exclusion de certains membres de la représentation nationale pour leurs excès et attentats, institution d'un pouvoir exécutif provisoire exercé par les deux ex-directeurs Sieyès et Roger Ducos et par Bonaparte, qui tous trois « porteront le titre de consuls de la République », nomination de deux Commissions émanées des deux Conseils et chargées de seconder les Consuls dans leur travail de réorganisation. Après Chazal, Boulay de la Meurthe insista sur la nécessité de l'ordre, de la stabilité, de la consolidation de l'autorité gouvernementale face à l'intolérance et au sectarisme des jacobins. Et ce fut aussitôt après lui que Cabanis intervint :

(1) Cabanis : *Journal de la maladie et de la mort d'Honoré-Gabriel-Victor Riquetti Mirabeau.*

« Le peuple français a-t-il dans l'état présent une véritable République ? Jouit-il d'une liberté réelle ?... Vous répondez unanimement *non*...

« Qu'on me réponde franchement : est-il possible de jouir d'une liberté véritable, d'une sécurité constante fondée sur la force des lois (...) dans un pays où des élections annuelles mettent le peuple en état de fièvre au moins six mois sur les douze (...) ; où la législation n'a rien de fixe ; où le pouvoir exécutif a tous les moyens d'usurper mais manque presque toujours de force pour gouverner ; où l'administration la plus compliquée qui fût jamais coûte des sommes immenses au peuple (...) ; en un mot où toutes les causes qui produisent à la fois l'arbitraire et l'agitation menacent toujours le peuple et de la tyrannie et du bouleversement ? »

Cabanis brosse ensuite le tableau des dilapidations, désordres, mesures précipitées, vexations infligées au pays et — non sans avoir reconnu certains mérites à la Constitution de l'an III, par égard pour son ami Daunou — il termine :

« Il est donc indispensable de faire des changements à cette Constitution. Or ces changements ne peuvent être faits et la réorganisation exécutée qu'au moyen d'un gouvernement provisoire ; et celui que votre commission vous propose me paraît non seulement le meilleur, mais encore le seul possible dans les circonstances où nous nous trouvons. »

Quant à l'adresse au peuple français, adoptée après le vote du projet, elle ne rend pas un son moins républicain :

« Français,

« La République vient encore une fois d'échapper aux fureurs des factieux. Vos fidèles représentants ont brisé le poignard dans ces mains parricides ; mais (...) ils ont senti qu'il fallait enfin prévenir pour toujours ces éternelles agitations... »

Ensuite un rappel des événements qui avaient suivi la Terreur, détente, espoirs éveillés par la Constitution de l'an III, attaques des « hommes séditieux » contre « les parties faibles » de cette Constitution, anarchie. Et annonçant la formation du gouvernement provisoire, la proclamation conclut :

« Le royalisme ne relèvera point la tête. Les traces hideuses du gouvernement révolutionnaire seront effacées :

la République et la liberté cesseront d'être de vains noms ;
une ère nouvelle commence...
« Vive la République ! »

Quelle naïveté, quel aveuglement ! Certes, le bon Cabanis
ne sait pas lire dans le futur qui deviendra pour nous un
passé chargé d'évidences. Du moins, ne contestons pas le
bien-fondé de sa dénonciation du présent qui est le sien.
Elle correspond à un sentiment quasi unanime en cet
automne où le souffle du mépris public emporte les Tallien
et les Barras comme des feuilles pourries. Et quant à sa
confiance immodérée en Bonaparte, elle est partagée, répétons-le, par la plupart de ses amis d'Auteuil et de l'Institut,
Volney, Garat, Destutt de Tracy, Jean-Baptiste Say, aussi
bien que par Benjamin Constant et Germaine de Staël.

Même état d'esprit chez des militaires qui se font les
porte-paroles de Bonaparte, et témoignent de la pureté de
ses intentions. Lannes proclame : « La République périssait (...) Ne vous y trompez pas, citoyens, le 18 brumaire
n'est pas une journée de parti : il est fait pour la République et par des républicains. » Lefebvre écrit dans ce sens
à Mortier et lui annonce qu'une allégresse générale règne
dans Paris ; il vient de recevoir le nouveau serment de la
garde nationale : « Certes, il n'en fut jamais donné avec
autant d'acclamation, on n'y mit jamais plus d'énergie, je
me croyais encore en 1789, dans les premiers jours de la
Révolution. Pour le coup, *Ça Ira*, je vous en réponds (1). »

Les Parisiens furent-ils tellement enthousiastes ? Les
appréciations des historiens diffèrent. Quant à l'effet produit en province, l'Ouest mis à part, on peut dire avec certitude que la nouvelle du coup d'Etat n'y suscita aucun
sérieux mouvement d'opposition. La seule protestation émanant d'un fonctionnaire de quelque importance fut celle d'un
président de tribunal dans l'Yonne, Barnabé, qui refusa d'en-
registrer la loi du 19 brumaire.

Au sortir de dix années de convulsions, de déchirements,
comment le pays n'eût-il pas été gagné par la promesse
d'une réconciliation générale ? Et les tout premiers actes du
général, aussi bien que ses déclarations, répondaient à cette
attente de la grande majorité des Français. Il entendait

(1) Lettre du 24 brumaire, citée par A. Vandal.

véritablement apparaître comme l'arbitre impartial, le pacificateur et le protecteur ; il allait redresser les injustices, panser les blessures, promouvoir à la fois la liberté, l'ordre, la concorde. Enfin, au dehors, il ferait la paix.

Dès le 22 brumaire était abrogée l'inhumaine loi des otages votée quatre mois plus tôt contre des parents d'émigrés. Et le 27, on pouvait lire dans la *Gazette de France* : « Buonaparte a été visiter avant-hier les maisons d'arrêt ; il a lui-même interrogé les détenus, il s'est assuré de la salubrité de leurs prisons, de leur nourriture et de la conduite des geôliers envers eux. On a dit qu'au Temple il a sur-le-champ mis en liberté les otages, en leur disant : « Une loi injuste vous a privés de la liberté ; mon premier devoir est de vous la rendre » ; et qu'il a quitté les autres détenus en leur promettant de faire examiner promptement la cause de leur arrestation (1). »

Un peu plus tard, presque tous les proscrits de Fructidor (mais non Pichegru) étaient autorisés à rentrer ; et toujours sur l'insistance de Bonaparte, des émigrés passibles de la peine de mort — naufragés à Calais en essayant de gagner la Vendée — étaient mis hors de cause. Ces actes de clémence provoquaient une certaine détente en Vendée où s'ouvraient des négociations : une suspension d'armes y était conclue le 3 frimaire... Ils provoquèrent au contraire une certaine inquiétude du côté républicain, on en trouve la trace dans l'*Ami des Lois* du 30 brumaire : Cabanis à ses collègues : « ... Non, il n'y aura point de réaction (...) Eh quoi ! les hommes du 18 et du 19 brumaire ne sont-ils pas les mêmes qui voulurent et préparèrent le 18 fructidor, pour arrêter les assassinats des brigands royaux (2)... ? »

En tout cas, les gestes en faveur du camp royaliste appelaient logiquement des mesures analogues en faveur de l'extrême-gauche. Tel n'était pourtant pas l'avis de Sieyès qui attendait une politique essentiellement antijacobine d'un coup d'Etat justifié par un complot (?) terroriste. Ayant demandé à Fouché une liste de cinquante-neuf personnes à déporter à Ré, Oléron et en Guyane, il la fit signer le 20 brumaire par Bonaparte : à côté de quelques authenti-

---

(1) Aulard : *Paris sous le Consulat.*
(2) *Ibid.*

ques massacreurs de 93, elle comprenait des hommes simplement coupables d'ardentes convictions révolutionnaires,
des députés qui avaient opiniâtrement défendu la légalité
à Saint-Cloud ; y figurait aussi le général Jourdan qui avait
refusé son concours à l'opération. La proscription de cet
illustre soldat aurait évidemment fait scandale. Aussi Bonaparte raya-t-il son nom sans tarder, faisant savoir à l'intéressé qu'il désapprouvait cette mesure et la mettant au
compte de Sieyès ; il le pria dans une lettre de « ne pas
douter de son amitié », lui exprima le désir « de voir constamment le vainqueur de Fleurus sur le chemin qui conduit
à l'organisation et au bonheur ».

Bientôt l'arrêté dans son ensemble fut rapporté et les
déportations commuées en résidence surveillée. La révolution de Brumaire s'opérait donc sans effusion de sang, sans
emprisonnements, sans vengeances. Plusieurs semaines après
la fameuse nuit de Saint-Cloud, l'adhésion de l'élite intellectuelle et morale du pays lui était toujours acquise, la
Décade philosophique en témoigne. Avant l'arrivée de Bonaparte à Paris, la *Décade* demandait une réforme de la législation sur les otages et les émigrés ; le 30 brumaire, elle
justifiait et approuvait « la révolution du 19 brumaire », en
termes mesurés — « les espérances doivent donc l'emporter
sur les craintes » — tout en demandant qu'une nouvelle
Constitution fût établie au plus tôt ; le 10 frimaire, elle se
félicitait de la consolidation du nouveau régime — « De
toutes les parties de la France, des adresses de félicitations
affluent » — et s'étendait sur l'annulation de l'arrêté de
déportation ; le 20, avec un rien d'impatience, elle allait
revenir sur la Constitution qu'on annonçait enfin comme
bientôt prête : « Espérons qu'elle sera suivie d'un second
bienfait, non moins grand, de la paix. »

*
**

Restait en effet, pour organiser le nouveau régime, à
élaborer d'urgence une Constitution.

On a vu que deux Commissions, émanant l'une des Cinq-
Cents, l'autre des Anciens, avaient été établies par la loi
du 19 brumaire ; chacune comptant vingt-cinq membres et

dotée des pouvoirs du Conseil qu'elle remplaçait, désigna
une sous-commission dite section de Constitution : celle des
Cinq-Cents comprenant sept membres dont Lucien Bonaparte, Daunou, Boulay de la Meurthe, Chénier, Chazal, Cabanis ; celle des Anciens cinq dont Garat et Régnier. Mais
qui allait prendre la direction du travail ?

Il eût été assez indiqué d'en charger Daunou, considéré
cinq ans plus tôt comme le grand législateur du pays. Ses
amis Cabanis et Chénier avaient vivement insisté pour qu'il
acceptât de faire partie de la Commission, puis de la section
des Cinq-Cents. Tout le monde s'inclinait devant l'étendue
de ses connaissances, la fermeté de ses convictions et sa
probité. Toutefois, il n'avait pas apporté son concours au
coup d'Etat (sans non plus s'y opposer), il avait refusé de
se prêter aux projets de Sieyès cherchant l'homme fort
capable d'abolir la Constitution dès avant le retour d'Egypte.
Cette Constitution de l'an III dont il était l'auteur, lui
Daunou, il ne s'offrait pas à la réformer ; d'ailleurs, dans les
dernières années du Directoire, à part les grandes solennités
nationales dont il était l'orateur obligé, il avait évité de se
mettre en avant. S'étant fait nommer administrateur de
la bibliothèque du Panthéon, il se retranchait, en quelque
sorte, dans des occupations d'historien et d'érudit.

Dans ces conditions, le seul nom possible était celui de
Sieyès, ce Sieyès dont l'auréole, depuis plusieurs mois,
s'était avivée d'un éclat nouveau. Taciturne, distant, hautain, il avait patiemment travaillé à parfaire sa réputation
non pas seulement d'homme d'Etat, mais de théoricien de
l'Etat, d'irremplaçable architecte de l'édifice politique idéal.
L'heure de donner pleinement sa mesure allait enfin sonner
pour lui, avec le moment où la tête allait dominer l'épée.
Il avait sa revanche à prendre de la Constitution de l'an III ;
on le savait possesseur d'un plan longuement mûri. C'est donc
cet « oracle » que les sections de Constitution devaient
consulter, et l'oracle, se faisant prier, allait peu à peu leur
révéler son projet. Quant au jeune général, son collègue
du Consulat provisoire, apparemment désireux de se consacrer à d'autres tâches, il semblait avoir donné carte blanche
à l'ex-Directeur et ne venait guère aux séances.

Etrange et compliquée était la machinerie gouvernementale conçue par Sieyès. Sa base électorale comportait un

suffrage à trois degrés, si bien que le principe de la représentation nationale paraissait respecté. Cinq millions d'électeurs devaient élire un dixième d'entre eux, formant ainsi une première liste de notabilités, dite communale. Ces cinq cent mille élisaient à leur tour cinquante mille d'entre eux, formant une liste départementale ; celle-ci donnait à son tour naissance à une liste de cinq mille notabilités nationales. La liste communale était destinée à fournir les fonctionnaires municipaux, la départementale les fonctionnaires des départements, et la nationale tous les grands fonctionnaires de l'Etat, les membres des assemblées législatives, les juges, les membres du gouvernement. Mais sur ces listes, les choix, qui les opérerait, les choix à chaque degré ? Sur la liste nationale par exemple ? C'était un « jury constitutionnaire », appelé à se transformer en Collège des Conservateurs, plus tard en Sénat, et nommé par les Consuls. Le peuple se trouvait donc frustré en définitive, privé d'élire ses représentants.

Autre disposition : seraient de droit et sans élection portés sur les listes de notabilités tous les anciens membres des assemblées politiques et municipales de la Révolution, tous les anciens titulaires de fonctions publiques depuis 1789. Ainsi se perpétuerait l'inamovibilité des conventionnels ancrés déjà dans le Directoire et qui prétendaient détenir leur pouvoir non pas des suffrages populaires mais de leur passé révolutionnaire. A l'appui de quoi Sieyès pouvait évoquer les tendances réactionnaires de la génération montante : ne fallait-il pas empêcher les éléments hostiles à la Révolution de s'emparer de la République ?

La plus grande originalité du projet consistait à fractionner le pouvoir législatif en trois assemblées, sa concentration en une seule s'étant révélée funeste à partir de 1789 :

— un Conseil d'Etat chargé d'élaborer les projets de loi,

— un Tribunat chargé de les examiner et de les discuter, mais privé du pouvoir de décision,

— un Corps législatif se bornant à adopter ou rejeter les projets, sans les discuter.

Quant au Collège des Conservateurs ou Sénat, ce serait une sorte de Cour suprême investie du pouvoir d'annuler les lois inconstitutionnelles, mais aussi et surtout de choisir les membres des assemblées législatives ainsi que le chef de l'Etat. Ce dernier appelé Grand Electeur et dépourvu d'autorité effective, n'aurait guère d'autre fonction que de désigner deux Consuls, l'un « de la Paix », l'autre « de la Guerre », qui se partageraient le pouvoir exécutif et nommeraient chacun leurs ministres. Afin de parer à tout abus ou usurpation, il était prévu que le Grand Electeur pourrait être destitué et « absorbé » par le Sénat, de même que les Consuls et autres grands fonctionnaires.

Rendre tout acte de despotisme impraticable, aussi bien de la part des assemblées que de la part du gouvernement, fractionner les pouvoirs, les équilibrer par des contre-poids, telle était l'idée maîtresse de Sieyès. Abstraction pour lui était synonyme de perfection : « Assez d'autres se sont occupés à combiner des idées *serviles*, toujours d'accord avec les événements (...) La saine politique n'est pas la science de *ce qui est*, mais de *ce qui doit être* (1). »

En face de ce projet de Constitution bizarre, où l'on pouvait voir l' « œuvre d'un législateur byzantin », qu'elle allait être la réaction de Bonaparte ?

D'abord resté à l'écart du travail des sections, travail qui n'avait pris le départ que lentement, il s'en faisait tenir au courant par Roederer et Talleyrand, admis aux séances. Mais Sieyès continuant à jouer le mystère, ne dispensant que goutte à goutte ses révélations, le général eut recours à Fouché lequel confia à Réal son compère, la mission de « faire jaser » Chénier qu'on savait confident de Sieyès. L'imprudent Chénier parla « au sortir d'un dîner dont les vins et d'autres enivrants n'avaient pas été épargnés. Sur ces données (c'est Fouché qui raconte) il y eut un conseil secret où je fus appelé. Bonaparte, Cambacérès, Lebrun, Lucien, Joseph, Berthier, Réal, Regnault et Roederer étaient présents. Là nous discutâmes un contre-projet et la conduite que devait tenir Bonaparte dans les conférences générales qu'on attendait avec une grande impatience. »

Ce qui fut décidé par le général, ce fut d'accepter le système d'assemblées et d'élections prévu par Sieyès, mais de rejeter le principe du Grand Electeur, d'exiger l'instauration d'un pouvoir exécutif quasi dictatorial qui lui serait confié

(1) Extrait d'une page de Sieyès de 1772 citée par Sainte-Beuve.

à lui Bonaparte. Il le fit savoir par Roederer à Sieyès lequel lui faisait offrir le poste de Grand Electeur qu'il avait d'abord pensé se réserver : « Cela est impossible... Je ne ferai pas un rôle ridicule. » Il s'en expliqua directement avec lui au cours d'une entrevue ménagée par Talleyrand ; la discussion fut orageuse : « Vous voulez donc être roi ? » lui dit Sieyès.

Une solution transactionnelle fut proposée par Boulay de la Meurthe : le Grand Electeur serait remplacé par un *Premier Consul* assisté de deux autres consuls n'ayant que voix délibérative. Elle fut repoussée et par Sieyès et par Bonaparte. Ce dernier décida d'en finir et le 11 frimaire (2 décembre) convoqua les deux sections ainsi que Sieyès et Ducos dans son appartement du Luxembourg. Elles revinrent les jours suivants, leurs délibérations se poursuivant fort avant dans la nuit, dirigées, naturellement, par le général. Il entendait mener la chose rondement.

Dans cette genèse de la Constitution de l'an VIII des imprécisions demeurent, les procès-verbaux manquent, les témoignages, incomplets, ne concordent pas toujours. Ce qui nous importe surtout, c'est de savoir si véritablement les républicains d'Auteuil capitulèrent sans résistance devant Bonaparte.

Comme base de départ, Bonaparte désirait de toute urgence un rapport d'ensemble, nous dirions un avant-projet ; il le demanda à Daunou qui venait d'être élu président de la Commission des Cinq-Cents, et Daunou l'établit en une nuit, à l'étonnement de Bonaparte lui-même. L'ancien auteur de la Constitution de l'an III s'en inspirait à nouveau, évidemment, mais reprenait aussi certaines des idées de Sieyès, lequel n'avait pas renoncé à les faire prévaloir dans leur ensemble. On se trouvait pratiquement en face de deux projets, celui de Sieyès, celui de Daunou. La discussion pouvait commencer, non pas seulement devant les deux sections, mais devant les deux Commissions.

« Citoyen Daunou, ordonna bientôt Bonaparte, prenez une plume et mettez-vous là. » De rédacteur, il entendait le transformer en scribe. Interdit, Daunou tenta de se récuser. Irrésistible, le général réitéra l'ordre. Daunou s'exécuta. Le général menant désormais la discussion et mettant les questions aux voix, Daunou, article par article, retournait les petits carrés de papier sur lesquels il avait consigné ses propres idées et au dos notait les résultats qui lui étaient dictés. Non sans discuter lui-même, bien sûr. Mais ce fut bel et bien lui, Daunou, qui écrivit de sa propre main la phrase qui scellait le destin de la France : « ... le deuxième et le troisième Consul ont voix consultative. Ils signent le registre de ces actes pour constater leur présence et s'ils veulent, leurs opinions ; après quoi, *la décision du premier Consul suffit.* »

Eut-il conscience de se faire le porte-plume de l'autocratie ? Lui qui moins de deux ans plus tôt, devant une délégation de l'Institut, avait déclaré : « Il n'y a point de philosophie sans patriotisme ; il n'y a de génie que dans une âme républicaine »... Et ses amis, comment purent-ils contresigner la phrase fatale ? Il est vrai que le pouvoir personnel n'effrayait pas tellement Cabanis...

Bonaparte, qui avait mis beaucoup de commissaires dans son jeu en leur faisant promettre des places, s'était d'abord montré conciliant : il approuvait la plupart des dispositions prévues sinon par Daunou, du moins par Sieyès. Il accepta les listes de notabilités — mais en supprimant le privilège réservé aux anciens révolutionnaires. Il ne fit aucune objection au principe d'un Sénat Conservateur de soixante membres, au partage du pouvoir législatif en trois assemblées — Conseil d'Etat (cinquante membres), Tribunat (cent), Corps législatif (trois cents) — non plus qu'à leurs attributions. Que les lois débattues par un Tribunat en fin de compte impuissant, fussent votées par un Corps législatif muet n'était pas pour lui déplaire. Quant au Sénat, certaines de ses prérogatives furent rognées et son mode de recrutement modifié, étant entendu que la désignation de ses premiers membres appartiendrait au gouvernement.

C'est quand fut abordée, officiellement cette fois, la question du pouvoir exécutif, quand arriva sur le tapis le fameux projet de Grand Electeur, que le général sursauta. Il partit d'un grand éclat de rire « au nez de Sieyès » et se mit à « sabrer ses niaiseries métaphysiques », la division du gouvernement entre le consulat de la paix et celui de la guerre, « véritable anarchie », et le Grand Electeur surtout, « ombre décharnée d'un roi fainéant ». Sieyès, ce n'était pas son habitude, répliqua, ce qui mit Bonaparte hors de lui : « Connaissez-vous un homme de caractère assez vil pour se complaire dans une pareille singerie ? Comment avez-vous pu croire, citoyen Sieyès, qu'un homme d'honneur, qu'un homme de talent et de quelque capacité voulût jamais n'être qu'un cochon à l'engrais de quelques millions dans le château royal de Versailles ? (1). »

On s'esclaffa, « Sieyès resta confondu et son grand électeur fut coulé à fond ». Mais de la comédie on allait passer au drame, avec une contre-offensive des républicains se heurtant à une majorité déjà ralliée à la dictature. L'épisode n'a pas retenu les historiens, mais les *Mémoires* de Fouché en donnent un récit assez vif :

« ... malgré la retraite personnelle de Sieyès, on vit revenir à la charge le parti qui, attaché à ses conceptions en désespoir de cause, proposa l'adoption de formes purement républicaines. On mit alors en avant et on leur opposa la création d'un président à l'instar des Etats-Unis pour dix ans (...) D'autres aussi apostés (*sic*) furent d'avis de déguiser la magistrature unique du président ; et à cet effet, ils offrirent de concilier les opinions diverses en composant un gouvernement de trois consuls dont deux ne seraient que des conseillers nécessaires.

« Mais quand on voulut faire décider qu'il y aurait un premier consul investi du pouvoir suprême, ayant le droit de nomination et de révocation à tous les emplois, et que les deux autres consuls auraient voix consultative seulement, les objections s'élevèrent. Chazal, Daunou, Courtois, Chénier et d'autres encore, invoquèrent les limites constitutionnelles ; ils représentèrent que si le général Bonaparte s'emparait de la dignité de magistrat suprême sans élection préalable, il dénoterait l'ambition d'un usurpateur, et justifierait l'opinion de ceux qui prétendaient qu'il n'avait fait la journée du 18 brumaire qu'à son profit. Faisant pour l'écarter un dernier effort, ils lui offrirent la dignité de généralissime avec le pouvoir de faire la guerre ou la paix, et de traiter avec les puissances étrangères. « Je veux rester à Paris, reprit Bonaparte avec vivacité et en se rongeant les ongles ; je veux rester à Paris, je suis consul. » Alors Chénier rompant

(1) *Mémorial*, ch. VII.

le silence, parla de liberté, de république, de la nécessité de mettre un frein au pouvoir, insistant avec force et courage pour l'adoption de la mesure de *l'absorption* au Sénat. « Cela ne sera pas ! s'écria Bonaparte en colère et frappant du pied ; *il y aura plutôt du sang jusqu'aux genoux !...* »

Ce serait donc Chénier qui aurait montré le plus d'énergie en ces heures critiques ; nous reconnaissons bien là sa générosité et sa véhémence. Admirateur de Bonaparte il l'était ou l'avait été, son hymne de la cour du Luxembourg en témoigne ; mais il semble que dès le banquet de Saint-Sulpice, ses soupçons commençaient à poindre : « Il me semble, avait-il dit à un de ses voisins, que nous sommes à un de ces repas funéraires que donnaient les Romains ! Qui enterrons-nous, est-ce la gloire militaire, est-ce la liberté ? (1) »

Reprenons le récit de Fouché : « ... du sang jusqu'aux genoux ! »... A ces mots qui changeaient en drame une délibération jusqu'alors mesurée, chacun resta interdit, la majorité enlevée remit le pouvoir non à trois consuls le deuxième et le troisième n'ayant que voix consultative, mais à un seul homme nommé pour dix ans (...) enfin se nommant lui-même. »

Les républicains ne pouvaient plus que mener un combat d'arrière-garde, Daunou, notamment, qui tenait toujours la plume ; il s'efforçait d'introduire dans le texte des corrections l'infléchissant dans le sens libéral. « Bataille mesquine, a-t-on dit, dans laquelle il fut toujours vaincu (2). » La plupart des retouches en question allaient être effacées par Bonaparte ; il y avait quelque mérite, pourtant, à lui présenter des dispositions comme celle-ci : « Le premier Consul ne sera pas rééligible à l'expiration de ses fonctions. » Ou encore : « Si l'un des Consuls prenait le commandement des armées, ses fonctions seraient suspendues. »

Le travail des deux sections avait duré près d'un mois. Quelques soirées suffirent aux deux Commissions réunies au Luxembourg à partir du 19 frimaire pour en prendre connaissance et, après d'ultimes amendements, l'adopter. Et le 22 le général leur proposa d'ajouter l'article final : « La présente Constitution sera offerte de suite à l'acceptation

---

(1) *Mémoires d'un pair de France.*
(2) Lanfrey : *Etudes et portraits politiques.*

du peuple français. » Les quarante-huit présents y consentirent et signèrent.

Un point restait à régler, l'élection des Consuls. Le nom du premier allait de soi ; on savait que pour le second, Bonaparte avait choisi Cambacérès. Quant au troisième, Volney, pressenti, avait refusé et il était certain que des voix se porteraient sur Daunou élu le 11 frimaire président de la Commission des Cinq-Cents ; il avait même été convenu un moment, par entente entre Bonaparte, Sieyès et les autres promoteurs du coup d'Etat, que le poste de troisième Consul devait lui revenir ; son attitude au cours des discussions avait changé les dispositions du général.

Le vote commença. Debout, adossé à la cheminée, Bonaparte surveillait l'opération qui se faisait au scrutin secret. Soudain, flairant qu'un dépouillement ne donnerait pas exactement les résultats attendus, il rafla les bulletins, les jeta dans le feu et, désignant Sieyès, déclara :

« Au lieu de dépouiller, donnons un nouveau témoignage de reconnaissance au citoyen Sieyès en lui décernant le droit de désigner les trois premiers magistrats de la République et convenons que ceux qu'il aura désignés seront censés être ceux à la nomination desquels nous venons de procéder. »

Sieyès déféra alors au désir de Bonaparte en désignant successivement Bonaparte, Cambacérès et Lebrun. Des applaudissements saluèrent les trois noms.

Cette abdication de Sieyès, on l'a expliquée en le disant à la fois intimidé, flatté, démoralisé. Le *Mémorial de Sainte-Hélène* lui prête ces paroles froidement désabusées dès l'issue de la première réunion des consuls provisoires : « Messieurs, nous avons un maître ; cet homme sait tout, peut tout et veut tout. »... Il se défendit de les avoir prononcées : ce qui était vrai, c'est qu'il avait répondu au général lui offrant avec insistance le poste de second Consul : « Il ne s'agit pas de consuls et je ne veux pas être votre aide-de-camp. »

Autre anecdote du *Mémorial*, également relative à la première réunion des consuls provisoires (le 20 brumaire) : Sieyès avait montré à Bonaparte une commode en lui révélant qu'elle contenait huit cent mille francs appartenant aux directeurs : « En cet instant, plus de directeurs, Nous voilà donc possesseurs du reste. Qu'en ferons-nous ? »

Le général répondit en substance qu'il n'était pas censé être au courant : « Vous pouvez donc vous partager cette somme, vous et Ducos qui êtes tous deux d'anciens directeurs ; seulement dépêchez-vous, car demain, il serait trop tard. » Sans perdre une seconde, Sieyès se serait alors adjugé la part du lion, six cent mille francs, n'en laissant que deux cent mille « au pauvre Ducos »... Sur cette accusation que propagèrent nombre de mémorialistes favorables à Napoléon, Sieyès garda toujours un silence méprisant, amer. Ses amis la qualifièrent de calomnie pure. Un de ses plus récents biographes (1) y voit simplement une infamie.

Il n'est pas douteux, en revanche, que le 20 décembre 1799, dans un message adressé aux Commissions législatives, Bonaparte, louant les « vertus désintéressées » du citoyen Sieyès, proposait de lui décerner le domaine de Crosne à titre de récompense nationale ; et que Sieyès l'accepta (en même temps que la présidence du Sénat). Ses amis avaient vivement tâché de l'en dissuader, Daunou avait même retardé d'un jour la lecture du message consulaire. Cette faiblesse de Sieyès ne renforçait évidemment pas le prestige du parti philosophique. Politiquement, l'ancien directeur se trouvait plus ou moins démonétisé. Dire que son rôle devenait négligeable serait excessif : en lui donnant la présidence du Sénat, Bonaparte lui laissait le soin de choisir les trente et un premiers membres de cette haute assemblée, ceux-ci devant désigner les vingt-neuf autres. Ducos, Cambacérès, Lebrun, assistaient en principe Sieyès dans son choix, mais son rôle en l'occurrence fut prépondérant.

Cambacérès et Lebrun... Le premier, conventionnel et semi-régicide, pouvait rassurer la gauche ; le second, ancien secrétaire de Maupeou, homme d'Ancien Régime, pouvait rassurer la droite. Les « deux bras du fauteuil » dirent les mauvaises langues. Appuis précieux, surtout Cambacérès, esprit fertile et docile, expert en l'art de légaliser l'illégalité.

Mêmes principes pour les choix des ministres : Lucien à l'Intérieur, Fouché à la Police générale, Talleyrand aux Relations extérieures... La balance, le dosage, l'appel à la

(1) Albéric Neton.

concorde : « Quel révolutionnaire, dit Napoléon à Joseph, n'aura pas confiance dans un ordre de choses où Fouché sera ministre ? Quel gentilhomme n'espérera pas trouver à vivre sous l'ancien évêque d'Autun ? L'un gardera ma gauche, l'autre ma droite. J'ouvre une grande route où tous peuvent aboutir. »

La route ouverte, il n'y avait plus qu'à marcher, brusquer, bousculer. Le 24 frimaire an VIII (16 décembre 1799), le *Moniteur* publiait la Constitution. Un court préambule la précédait, contenant la phrase fameuse : « Citoyens, la Révolution est fixée aux principes qui l'ont commencée : elle est finie !... » Et dès le 3 nivôse (24 décembre) une loi mettait en vigueur la Constitution, bien avant que fussent terminées, voire commencées, les opérations du plébiscite prévu ; le lendemain, les trois Consuls entraient en fonctions.

***

La Révolution finie, était-ce la Révolution abolie ? Les républicains pouvaient-ils le craindre ? Les philosophes d'Auteuil croyaient-ils assister à la ruine de leurs espoirs ?

Les apparences étaient sauves. Le préambule de la Constitution la déclarait fondée sur « les vrais principes du gouvernement représentatif, sur les droits sacrés de la propriété, de la liberté, de l'égalité » ; elle garantissait « les droits des citoyens » aussi bien que ceux de l'Etat.

Il n'était plus fait mention solennelle des Droits de l'Homme, mais était-ce tellement nécessaire ? L'omission pouvait-elle vraiment inquiéter ? La Déclaration des Droits de 1789, celle de 1793, avaient-elles empêché les massacres de septembre et de la Terreur ? Qu'est-ce qui comptait davantage, l'énoncé des principes ou la volonté d'un homme résolu à les appliquer, du seul homme capable d'en imposer l'application ? A cela Garat répondit dans un discours à la Commission des Anciens : La gloire et l'influence du général Bonaparte ne seront pas seulement « un puissant ressort de plus dans l'action du gouvernement, mais une limite et une barrière devant le pouvoir exécutif. Et cette borne sera d'autant plus sûre qu'elle ne sera pas dans une charte, mais dans le cœur et les passions mêmes d'un grand homme ! »

Autre manifestation de confiance encore plus significative, le long discours de Cabanis devant la Commission des Cinq-Cents le 25 frimaire an VIII (16 décembre 1799) :

« Les journées du 18 et 19 brumaire n'ont point été faites contre quelques hommes, mais contre un système absurde et cruel qui conduisait rapidement la République à sa ruine inévitable...

« Elles n'ont point eu pour objet d'établir la domination de quelques hommes ou d'un parti... »

Passant à des considérations générales sur les besoins moraux et sociaux des hommes et les différentes formes de gouvernement, rappelant dans une analyse classique les avantages et inconvénients de la monarchie, de la démocratie, de l'aristocratie, l'orateur soulignait l'importance de deux grandes découvertes des temps modernes, la division des pouvoirs et celle plus importante encore du système représentatif, le seul qui puisse garantir la liberté publique et donner une force suffisante au gouvernement. A partir de quoi Cabanis justifiait le système électoral élaboré par Sieyès (sans le nommer) et ajoutait :

« Et voilà encore la bonne démocratie ; la voilà avec tous ses avantages : car en effet, l'égalité la plus parfaite règne entre tous les citoyens ; chacun peut se trouver inscrit sur les listes de confiance et y rester en passant à travers toutes les réductions ; il suffit qu'il obtienne les suffrages (...) Il n'y a plus ici de populace à remuer au forum ou dans les clubs : la classe ignorante n'exerce plus aucune influence ni sur la législature ni sur le gouvernement ; partant, plus de démagogues. Tout se fait pour le peuple et au nom du peuple ; rien ne se fait par lui ni sous sa dictée irréfléchie. »

Ces conceptions sont trop claires pour appeler des commentaires. Précisons seulement que cet ostracisme à l'égard de la « classe ignorante » n'est pas inspiré par un sentiment réactionnaire de dédain et d'égoïsme. La diffusion de l'enseignement public dans les couches sociales les plus basses était une des préoccupations majeures du maître de Cabanis, Condorcet ; en attendant sa réalisation, il réservait le droit de suffrage aux seuls citoyens capables d'une opinion éclairée.

La nécessité d'un pouvoir exécutif fort, mais offrant des garanties suffisantes à la liberté, formait le dernier thème du discours qui (ne comportait pas d'éloge personnel de Bonaparte). Un grand élan lyrique soulevait la péroraison :

« Hommes paisibles et laborieux...

« Propriétaires...

« Hommes de tous les partis...

« Hommes religieux...

« Ames sensibles et tendres, vous ne verrez plus les objets de vos affections en butte aux coups de la hache révolutionnaire, qui menace et frappe tour à tour tous les partis.

« Amis ardents de la liberté, vous vivrez sous un gouvernement qui en consacre les principes fondamentaux...

« Savants, Hommes de lettres, Artistes de tout genre, une carrière immense de gloire s'ouvre devant vous ; vous travaillerez pour un peuple libre et sensé ; vos chefs-d'œuvre seront accueillis et proclamés avec enthousiasme.

« Enfin vous, Philosophes, dont toutes les méditations ont pour objet le perfectionnement et le bonheur de l'espèce humaine, ce ne sont plus de vaines ombres que vous embrassez maintenant (...) ; vous verrez avec ravissement s'ouvrir cette ère nouvelle (...) ère de gloire et de prospérité où les rêves de votre enthousiasme philantropique doivent euxmêmes finir par être tous réalisés. »

Ames sensibles et tendres... enfin vous, Philosophes... : c'est bien le siècle finissant qui s'exprime ici ou plutôt qu'invoque le plus généreux de ses héritiers.

Cabanis et Garat ne sont pas les seuls. Volney est toujours très attaché à Bonaparte. Un autre de ce groupe qui, lui, n'a rien d'un rêveur, le plus grand économiste français du temps, Jean-Baptiste Say, partage les mêmes illusions. Le 10 nivôse an VIII, dans la *Décade philosophique* dont il est rédacteur, rendant compte du discours de Cabanis (1), il l'approuve avec chaleur : « Il ne faut point être surpris que les événements de brumaire aient obtenu, comme ceux de 1789, l'assentiment de tous les vrais citoyens, de tous les bons penseurs. » Et il approuve aussi Garat d'applaudir à l'institution du Sénat Conservateur.

Animés de la passion du bien public, convaincus — ou voulant encore se convaincre — que leur soldat-philosophe

---

(1) Paru en librairie sous le titre : *Quelques considérations sur l'organisation sociale en général et particulièrement sur la nouvelle Constitution.*

n'a rien renié de son idéal, de leur idéal, ces hommes opposent l'argument de l'enthousiasme, de la confiance, de la bonne foi, aux soupçons et accusations qu'on sent poindre. Mais ils sont également rassurés par la place faite au contrôle parlementaire dans le nouveau régime. Toujours dans son discours, Cabanis fondait les plus grands espoirs sur le Tribunat :

« Le Tribunat, nécessairement composé des hommes les plus énergiques et les plus éloquents, aura le droit de faire des appels continuels à l'opinion, de censurer de toutes les manières les actes du Gouvernement, de dénoncer ceux qu'il jugera attentatoires à la Constitution, d'accuser et de poursuivre tous les agents exécutifs, de parler et d'imprimer avec la plus entière indépendance, sans que ses membres puissent être jamais tenus de répondre de leurs discours ou de leurs écrits. L'existence de cette magistrature populaire, jointe à la liberté de la presse qui, sous un régime vigoureux, doit toujours être complète, forme l'une des principales garanties de la liberté publique. »

Cette confiance n'était pas chimérique *a priori*. La force du Tribunat dépendrait du recrutement des tribuns. Or la composition des assemblées avait été laissée à peu de choses près à la discrétion de Sieyès. Au Sénat, pour commencer, à côté de jacobins « nantis », chevaux de retour de la Convention et du Directoire, il introduisait des sommités de l'Institut, c'est-à-dire des Monge et des Berthollet et des philosophes que nous connaissons, Volney, Garat, Cabanis, Destutt de Tracy. Par voie de conséquence entraient au Tribunat des amis à eux, plus doués pour l'action parlementaire, les débats publics : Chénier, Daunou, Ginguené, Andrieux, J.B. Say (1). A leurs côtés, va siéger aussi Benjamin Constant.

Sur cette admission au Tribunat du célèbre homme de lettres, citoyen français de fraîche date, on a colporté une anecdote qui ne manque pas de piquant : Mme de Staël s'agite beaucoup pour lui, prie un de ses amis de le présenter à Bonaparte. Bonaparte a lu ses ouvrages, l'en félicite et l'assure qu'il serait très satisfait de le compter parmi les tribuns. Là-dessus l'intéressé déclare :

(1) Les deux premiers semblaient tout désignés pour occuper un siège de sénateur. Bonaparte les en aurait privés pour les punir de leur attitude lors des discussions sur la Constitution.

— Vous sentez bien que je suis à vous. Je ne suis pas de ces idéologues qui veulent tout faire avec des pensées. Il me faut du positif et si vous me nommez, vous pourrez compter sur moi.

La visite s'achève. On va voir Sieyès qui habite tout à côté. Constant prie Sieyès de le soutenir, et pour achever de le convaincre :

— Vous savez combien je hais la force ! Je ne serai point ami du sabre. Il me faut des principes, des pensées, de la justice. Aussi, si j'obtiens votre suffrage, vous pouvez compter sur moi, car je suis le plus grand ennemi de Bonaparte.

L'histoire est trop belle : M. Henri Guillemin, qui n'éprouve pour Benjamin aucune faiblesse, c'est le moins qu'on puisse dire, se refuse à y croire. M. Paul Bastid n'y croit pas non plus et moins encore à l'accusation plus grave portée par Napoléon lui-même : « A onze heures du soir, il suppliait encore à toute force ; à minuit et la faveur prononcée, il était déjà relevé jusqu'à l'insulte... » Ce qui est exact, c'est que Joseph Bonaparte intervint utilement pour la nomination en question, à la demande de Mme de Staël.

Restait à garnir le Corps législatif. Il ne devait guère rassembler que des personnalités de second plan. Noble exception : Henri Grégoire, précurseur avant Lamennais du catholicisme libéral, le premier des prêtres républicains, républicain ardent et prêtre dans l'âme. Il avait été le premier à prêter serment à la Constitution civile du clergé. Membre de la Convention après l'avoir été de la Constituante, il avait demandé le jugement de Louis XVI, mais en même temps la suppression de la peine de mort. Evêque de Blois depuis 1791, il avait fièrement manifesté contre la scène abjecte des abjurations le 7 novembre 1793. Revêtu de sa robe épiscopale, il avait bondi à la Tribune affirmer sa foi face aux clameurs et aux outrages... Esprit très ouvert, il avait été l'un des fondateurs de l'Institut, du Conservatoire des Arts et Métiers, du Bureau des Longitudes. Familier des réunions d'Auteuil chez Mme Helvétius, il était en excellents termes avec les Cabanis et les Daunou : cette amitié des rationalistes et du chrétien paraissait inexplicable à Bonaparte.

En résumé, lors de leur formation, le Tribunat et le Corps législatif s'ouvrirent à un certain nombre d'hommes de

8

grande qualité intellectuelle et morale qui, la veille encore
brumairiens, ne se sentaient pas tous, pour autant, une vocation d'inconditionnels.

La situation était différente au Conseil d'Etat. Le Premier
Consul qui s'était réservé l'initiative des projets de loi s'était
aussi réservé le choix des conseillers d'Etat ; il entendait
intervenir personnellement dans la direction de leurs travaux, se proposant d'élargir leur tâche, de les associer à son
entreprise de réorganisation générale du pays, de les faire
collaborer avec les ministres, participer au gouvernement.
Il les avait choisis pour leur compétence, leur intelligence,
assurément, mais sachant aussi qu'il pourrait compter sur
leur zèle : Cambacérès leur président, Thibaudeau, Tronchet,
Réal, Boulay de la Meurthe, Portalis, en étaient les plus
marquants.

*
**

La session du Tribunat s'ouvrit comme prévu le 11 nivôse
an VIII (1er janvier 1800) sous la présidence de Daunou. Une
discussion plutôt futile occupa les deux premières séances,
il s'agissait des habits bleu-clair à la française destinés à
remplacer les costumes de théâtre des députés aux Cinq-
Cents. La politique ne vint corser les débats que le troisième
jour, à propos du siège assigné à l'assemblée, le Palais-
Royal (le Sénat étant installé au Luxembourg et le Corps
législatif au Palais-Bourbon). Certains tribuns trouvaient
indigne de la représentation nationale un lieu aussi mal
famé ; mais un autre, nommé Duveyrier, approuva ce choix ;
exaltant les souvenirs attachés à cet endroit historique et la
mémorable harangue de Camille Desmoulins, emporté par
son élan oratoire il s'écria : « Dans ces lieux, si l'on osait
parler d'une idole de quinze jours, nous rappellerions qu'on
vit abattre une idole de quinze siècles. »

L'assemblée en eut le souffle coupé. Pourquoi ce défi
provocant, cette injure ? L'ombrageux général allait-il la
supporter ? L'arrestation de l'imprudent n'était-elle pas imminente ?... Non. Le Premier Consul se contenta de réagir
indirectement par un article fort pondéré (et anonyme) du
Moniteur, invitant les tribuns à la sagesse. Il savait qu'il
avait l'opinion pour lui, une opinion lasse des déclamations

révolutionnaires. Les outrances verbales d'un avocat plutôt médiocre n'étaient pas de nature à l'inquiéter ; ce Duveyrier, d'ailleurs, devait se rétracter assez piteusement peu de temps après.

D'une autre portée et d'un autre style allait se révéler une intervention de Benjamin Constant le 15 nivôse sur le projet relatif à « la formation de la loi ». L'enjeu, cette fois, était de taille. Le Tribunat, dès sa naissance, se laissait-il appliquer un bâillon ? Cette assemblée dont l'honnête Cabanis assurait quinze jours plus tôt qu'elle aurait le pouvoir de « censurer de toutes les manières les actes du gouvernement », voilà que par le texte en question le gouvernement entendait la soumettre à des règles draconiennes, fixer pour chaque projet de loi la date et la durée de ses débats, et même se dispenser de présenter un exposé des motifs. L'exécutif prétendait bel et bien dicter sa loi au législatif. Le choc était plutôt rude pour les « âmes tendres », les « philosophes », les brumairiens confiants et républicains. Ils n'étaient pas préparés à cette mise en tutelle et pas disposés à l'accepter. C'est ce que fit comprendre le discours de Benjamin Constant qui entrait dans l'arène politique française.

Des bancs et des tribunes on considérait avec curiosité ce grand garçon déginguandé, roux et laid, au visage criblé de taches de son, au dos déjà voûté, qui semblait mal à l'aise dans une redingote trop longue et que sa myopie empêchait de regarder l'auditoire avec assurance. Mais l'auditoire presque aussitôt fut conquis. Constant parla sans emphase, en termes concrets, pertinents et rigoureux, refusant le projet de loi tel que le Corps législatif l'avait transmis et demandant sa modification :

« Un minimum de cinq jours francs au moins est nécessaire pour vos discussions intérieures ; un espace de temps semblable doit vous être accordé pour être entendus devant le Corps législatif. Une loi particulière doit déterminer les cas très rares d'urgence excessive (...) Les propositions de loi doivent être accompagnées d'un énoncé de leurs motifs. Le droit de fixer le jour où la discussion s'ouvrira doit être attribué non point au Gouvernement, mais au Corps législatif...

« Sans ces modifications, le projet de loi qu'on nous

présente me paraît désastreux (...) Sans l'indépendance du Tribunat, il n'y aurait plus ni harmonie, ni constitution, *il n'y aurait que servitude et silence ; silence que l'Europe entière entendrait et jugerait...* »

De la part d'un débutant, c'était fort. La conclusion visait haut et portait loin. Et tout le corps du discours avait tenu l'assemblée en haleine. L'effet fut considérable, pas seulement dans l'enceinte du Palais-Royal, mais dans le monde politique de la capitale, frappé par le talent de l'orateur et son audace. On peut même dire son courage, et cela en réponse à certaine critique se refusant à voir rien d'autre en lui que son ambition effrénée, ses palinodies, ses intrigues et ses appétits, les « friponneries » de sa vie privée. Car enfin n'est-ce pas sur sa conduite à la tribune que nous devons le juger ? A peine pourvu de sa citoyenneté française et de sa qualité de parlementaire, ce méprisable arriviste ne se dresse-t-il pas contre l'autorité à laquelle il doit presque tout et dont il devrait tout attendre — donc tout craindre ? A-t-il tenu le langage de quelqu'un qui flatte le pouvoir ?

La veille de son discours, le Tout-Paris se pressait chez Mme de Staël, à commencer par les personnages importants du nouveau régime, Lucien par exemple. Constant qui était là, naturellement, prévint son amie tout bas :

— Si je parle demain, votre salon sera désert, pensez-y.

— Il faut suivre sa conviction, lui répondit-elle.

La prévision de Constant se réalisa : le lendemain, dès cinq heures du soir, la baronne recevait des billets d'excuse d'invités dont la société lui plaisait beaucoup, « mais qui tous tenaient au gouvernement nouveau ». Les jours suivants, les trois quarts de ses amis, Talleyrand en particulier, continuèrent à l'éviter.

Au Tribunat, le 16 nivôse, le parti gouvernemental réagit de façon violente et maladroite, par la voix de Riouffe, ancien girondin, puis zélé partisan du Directoire. Il tint la tribune pendant deux heures, qualifiant d'injurieuses les critiques formulées la veille par Constant et proclamant sa confiance, son admiration totale « en celui qui gouverne la République ».

Deux autres orateurs défendirent le projet gouvernemental, mais avec mesure : Chauvelin et, chose étonnante, Duveyrier qui d'ailleurs fut bref. Puis on entendit une improvisation de Ginguené qui commença en demandant l'indulgence :

« Vieux soldat de la liberté je suis absolument nouveau aux combats de la tribune. » Sans viser à des effets d'éloquence, il critiqua les dispositions les moins acceptables du texte proposé et conclut à son rejet du moment que les propositions d'amendement n'étaient pas recevables. Le dernier « opinant », Thiessé, adopta une position plus nuancée et proposa l'arbitrage du Corps législatif pour fixer les délais contestés par le gouvernement.

Enfin on vota : 54 voix pour, 26 contre (16 nivôse — 6 janvier 1800). Présenté ensuite au Corps législatif, le projet y fut adopté par 203 voix contre 23.

*
**

Une majorité des deux tiers dans une assemblée, des neuf dixièmes dans l'autre, n'importe quel chef de gouvernement peut s'en estimer satisfait, là où fonctionnent normalement des institutions parlementaires et où l'opposition peut s'exprimer librement. Pour Bonaparte il en va tout autrement. Après le discours du 15 nivôse, sa colère éclate : « C'est une honte ! Cet homme veut tout brouiller et nous ramener aux 2 et 3 septembre... » Voilà donc Constant assimilé aux égorgeurs de la Conciergerie et des Carmes pour avoir demandé que le loisir de délibérer soit reconnu aux représentants de la nation.

Dans la cour du Luxembourg le 6 décembre 1797, le jeune général, retour d'Italie, avait déclaré, on s'en souvient : « De la paix que vous venez de conclure date *l'ère des gouvernements représentatifs.* » Mais deux mois plus tôt écrivant de Milan à Talleyrand(1) et lui exposant ses conceptions relativement aux attributions du législatif et de l'exécutif, il déniait à la représentation nationale le droit de gouverner et même celui de légiférer (sauf en matière de lois organiques) : « Ce pouvoir législatif, sans rang dans la République, impassible, sans yeux et sans oreilles pour ce qui l'entoure, n'aurait pas d'ambition et ne nous inonderait plus de mille lois de circonstance qui s'annulent toutes seules par leur absurdité, et qui nous constituent une nation avec trois

(1) Le 19 septembre 1797.

cents in-folio de lois. » L'aversion du général pour l'institution parlementaire perçait donc nettement déjà avec sa
volonté de confiner les assemblées dans des tâches purement
formelles. L'assemblée plutôt, une lui suffisait, « grand conseil
de la nation nommé par le peuple », « une qui surveille et
n'agit pas », qui contrôlerait non pas les actes de l'exécutif,
mais seulement « la législation de l'exécution ». En somme,
au lendemain de Fructidor, bien que Bonaparte admît encore
l'élection populaire, le système qu'il préconisait ne comportait même pas l'équivalent d'un Tribunat. Le Tribunat, c'est
donc à regret qu'il l'a accepté en l'an VIII. Est-ce à dire
que dans cette lettre confidentielle de 1797 il rejette tout
principe démocratique ? Non. Il reconnaît, il pose à la base
la *souveraineté du peuple*, souveraineté dont la magistrature
exécutive assure l'exercice. Les garanties contre l'autorité
deviennent alors inutiles et contradictoires : « Le pouvoir
du gouvernement devrait être considéré comme le vrai représentant de la nation. » Et peut-être, jusqu'à un certain point,
le jeune général était-il sincère ; dans la ligne, en tout cas,
des jacobins ou plus exactement des montagnards, d'accord
avec la pratique de Robespierre et la théorie de Rousseau :
la *volonté générale* s'étant exprimée, le pays n'a plus qu'à
obéir au chef qui incarne cette volonté, *sa* volonté. Tel est
l'esprit de la « démocratie » plébiscitaire.

Colère de Bonaparte donc, contre l'opposition d'une minorité de tribuns et contre l'audace de Constant. Il ne se
contente pas de le traiter de septembriseur, il le menace :
« ... Mais je saurai le contenir. J'ai le bras de la nation levé
sur lui. » Cette menace, lancée à la cantonade, il ne la met
pas, il ne la mettra pas de sitôt à exécution. Pourquoi ?

Ni Constant ni ses amis du Tribunat n'ont éveillé d'échos
favorables dans le pays. Au contraire, leur attitude a soulevé
une réprobation quasi générale. La presse invective les législateurs. Les journaux de droite surtout se déchaînent contre
le Tribunat, Parlement-croupion qu'il faut balayer. A gauche,
le *Journal des Hommes Libres*, organe du jacobinisme autoritaire, inspiré par Fouché, injurie Benjamin Constant et
Mme de Staël... La nation dans son ensemble fait confiance
au Premier Consul, met tout son espoir dans une « expérience » comme nous dirions aujourd'hui, dont elle souhaite
le déroulement sans obstacles, sans discussions, sans contes-

tations. En bref, même fidèles à la République et au principe de Liberté, les Français tournent le dos à la démocratie parlementaire.

Somme toute, Bonaparte n'avait pas lieu d'être trop mécontent de cette manifestation du Tribunat. Elle lui avait permis de mesurer la popularité de son nouveau régime, de constater la solidité de son assise. Constant ne s'était pas révélé un danger : le Premier Consul pouvait se permettre de jouer avec lui la magnanimité ou l'indifférence, une fois sa colère, ou fausse colère, apaisée. Quelques autres tribuns, il est vrai, eurent droit à une scène violente du jeune dictateur et Mme de Staël reçut un avertissement qui marquait le début de ses « persécutions ». « Le ministre de la police, Fouché — raconte-t-elle dans *Dix Années d'Exil* — me fit demander pour me dire que le Premier Consul me soupçonnait d'avoir excité celui de mes amis qui avait parlé dans le Tribunat. Je lui répondis, ce qui assurément était vrai, que M. Constant était un homme d'un esprit trop supérieur pour qu'on pût s'en prendre à une femme de ses opinions, et que d'ailleurs le discours dont il s'agissait ne contenait absolument que des réflexions sur l'indépendance dont toute assemblée délibérative doit jouir, et qu'il n'y avait pas une parole qui dût blesser le Premier Consul personnellement. Le ministre en convint. J'ajoutai encore quelques mots sur le respect qu'on devait à la Liberté dans un Corps législatif, mais il me fut aisé de m'apercevoir qu'il ne s'intéressait guère à ces considérations générales : il savait déjà très bien que sous l'autorité de l'homme qu'il voulait servir, il ne serait plus question de principes, et il s'arrangerait en conséquence (...) Il me conseilla d'aller à la campagne et m'assura qu'en peu de jours, tout serait apaisé. Mais à mon retour, il s'en fallut de beaucoup pour que cela fût ainsi. »

Le châtiment ne fut donc qu'une courte retraite à Saint-Ouen, ce qui peut prêter à sourire. On peut ironiser aussi sur la prudence de Sieyès qui, de son côté, partit « se claquemurer pour quelques jours dans sa maison des champs à Auteuil (1) ». Mais pourquoi écrire « les excès de paroles

_____

(1) L. Madelin : *Histoire du Consulat et de l'Empire. De brumaire à Marengo.*

du Palais-Royal » (1) à propos des interventions des libéraux du Tribunat ? C'est l'excès d'autorité que l'historien aurait dû relever, le coup d'arrêt à la liberté d'expression, l'avertissement donné par le général inaugurant son gouvernement que désormais l'opinion sera un délit.

*
**

Le 18 pluviôse an VIII (7 février 1800), le recensement des votes sur la Constitution était terminé : 3 011 007 oui contre 1 562 non. Succès écrasant pour le gouvernement, et *incontestable* même en tenant compte des conditions dans lesquelles ce plébiscite s'était déroulé : les citoyens avaient dû s'inscrire sur des registres d'*acceptation* ou de *non-acceptation* ouverts dans les municipalités ; et le contrôle ou plutôt l'absence de contrôle des opérations n'était pas non plus de nature à favoriser l'opposition. Mais dans la masse, abstraction faite des provinces de l'Ouest, cette opposition était presque nulle. Si Bonaparte commençait à inquiéter, à décevoir les intellectuels qui le jugeaient sur le respect des libertés fondamentales, son emprise se renforçait sur les vastes secteurs d'opinion qu'il avait conquis ; et systématiquement il donnait des gages à droite et à gauche tout en organisant sa propagande.

La Constitution avait assigné les Tuileries comme résidence aux Consuls ; le jour prévu pour leur installation était le 1er pluviôse (21 janvier 1800). Alors Bonaparte fit dire et imprimer (dans le royaliste *Journal des Débats*) qu'il ne voulait pas de cette date, anniversaire de la mort de Louis XVI. Mais en même temps le *Moniteur* publiait un éloge de Brutus le « tyrannicide », dont le buste mêlé à bien d'autres — Alexandre et Annibal, Caton et César, Condé et Turenne, Frédéric II et Mirabeau, Marceau et Washington — allait orner la grande galerie du palais. Et sur ces entrefaites, comme on avait appris la mort de Washington, justement, Bonaparte lui rendit hommage dans un ordre du jour aux armées (18 pluviôse, jour de l'achèvement du plébiscite) :

« Washington est mort. Ce grand homme s'est battu contre

(1) *Ibid.*

la tyrannie. Il a consolidé la liberté de sa patrie. Sa mémoire sera toujours chère au peuple français comme à tous les hommes libres des deux mondes, et spécialement aux soldats français qui comme lui et les soldats américains se battent pour la liberté et l'égalité. »

Le surlendemain, sous la voûte des Invalides, les drapeaux conquis en Egypte étaient présentés par Lannes au ministre de la guerre Berthier, au début d'une cérémonie en l'honneur du héros de la Révolution américaine dont Fontanes prononça l'éloge. Tous les termes de ce panégyrique tournaient à la justification du Premier Consul (sans le nommer) et à sa gloire. Ces louanges au grand soldat citoyen qui après huit ans à la tête de la jeune République s'était effacé pour respecter la légalité démocratique, n'était-ce pas l'assurance que Bonaparte s'inspirerait de cet exemple ? Mais surtout, le parallèle ainsi suggéré faisait ressortir la supériorité de celui qui avait ordonné l'hommage sur celui qui était censé en être l'objet.

Le coup n'était pas mal joué. Le monument à Washington c'était un socle à Bonaparte. L'éclat de cette manifestation rehaussait encore la consécration donnée par le peuple au régime né à Saint-Cloud. Mais la « sphère de lumière et de gloire » qu'évoquait Fontanes eût suffi à dessiller les yeux des hommes d'Auteuil, si chaudement partisans qu'ils aient été de la révolution de Brumaire. Ceux du Sénat, Garat, Volney, Destutt, Cabanis — sans parler de Sieyès — commençaient à en prendre conscience, ils n'avaient pas travaillé pour la liberté ; les hyperboles célébrant l'esprit de domination n'étaient pas faites pour les rassurer ; leur désaccord (il est prématuré de parler de leur opposition) devait cependant rester discret, au Luxembourg on délibérait pour ainsi dire à huis clos. Quant à la minorité du Tribunat groupée autour de Constant, Ginguené, Chénier, Say, Andrieux, Daunou, bien que son impopularité augmentât à proportion de la popularité du Premier Consul, elle était définitivement alertée contre l'arbitraire gouvernemental et disposée à lui résister. Daunou qui avait refusé le poste de conseiller d'Etat après l'échec de son plan de Constitution, allait bientôt se révéler un adversaire gênant pour Bonaparte, lui opposant ses compétences exceptionnelles en matière d'administration et de droit public.

Le Premier Consul en effet, fort du consentement massif accordé à sa Constitution (laquelle recélait des obscurités voulues), entendait passer à l'étape suivante : soumettre la France à une centralisation rigoureuse.

L'importance de cette réforme administrative connue sous le nom de loi de Pluviôse, tout le monde la connaît ; la structure, la hiérarchie plutôt, qu'elle a créée dure encore : à la tête de chaque département un préfet non pas élu mais désigné ; sous ses ordres, à la tête de chaque arrondissement, un sous-préfet également fonctionnaire, nommé par Paris ; à la base, les maires. D'où l'hypertrophie de la capitale, le dépérissement des provinces, la mise en tutelle des départements, maux devenus classiques et inlassablement dénoncés... Il saute aux yeux qu'à cet égard, le régime des Etats-Unis est beaucoup plus démocratique puisque chaque Etat y est administré par un gouverneur élu. De sérieux amendements ont bien été apportés par la suite à l'organisation autoritaire mise en place par Bonaparte qui se réservait ou confiait aux préfets la nomination des conseillers généraux, d'arrondissement, municipaux et aussi des maires. Mais à Paris, le préfet de police (sans parler du préfet de la Seine) et les maires des arrondissements sont toujours choisis par le gouvernement, non par le suffrage des électeurs.

On peut soutenir qu'un pouvoir autoritaire voire temporairement dictatorial répondait aux nécessités du moment, servait mieux l'intérêt général que des institutions représentatives trop faibles, trop dispersées. On ne saurait prétendre que le système d'administration conçu par Bonaparte contînt une once de démocratie ni qu'il accomplît le vœu des constituants de 1789. Il retournait au contraire à l'Ancien Régime, à ses intendants, il renforçait la centralisation monarchique, il caporalisait l'administration. Ce faisant, sans doute introduisait-il de l'ordre là où régnait le désordre, un désordre dont les Français ne voulaient plus ; mais c'était du définitif qu'il entendait construire, non du provisoire. Or, aucune émotion ne se manifesta dans le pays, aucune objection. Sauf au Tribunat.

Le conseiller d'Etat chargé de présenter le projet à l'assemblée du Palais-Royal était Roederer — ami quelques mois plus tôt des gens d'Auteuil et maintenant plus ou moins brouillé avec eux parce que demeuré partisan sans réserve de Bonaparte. Le rapporteur de la commission nommée par le Tribunat était Daunou. Il lut son rapport le 23 pluviôse (12 février 1800).

C'était une critique serrée, minutieuse, des omissions, erreurs, obscurités, du texte présenté. Des désaccords sérieux portaient sur l'étendue des circonscriptions administratives, le niveau où l'administration locale devrait s'exercer. Mais Daunou ne s'élevait pas directement contre le principe général du projet, contre la centralisation excessive, la concentration des pouvoirs aux mains de l'exécutif. Assez paradoxalement il s'étonnait même que le Premier Consul fût « dépouillé » de certaines nominations au profit des préfets : « Qu'un préfet départemental fasse en son propre nom et définitivement des choix que la Constitution réserve au premier magistrat de la République, il nous serait difficile de prouver la légitimité ou même la validité de cette espèce de nomination. » Mais si Daunou protestait contre un système qui établissait l'arbitraire sur le plan départemental en intronisant des tyranneaux dévoués au gouvernement, il est clair que ce n'était pas pour favoriser le despotisme au sommet. Ne pouvant remettre en cause la Constitution dont se réclamait l'économie générale du projet, du moins s'efforçait-il de réduire le caractère antidémocratique de ses implications. Par exemple : « ... en appelant les conseils généraux à entendre le compte annuel du préfet, on ne leur donne point, et l'on paraît même leur refuser le droit de les discuter. »

Et pourtant Daunou conclut à l'adoption. Un peu comme un procureur qui à l'issue d'un réquisitoire sévère demande néanmoins un acquittement, pour éviter des conséquences pires. Encore ses considérants n'eurent-ils rien de flatteur pour le gouvernement.

Conclure au rejet eût été dangereux : Aulard l'a souligné, on le croit sans peine. Le scrutin sur cette loi du 28 pluviôse an VIII comporta cependant 25 votes négatifs (sur 96) au Tribunat. Au Corps législatif il y en eut 63 sur 280.

Vint ensuite en discussion un autre projet de loi organique, sur l'organisation de la justice. Vaste réforme, certainement remarquable ; le temps a consacré l'ordonnance claire et cohérente des structures et des hiérarchies qu'elle établissait ; telle de ses dispositions marquait un souci d'humanité, la création du Tribunal de Cassation, par exemple, qui pouvait même censurer les sentences des Conseils de guerre (en principe). Mais elle tendait à subordonner le judiciaire à l'exécutif : elle réservait au gouvernement l'avancement et la promotion des juges, elle mettait le choix des présidents à la discrétion du Premier Consul. Elle déclarait la magistrature inamovible tout en réduisant son indépendance à bien peu de chose. C'est ce que fit âprement remarquer Thiessé ; le mois précédent, il s'était déjà attaqué à un projet de moindre envergure relatif au Tribunal de Cassation, il l'avait rapporté avec tant de véhémence devant le Corps législatif que cette assemblée avait rejeté par 95 voix de majorité le texte en question (amendé depuis et englobé dans le projet d'ensemble). Thiessé souligna aussi la faiblesse des attributions laissées aux jurys ; il qualifia de monstrueux les pouvoirs dévolus au gouvernement. Un autre tribun, Ganilh, reprit ces critiques contre les empiètements de l'exécutif, mit en cause le Conseil d'Etat qui tendait à substituer ses arrêtés aux lois, évoqua « la perte de la liberté civile dont la conquête a coûté tant de sang, de larmes et de pertes ». Son discours fit une profonde impression. La loi n'en fut pas moins approuvée par 59 suffrages contre 23. Au Corps législatif, elle fut votée par 232 contre 41 (27 ventôse — 18 mars 1800).

La session de l'an VIII approchait de sa fin. Nombre de projets furent encore discutés au Palais-Royal ; les tribuns libéraux firent preuve de la même activité critique, mais sans préjugé systématiquement hostile... Dernière intervention intéressante, émanant de la minorité : Benjamin Constant, invitant l'assemblée à user de sa prérogative d'accueillir les pétitions, l'encourageait en même temps à assumer pleinement son rôle : « Constituez-vous donc ce que vous devez être, non pas une chambre d'opposition permanente, ce qui serait absurde et dans quelques circonstances coupable, non pas chambre d'approbation éternelle, ce qui serait servile et coupable dans certains cas, mais *chambre d'approbation ou d'opposition suivant les mesures proposées* et chambre d'amélioration toujours. »

Le 12 germinal (1er avril 1800), cette session de l'an VIII fut déclarée close. Elle avait donc duré trois mois. Le Tribunat avait-il compris ses responsabilités dans le sens marqué par Constant ? Certes, la majorité, trop souvent, s'était comportée en docile chambre d'enregistrement ; mais nous avons vu le groupe des indépendants lutter à contre-courant, défendre les principes de la Révolution contre le despotisme soudain démasqué du chef de l'Etat et aussi contre l'indifférence, l'incompréhension, voire l'irritation d'une opinion devenue étrangère à l'idéal républicain, lui préférant les prestiges de l'autorité et de la gloire.

Lutte d'autant plus difficile, ingrate, que dès le 27 nivôse, le Premier Consul avait pratiquement bâillonné la presse, privant ainsi les débats parlementaires de toute résonance dans le pays.

**

Au lendemain du 18 brumaire les journaux et les périodiques foisonnaient, le décret de Fructidor contre la liberté de la presse ayant été rapporté entre-temps par le Directoire. Beaucoup étaient favorables au nouveau régime, mais certains contenaient des anecdotes subversives, des épigrammes, des critiques. Par exemple, le *Bien Informé*, en frimaire, publia le texte de la Constitution américaine pour l'opposer aux projets français.

Les intentions du Premier Consul à l'égard de la presse, il ne tarda pas à les faire connaître aux membres d'un conseil restreint — Roederer, Cambacérès, Fouché... — convoqué à cet effet. Quelques années plus tard, au milieu d'un groupe d'invités, il évoqua les difficultés qu'il avait alors rencontrées chez les « métaphysiciens » de son entourage : « La liberté de la presse était regardée comme une chose sacrée (...) Je me rappelle encore tout ce que j'ai eu de raisonnements à combattre pour soumettre à l'action de la police les cent quatre journaux qui paraissaient tous les matins (...) Pensez-vous que dans la situation où se trouve la France, il n'y aurait pas de graves dangers (...) à laisser déclamer dans des tribunes populaires ou sur les places publiques contre le gouvernement ? (...) En vous demandant de soumettre la presse à des règlements de police, je ne désire autre chose que de (...) faire taire les orateurs dangereux. Un journaliste n'est-il pas un harangueur ? (...) Vous voulez que j'interdise des discours qui peuvent être entendus de quatre ou cinq cents personnes au plus, et que j'en permette qui le soient de plusieurs milliers ? »... Un des interlocuteurs fit remarquer qu'une complète liberté de la presse régnait en Angleterre sans inconvénients ; à cet argument qu'évidemment il attendait, le Premier Consul répliqua que la situation des deux pays n'était pas comparable (1).

Cette animosité contre les journalistes, le commandant de l'armée d'Italie l'éprouvait déjà ; il l'avait épanchée dans une lettre datée de Livourne, 12 messidor an IV, à Fabre de l'Aude : « Je ne peux supporter l'insolence des folliculaires ; c'est une race que j'ai en horreur (...) Je voudrais pouvoir les tenir tous au milieu de mon armée. Je vous promets que *mes soldats* les arrangeraient de manière à les faire taire pour longtemps (2). »

En l'an VIII, comprenant la nécessité d'employer des méthodes de gouvernement plus civiles, le général, pour sauver les apparences, eût souhaité confier au Sénat conservateur le soin d'autoriser ou d'interdire les publications. D'autres solutions furent proposées par ses conseillers. Finalement celle de Fouché l'emporta. Et le 27 nivôse (17 janvier 1800), un arrêté des Consuls « considérant qu'une partie des journaux de Paris qui s'impriment dans le département de la Seine sont des instruments dans les mains des ennemis de la République », en supprima soixante sur soixante-treize.

Treize étaient donc épargnés. D'abord le *Moniteur* qui, relativement indépendant avant le 7 nivôse, devenait l'organe officiel du gouvernement, « son âme et sa force (3) ». Contrairement à ce qu'on pourrait croire, les douze autres — dont la *Décade philosophique*, les *Débats*, l'importante, opposante et royaliste *Gazette de France* — ne se signalaient ni par leur médiocrité ni par leur conformisme. Mais une menace était désormais suspendue sur eux : l'arrêté prévoyait la suppression immédiate de tous ceux qui inséreraient « des articles contraires au respect dû au pacte social, à la souveraineté du peuple et à la gloire des armées ». La menace devait être suivie d'effet : à la fin de 1800 ne subsisteraient plus dans Paris que huit journaux totalisant moins de vingt mille abonnés ; la *Décade* continuait à paraître, mais volon-

---

(1) St de Girardin : *Journal et Souvenirs*, III.
(2) *Histoire secrète du Directoire*, II.
(3) *Mémorial de Sainte-Hélène*, 13 juin 1816.

tairement amputée de ses chroniques politiques. Informer librement, commenter, devenait impossible : avertissements, consignes, interdictions, pressions policières allaient se multiplier dans les mois et années suivantes : défense de parler du mouvement des armées, du ravitaillement et des subsistances, des affaires religieuses, défense de donner des nouvelles susceptibles d'inquiéter le commerce et d'agiter l'opinion, défense de placer un sommaire en tête du numéro... La mesure était présentée comme limitée à la durée de la guerre, nous dirions justifiée par des nécessités militaires. Elle ne fut jamais rapportée ni à la paix d'Amiens ni plus tard. Elle engloba aussi la presse de province bientôt réduite par département à un seul journal contrôlé ou inspiré par le préfet.

Soucieux de ménager malgré tout le « parti de l'Institut », il est vrai que Bonaparte consentit encore une certaine liberté à l'édition sous le Consulat (1). Mais dès le 5 avril 1800 il faisait instituer par Lucien une censure sur les théâtres. Somme toute, on comprend qu'Aulard ait daté du 27 nivôse an VIII « le commencement du despotisme ».

*
**

C'était pourtant le retour du despotisme que le général déclarait combattre. Il n'était pas faux que beaucoup des journaux de Paris fussent aux mains des « ennemis de la République », autrement dit des royalistes. Ceux-ci n'ont pas désarmé en ce début 1800. Et tandis que deux armées autrichiennes menacent la France, sur le Rhin et sur le Var, des foyers d'insurrection subsistent dans l'Ouest, d'importantes formations de chouans tiennent encore en Bretagne, en Vendée, en Normandie, dans le Maine. Deux mois après Brumaire, cette résistance de la droite royaliste est la seule, à l'intérieur, qui constitue un danger ; autrement sérieux aux yeux de Bonaparte que l'opposition libérale qui a commencé

---

(1) Après sa tirade, résumée plus haut, contre les journalistes « harangueurs », il ajouta : « Ce que je viens de dire contre la liberté illimitée de la presse n'est applicable qu'aux seuls journaux, et ne s'étend pas aux ouvrages en un ou plusieurs volumes. »

de se former au Tribunat. Quant aux jacobins, ils ne se sont pas encore ressaisis.

Toutefois la situation s'est améliorée en Vendée, où le général Hédouville, faisant preuve de diplomatie, a fait accepter à ses adversaires la trêve du 3 frimaire (24 novembre 1799). Encouragés par les bruits prêtant à Bonaparte l'intention de travailler en réalité au retour du roi, ils déléguèrent à Paris pour s'en assurer d'Andigné qui commandait la région d'Angers. Arrivé dans la capitale, d'Andigné prit contact avec le représentant occulte du comte d'Artois et du gouvernement anglais, Hyde de Neuville.

Hyde trouva le moyen d'aborder Bonaparte par l'intermédiaire d'un de ses amis lié avec Talleyrand. Le Premier Consul fit savoir que désireux de rétablir la paix dans l'Ouest, il acceptait le principe d'une rencontre : il recevrait d'abord Hyde seul. Le jour venu, 5 nivôse (25 décembre) il faisait un froid terrible même au Luxembourg dans le salon vide où Talleyrand avait fait introduire Hyde. Celui-ci se tint pour attendre auprès du grand feu flambant dans une cheminée ; au bout d'un moment il vit entrer un homme fluet, vêtu d'une redingote verte, la tête basse, l'air absent. Il pensa que c'était un domestique. « L'homme s'approcha de la cheminée et s'adossant releva la tête. Alors, écrit Vandal et l'on ne saurait écrire mieux, alors il parut tout d'un coup grandi, extraordinairement grandi, et la flamme de son regard, subitement dardée, signala Bonaparte (1). » On songe à la scène de Nice où le même regard avait fait trembler les Augereau et les Masséna. Si Hyde trembla, il ne céda pas ; d'Andigné non plus, avec qui le surlendemain il revint au Luxembourg. L'entretien par moments fut des plus violents : « J'incendierai vos villes... je brûlerai vos chaumières » menaçait le général. Sur la question religieuse, pourtant, il se montra on ne peut plus conciliant et rassurant : « La religion, je la rétablirai non pour vous, mais pour moi. » Et il ajoutait ces mots inoubliables : « Ce n'est pas que nous autres nobles, nous ayons beaucoup de religion, mais elle est nécessaire pour le peuple et je la rétablirai. » C'est à propos d'une restauration de la monarchie qu'il se fit intraitable. Sommé de

(1) Vandal (*op. cit.*) a tiré cette scène des *Mémoires* de Hyde de Neuville.

se décider, d'Andigné demanda un délai de deux jours. « Deux jours ! s'écria le Premier Consul. Jamais je ne ferai en deux jours ce que je puis faire en deux heures, dût-il m'en coûter cent mille hommes ! »

Les deux royalistes se retirent pleinement éclairés. Ce Bonaparte ne sera jamais un Monk. Que faire ? En Vendée il est difficile de recommencer la guerre ; à Paris on peut conspirer, essayer de frapper l'opinion. Au matin de l'anniversaire de Louis XVI, le portail de la Madeleine apparaît voilé de velours noir, avec l'inscription « Victimes de la Révolution, venez avec les frères de Louis XVI, déposez ici vos vengeances. » On a aussi placardé une fleur de lys sur le drap mortuaire et le testament du feu roi et « *Vive Louis XVIII !* » Des royalistes en grand deuil passent et repassent ostensiblement. La police en signalera d'autres dans plusieurs quartiers de Paris. Le testament royal est également placardé à Saint-Jacques de la Boucherie, ce qui provoque une échauffourée. L'arbre de la Liberté de Fontenay-aux-Roses a été coupé... Le responsable est Hyde de Neuville, mais quelles preuves ? En revanche la police met la main sur le jeune Henri de Toustain, agent du comte de Bourmont qui commande les rebelles du Maine ; elle trouve chez lui des armes et des objets séditieux : il est aussitôt interrogé, jugé, condamné, et fusillé à Grenelle. Menus incidents : le souvenir du roi décapité n'aura pas ému Paris.

Autrement grave pour le gouvernement consulaire était le problème de la pacification de l'Ouest. En Vendée, l'armistice se confirma, les chefs chouans acceptant les conditions offertes par Hédouville : réouverture des églises, pleine liberté des cultes, radiation de la liste des émigrés des rebelles faisant leur soumission. Dès le 28 décembre 1799 d'ailleurs, Bonaparte prenant des arrêtés en faveur des catholiques proclamait : « Les ministres d'un Dieu de paix seront les premiers moteurs de la réconciliation et de la concorde (...) Qu'ils aillent dans les temples, qui se rouvrent pour eux, offrir avec leurs concitoyens le sacrifice qui expiera le crime de la guerre et le sang qu'elle a fait verser. » Garanties assorties de menaces : trouvant Hédouville trop conciliant, le Premier Consul désigne pour le coiffer le général Brune qui arrive à Angers le 18 janvier. A l'un et à l'autre ainsi qu'aux chefs commandant en Bretagne et Normandie, il envoie instructions sur instructions, prescrivant une répression impitoyable ; il adresse de sévères proclamations aux populations :

« Les consuls pensent que les généraux doivent faire fusiller sur-le-champ les principaux rebelles pris les armes à la main (...) Le gouvernement vous soutiendra, mais jugera en militaire vos actions militaires ; elles seront examinées par un homme qui a l'habitude des mesures rigoureuses et énergiques et qui est habitué à triompher dans toutes les occasions. Quelque rusés que soient les chouans, ils ne le sont pas autant que les Arabes du désert. Le Premier Consul croit que ce serait donner un exemple salutaire que de brûler deux ou trois grosses communes choisies parmi celles qui se comportent le plus mal. » (Au général Hédouville, 15 nivôse an VIII — 5 janvier 1800.)

... « Art. 4. — Toute commune qui donnerait asile et protection aux brigands sera traitée comme rebelle, et les habitants pris les armes à la main seront passés au fil de l'épée.

« Art. 5. — Tout individu qui prêcherait la révolte et la résistance armée sera fusillé sur-le-champ. » (Aux habitants des départements de l'Ouest, 21 nivôse an VIII — 11 janvier 1800.)

La Vendée s'étant soumise, c'est contre les autres provinces de l'Ouest que fut menée cette guerre répressive avec des forces relativement considérables. Des trois grands chefs insurgés, Bourmont, Cadoudal, Frotté, les deux premiers furent rapidement obligés de capituler, et se rendirent à la convocation du Premier Consul (5 mars 1800). Il les flatta, voulut les séduire, leur offrit des commandements et des grades ; ils les déclinèrent. Alors il menaça Bourmont de lui faire casser la tête au moindre signe d'hostilité : « l'homme qui gouverne n'a point d'entrailles » lui dit-il et « vous savez qu'on est coupable en politique quand on inquiète celui qui gouverne ». Il lui avait cependant parlé sans dédain, marquant des égards au gentilhomme. Tandis qu'au fils de paysan Georges Cadoudal, qu'il voyait plus irréductible encore, il fit cruellement sentir sa condition de plébéien. Mais sans doute gardait-il à son sujet quelque espoir : « ... J'ai vu ce matin Georges, écrivit-il à Brune ; il m'a paru un gros Breton dont peut-être il sera possible de tirer parti pour les intérêts même de la patrie. » De fait, il le fit revenir dix jours plus tard, seul cette fois, pour lui proposer des grades, de l'argent. Le gros Breton refusa obstinément, contint sa colère : « J'aurais dû prendre ce gringalet dans mes bras et l'étouffer » dit-il à Hyde de Neuville en le retrouvant. Cadoudal, désormais, nourrissait une haine meurtrière contre Bonaparte. Pour mieux assurer sa vengeance, il feignit pourtant d'être gagné à la cause de la paix dans une lettre à Brune et, accompagné de Hyde, réussit à passer clandestinement en Angleterre (fin mai 1800).

Trop sûr de soi en cette affaire, le Premier Consul ne manifesta pas tant de confiance ni de clémence envers Frotté qui tenait le bocage normand et que, non sans raison, il regardait comme le plus acharné, le plus dangereux de ses ennemis. Le comte de Frotté, dans une proclamation, avait outragé et ridiculisé Bonaparte. Bonaparte, non content qu'on se saisît de Frotté mort ou vif, mit sa tête à prix : « Vous pouvez promettre mille louis à ceux qui tueront ou prendront Frotté. » Harcelé, traqué, Frotté demanda à négocier. Il lui fut répondu que s'il se livrait, « il pourrait compter sur la générosité du gouvernement qui veut oublier le passé et rallier tous les Français ». Nanti d'un sauf-conduit du général Guidal qui commandait à Alençon, le chef chouan vint s'y présenter. Guidal le reçoit dans sa maison, entame avec lui la négociation... l'interrompt et sort. La porte se rouvre, un piquet de soldats s'engouffre dans la pièce. Frotté est arrêté et le lendemain conduit vers Paris avec six de ses compagnons. A Verneuil où le convoi des prisonniers a fait halte, un ordre de Paris vient d'arriver. Une commission militaire se réunit sur-le-champ. Les sept hommes sont condamnés à mort séance tenante, puis escortés au son du *Ça ira* à travers la ville vers le terrain d'exécution (18 février 1800). Le peloton qui les attendait était trop peu nombreux. « Pour avoir leur vie, il fallut doubler, tripler les coups, et tout autour des convulsions dernières, la terre rougissait de sang, généreux sang, issu d'hommes qui eurent le suprême honneur, en ces temps bouleversés, de ne servir qu'une cause et de mourir fidèles (1). »

L'épisode n'entache pas moins l'histoire napoléonienne que le meurtre du duc d'Enghien. Quelle fut au juste la responsabilité de Bonaparte ? Selon Lanfrey, après l'ordre

(1) A. Vandal : *op. cit.*

de fusiller, il envoya un ordre de surseoir — mais seulement
une fois informé que le précédent était exécuté. Vandal, lui,
ne croit pas à l'ordre de sursis, mais pense que le Premier
Consul, ordonnant de tuer Frotté, ignorait l'acte de félonie
qui avait permis sa capture.

**
*

La chouannerie liquidée en tant que force militaire organisée : le résultat n'était pas mince. En attendant la victoire
et la paix au dehors, le Premier Consul réalisait cette pacification de l'Ouest que la République en dix ans n'avait pu
obtenir. Dans son immense majorité la nation pouvait s'estimer heureuse d'avoir confié son sort au jeune général, elle
s'en remettait définitivement à son autorité. Et lui qui disposait d'un puissant appareil légal de gouvernement, aurait
pu, semble-t-il, s'en contenter. Mais dans les milieux politiques (abstraction faite des assemblées en vacances) le feu
couvait sous la cendre, les rivalités, les intrigues fermentaient
jusque dans l'entourage de l'impérieux Bonaparte. Il ne lui
suffisait donc pas d'avoir entravé l'activité parlementaire,
supprimé les cinq sixièmes des journaux, muselé les autres,
ni d'avoir encadré le pays dans un solide réseau de préfets
et de magistrats. Il avait besoin d'une police réorganisée,
renforcée, non pas tant pour réprimer que pour écouter et
renseigner.

Le célèbre Fouché fut naturellement chargé de cette
tâche, ce qui nous dispense de beaucoup de détails : le
régime consulaire devenait à bien des égards un régime
policier. Le ministre de la Police générale créa des commissaires généraux, des commissaires, des commissaires spéciaux, dont l'action s'ajoutait à celle des préfets ; la gendarmerie, réorganisée et renforcée elle aussi, fut mise sous ses
ordres ; il disposait également d'une police secrète héritée
de l'Ancien Régime et des gouvernements révolutionnaires,
il l'étoffa et la rénova. Enfin, il fit donner la préfecture de
police de Paris à Dubois qui fut en principe son subordonné
mais s'affranchit assez vite pour mener un jeu personnel.
Ce n'était pas pour déplaire à Bonaparte qui préférait jouer
sur un clavier de polices concurrentes, y compris la sienne

propre. Il y eut ainsi prolifération d'espions, agents et mouchards recrutés dans tous les rangs de la société, opérant aussi bien dans les ministères que dans le noble faubourg et dans les bas-fonds. Ce joli monde en prenait évidemment à son aise avec les droits des personnes ; les garanties individuelles ne devaient plus peser très lourd dans un tel système. Les correspondances privées furent soigneusement surveillées par le cabinet noir que réorganisa Lavalette. En matière d'arrestations, la désinvolture de la police à l'égard des règles légales fut imitée par les autorités de l'Intérieur ; des acquittements prononcés en justice étaient à l'occasion annulés par des décisions administratives, des lettres de cachet en quelque sorte.

*
**

Au commencement du printemps 1800, trois mois après la mise en vigueur de la Constitution consulaire tant vantée par le bon Cabanis, que restait-il donc en France des Droits de l'homme et du citoyen ?

Ne dramatisons pas encore. L'arbitraire régnait, la tyrannie si l'on veut, mais non l'oppression. Mieux vaudrait parler de despotisme éclairé. La police, répétons-le, espionnait plutôt qu'elle ne réprimait ; il n'y avait pas d'arrestations massives pour la bonne raison que la masse, certains noyaux hostiles mis à part, était acquise au régime. Et puis la politique de pacification, de réconciliation, se confirmait. Le choix des préfets et des magistrats donnait lieu à un dosage habile de jacobins, de modérés, d'éléments issus de l'Ancien Régime. Le 9 germinal (30 mars) une circulaire du ministre de l'Intérieur déclarait : « Le Gouvernement ne veut plus, ne connaît plus de partis et ne voit en France que des Français. » La réintégration se poursuivait dans la communauté nationale des personnes qui en avaient été rejetées par la tourmente révolutionnaire. La liste des émigrés ayant été légalement close, les mesures frappant les nobles et les parents d'émigrés étaient rapportées, le rappel était décidé de trente-huit proscrits de Fructidor (dont Carnot), d'anciens Constituants (dont Lafayette) et de deux anciens terroristes, Barère et Vadier. Enfin, dès le 7 nivôse, les Consuls, à des conditions qu'on verra plus loin, avaient autorisé la réaffectation des églises au culte et rendu aux prêtres réfractaires le droit d'exercer leur ministère.

Tout cela répondait aux vœux du pays et Bonaparte en était assez sûr pour ne plus différer son installation et celle de son gouvernement aux Tuileries. Elle se fit le 30 pluviôse (19 février 1800). Dès le début de la matinée la foule s'était massée aux alentours du Luxembourg, elle dut attendre jusqu'à midi pour admirer l'étrange défilé. Pour transporter ministres et conseillers d'Etat, les voitures manquaient. Il avait fallu en louer. Bonaparte prit les deux autres Consuls dans un superbe carrosse tiré par six chevaux blancs, carrosse que lui avait donné l'empereur François après la paix de Campo-Formio ; équipage avant-coureur de l'avenir, note d'orgueil monarchique dans un cortège bariolé, misérable, dépareillé, héroïque, dont les soldats de la République faisaient encore la grandeur. Les généraux étaient en culotte blanche avec des plastrons d'or et des envolées de plumes tricolores sur leurs bicornes. Dans les vieux fiacres cachant leur numéro sous des bandes de papier, on apercevait les broderies flambant neuf d'un uniforme, la face endormie ou étonnée d'un grand dignitaire, mal habitué encore à ses hautes fonctions ; ce qui surprenait le plus les badauds c'était les guides de Napoléon en Egypte et son prodigieux mameluk enfoui dans son costume, virevoltant sur son petit cheval. Le défilé arriva sur les quais, franchit le Pont-Royal. On put remarquer par endroits des royalistes et des jacobins qui restaient couverts ; on entendit quelques *Vive le Roi* mêlés aux *Ça Ira* et naturellement *Vive la République, Vive Bonaparte !* Jamais le héros d'Italie et d'Egypte n'avait été aussi acclamé ; l'ovation ne cessa d'enfler jusqu'aux Tuileries.

Le carrosse arrivé dans la cour, les trois Consuls descendirent, Cambacérès et Lebrun entrèrent dans le château. Bonaparte, tout en rouge, enfourcha le cheval qu'on lui avait préparé, retourna vers ses troupes et passa la première de ces revues qui allaient devenir la grande attraction de Paris. Puis il pénétra à son tour dans le palais qui, dit-il à Roederer, lui parut triste « comme la grandeur » et qu'on imagine en effet sinistre, mal remis encore du Dix-Août, les traces de balles et de boulets toujours visibles en dépit d'un mobilier somptueux. Bonaparte allait habiter le premier étage, Joséphine le rez-de-chaussée, Lebrun le pavillon de Flore et Cambacérès, pour être plus indépendant, l'hôtel d'Elbeuf dont la façade se dressait entre les ignobles baraques du Carrousel.

« Bourrienne » dit Bonaparte à son secrétaire en gagnant ses appartements, « ce n'est pas tout que d'être aux Tuileries, il faut y rester... »

Quant à la foule, elle pouvait bien croire qu'en la personne du général de Vendémiaire la République réintégrait pour toujours ce palais d'où le dernier des rois avait fui pour faire place à la Convention. Et afin de donner à ce peuple l'illusion qu'en effet il y était chez lui, Bonaparte en avait fait ouvrir toutes les portes. Rares furent pourtant les Parisiens qui osèrent entrer.

Au Carrousel, désormais, les parades se succédèrent, chaque décade. Le Premier Consul à cheval, portant déjà la redingote grise, commandait lui-même des manœuvres, inspectait avec minutie certaines unités, puis présidait au défilé qui chaque fois se faisait plus spectaculaire. Le 25 ventôse, une solennité militaire plus grandiose encore rassembla sur le Champ-de-Mars toute la garnison de Paris grossie de formations nouvelles destinées à rejoindre « l'armée de réserve ». Ces troupes chauffées à blanc par l'esprit de corps et le sentiment de l'*honneur* brûlaient de se battre. Et des frissons guerriers galvanisaient la population de la capitale. Elle aspirait à une paix définitive, elle éprouvait le besoin d'une grande victoire pour l'acquérir, la consolider, en finir avec les menaces d'invasion. Les Français savaient que Bonaparte, au lendemain de Brumaire, avait noblement écrit au roi d'Angleterre : « La guerre qui depuis huit ans ravage les quatre parties du monde doit-elle être éternelle ? » Ils savaient que la réponse anglaise exigeait le rétablissement des Bourbons. L'empereur aussi avait refusé de traiter. Une de ses armées était massée face au Rhin. Une autre bloquait Masséna devant Gênes...

Le 15 floréal an VIII (5 mai 1800), le général Bonaparte se préparait à partir vers la Suisse, officiellement pour « passer la revue de l'Armée de réserve » massée dans cette direction, en réalité pour en prendre lui-même le commandement et la jeter sur les arrières des Autrichiens d'Italie. On lui apporta une dépêche du général Moreau qui commandait devant les Autrichiens d'Allemagne et annonçait un succès à Stokach. Je partais pour Genève, lui répondit-il aussitôt, quand le télégraphe m'a instruit de votre victoire sur l'armée autrichienne : « gloire et trois fois gloire ! »

Le soir, le Premier Consul se faisait acclamer à l'Opéra où le bulletin de victoire était lu sur scène. Aussitôt après, dans une chaise de poste, il filait vers Dijon, Genève et le Saint-Bernard.

***

Printemps 1800. Le siècle des lumières est éteint ; le triomphe de la philosophie ne s'annonce plus dans la nouvelle aube. Il n'y a pas si longtemps, Paris faisait une apothéose à Voltaire. Maintenant c'est un soldat qu'acclame la capitale de l'intelligence, soldat au profil de médaille latine, soldat-philosophe à ce que croyaient les sages qui lui frayaient la voie vers le Capitole. Méprise amère : ils lui découvrent plus de ressemblance avec César qu'avec Marc-Aurèle. La liberté est en danger.

Honnêtement, courageusement, des tribuns ont osé le dire. Leur voix s'est perdue dans la clameur populaire, dans le bruit des armes. Et limités dans leur objet, les discours de ces brumairiens mécontents ne pouvaient former une revendication d'ensemble des droits de l'esprit, une œuvre de pensée opposant les valeurs de l'humanisme aux droits de la force. Ce livre, pourtant, un écrivain de leurs amis a entrepris de l'écrire, Germaine de Staël ; aussitôt terminé, elle le publie, en avril : *De la littérature considérée dans ses rapports avec les institutions sociales*.

Il ne s'agit pas d'un manifeste et encore moins d'un pamphlet. C'est un vaste essai sur les littératures anciennes et modernes, mais qui se réclame explicitement de l'idée de perfectibilité, de progrès (nommément même de Kant, de Turgot, de Condorcet) et qui çà et là rappelle la nécessité, la supériorité des principes au nom desquels s'est faite la Révolution. Selon Mme de Staël, la philosophie, la raison, l'éloquence, doivent tenir une place éminente dans l'Etat, les écrivains doivent avoir à cœur d'influer sur la destinée de leurs concitoyens, la pensée doit être étroitement associée à l'action dans la conduite des affaires, l'Ancien Régime abaissait les lettres en les protégeant.

« Tous les caractères despotiques, dans quelque sens qu'ils marchent, détestent la pensée...

« La force de l'esprit ne se développe tout entière qu'en attaquant la puissance ; c'est par l'opposition que les Anglais se forment aux talents nécessaires pour être ministres...

« Et cependant quelle puissance lutta seule contre César ? (...) ce fut la considération d'un seul homme, ce fut le respect qu'on avait encore pour Caton (...) et César ne put se croire le maître que quand cet homme n'exista plus. »

« *La seule puissance littéraire qui fasse trembler toutes les autorités injustes, c'est l'éloquence généreuse, c'est la philosophie indépendante, qui juge au tribunal de la pensée toutes les institutions et toutes les opinions humaines.* »

N'était-il pas admirable d'affirmer cela contre le mouvement irrésistible qui entraînait la nation ? Et quand des foules s'écrasaient au Carrousel pour applaudir des panaches et des fanfares, n'était-il pas admirable aussi d'écrire ces lignes :

« L'influence trop grande de l'esprit militaire est aussi un danger pour les états libres...

« La discipline bannit toute espèce d'opinion parmi les troupes. A cet égard, leur esprit de corps a quelques rapports avec celui des prêtres (...) L'enthousiasme qu'inspirent des généraux vainqueurs est tout à fait indépendant de la justice de la cause qu'ils soutiennent. (...) L'éloquence, l'amour des lettres et des beaux-arts, la philosophie, peuvent seuls faire d'un territoire une patrie. »

De la littérature fit grand bruit dans le public cultivé et suscita de nombreux articles. Notamment celui de Fauriel, dans la *Décade*, favorable, encore que nuancé. Celui de Daunou qui enchanta Mme de Staël revenue à Coppet ; elle l'en remercia chaleureusement dans une lettre du 16 août 1800, lui annonçant par ailleurs la visite de Constant regagnant Paris. Ceux de Fontanes, dans le *Mercure*, virulents, blessants — et anonymes... Certes, par ses travers, elle prêtait le flanc à l'ironie, elle se rendait bien souvent ridicule par son agitation et sa prétention à tout régenter. Il n'en est pas moins vrai qu'elle pensait avec une intelligence virile, s'intéressant à des problèmes alors réservés aux hommes, s'affirmant comme un des tout premiers écrivains de son temps et s'exprimant avec une indépendance absolue. Cela ne pouvait pas être pardonné.

Bonaparte, occupé à préparer son départ, avait trouvé le temps de parcourir l'ouvrage : « Je me suis mis à l'étude au moins un quart d'heure pour tâcher d'y comprendre quelque chose (...) toute l'attention de mon intelligence n'a pas réussi à trouver un sens à ces idées réputées si profondes (1). »

---

(1) *Lucien Bonaparte et ses Mémoires*. — On trouvera plus loin le contexte de ce propos.

CHAPITRE IV

LA RUE SAINT-NICAISE

La nouvelle du passage des Alpes par Bonaparte (1er prairial an VIII — 21 mai 1800) avait donné lieu à beaucoup de spéculations et d'inquiétudes. Les partisans du général, selon certaines rumeurs, se proposaient de modifier la Constitution, d'y introduire le principe d'hérédité. On s'en entretint au cours d'un « dîner du tridi », réunion discrète qui, nous l'avons vu, groupait Cabanis et quelques-uns de ses amis auxquels maintenant se joignaient parfois Stanislas de Girardin et Miot, confidents de Joseph. Il y eut aussi des conciliabules à Auteuil, non pas tant chez les philosophes que chez les politiciens amis de Sieyès, lesquels s'y retrouvaient à dîner chaque mois pour commémorer l'anniversaire du 19 brumaire. Leur émotion fut intense à la pensée des risques que prenait le Premier Consul. S'il était tué, que devenir, que faire ? Fouché, Talleyrand, Sieyès, se mirent d'accord pour convoquer une cinquantaine de parlementaires à la fin de mai. Sur cette « conspiration d'Auteuil » un certain mystère demeure, les noms des participants ne sont pas connus avec certitude ; on sait cependant que Constant était parmi eux, et Ginguené qui se montra « un des plus fougueux »... Quelqu'un exposa l'objet de la réunion : « Que deviendrait la France ? Que deviendrions-nous ? Nous, républicains qui avons voté la mort de Louis ? » Des noms de militaires furent mis en avant : Masséna, Bernadotte, Brune, Moreau surtout. On proposa aussi Lucien (qui n'était pas là) et même La Fayette. Finalement l'unanimité se fit sur Carnot.

En juin, la fièvre a encore monté dans les milieux gouvernementaux. Joseph a écrit au général son frère pour qu'il le nomme son successeur. La police multiplie ses rapports dénonçant Sieyès comme chef du parti d'Orléans, ce qui n'est pas entièrement dénué de fondement, et rassemblant même tous les opposants parlementaires sous cette étiquette. On a appris la capitulation de Gênes, on ne sait plus rien de Bonaparte. Le 2 messidor (21 juin), l'anxiété est au paroxysme : la nouvelle est parvenue qu'une terrible bataille a été livrée — et perdue. « On se recherche, on se rassemble, on va chez Chénier, chez Courtois, à la coterie Staël, on va chez Carnot (1) »... Mais le 3 à midi, voici que le canon tonne dans la capitale. Un courrier du Premier Consul est arrivé, annonçant la victoire de Marengo. D'autres le suivent, confirmant le triomphe et l'amplifiant.

Le monde politique se précipite aux Tuileries. Dans la salle consulaire, lecture est donnée du bulletin du 26 prairial, ce génial morceau de bravoure composé par Bonaparte. Ministres et grands personnages présentent leurs compliments à Joséphine qui tient gracieusement une branche de laurier d'or, trophée qui lui parvient d'Italie. Dehors, au-delà du centre, des quartiers commerçants, de la Bourse, l'enthousiasme gagne les faubourgs. « Le sentiment qui depuis quatre mois couve et progresse dans ces milieux ouvriers, l'attachement passionné à la République militaire et héroïque, personnifiée en Bonaparte, éclate tout d'un coup ; c'est une éruption d'enthousiasme » (Albert Vandal). Depuis la fête de la Fédération, on n'avait rien vu de pareil. Les catholiques s'associaient à l'allégresse nationale : un *Te Deum* fut chanté à Saint-Gervais, un autre, constitutionnel celui-là, à Notre-Dame. De Paris, une immense espérance s'étendait à toute la France : cette victoire, enfin, et après huit ans, n'était-ce pas la paix ?

Pourtant elle ne réjouissait pas absolument tout le monde, ainsi qu'en témoigne une curieuse lettre de Lucien à Joseph, datée du 24 juin :

« Je vous envoie un courrier. Je désire ardemment que

(1) Fouché : *Mémoires.*

le Premier Consul m'avertisse vingt-quatre heures à l'avance de son arrivée et qu'il indique *à moi seul* la barrière par laquelle il entrera. La ville veut préparer des arcs-de-triomphe. Il a mérité assez de ne pas s'y soustraire.

« On a chanté, *par mon invitation*, avant-hier, un *Te Deum*. Il y avait soixante mille personnes !

« Les intrigues d'Auteuil ont continué. On a beaucoup balancé entre C... et la F... (...) Je ne sais pas encore si le grand prêtre se décidait pour l'un ou l'autre ; je crois qu'il les jouait tous deux pour un d'Orléans, et votre ami d'Auteuil était l'âme de tout. La nouvelle de Marengo les a consternés, et cependant le lendemain, le grand prêtre a passé très certainement trois heures avec votre ami d'Auteuil... Quant à nous, si la victoire avait marqué la fin du premier consul à Marengo, à l'heure où je vous écris, nous serions tous proscrits... » (1).

Bientôt le canon retentit encore : le 13 messidor, dans la nuit, Bonaparte avait regagné Paris. De fort mauvaise humeur, à ce que raconte Fouché, instruit des intrigues : « Me croient-ils un Louis XVI ? Je ferai rentrer tous ces ingrats, tous ces traîtres, dans la poussière... » Mais les sentiments de la capitale avaient de quoi le satisfaire. Le peuple se portait en masse vers les Tuileries, envahissait les jardins, cernait le palais, obligeait le Premier Consul à paraître au balcon en triomphateur. Une grande partie de la ville pavoisa et illumina ; nulle part la liesse n'éclata plus fort qu'au Faubourg Antoine qu'on eût dit embrasé d'une lueur d'incendie.

Le spectacle dut être véritablement extraordinaire puisqu'à cent lieues de là, à Coppet, Mme de Staël fut atteinte par la contagion, elle qui peu auparavant, « pour le bien de la France », souhaitait des revers à Bonaparte. Dans une lettre à un ami du groupe d'Auteuil, Gérando, qui lui vantait les succès de Moreau sur le Rhin, elle répondait qu'ils étaient éclipsés par Marengo et ajoutait : « La tête pourrait bien tourner de toutes les merveilles d'Italie. J'ai cédé à l'enthousiasme, moi-même que la flatterie éloignait de l'admiration. Les gouvernementalistes seront bien contents de moi cet

(1) C... = Carnot. La F... = La Fayette. Le grand-prêtre = Sieyès. Votre ami d'Auteuil = Talleyrand.

hiver, du moins ceux qui veulent la louange sans la bassesse. »

Chez les sénateurs et tribuns de l'opposition, presque tous
anciens brumairiens, l'enthousiasme fut plus mesuré, c'est le
moins qu'on puisse dire. Dans la victoire de Bonaparte, ils ne
voulurent saluer que la victoire de la République, redoutant
qu'il ne l'exploitât contre elle. C'est dans ce sens que s'exprima Daunou chargé par le Tribunat de préparer des vœux
aux Consuls (3 messidor). Tout en célébrant avec lyrisme,
avec émotion, la grandeur du succès d'Italie, il en attribua
le mérite bien moins à Bonaparte, qu'il ne cita pas nommément, qu'à Desaix (ce qui était juste) : « Un soldat intrépide,
un capitaine expérimenté, un élève de Moreau ; un citoyen
probe, simple et modeste ; un philosophe estimable par la
sagesse de sa conduite autant que par ses lumières : voilà
ce que possédait la patrie dans le général Desaix (...) O Desaix,
quand la mémoire de tes autres exploits pourrait périr,
est-ce donc que la journée de Marengo n'est pas immortelle ?... »

Ne sent-on pas ici le regret poignant de ce rêve : l'épée
de la France mise au service de l'humanité et de la raison ?
L'orateur veut croire cependant aux effets bienfaisants de la
victoire : « elle ajoute aux garanties de la liberté ; elle
éloigne de plus en plus la crainte de voir des institutions
contraires au génie républicain renaître jamais parmi nous ».
Et Daunou de conclure :

« L'auguste pensée de la paix se présente à tous les
esprits. La paix ! Les peuples épuisés, les familles en deuil,
les ateliers déserts, les champs dévastés la réclament... »

C'est encore ce vœu de la paix que Daunou formule dans
le message du Tribunat aux Consuls : « Puisse l'armistice
de Marengo être le prélude du repos et du bonheur des
nations. » Et Benjamin Constant, montant à la tribune à
son tour, après avoir célébré lui aussi l'éclat de la victoire
et le don de la liberté aux peuples d'Italie, déclare : « La
paix garantira les droits individuels des citoyens. La paix
consolidera le système représentatif et les droits des peuples.
La paix nous ramènerait l'indispensable liberté de la presse...
L'antique Europe, alors régénérée, s'enorgueillira de posséder
dans son sein le plus parfait des gouvernements libres, et
la France pourra présenter à sa jeune émule, au-delà des

mers, l'imposante association de trente millions de citoyens, de six cent mille héros, et de noms consacrés par la vénération nationale, comme le sont en Amérique ceux des Franklin et des Washington. »

Présentées par l'élite intellectuelle de la France, ces revendications ne traduisaient-elles pas les aspirations profondes du pays, ses besoins ? Et quel n'eût pas été le destin de l'Europe, en effet, si le Premier Consul victorieux avait répondu à cet appel !

Le 25 messidor (14 juillet 1800), les fêtes culminèrent en apothéose. Etait-ce encore la Liberté qu'on fêtait ? Au Tribunat, on ne l'oubliait pas. Ses orateurs rendirent hommage à Latour d'Auvergne, tué le 26 juin à l'armée Moreau, héros d'une abnégation légendaire qui avait refusé le titre de premier grenadier de France décerné par Bonaparte, et personnifiait les vertus du citoyen autant que celles du soldat. Manifestation courageuse mais restreinte, îlot d'esprit républicain dans un océan d'ivresse militaire. Place Vendôme, Tuileries, Invalides, Champ-de-Mars, musiques, défilés, drapeaux, trophées, cavalcades, formidable mise en scène de la gloire, raz-de-marée d'un peuple en délire.

Le soir, aux Tuileries, banquet, discours, toasts.

Le président du Tribunat : « A la philosophie et à la liberté civile. »

Le Premier Consul : « Au 14 juillet, au peuple français, notre souverain à tous. »

*
**

Avant Marengo on s'appelait couramment citoyen, on était censé vivre en République, les brumairiens désintéressés n'avaient pas complètement renoncé à voir le nouveau régime consolider les conquêtes de 89, le Premier Consul, à l'occasion, invoquait encore l'idéal de la Révolution ou, du moins, employait son vocabulaire.

Après Marengo, l'autoritarisme de Bonaparte s'accentue et son impatience contre les opinions indépendantes, contre les pouvoirs ou parcelles de pouvoir que la Constitution a laissé subsister à côté du sien. Il prend le ton d'un souverain, il va faire revivre dans son palais l'esprit et les usages de

l'ancienne monarchie, le protocole, l'étiquette, il va prendre
à son service d'anciens émigrés en mal de servilité, de
courtisanerie et d'honneurs. Il flatte l'aristocratie, il flatte
le clergé, il écrit au préfet de la Vendée se préparant à lui
envoyer des délégués, qu'il aime les prêtres, les prêtres bons
Français qui savent défendre la patrie contre les éternels
ennemis de la France, *ces méchants hérétiques d'Anglais* »
(27 juillet 1800).

Son ambition de rétablir à son profit une monarchie héréditaire n'allait pas faire mystère bien longtemps. Dans sa
famille et son entourage, tout un groupe l'y encourageait,
non pas Joséphine qui redoutait déjà le divorce, mais Lucien
qui visait sa succession éventuelle. Et leur sœur Elisa tenait
un salon réactionnaire et néo-catholique dont le plus bel
ornement était Fontanes, son amant ; Fontanes avait présenté
à Elisa le vicomte de Chateaubriand qui travaillait alors au
Génie du Christianisme ; lui-même préparait un *Parallèle
entre César, Cromwell, Monk et Bonaparte,* dont le sens
était des plus clairs :

« C'est à des Martel, à des Charlemagne, et non à des
Monk (ou à des Cromwell) qu'il faut comparer Bonaparte.
Il faut franchir deux mille ans pour trouver un homme
en quelque point semblable à lui. Cet homme, c'est César...
(Mais) César a été le chef des démagogues... Bonaparte, au
contraire, a rallié la classe des propriétaires et des hommes
instruits contre une multitude forcenée... Heureuse république
s'il était immortel !... O nouvelles discordes ! O calamités
renaissantes ! Si tout à coup Bonaparte manquait à la patrie,
où sont ses héritiers ? Où sont les institutions qui peuvent
maintenir ses exemples et perpétuer son génie ? Le sort de
trente mille hommes ne tient qu'à la vie d'un seul homme ! »

La brochure parut sous l'anonymat le 10 brumaire
(1ᵉʳ novembre 1800) et fut diffusée par les soins de Lucien,
ministre de l'Intérieur. Bourrienne la montra à Bonaparte
et ne lui cacha pas qu'il la trouvait intempestive, qu'elle
révélait prématurément ses projets. Bonaparte la parcourut,
la jeta à terre. Les rapports des préfets, bientôt, confirmèrent
son mauvais effet : « un pareil écrit était capable d'attirer
les poignards de nouveaux assassins ». Moreau, de passage
à Paris et, dit-on, sur le conseil de Fouché d'accord avec
Joséphine, vint se plaindre au nom de l'armée. Fouché eut

droit à une belle algarade du Premier Consul : « Votre devoir, comme ministre de la Police, était de faire arrêter Lucien et de l'enfermer au Temple. Cet imbécile-là ne sait qu'imaginer pour me compromettre ! » Ce qui ne manquait pas de piquant : Fouché était bien allé faire des reproches à Lucien, raconta-t-il lui-même à Bourrienne avec son sourire pincé, mais Lucien lui avait alors montré le manuscrit corrigé et annoté de la main du Premier Consul !

Toujours est-il que Lucien fut révoqué, remplacé par Chaptal et envoyé à Madrid ; le *Parallèle* fut saisi. La bombe n'en avait pas moins éclaté. Peut-être faut-il parler plutôt d'un ballon d'essai. Tout le monde désormais savait à quoi s'en tenir. La foule des adulateurs et des profiteurs ne pouvait que redoubler de zèle. Mais un nouvel aliment était fourni à l'indignation des opposants de droite et de gauche, à la sombre résolution des conspirateurs.

Du côté des royalistes, l'espoir avait pu rester tenace que Bonaparte se préparait à jouer les Monk et non les Cromwell. Louis XVIII qui lui avait écrit sans succès le 20 février, lui envoya quelques mois plus tard une seconde lettre, d'ailleurs empreinte d'une grande dignité. Le Premier Consul ne répondit que le 7 septembre, par une fin de non-recevoir : « ... Vous ne devez pas souhaiter votre retour en France ; il vous faudrait marcher sur cent mille cadavres... » L'année suivante, le prétendant n'aura pourtant pas renoncé à ses illusions ; les émigrés autorisés à rentrer les partagent plus ou moins, encore que certains s'accommoderaient d'une nouvelle dynastie : « Après tout, autant cette majesté-là qu'une autre ». On ne peut même plus parler d'un parti royaliste, les « agences » anglaises entretenues en France et dans son voisinage sont dissoutes, Londres cesse de subventionner ce qui reste d'armée des Princes ; dans l'Ouest, les chouans ne se livrent plus qu'à des opérations de brigandage. Mais il est des irréductibles pour qui Bonaparte, l'usurpateur, doit être combattu voire abattu. Cadoudal revient secrètement d'Angleterre en Bretagne le 3 juin.

A l'autre extrême, le ressentiment n'était pas moindre contre le général de Vendémiaire qui trahissait la Révolution ; il s'exprimait plus ouvertement. Aux jacobins farouches, aux sectateurs de Marat et de Robespierre, aux « septembriseurs », se mêlaient des officiers réformés pour incapacité. Ils conspiraient tout haut dans des cabarets, buvaient à la suppression du tyran : au vu et au su des agents de Fouché informé de tout. Jusqu'en octobre 1800, plusieurs attentats furent ainsi discutés et plus ou moins préparés : ils devaient avoir lieu à la revue du Carrousel, à la Malmaison, au Théâtre-Français, place des Victoires... Tous firent long feu. La politique du ministre de la Police était d'étouffer silencieusement ces complots de ses anciens amis terroristes.

Il en est un cependant qui fit quelque bruit, plus de bruit que de mal : le complot « Ceracchi-Arena ». Arena, son initiateur, était un Corse, ancien député aux Cinq-Cents ; son frère avait présidé cette assemblée au Dix-huit brumaire et violemment pris à partie Bonaparte. Quant à Ceracchi, sculpteur italien exilé, il en voulait au Premier Consul pour des raisons non politiques, semble-t-il. Avec eux se trouvaient un autre sculpteur, Topino-Lebrun, élève de David, ancien juré du Tribunal révolutionnaire, Demerville qui avait travaillé au Comité de salut public et divers comparses dont un capitaine en non-activité nommé Harel. Leur projet consistait à assassiner Bonaparte à l'Opéra. Chargé d'acheter les armes, Harel trahit ses amis : il les dénonça à Bourrienne, secrétaire du Premier Consul (et non à Fouché), en lui proposant de « nourrir le complot et de le mener à terme ». Bonaparte ordonna à Bourrienne de payer Harel, mais à l'insu de Fouché, pour lui « prouver qu'il faisait la police mieux que lui ». Le moment venu, Fouché, haussant les épaules, déclara qu'il savait tout de l'affaire. Mais puisque d'autres que lui, au lieu de la suivre pour la faire avorter, travaillaient à la faire éclater, ils n'avaient qu'à continuer ! Le vin était tiré, il fallait le boire. Et ce fut Dubois, le préfet de police qui fut chargé par le Premier Consul de mener à son terme (ou presque) l'attentat ourdi contre le Premier Consul.

Le 10 octobre 1800, accompagné de Joséphine, d'Hortense, de Duroc, de Lannes, de Bourrienne, le général Bonaparte entre dans sa loge de l'Opéra (où l'on va jouer *les Horaces*) et salue l'assistance. On l'acclame. Ceracchi est dans la salle et présente à Harel un nommé Diana qui doit poignarder le général au deuxième acte ; d'autres conjurés sont à leur poste — dont quatre placés et armés par la police. Au cours du premier acte et sur un geste de Harel, les conjurés, les vrais, « sont saisis, ceinturés, immobilisés et solidement ficelés, sans avoir eu même le temps de comprendre ce qui leur arrivait » (1). Conduits au Temple, ils y restent sans qu'il soit question de les juger... Quant à Harel, il est réintégré et nommé commandant de la forteresse de Vincennes ; il y sera encore pour recevoir le duc d'Enghien.

Sur le degré de sérieux du complot, on conçoit que les avis des historiens puissent différer. Les plus critiques à l'égard de Bonaparte y ont vu une pure et simple machination de police ; c'était la thèse de Fouché. Le bon peuple, loin de flairer une supercherie, fut indigné, à commencer par le public de l'Opéra qui, après les arrestations, se tourna vers la loge du Premier Consul, et l'acclama comme jamais. De tous les villages de France, de toutes les villes, les adresses de félicitations affluèrent. Le 17 octobre, une foule délirante se porta à la revue du Carrousel. La veille, c'était le Tribunat qui avait officiellement félicité le chef de l'Etat.

*
* *

Le Tribunat, en la circonstance, pouvait difficilement exprimer un autre sentiment. Mais le *Parallèle* n'était pas de nature à atténuer les réserves, les déceptions et les suspicions provoquées chez beaucoup de ses membres par la politique du Premier Consul avant Marengo. Et le séjour du général au-delà des Alpes n'avait certainement pas diminué les inquiétudes, le mécontentement, du parti des philosophes et de l'Institut.

Entrant à Milan le 2 juin, à la veille d'y rétablir la République cisalpine, Bonaparte y avait fait célébrer un *Te Deum*, et quelques jours plus tard, réunissant les curés de la ville, il leur avait fait des déclarations plus satisfaisantes pour eux que rassurantes pour l'avenir de la liberté de conscience en France et en Italie ; dans la conception de la tolérance qu'il proclamait, résonnait un singulier accent d'intolérance : « Je vous déclare que j'envisagerai comme perturbateur du repos public et ennemi du bien commun,

(1) **Henri Gaubert** : *Conspirateurs au temps de Napoléon I*.

et que je saurai punir comme tel, de la manière la plus rigoureuse et la plus éclatante, et même s'il le faut, de la peine de mort, quiconque fera la moindre insulte à notre commune religion, ou qui osera se permettre le plus léger outrage envers vos personnes sacrées. »

La loi sur le sacrilège, en somme, qui provoquera une levée de boucliers contre Charles X. Mais non : ici, il n'est même pas question de vote ni de loi : JE saurai punir et, s'il le faut, de la peine de mort... Et n'était-ce pas déjà imposer la religion d'Etat, forcer les consciences, que de dire : « Sans la religion, on marche continuellement dans les ténèbres ; et la religion catholique est la seule qui donne à l'homme des lueurs certaines et infaillibles sur son principe et sa fin dernière ? »

Un césarisme héréditaire invoquant la théologie et le droit divin... Etait-ce ainsi que le vainqueur de Marengo entendait appliquer la Constitution ?

Les liens qui avaient uni les libéraux dans une sorte de conspiration permanente avant le départ de Bonaparte ne pouvaient que se serrer encore après son retour. Et l'opposition parlementaire née spontanément au cours de la session de l'an VIII prenait une conscience croissante de sa raison d'être, tendait à renforcer sa cohésion en vue de conflits plus graves. A défaut d'un soutien populaire, l'appui de l'opinion éclairée lui était acquis ; elle se groupait autour de Sophie de Condorcet, surtout depuis la disparition de Mme Helvétius, et aussi, dans une certaine mesure, autour de Germaine de Staël.

Ce fut le 13 août 1800 que Mme Helvétius mourut, à quatre-vingts ans, assistée par quelques fidèles amis dont Cabanis et La Roche. Assis près du lit, Cabanis tenait la main de sa bienfaitrice : « Bonne mère ! » lui disait-il tendrement. « Je la suis, je la suis toujours » répondit-elle en expirant. Elle leur avait légué à tous deux la jouissance de sa maison. Cabanis, dont le chagrin était immense, ne quitta donc point Auteuil. Sa belle-sœur Sophie, au contraire, ne gardait qu'un pied-à-terre dans ce village où beaucoup de ses amis vivaient encore, mais qui lui rappelait de bien tragiques souvenirs. Depuis 1798 elle habitait à « La Maisonnette » — en face de Meulan et de Villette, le château de son enfance — en compagnie d'un avocat de Bordeaux, Mailla-Garat, neveu de

Garat le sénateur et, chose curieuse, frère du baryton Pierre Garat, « troubadour du Directoire » et chanteur préféré de Bonaparte. Au bout de deux ans, Mailla délaissa Sophie pour Aimée de Coigny, la *Jeune Captive* d'André Chénier. Sophie, se retrouvant seule, resta fidèle aux vieilles amitiés ; elle reçut à la Maisonnette Mme Vernet qui avait caché son mari pendant des mois rue des Fossoyeurs. Et fidèle à ses convictions. Cette jolie femme était aussi une militante ; elle gardait l'âme citoyenne ; elle incarnait pour ses amis la philosophie, la République, la Révolution.

Assez différent était alors l'état d'esprit de Mme de Staël. Ayant publié *De la Littérature* en avril 1800, elle avait quitté Paris « sur les talons de Bonaparte », laissant le monde politique (y compris la « coterie Staël », comme disait Fouché) s'agiter sans elle ; souhaitant des revers au Premier Consul, on l'a vu (1), éblouie ensuite par sa victoire, recommençant à croire qu'elle, la grande dame de lettres, devait être tôt ou tard comprise, admirée, écoutée par le grand homme. Et puis, elle désirait obtenir le droit de passer ses hivers à Paris... Traversant Genève en route pour l'Italie, Bonaparte avait reçu la visite de M. Necker venu plaider pour sa fille. Le vieil homme était apparu au jeune général comme un « lourd régent de collège bien boursouflé », fort au-dessous de sa réputation : « Je lui ai beaucoup parlé pour le faire jaser et il ne m'a rien dit de remarquable. C'est un idéologue, un banquier. » Cependant Necker avait pu lui vanter les talents de sa fille, et, tacitement, une espèce de trêve avait été conclue, que Germaine s'efforçait de ne pas rompre. Travaillant pendant son été à un nouveau livre (*Delphine*), prétendant n'y introduire rien de politique, n'y plaçant en fait aucune allusion à l'actualité, elle comptait acheter à ce prix sa tranquillité. Et repartie pour Paris en décembre, elle pouvait rouvrir rue de Grenelle-Saint-Germain son salon qui n'abritait aucune activité subversive, apparemment. Elle n'a pas caché qu'elle espérait rentrer en grâce auprès du Premier Consul ou, du moins, l'intéresser : « Que voulez-vous, avait-elle dit un jour à Lucien, je deviens bête devant votre frère, à force d'avoir envie de lui plaire. » Sachant le rencontrer à un dîner chez Ber-

---

(1) « Je souhaitais que Bonaparte fût battu » (*Dix années d'exil*).

thier, elle écrit à l'avance « les diverses réponses fières et piquantes qu'elle pourra lui faire » (1). Bonaparte ne lui prêtera guère d'attention en la circonstance. Tout ce qu'il demande, c'est de ne plus avoir à s'occuper d'elle. Cette trêve, naturellement, ne pourra durer.

Les relations de Mme de Staël étaient beaucoup plus larges que celles de Mme de Condorcet ; loin de les limiter aux républicains, elle avait des amis dans tous les groupes : Benjamin Constant et les gens d'Auteuil, bien sûr (2), et la gauche parlementaire et Sieyès et Bernadotte, mais aussi Talleyrand et Fouché et Suard, Roederer, Fontanes et les frères de Napoléon, Lucien et Joseph. Les plus éminents habitués de son salon « n'étaient pas choisis parmi les ennemis du régime de Bonaparte, mais parmi l'élite de ses ministres, de ses fonctionnaires, de ses généraux et de sa famille ». Et comme l'a souligné l'auteur de cette remarque, Christopher Herold, Bonaparte trouvait là matière à inquiétude, beaucoup plus que si le salon de Germaine avait été le lieu de réunion du parti de l'opposition : « Germaine irradiait le mécontentement. Napoléon trouvait intolérable que ses propres frères et associés les plus intimes devinssent complices du persiflage de Mme de Staël sur l'ordre nouveau et sur ses consignes. C'était un état chronique de mutinerie latente (3). » La mutinerie ne tournait pas à l'insurrection. A Mortefontaine où Germaine passait ses fins de semaine, Joseph faisait jouer des pièces et donnait des fêtes. Pendant l'hiver 1800-1801, Germaine va s'abandonner à un tourbillon de réceptions, de bals, de soirées théâtrales ; et son salon de la rue de Grenelle où « les agneaux paissaient avec les loups » devient le centre du Tout-Paris littéraire et politique. Mais un accueil plus intime y est parfois réservé aux amis de Sophie de Condorcet, aux opposants véritables.

Ces deux personnalités féminines étaient donc les points de ralliement des esprits indépendants. Sur la scène politique, ou du moins à son arrière-plan, jouait une autre

(1) *Ibid.*

(2) Dans sa lettre à Daunou du 16 août 1800, annonçant son retour à Paris pour la fin de l'année, elle se réjouit de le revoir à ses « petits dîners » et ajoute : « le souvenir le plus doux qu'il me reste de mon hiver c'est d'avoir conquis votre société ».

(3) J. Christopher Herold : *Germaine Necker de Staël.*

influence, celle de Sieyès qui n'avait pas abdiqué toute ambition, Ayant lié partie avec la gauche du Sénat — Cabanis, Tracy, Garat, Volney, auxquels s'était joint Lanjuinais élu en mars — très écouté de certains tribuns tels que Chénier et Duveyrier, il se comportait en leader plus ou moins occulte de tous les parlementaires mécontents.

Ainsi donc, si Bonaparte était revenu de Marengo définitivement raffermi, sûr de lui, décidé à exercer l'autorité d'un souverain absolu et s'en cachant à peine, si nombre de ses partisans redoublaient de zèle après avoir été tout près de le trahir, il trouvait tout de même en face de lui une opposition plus cohérente, plus organisée, plus animée qu'avant son départ. Et quand à l'automne s'ouvrit la nouvelle session législative — celle de l'an IX, le 1er frimaire, 22 novembre 1800 — la minorité s'apprêtait à une résistance sérieuse.

Dès le second projet de loi présenté, le gouvernement subit un échec. Il ne s'agissait à vrai dire que de l'organisation des Archives nationales ; mais le projet gouvernemental révélait des intentions inacceptables en confiant au pouvoir exécutif la conservation des procès-verbaux des séances parlementaires ; il ressortait en outre de cette affaire que le Conseil d'Etat avait excédé ses attributions en prenant des décisions qui auraient dû faire l'objet de lois. Vigoureusement critiqué au Tribunat et désapprouvé par 85 voix contre 5, le projet fut rejeté au Corps législatif par 209 contre 58. Résultat encourageant. Pour mieux coordonner l'action des membres de l'opposition, Benjamin Constant prit l'initiative de les réunir dans un « Comité des Lumières ». Et les tribunes du public, vides bien souvent à la session précédente, se remplirent ; l'élite intellectuelle désormais se passionna pour les débats du Tribunat.

Vint ensuite en discussion un projet réduisant le nombre des juges de paix et les privant d'une partie de leurs attributions au profit des officiers de police. Or de toutes les institutions créées par la Constituante, la justice de paix était la dernière que la Constitution de l'an VIII eût épargnée, le dernier vestige d'une magistrature élue et indépendante. Unanime, la commission du Tribunat demanda le rejet du texte gouvernemental qui pendant trois jours fut vigoureusement combattu par des interventions concertées,

et très faiblement défendu (12 au 15 frimaire). Si bien que
Bonaparte, préférant une retraite à une défaite, fit retirer
le projet. Très irrité, car il avait multiplié auprès de certains
tribuns influents les scènes de menaces et de séduction.

Le 2 nivôse, un rapport de police annonçait que plusieurs
parlementaires, dont Benjamin Constant, d'accord avec Barras, avaient songé à monter un complot contre le Premier
Consul. Rien de sérieux d'ailleurs, n'était produit à l'appui.
Ce qui était vrai, c'est que les membres de l'opposition,
forts de leur victoire, parlaient plus ouvertement et que
l'atmosphère était tendue.

Dans la nuit du 3, une détonation terrible ébranlait Paris
(24 décembre 1800).

*
**

Ce soir-là, Bonaparte devait se rendre à l'Opéra, alors à
l'emplacement de l'actuel square Louvois, où l'on donnait
La Création de Haydn. Il monta en voiture avec Berthier,
Lannes et Lauriston. Des grenadiers à cheval allaient devant.
Dans une autre voiture, Joséphine retardée par une retouche
à sa toilette (Napoléon n'avait pas aimé son châle), Hortense
et Caroline, suivaient. La nuit était très noire. Il pleuvait
un peu. Harassé par sa journée, le Premier Consul s'était
endormi tout de suite après être sorti des Tuileries. Une
charrette recouverte d'une bâche, arrêtée, rétrécissait de
moitié la rue Saint-Nicaise. Le cocher de Bonaparte fouetta
ses chevaux, dépassa la charrette, continuant vers la rue de
la Loi (rue Richelieu). Un bruit formidable éclata à ce moment
précis, puis ce fut un fracas de vitres brisées, de pierres
arrachées, de maisons s'écroulant, et des hurlements de
douleur.

— C'est contre Bonaparte, s'écria Joséphine et elle s'évanouit.

On avait joué quelques mesures de Haydn quand la détonation secoua la salle de l'Opéra.

— Que veut dire cela, demanda Junot, comment aurait-on
tiré le canon à cette heure ?... Je l'aurais su.

Le Premier Consul parut dans sa loge :

— Des coquins ont voulu me faire sauter. Faites-moi apporter un imprimé de l'oratorio.

L'assistance, debout, l'acclamait frénétiquement. Quand il se levait pour remercier, d'un regard et d'un geste, les applaudissements redoublaient. Il dut faire un signe pour que l'orchestre recommençât à jouer.

En fait, il resta peu et rentra aux Tuileries. De tous côtés des gens accouraient dans l'espoir de le voir, et déjà on racontait que le cheval et la charrette contenant le baril de poudre qui avait explosé étaient en miettes, qu'une petite fille avait été déchiquetée (on sut plus tard que l'enfant, fille d'une marchande de la rue du Bac, avait reçu douze sous pour tenir le cheval pendant que la mèche d'amadou brûlerait). On parlait aussi de la propriétaire du café d'Apollon qui, attendant sur le pas de sa porte le passage du Premier Consul, avait eu la poitrine ouverte par un morceau de chaudron, les deux seins coupés. On avait compté cinq morts, plus de vingt-cinq blessés...

L'homme qui pénétra dans le palais des Tuileries n'était plus celui auquel sa force d'âme, sa sérénité, avaient valu d'interminables ovations. Entouré de grands personnages, il laissa éclater sa colère, accusant les jacobins, les terroristes, les « anarchistes » d'avoir voulu le tuer. Fouché arriva en retard, ayant été retenu par son enquête sur les lieux ; Bonaparte affecta de ne pas le regarder ; tout le monde comprenait qu'il était la cible véritable de ses invectives. Imperturbable, le ministre de la Police ne répondait pas ; quelques-uns de ses amis essayèrent d'innocenter les jacobins, d'accuser les chouans. La fureur du général redoubla : « Ce sont les jacobins qui ont voulu m'assassiner... On ne me fera pas prendre le change, il n'y a ici ni chouan, ni émigré, ni ci-devant noble, ni ci-devant prêtre ! Je connais les auteurs ; je saurai les atteindre et leur infliger un châtiment exemplaire. » Les imprécations succédaient aux imprécations. Quelques conseillers d'Etat tentèrent de lui objecter qu'il n'y avait pas encore de preuve contre qui que ce fût ; Fouché opinait dans le même sens, non par des dénégations ouvertes, mais par son calme, son silence, les imperceptibles mouvements de ses lèvres.

— Je ne me repose pas sur votre police, lui dit Bonaparte, je fais ma police moi-même et je veille jusqu'à deux heures du matin.

Selon certains récits dont celui de Fouché lui-même, il le prit directement à partie :

— Eh ! bien, direz-vous encore que ce sont les royalistes ?

— Sans doute, je le dirai et qui plus est, avant huit jours je le prouverai.

On pouvait croire en tout cas, que Bonaparte n'attendrait pas si longtemps pour le destituer ; Talleyrand, d'ailleurs, conseillait de le fusiller.

Le lendemain 4 nivôse an IX (25 décembre 1800), le *Moniteur*, tout en dénonçant les menées des jacobins, publie des détails sur une autre affaire, l'affaire Chevalier. Chevalier, un artificier, avait fabriqué un petit engin explosif qui avait éclaté par accident, près de la Salpêtrière, le 17 octobre (soit peu après l'attentat Ceracchi-Arena). Arrêté et accusé d'avoir voulu attenter à la vie du Premier Consul, il avait obstinément nié, ainsi que ses amis républicains exaltés comme lui : toujours les jacobins, les terroristes, les « anarchistes »... L'opinion est désormais si montée que le 4 nivôse, le président du Tribunat allant exprimer au Premier Consul l'indignation de cette assemblée, croit devoir déclarer la législation insuffisante pour prévenir de tels crimes ; alors que deux mois plus tôt, au contraire, après l'attentat Ceracchi, le Tribunat avait tempéré ses assurances de dévouement par une invitation à respecter dans la répression « la solennité et la rigueur des lois ».

Des députations d'autres corps de l'Etat vinrent à leur tour, selon le rite consacré, féliciter le Premier Consul. Celui-ci, répondant au président du Corps législatif, employa d'abord une formule heureuse : « Tout dévoué à son pays, il attachait autant de gloire à mourir dans l'exercice de ses fonctions de Premier Consul pour le soutien de la République et de la Constitution qu'à succomber sur le champ de bataille. » Mais au lieu de garder la réserve qui s'imposait quant aux auteurs inconnus du terrible attentat de la veille, au lieu de laisser à la justice le soin de les reconnaître et de les châtier le moment venu, il se livra aux mêmes accusations que lors de sa sortie contre Fouché, il dénonça « ces mêmes gens qui avaient déshonoré et souillé la cause de la liberté par toutes sortes d'excès, notamment par la part qu'ils avaient prise aux événements des 2 et 3 septembre », il affirma sa détermination de les mettre hors d'état de nuire. Et s'adressant au préfet de la Seine, il alla encore plus loin :

« Tant que cette poignée de brigands m'a attaqué directement, j'ai dû laisser aux lois et aux tribunaux ordinaires leur punition. Mais puisqu'ils viennent, par un crime sans exemple dans l'Histoire, de mettre en danger une partie de la population de la cité, la punition sera aussi prompte qu'exemplaire. Assurez en mon nom le peuple de Paris que cette centaine de misérables (...) seront désormais mis dans l'impuissance absolue de faire aucun mal... »

Non content de dessaisir les tribunaux, Bonaparte entendait frapper d'un coup cent personnes. Encore lui fallait-il donner une apparence de légalité à cet arbitraire. C'est pourquoi, accompagné des deux autres Consuls, il se rendit le 5 nivôse (26 décembre 1800) au Conseil d'Etat. Cette assemblée avait déjà préparé deux articles additionnels au projet de loi sur les tribunaux spéciaux (en instance de discussion au Tribunat). L'un attribuait à ces juridictions d'exception la compétence pour juger les attentats contre les membres du gouvernement ; l'autre donnait aux Consuls le droit d'expulser de Paris les individus dangereux pour la sûreté de l'Etat, voire de les déporter s'ils ne se pliaient pas à cette mesure. Le rapporteur, Portalis, lut l'exposé des motifs. Mais avant qu'il ait pu passer aux articles, Bonaparte l'interrompit :

« L'action du tribunal serait trop lente, trop circonscrite. Il faut une vengeance plus éclatante pour un crime aussi atroce ; il faut qu'elle soit rapide comme la foudre ; il faut du sang ; il faut fusiller autant de coupables qu'il y a eu de victimes, quinze ou vingt ; en déporter deux cents, et profiter de cette circonstance pour en purger la République. Cet attentat est l'ouvrage d'une bande de scélérats, de septembriseurs, qu'on retrouve dans tous les crimes de la Révolution (...) Ce grand exemple est nécessaire pour rattacher la classe intermédiaire à la République. Il est impossible de l'espérer tant que cette classe se verra menacée par deux cents loups enragés qui n'attendent que le moment de se jeter sur leur proie. Dans un pays où les brigands restent impunis (...) le peuple n'a point de confiance dans le gouvernement des honnêtes gens timides et modérés. Il ménage toujours les méchants qui peuvent lui devenir funestes.

« Les métaphysiciens sont une sorte d'hommes à qui nous devons tous nos maux... ; il ne faut rien faire, il faut pardonner comme Auguste, ou prendre une grande mesure qui soit une garantie pour l'ordre social. Il faut se défaire des scélérats en les jugeant par accumulation de crimes. Lors de la conjuration de Catilina, Cicéron fit immoler les conjurés et dit qu'il avait sauvé son pays (...) Il faut considérer tout cela en hommes d'Etat. Je suis tellement convaincu de la nécessité de faire un grand exemple que je suis prêt à faire comparaître devant moi les scélérats, à les juger et à signer leur condamnation... »

Ces « métaphysiciens », ces « idéologues » attachés aux règles de la justice et aux garanties individuelles, ils n'étaient pas très nombreux au Conseil d'Etat. Et pourtant un malaise pesait sur cette assemblée après la diatribe du Premier Consul. Et si la décision qu'il s'agissait de découvrir se révélait erreur judiciaire ? Roederer, le premier, osa se déclarer contre : « Quel que soit le parti que vous prendrez pour faire punir, je ne crois pas qu'il vous convienne de juger. Le chef du gouvernement ne doit pas s'exposer à tomber dans une erreur dans un jugement capital. Après la perte de votre vie, le plus grand malheur qui pourrait arriver à la France serait la perte ou l'affaiblissement de cette réputation de justice que vous avez, jusqu'à présent, conservée intacte et pure. »

Cette intervention relatée ici d'après son auteur lui-même, fut-elle aussi franche ?... Avec bien d'autres, Roederer avait des raisons de craindre une répression systématiquement dirigée contre les hommes de la Révolution. Mais il n'est pas interdit de lui attribuer des mobiles plus élevés ; il ne reniait pas tous les principes qui l'avaient apparenté au groupe d'Auteuil et ce n'est pas la dernière fois que nous le verrons manifester quelque indépendance.

Après lui, divers autres conseillers tournèrent autour du cœur du sujet qui n'avait pas encore été atteint. Seul eut le courage de s'y attaquer l'amiral Truguet, républicain convaincu, mais non extrémiste, qui avait été emprisonné sous la Terreur, puis libéré après Thermidor comme les Tracy et les Daunou. Au lieu de s'en tenir à la procédure, Truguet parla sur le fond et, sans prétendre innocenter tous les terroristes, il déclara qu'il y avait plusieurs espèces de scélérats, il demanda qu'on sévît aussi contre les émigrés, les prêtres fanatiques, les chouans ; il fit état de la révolte qui couvait encore en Vendée, de pamphlets qui corrompaient l'esprit public : claire allusion au *Parallèle*. C'en était trop :

« On ne me fera pas prendre le change par ces déclamations, coupa Bonaparte. Les scélérats sont connus ; ils sont signalés par la nation. Ce sont les septembriseurs, ce sont ces hommes artisans de tous les crimes (...) On parle de nobles et de prêtres ! Veut-on que je proscrive pour cette qualité ? Veut-on que je déporte dix mille prêtres, des vieillards ? »

A travers son emportement il laissait ou faisait percer son dessein bien arrêté de faire un Concordat et de s'appuyer sur les catholiques : « Veut-on que je persécute les ministres d'une religion professée par la plus grande partie des Français et par les deux tiers de l'Europe ? »

De plus en plus véhément, le Premier Consul continua près d'une demi-heure pour lever aussitôt après la séance. « Ne croyez pas, citoyen Truguet, avait-il lancé à l'amiral, que vous vous sauveriez en disant : « J'ai défendu les patriotes au Conseil d'Etat. » Ces patriotes-là vous immoleraient comme nous tous. » Et quittant la salle en passant devant Truguet qui voulait encore lui parler : « Allez donc, lui dit-il sans s'arrêter, tout ceci est bon à dire chez Mme de Condorcet... » Mme de Condorcet : l'insubordination, le mauvais esprit. « Je n'aime pas que les femmes se mêlent de politique » lui avait-il dit le jour où elle s'était trouvée en sa présence. Elle l'avait piqué au vif en lui répliquant : « Vous avez raison, général, mais dans un pays où on leur coupe la tête, il est naturel qu'elles aient envie de savoir pourquoi. »

Toujours au Conseil d'Etat, Bonaparte revint à la charge le 6 nivôse : il voulait une loi autorisant le gouvernement à bannir les brigands et à punir de mort les auteurs de l'attentat. Les conseillers, pour la plupart, furent réticents ; ils estimaient que les articles additionnels au projet de loi

sur les tribunaux spéciaux suffiraient ; ils craignaient que
la loi demandée par le Premier Consul ne se heurtât à la
résistance du Corps législatif et, d'abord, du Tribunat. Ce
point de vue défendu par Roederer et Regnault provoqua
une nouvelle sortie de Bonaparte :

« Eh ! Vous êtes toujours dans l'antichambre du Tribunat... Parce qu'on vous a rejeté une ou deux fois, vous
tremblez... Le peuple est un tigre quand il est démuselé... Il
s'agit ici de quatre cents coquins qui sont en bataille ran-
gée, dont au moins deux cents d'enragés (...) Une commission militaire pourrait opérer en cinq jours. J'ai un dictionnaire des septembriseurs, des conspirateurs, de Babeuf et
autres, qui ont figuré aux mauvaises époques de la Révolution (1). Il faut un pouvoir extraordinaire. Qui a le pouvoir
de le donner ? Si personne n'a ce droit, le gouvernement
doit-il le prendre ? »

Et se tournant vers le ministre des Relations extérieures
(présent ainsi que ceux de la Justice et de l'Intérieur et les
deux Consuls) :

— Citoyen Talleyrand, quel est votre avis ?

— Je pense que votre pouvoir suffit pour agir et que
vous devez en user.

A l'appui de cette réponse, le ministre argua de la nécessité d'en imposer au dehors. Le même Talleyrand, à qui
le conseiller Miot s'ouvrait de ses craintes — comment le
Conseil pourrait-il fabriquer une loi que le Corps législatif
aurait rejetée ? — allait le rassurer en évoquant une solution bien commode, à laquelle il suffisait de penser : « Vous
avez raison, mais est-ce qu'il n'y a que le Corps législatif
et le Conseil d'Etat ? A quoi bon d'avoir un Sénat si l'on
ne s'en sert pas ? » Miot comprit la portée et l'origine de la
suggestion. Le 7 en effet, la discussion piétinant, Bonaparte,
certainement préoccupé d'esquiver le reproche d'arbitraire,
posa la question : « Ne pourrait-on aller au Sénat conservateur ? » Roederer acquiesça. Mais le lendemain, l'ensemble
du Conseil était encore réticent.

Recevant Boulay de la Meurthe et Roederer, le Premier
Consul se montra décidé à en finir :

(1) Version Roederer. — « J'ai un dictionnaire des hommes employés
dans tous les massacres » (version Thibaudeau).

« Il faut donner une garantie à la liberté publique et de la tranquillité aux métaphysiciens. Il est certain que si je puis déporter de mon chef cent coquins, on pourra craindre que par la suite, je ne déporte aussi de bons citoyens, par erreur ou autrement. Au lieu que, quand le Sénat aura déclaré que c'est une mesure extraordinaire et qu'elle est bonne, il sera établi que je ne puis prendre de mesure semblable sans son approbation. »

Ce principe posé, Bonaparte dicta aussitôt les modalités de l'opération : les listes dressées, le ministre de la Police fera un rapport devant le gouvernement, un arrêté sera pris pour mettre sous surveillance au-delà des mers une centaine de « brigands », après quoi le Conseil d'Etat discutera des moyens de donner un caractère de légitimité à cette décision, il conclura à la nécessité de la soumettre au Sénat conservateur, lequel la convertira en sénatus-consulte.

Tandis que se préparait cette cuisine juridique, Fouché poussait son enquête. On l'attaquait avec violence, on lui reprochait de ménager ses anciens amis jacobins, certains l'accusaient même de complicité. Lui restait imperturbable dans sa certitude de la culpabilité des chouans. Il en tint bientôt les preuves et se garda de l'annoncer publiquement, mais le fit savoir au Premier Consul. Les conseillers d'Etat aussi en furent informés. Plusieurs s'émurent dont Roederer : « C'est une chose bien odieuse que le décret de déportation qu'on me charge de préparer, rédiger, autoriser ; déporter des hommes à l'occasion d'un crime qui leur est étranger me paraît le comble de l'iniquité... »

Le 11 nivôse (1er janvier 1801), le Conseil d'Etat tint séance plénière en présence des trois Consuls. On entendit trois rapports successifs, celui du préfet de police Dubois, celui d'un agent anonyme, celui de Fouché enfin, qui, comme prévu, devait servir de base à la résolution des Consuls. Chose inattendue, étonnante, Fouché ne chargeait que les jacobins : « Ces hommes affreux sont en petit nombre, mais leurs attentats sont innombrables (...) Tout ce qu'ils ont tenté depuis un an n'avait pour but que des assassinats, soit sur le chemin de la maison de campagne du Premier Consul, soit à l'Opéra, soit dans les rues, soit même en s'introduisant par des souterrains dans l'intérieur des Tuileries (...) C'est une guerre atroce qui ne peut être terminée que par un acte de haute police extraordinaire. Parmi ces hommes que la police vient de signaler, tous n'ont pas été pris le poignard à la main, mais tous sont universellement connus pour être capables de l'aiguiser et de le prendre... » A ce réquisitoire incroyable — qu'on songe aux atrocités commises par son auteur à Lyon pendant la Terreur — était jointe une liste de cent trente noms.

Un lourd silence suivit, la discussion tardait à s'ouvrir. Quelques conseillers firent enfin remarquer qu'il n'était pas question de la machine infernale dans les deux premiers rapports. Thibaudeau s'étonna que lecture ait été donnée des listes et s'éleva contre une délibération tendant à infliger une peine à des individus déterminés. Roederer reprocha à Fouché son silence sur la conspiration du 3 nivôse : « Sans vouloir pénétrer les secrets de la police sur cette dernière, je demande que le ministre dise clairement si les auteurs, dont il dit tenir le fil, sont ou ne sont pas de la classe des hommes dont la déportation est proposée ; car il importe au Conseil, et surtout au gouvernement, qu'on ne nous dise pas que les hommes frappés par la mesure proposée étaient d'un parti, et les coupables de l'autre. »

A la place du ministre de la Police, ce fut le Premier Consul qui répondit : « En supposant que les auteurs du crime soient d'une autre espèce que les scélérats dont il s'agit ici, il ne serait pas moins vrai que ceux-ci conspirent depuis un an, qu'ils sont souillés de tous les crimes, qu'ils font horreur à la France, qu'ils ne laissent aucun repos au gouvernement (...) On les déporte non pour le 3 nivôse, mais pour le 2 septembre, le 31 mai, la conspiration de Babeuf. Le dernier événement n'est pas la cause de la mesure, il n'en est que l'occasion. »

Au cours de la discussion qui se poursuivit, très animée, Cambacérès soutint pleinement le point de vue de Bonaparte, chargeant les personnes à déporter du crime d'intention. Finalement invité à voter par le Premier Consul, le Conseil d'Etat lui céda : le gouvernement devait prendre une mesure extraordinaire contre les individus en question ; au lieu de la déférer au Corps législatif pour en faire une loi, il demanderait au Sénat conservateur de la déclarer conforme à la Constitution.

A la seule exception de Truguet, le Conseil approuva à l'unanimité. Roederer qui était revenu à la charge contre un châtiment frappant des innocents ne crut pas devoir maintenir son opposition, non plus que Thibaudeau et Réal.

Les Consuls signèrent alors l'arrêté ordonnant les déportations. Ensuite, comme prévu, le Sénat le déclara « mesure conservatoire de la Constitution » (15 nivôse an IX — 5 janvier 1801). Ainsi fut promulgué le premier de ces sénatus-consultes qui allaient peu à peu se substituer aux lois véritables ; non sans que la minorité réagît. Dès le 10, Lanjuinais éleva une protestation véhémente, d'autres dont Cabanis, Garat, Volney, Lambrechts, soulignèrent les injustices de cet acte pris en violation de la Constitution. Le jour du scrutin, Lanjuinais, Cabanis, Garat et Volney ne parurent pas au Luxembourg. Quant au rôle de Sieyès, il est mal connu.

Le départ des cent trente vers leur port d'embarquement, Nantes, eut lieu le lendemain. Soixante-dix furent déportés sous l'Equateur, à Mahé des Seychelles et, pour la plupart, transférés ensuite à Anjouan, « intolérable et mortel supplice » : à la fin de 1806, trente-sept étaient déjà morts, misérablement. Des soixante restants, presque tous furent envoyés à Cayenne après un séjour de plusieurs années à Ré et Oléron.

Sur la liste, à part la qualification de septembriseur appliquée à neuf d'entre eux (plus ou moins à tort), aucun motif justifiant la peine n'était mentionné. Qu'aurait-on pu leur reprocher ouvertement ? D'être restés fidèles à une Révolution dont ils avaient partagé les entraînements, les excès, mais ni plus ni moins qu'un Roederer, un Réal, un Thibaudeau, un Fouché ? Leur crime n'était-il pas d'avoir protesté contre le coup d'Etat de Saint-Cloud, comme Destrem qui, au Conseil des Cinq-Cents avait crié à Bonaparte : « Est-ce donc pour cela que tu as vaincu ? »

**

Toujours enfermé à la prison du Temple avec ses amis, Arena, en apprenant l'attentat de la rue Nicaise, avait dit : « Voilà notre arrêt de mort. » L'émotion soulevée par l'ef-

11

frayante explosion ne laissait aucune incertitude en effet, quant à l'issue d'un procès : traduits devant le tribunal criminel, Arena, Ceracchi, Demerville et Topino-Lebrun furent déclarés coupables et condamnés à mort par le jury — en dépit d'une éloquente plaidoirie de Chauveau-Lagarde, en dépit des protestations de Ceracchi et Demerville affirmant que leurs aveux à la préfecture de police leur avaient été arrachés par la violence, soutenant que toute l'affaire avait été montée par le policier-provocateur Harel. Les quatre hommes furent conduits à l'échafaud dressé place de Grève le 10 pluviôse (30 janvier 1801). Les 11 et 19 janvier d'autres têtes encore étaient tombées, dont celle de Chevalier (le fabricant de la bombe de la Salpêtrière). Mais sur ces entrefaites, les auteurs de l'attentat de la rue Saint-Nicaise ayant été identifiés, Fouché put annoncer officiellement qu'il s'agissait de royalistes, de chouans, même, envoyés de Bretagne par Cadoudal : Carbon, Saint-Réjant et Limoëlan. Arrêtés et jugés, les deux premiers furent exécutés le 21 avril 1801. Le troisième passa à travers mailles et s'enfuit aux Etats-Unis.

Sur l'innocence des cent trente jacobins déportés, aucun doute n'était plus permis. Alors que fit Bonaparte ? Ne devait-il pas les faire réhabiliter, rapatrier, libérer ? C'est ce dont vint le conjurer un conseiller d'Etat, Berlier, ancien conventionnel, particulièrement soucieux du sort de Destrem, père de douze enfants. Le Premier Consul lui témoigna de l'humeur, épilogua, soutint que la mesure prise à l'égard des victimes était « moins une peine qu'une faveur ». — « Ils n'ont pas demandé cette faveur » répondit Berlier. Le général se fit conciliant : « Il y a eu de bons jacobins, et il a existé une époque où tout homme ayant l'âme un peu élevée devait l'être ; je l'ai été moi-même comme vous et comme tant de milliers d'autres gens de bien ; mais ceux-là... » Quinze jours plus tard, seconde audience donnée à Berlier. Cette fois, Bonaparte prétendit d'abord faire de Destrem un royaliste ; puis le conseiller revenant sur le lien de cause à effet entre l'attentat du 3 et le sénatus-consulte du 15, le Premier Consul lui mit sous les yeux le *Bulletin des Lois* : dans les considérants, l'attentat n'était pas cité comme motif, ni même explicitement mentionné. Alors, éclatant de rire, le général congédia le conseiller (1).

Destrem allait mourir au pénitencier d'Oléron en 1803.

*
**

L'affaire Dreyfus qui, certes, ne fut pas plus grave, produisit dans la conscience de la France une commotion autrement profonde, souleva une vague d'indignation à laquelle Nivôse n'offre rien de comparable. Mais comment aurait-on pu protester sous le Consulat, la liberté de la presse étant abolie ? On a reproché au Tribunat de n'avoir pas eu un orateur pour flétrir les déportations ; mais les seules délibérations permises à cette assemblée portaient sur les projets de loi déposés par le gouvernement.

L'ouverture de la discussion sur l'institution des tribunaux criminels spéciaux allait cependant permettre aux tribuns sinon d'évoquer directement l'affaire des déportations, du moins de rappeler le gouvernement consulaire au respect des garanties élémentaires dues aux citoyens. Le texte en question, déposé quinze jours avant l'attentat, ne visait qu'à réprimer le brigandage dans certains départements ; on pouvait cependant craindre qu'il ne fût utilisé aussi pour briser toute manifestation subversive, pour effrayer les opposants.

Les débats devaient durer trois semaines et revêtir une grande ampleur. Quatre orateurs marquants de l'opposition s'étaient fait inscrire, Benjamin Constant, Daunou, Chénier, Ginguené. Le rapporteur était un de leurs alliés de la veille, Duveyrier, passé au camp gouvernemental : dînant un soir chez Cambacérès, il s'était laissé emmener chez Joséphine, et là, Bonaparte lui avait fait la grande scène d'intimidation et de séduction.

Contre le rapport Duveyrier, Constant, le 5 pluviôse an IX (25 janvier 1801), présenta une critique longue et approfondie, contestant des explications, élevant beaucoup d'objections, demandant des éclaircissements :

« Le rapporteur de votre commission vous a dit que le

(1) Thibaudeau : *Mémoires sur le Consulat.*

nombre des officiers civils excéderait toujours de plus du double le nombre des militaires. Cette assertion est tout à fait erronée. Lorsqu'un juge du tribunal criminel se trouvera absent, un des citoyens non militaires sera forcé de s'abstenir de juger. Donc il y aura trois militaires contre trois officiers civils. Je ne vois plus le frein que la loi impose, suivant votre rapporteur, à l'impétuosité militaire par l'habitude des formes et de la réflexion. »

Autre question : Est-ce un tribunal spécial ou un tribunal ordinaire qui connaîtra des « assassinats prémédités » ? Selon le rapporteur, ce serait le commissaire du gouvernement qui placerait le « coupable » devant l'un ou l'autre tribunal. Benjamin Constant commence par relever la redoutable impropriété de l'expression : « Il ne fallait pas dire (...) le *coupable*, mais le *prévenu*, c'est-à-dire un accusé peut-être innocent. » Et il ajoute :

« Ce sera donc de l'arbitraire d'un seul agent du Gouvernement, nommé et révocable par lui, qu'il dépendra de priver un citoyen accusé d'un crime, de bénéficier des formes ordinaires et de l'institution des jurés. Je vous le demande, mes collègues, ce pouvoir inouï, attribué à un seul homme, sans recours, sans appel, ne vous paraît-il pas de nature à motiver le rejet du projet ? (...) Ainsi, dans tout département où un tribunal spécial sera établi, il suffira d'une accusation d'assassinat pour mettre tout citoyen à la merci de la bienveillance ou de la haine du commissaire du Gouvernement !... »

Autre article inacceptable, « le plus extraordinaire peut-être de tout le projet » selon l'orateur ; celui qui devait protéger les acquéreurs de biens nationaux. Le point vaut qu'on s'y arrête. Un détracteur aussi brillant qu'acharné de Benjamin Constant (1) a soutenu que son libéralisme masquait de vulgaires appétits d'argent, que ses préoccupations d'acquéreur de biens nationaux expliquaient beaucoup de ses attitudes politiques. Si le reproche était fondé, la valeur intrinsèque des thèses de Constant n'en serait pas nécessairement amoindrie ; nous aurions simplement le regret de penser qu'un des plus ardents défenseurs de cette liberté trahie n'avait été qu'un hypocrite. Or, dans ce discours, longuement, Constant s'éleva contre une disposition qui lui eût

(1) Henri Guillemin : *Benjamin Constant muscadin.*

apporté à lui et à ses semblables une protection privilégiée :

« Certes, je réclame plus que personne la garantie constitutionnelle pour les propriétés sacrées des acquéreurs de biens nationaux ; mes intérêts se joindraient à mes devoirs, s'il en était besoin, pour me faire sentir doublement la nécessité de cette garantie salutaire : mais celle que cet article leur offre serait illusoire, par cela seul qu'elle est vague, arbitraire et d'une latitude effrayante.

« Qu'entend-on par des menaces ? Comment des menaces seront-elles constatées ?...

« ... Acquéreur de biens nationaux moi-même, je ne désire point qu'on fasse des acquéreurs de biens nationaux une classe privilégiée. Les privilèges, tôt ou tard, retombent sur leurs possesseurs : les privilèges sont voisins des proscriptions...

« L'article proposé serait pour les acquéreurs de biens nationaux une distinction dangereuse, pour les autres citoyens un objet d'inquiétude, pour les tribunaux spéciaux une source intarissable d'arbitraire. »

Continuant son examen minutieux de chaque article, il en souligne les équivoques ; il relève que des rassemblements qualifiés de *séditieux* et de *factieux* seraient justiciables des tribunaux spéciaux, alors que ceux-ci n'étaient prévus en principe que contre les rassemblements de brigands organisés pour le pillage ; il remarqua aussi que la loi aurait un effet rétroactif.

S'exprimant en juriste, Constant avait su invoquer fortement le simple bon sens : « Il est difficile que des préfets, pouvant avoir une police extraordinaire, se contentent d'une police ordinaire...

« Les formes sont une sauvegarde ; l'abréviation des formes est la diminution ou la perte de cette sauvegarde ; l'abréviation des formes est donc une peine ; *soumettre un accusé à cette peine, c'est le punir avant de le juger.* »

Formule lapidaire, rigoureuse affirmation des droits de la personne face à une justice militaire toujours pressée de bousculer les règles de la justice. Les principes de la civilisation occidentale sont nettement opposés ici aux impatiences colériques d'un jeune général avide d'obéissance passive.

Mais soyons équitables, à notre tour : la répression, indispensable, de l'activité des chouans et des brigands en certaines régions n'était possible que grâce à des mesures adaptées à cette situation ; et plus tard, un Volney reconnaîtra que l'action des tribunaux spéciaux en ce domaine avait été bénéfique. Il reste que le Premier Consul pouvait songer à en faire un tout autre usage, on devait le craindre ; et son insistance récente à obtenir la faculté légale de déporter des innocents imposait aux législateurs de réduire la marge d'arbitraire dont il entendait disposer.

C'est visiblement sous l'empire de cette préoccupation que Constant, vers la fin de son discours, élève le débat : il invoque ces valeurs que Bonaparte, au fond de lui-même a reniées, ces traditions qui avaient formé ce qu'on peut bien appeler la conscience républicaine de l'Angleterre avant de passer, grâce aux philosophes, dans les Révolutions américaine et française :

« Tribuns, ouvrez, je ne dirai pas seulement les cahiers des Etats généraux de 1789, mais toutes les doléances présentées par les assemblées précédentes, à chaque époque où elles ont pu, sous la monarchie, faire entendre leur faible voix : vous y verrez que la Nation entière a toujours réclamé contre la création de tribunaux différents des tribunaux ordinaires... »

« Tribuns, ouvrez cette Grande Charte que, l'an 1215, les barons anglais firent signer à Jean sans Terre ; vous y lirez, article 29, ces paroles mémorables :

« Nul ne sera arrêté, emprisonné, enlevé à son héritage, « à ses facultés, à ses enfants, à sa famille. Nous déclarons « que nous n'attenterons ni à sa personne, ni à sa liberté qu'il « n'ait été légalement jugé par ses pairs. »

« Et cette disposition tutélaire, que le sentiment de l'éternelle, imprescriptible justice arrachait à un peuple barbare sous le régime de la féodalité, au commencement du treizième siècle, serait abjurée par les représentants du peuple français au commencement du dix-neuvième, douze ans après la révolution, et dans la neuvième année de la République ! »

Daunou aussi, dont on pouvait attendre qu'il s'exprimerait seulement en juriste, en maître du droit constitutionnel, prononça un véritable discours, pressant et poignant. Evoquant les ombres des plus nobles victimes de la Terreur, l'ancien conventionnel emprisonné pour son attachement à la Liberté conjura l'assemblée de ne rien abandonner des garanties individuelles et des droits de l'homme :

« Ce ne sont plus seulement les tribunaux spéciaux qui sont possibles, tous les résultats du régime extraconstitutionnel le seront également. Suspension de tous les droits individuels, de toutes les garanties sociales, contributions militaires, arrestations arbitraires, détentions indéfinies, inquisitions domiciliaires, tout ce que la Constitution interdit, il vous est démontré qu'une loi, pourra l'établir...

« Il est impossible de ne pas prévoir que les crimes d'Etat, supposés ou réels, seront l'un des aliments, l'aliment peut-être le plus habituel de ces nouveaux établissements judiciaires.

« Si les conspirations sont réelles, il importe au Gouvernement que l'éclat des preuves frappe tous les yeux, prévienne ou dissipe tous les doutes ; et s'il n'existe, comme autrefois, d'autres complots que ceux des délateurs et des juges contre des victimes innocentes... citoyens Tribuns, je m'arrête, je me souviens de Bailly, de Vergniaud, de Thouret, de Malesherbes, jugés, condamnés, immolés, avec la vélocité que l'on redemande... »

Le 8 pluviôse, lendemain du jour où avait parlé Daunou, ce fut au tour de Marie-Joseph Chénier d'intervenir contre le projet. Il se montra non moins énergique :

« Sur huit juges qui composent ce tribunal, en voilà cinq désignés par le premier Consul. Une des premières bases de la liberté, c'est l'indépendance des tribunaux (...) Or, que devient cette garantie dans un tribunal où cinq juges sur huit sont révocables à volonté ? et qui ne voit qu'un pareil tribunal est par le fait une véritable commission sous la main du gouvernement ?

« ... dans la lutte démesurée du Gouvernement, de l'Etat, de tous contre un seul, vous vous hâtez de venir au secours de la force accusatrice contre la faiblesse accusée ! Vous accordez d'abord des moyens sans nombre pour placer l'homme soupçonné en état de prévention, et ensuite vous regardez l'homme prévenu comme un coupable sacrifié ! vous le poussez, vous le précipitez, pour ainsi dire, sous le glaive rapide d'un tribunal de vengeance ! »

Chose remarquable, le poète tragique, l'auteur de *Charles IX* et de *Caïus Gracchus* ne se contente pas de donner à sa protestation un ton dramatique. Lui aussi la fonde en doctrine ; il se réclame des penseurs du siècle qui s'achève, de Montesquieu notamment, qu'il cite. Pas plus que ses amis Constant et Daunou, Chénier ne néglige de relever des atteintes à la Constitution, de rejeter des dispositions telles que l'effet rétroactif ou le non-recours en cassation. Ce lui est l'occasion de protester contre la violation de la loi fondamentale, base de toute autorité légitime, que Bonaparte méconnaît, désormais, ou veut ignorer : le pacte social.

« Il est surabondamment démontré que le projet de loi (...) renverse les institutions les plus sages ; qu'il affaiblit l'influence utile du tribunal de cassation ; qu'il corrompt la législation criminelle ; qu'il anéantit la garantie de l'accusé ; qu'il attaque la liberté civile ; qu'il viole ouvertement le pacte social ; que sous quelque point de vue qu'on l'envisage, d'après la théorie des philosophes législateurs, d'après l'exemple de toutes les nations libres, d'après le texte formel de notre constitution, en principes généraux, en droit positif, il est absolument inadmissible... »

Après une attaque frontale aussi vigoureuse, aussi passionnée — « les assassinats juridiques sont des attentats irréparables » osa proclamer Chénier — on ne devra pas s'étonner que vienne une péroraison apaisée et apparemment conciliante. Comme une formule de politesse après une lettre de mise en demeure. La conclusion courtoise du discours, ici, émet le vœu d'une conciliation, mais exhorte le gouvernement à respecter l'idéal républicain :

« Tribuns, j'ai dit en homme libre tout ce que m'a dicté ma conscience (...) Que le Gouvernement se rallie toujours davantage aux principes républicains, aux institutions républicaines, à l'opinion républicaine qui a besoin de lui comme il a besoin d'elle (...) alors l'esprit public s'améliorera ; alors les lois ordinaires suffiront, parce qu'elles seront exécutées ; alors seront facilement surveillés, réprimés, punis, les brigands qui désolent encore la France ; et, tandis qu'à l'extérieur, les succès inouïs de nos guerriers préparent et commandent la paix, la sage fermeté du Gouvernement consommera dans l'intérieur l'ouvrage qu'avait commencé la victoire.

« Je vote contre le projet de loi. »

Les succès inouïs de nos guerriers. Quels guerriers ? Quels succès ? Est-ce une louange à Bonaparte ? Mais plus de sept mois se sont écoulés depuis Marengo. Il ne s'agit plus des soldats de Bonaparte. Il s'agit des batailles gagnées par Dupont, Brune, Macdonald, Moreau, Moreau surtout qui, le 3 décembre à Hohenlinden, a remporté une victoire non moins retentissante que Marengo mais plus décisive puisqu'elle a obligé l'empereur François à demander la paix.

Après Chénier, Ginguené, le 11 pluviôse, n'hésita pas à mettre directement en cause le gouvernement :

« On leur a dit (aux amis de la Liberté) avec solennité, que la révolution était finie (...) ; et cependant, Tribuns, le projet de loi soumis à votre examen est comme empreint de tous les signes et de tous les symptômes révolutionnaires ; il proclame enfin, de la manière la plus affligeante et la moins équivoque, la faiblesse du Gouvernement...

« C'est pour avoir le droit d'élire (...), c'est surtout enfin pour avoir des représentants (...) que le peuple français a fait une révolution et a pris les armes. *C'est la cause du régime représentatif contre le pouvoir d'un seul qu'il soutient depuis dix ans au prix de tant de sang et avec tant de gloire...*

« Je regarde comme démontré que les formes prescrites dans les articles de ce titre sont favorables à l'arbitraire, et privent de toute protection, de toute espérance, l'innocent confondu avec le coupable... »

Quant à la conclusion de ce discours, nous l'ignorons ; elle dut être violente, puisque remplacée dans le compte rendu par une ligne de points. Et le *Moniteur* qui avait altéré les interventions de Daunou et de Chénier ne donna de celle de Ginguené qu'un résumé des plus brefs.

Visiblement, l'exécutif commençait à montrer les dents. L'opposition n'en était pas intimidée, au contraire. Presque la moitié des membres du Tribunat se déclarèrent contre le projet (44 contre 49) ; moins importante au Corps législatif, la minorité hostile atteignit cependant un chiffre relativement élevé (88 contre 192). Ce fait, qui ne passa pas inaperçu, fut attribué à la violence maladroite d'un des conseillers d'Etat chargés de défendre le projet, François de Nantes : au lieu de réfuter des objections par des arguments, il invectiva l'opposition — tout en prétendant qu'elle ne comptait pas : « L'étranger pourrait prendre ces déclamations pour une opposition de quelque consistance, mais cette erreur serait bien grossière ! »

Furieuse diatribe dont l'inspiration était reconnaissable à ses attaques visant la « métaphysique » et les « métaphysiciens ». Dans l'entourage du Premier Consul, certains trouvèrent qu'elle dépassait la mesure, Cambacérès et Lebrun par exemple, que son effet était regrettable. Mais Bonaparte la défendit avec véhémence : « Il vaut mieux perdre quelques voix, et prouver qu'on sent les injures, et qu'on ne veut pas les tolérer ». Et le lendemain du discours de Ginguené, recevant une délégation du Sénat, il s'était déchaîné :

« Ginguené a donné le coup de pied de l'âne. Ils sont douze ou quinze métaphysiciens bons à jeter à l'eau. C'est une vermine que j'ai sur mes habits... Il ne faut pas croire que je me laisserai attaquer comme Louis XVI, je ne le souffrirai pas. » (1) Décidément la scène du 20 juin est toujours vivante en lui, l'image cuisante du monarque bafoué par la populace, obligé de coiffer le bonnet rouge, promis à l'échafaud par sa faiblesse. Obsession liée à la phobie des « métaphysiciens », un autre récit de la même audience le confirme :

« Je ne suis pas un roi, je ne veux pas qu'on m'insulte comme un roi (...) Puis-je être comparé à un Louis XVI ? J'écoute tout le monde, à la vérité, mais ma tête est mon seul conseil... Il y a une classe d'hommes qui depuis dix ans a fait (...) plus de mal à la France que les plus forcenés révolutionnaires. Cette classe se compose de phraseurs et d'idéologues. Ils ont toujours combattu l'autorité existante (...) ils lui ont toujours refusé la force indispensable pour résister aux révolutions ; esprits vagues et faux, ils vaudraient un peu mieux s'ils avaient reçu quelques leçons de géométrie... » (2).

(1) Thibaudeau : *Mémoires sur le Consulat.*
(2) *Papiers de Lagarde,* secrétaire général des Consuls, cités par A. Vandal. — Selon Sainte-Beuve (*C. du L.* VIII), toujours à propos de ces débats du Tribunat, en janvier 1801 à la Malmaison, Bonaparte tint

Bonaparte qui ne veut pas être comparé à un roi veut être obéi mieux qu'un roi. Mais s'il multiplie les sarcasmes contre les intellectuels républicains qu'il a tant flattés au retour d'Egypte, chez ceux-ci, chez certains du moins, le ressentiment, la réprobation s'accentuent. S'il menace un Ginguené, ce Ginguené loin de se tenir pour battu tient des propos menaçants à son tour : « Il y a des généraux qui ne verront pas tout ceci d'un bon œil, nous avons des amis aux armées... »

L'opposition a été à la fois déçue et stimulée par le vote du 14 pluviôse. Plus résolue que jamais à exercer son droit d'examen, elle n'adoptera pas pour autant une attitude d'hostilité systématique pendant les dernières semaines de la législature. Le projet de loi fixant les contributions de l'an X prorogeait purement et simplement celles de l'an IX sans prévisions de dépenses — autrement dit, le gouvernement se dispensait de présenter un budget : le Tribunat lui donna son accord en faisant stipuler son caractère provisoire (un provisoire qui devait durer jusqu'à la fin de l'Empire !). Mais un autre projet, relatif à la dette publique, fut vigoureusement combattu, en particulier par Benjamin Constant, et une majorité de 26 voix se déclara contre ; lors de la proclamation du scrutin, quelques cris de « Vive la République ! » partirent des tribunes, ce qui n'était pas arrivé depuis longtemps, relate non sans réprobation M. Thiers, « et ce qui rappelait de sinistres souvenirs de la Convention. » Il fallut faire évacuer le public.

Enfin, le 27 ventôse (18 mars 1801), un ultime échec fut infligé au gouvernement : le Palais-Bourbon rejeta un projet relatif au code de procédure et au tribunal de cassation, projet fortement attaqué auparavant au Palais-Royal.

des propos analogues à Laplace, Monge et Roederer : « Je suis soldat, enfant de la Révolution, sorti du sein du peuple : je ne souffrirai pas qu'on m'insulte comme un roi. »

Par ailleurs, les journaux officieux publièrent une feuille d'*Observations* dont il n'était pas difficile de deviner l'auteur : « ... Ils sont douze ou quinze et se croient un parti. Déraisonneurs intarissables, ils se disent orateurs (...). A qui en veulent-ils ? Au Premier Consul... On a, il est vrai, lancé contre lui des machines infernales, aiguisé des poignards, suscité des trames impuissantes : ajoutez-y, si vous voulez, les sarcasmes et les suppositions insensées de douze ou quinze nébuleux métaphysiciens. Il opposera à tous ces ennemis LE PEUPLE FRANÇAIS. »

Ainsi se terminait la session parlementaire de l'an IX qui mérite de figurer plus qu'honorablement dans l'histoire des luttes pour la démocratie. Lutte menée dans des conditions non moins difficiles que l'année précédente, sans le soutien de la nation. Le Tribunat ne flétrit pas ouvertement l'iniquité des déportations consécutives à l'attentat de la rue Saint-Nicaise ; mais il était impossible de se méprendre sur le sens de sa courageuse offensive contre les tribunaux spéciaux. Somme toute, cette législature avait su maintenir avec dignité les prérogatives de la représentation nationale, défendre avec fermeté les droits de la personne humaine. La faible marge d'action qui lui était laissée, elle l'a utilisée au mieux. Trop bien au gré du général colérique qui n'admet pas qu'on se batte pour des billevesées, des principes. Mais à la fin de 1800, peut-être n'avait-il pas renoncé à récupérer, comme on dirait aujourd'hui, les « métaphysiciens », les « idéologues » d'Auteuil.

Daunou, après Brumaire, avait refusé d'être nommé conseiller d'Etat, préférant entrer au Tribunat (ce qui ne lui valait qu'un traitement bien moindre). Après Marengo, le Premier Consul revint à la charge : il l'invita à dîner, le pressa de quitter le Tribunat pour le Conseil d'Etat. Daunou refusa encore : et l'irritation de Bonaparte fut telle, à en croire Sainte-Beuve, que Daunou l'entendant parler tourné vers une fenêtre sans le voir, aurait tout d'un coup pris peur et quitté le palais.

Il existe un autre récit de la scène ; c'est en s'adressant à son invité que, mécontent de sa résistance, le Premier Consul s'échauffe et explose :

— Ce n'est pas parce que je vous aime que je vous offre cette place : c'est parce que j'ai besoin de vous. Les hommes sont pour moi des instruments dont je me sers à mon gré... J'aime peut-être deux ou trois personnes, ma mère, ma femme, mon frère Joseph...

— Moi, répondit Daunou avec calme, j'aime la République.

Puis il s'éloigna.

Les mots historiques n'ont pas tous été prononcés. Il est rare qu'ils n'expriment pas la vérité d'une situation.

CHAPITRE V

L'IDÉOPHOBE

Tandis que les défenseurs des libertés françaises menaient à Paris cette partie difficile, c'est entre Rhin et Danube que se jouait le sort du pays. La guerre, en l'année 1800, avait continué jusqu'à ce que la défaite de l'Autriche ait été consommée à Hohenlinden. Le jour où la machine infernale éclatait rue Saint-Nicaise, l'archiduc Charles, reculant sur la route de Vienne, se résignait à demander un armistice à Moreau, et Joseph, diplomate habile, négociait avec Cobentzel à Lunéville pendant que se déroulaient au Tribunat les sévères débats de Pluviôse.

Le traité signé le 9 février 1801 rendait à la France les avantages territoriaux de Campo-Formio et laissait prévoir une paix prochaine avec l'Angleterre désormais isolée. Ce considérable succès extérieur raffermissait encore le régime consulaire si consolidé déjà par Marengo ; un Bonaparte attaché à l'idéal républicain en eût raisonnablement profité pour placer au premier rang de ses objectifs la restauration des libertés. C'est à une préoccupation bien différente qu'il obéit en entreprenant la négociation du Concordat.

Assurément la liberté religieuse était une des premières qu'il fallait rétablir, et pas seulement sur le papier. La Révolution avait blessé beaucoup de consciences catholiques avec la Constitution civile du clergé ; sous la Terreur, un fanatisme à rebours avait interdit l'exercice du culte, la persé-

cution avait atteint un degré odieux. Mais est-il exact de
dire que Bonaparte « rouvrit les églises ? ».

La Constitution de l'an III déjà, marquait un retour vers
une situation normale, puisqu'elle stipulait : « Nul ne peut
être empêché d'exercer, en se conformant aux lois, le culte
qu'il a choisi. Nul ne peut être forcé de contribuer aux
dépenses d'aucun culte. La République n'en salarie aucun. »
En même temps que la séparation de l'Eglise et de l'Etat,
solution de bon sens, c'était la garantie légale de la liberté
religieuse. Ces principes, des décrets de la fin de la Convention les avaient d'ailleurs reconnus : non sans peine, à la
suite de l'ardente intervention de Grégoire contre Marie-
Joseph Chénier rapporteur des fêtes décadaires et défenseur d'un laïcisme républicain proche de l'athéisme... Toujours est-il que dès le 11 prairial an III (30 mai 1794) le
libre usage des églises avait été accordé aux catholiques en
contre-partie d'une déclaration de soumission aux lois de la
République ; le Directoire, par une loi du 7 vendémiaire an IV
(1er octobre 1795), avait confirmé et réglementé cette liberté.
Un grand réveil religieux en était résulté, de 1795 à 1797.
Mais Fructidor donnait le signal de nouvelles persécutions :
de nombreux prêtres (près de deux mille) étaient déportés,
en principe vers la Guyane, des lois prescrivaient en même
temps que la stricte observation du calendrier républicain
la célébration laïque du décadi : mesures mal appliquées,
impopulaires, exaspérantes pour les fidèles. Ceux-ci se parta-
geaient d'ailleurs en une demi-douzaine de sectes ou de tendances rivales, depuis les constitutionnels de Grégoire —
qui avait réuni un Concile national en 1797 — jusqu'aux
catholiques romains « non soumissionnaires », royalistes irréductibles. Encore devaient-ils partager les églises avec les
théophilantropes et les célébrants du culte décadaire. Comment se faire une idée nette de cet état de choses ? Selon
Grégoire, trente-deux mille paroisses étaient à nouveau des-
servies à la veille du Consulat ; d'autres témoignages montrent
au contraire des chrétiens privés de prêtres dans des églises
abandonnées...

Si donc Bonaparte n'a pas matériellement rouvert des
églises qui l'étaient déjà, on ne lui marchandera pas le mérite
d'avoir clarifié une situation malsaine, en rétablissant pleinement une liberté du culte fort incertaine avant lui. Dès

le 7 nivôse an VIII (28 décembre 1799), il confirmait aux catholiques, par un arrêté, la jouissance des églises non aliénées, en ne demandant aux prêtres qu'une promesse de fidélité à la nouvelle Constitution. Les fidèles étaient alors revenus en masse aux offices. Même si des prêtres insermentés, excités par des évêques émigrés, refusaient de se soumettre, la renaissance du catholicisme était tellement spectaculaire que le Premier Consul lui-même s'en montrait surpris.

Alors que souhaiter de mieux, sauf, peut-être, la suppression de la « promesse de fidélité » ? Et comment ne pas souscrire à l'opinion de Mme de Staël : « Le vœu général de la nation se bornait à ce que toute persécution cessât désormais à l'égard des prêtres et qu'on n'exigeât plus d'eux aucun genre de serment ; enfin que l'autorité ne se mêlât en rien des opinions religieuses de personne » (1).

C'eût été l'équité et le sens commun, la règle sur laquelle croyants et incroyants, dans tous les pays civilisés sont tombés d'accord. Mais,

primo, cela ne pouvait satisfaire l'Eglise qui n'admettait ni la liberté de conscience ni la tolérance et pour qui revivre signifiait recouvrer une situation privilégiée, dominante ;

secundo, cela ne suffisait pas à Bonaparte, la liberté de conscience en tant que valeur fondamentale étant le moindre de ses soucis. Bien au contraire, un de ses soucis majeurs était de l'abolir et d'opérer une mobilisation permanente des consciences. D'où sa décision de restaurer l'Eglise de France pour en faire un instrument d'obéissance passive fonctionnant à son profit.

Que Bonaparte fût un incrédule (ayant cependant gardé un fond de respect pour la religion), ce n'est peut-être pas évident pour tout le monde : on a tellement raconté dans les catéchismes l'histoire de sa première communion, le plus beau jour de sa vie, à l'entendre ! Sur ses sentiments intimes, les documents ne manquent pas ; contentons-nous de rappeler ici deux de ses professions de foi officielles :

Le 10 décembre 1797, dans son discours de la cour du Luxembourg, à son premier retour d'Italie, il avait cité, presque dénoncé, « la religion, la féodalité et le royalisme »

(1) *Considérations sur la Révolution française*, IV.

comme les trois préjugés qu'il avait fallu vaincre pour obtenir au bout de dix-huit siècles une constitution fondée sur la raison.

Le 2 juillet 1798, dans sa proclamation aux peuples de l'Egypte, se défendant de vouloir détruire leur religion il affirmait « respecter, plus que les Mamelucks, Dieu, son prophète et l'Alcoran » et il ajoutait :

« *N'est-ce pas nous qui avons détruit le Pape,* qui disait qu'il fallait faire la guerre aux musulmans ? N'est-ce pas nous qui avons détruit les chevaliers de Malte (...) ? N'est-ce pas nous qui avons été dans tous les siècles les amis du Grand-Seigneur (que Dieu accomplisse ses désirs !) et l'ennemi de ses ennemis ? »

Le Bonaparte qui entend « relever les autels » en 1801 — après avoir dénoncé en 1800 « ces méchants hérétiques d'Anglais » — n'est donc pas un catholique désireux de servir sa vérité, son Dieu et sa foi, pas davantage un disciple des philosophes animé d'esprit de tolérance, c'est un dictateur décidé à s'assurer d'un incomparable moyen d'assujettir les esprits. Une Eglise nationale même puissante ne lui suffit pas : gallicanisme et constitution civile du clergé sentent l'hérésie, le schisme. Il veut un catholicisme intégral, il veut ranger à ses ordres l'armée des fidèles avec leurs cadres reconnus, avec leur chef véritable. C'est le propos que lui a prêté M. Thiers : « Il me faut le vrai Pape catholique, apostolique et romain, celui qui siège au Vatican. Avec les armées françaises et des égards, j'en serai toujours suffisamment le maître. Quand je relèverai les autels, quand je protègerai les prêtres, quand je les *nourrirai* et les traiterai comme les ministres de la religion méritent d'être traités en tout pays, il fera ce que je lui demanderai dans l'intérêt du repos général. Il calmera les esprits, les réunira sous sa main et les placera sous la mienne. »

Un plus grand mépris est-il concevable et pour la fonction sacerdotale et pour la mission de la papauté ? On peut être un incroyant et ressentir comme une injure à la conscience humaine cette prétention de confisquer, d'acheter, plutôt, l'héritage de celui qui disait : « Mon royaume n'est pas de ce monde. »

Assurément le marché passé entre la puissance temporelle et l'Eglise romaine ne date pas d'hier. Loin de s'en scandaliser, Napoléon Bonaparte y voit une évidence bienfaisante : « Il n'y a jamais eu que deux forces parmi les hommes, dira-t-il à Molé en 1806, la force matérielle exercée par les soldats, la force morale exercée par les prêtres. Depuis l'Empire romain, toutes les monarchies se sont fondées de la même manière, en s'appuyant sur la même force, c'est-à-dire les prêtres. »

Voilà pour la politique. Mais l'affaire a aussi un côté social ; personne ne l'aura mis en lumière avec autant de clarté et de cynisme que Bonaparte lui-même ; certaines de ses déclarations font pâlir la célèbre formule de Marx sur l'opium du peuple. Au Conseil d'Etat, toujours en 1806, il dira : « Dans la religion je ne vois pas le mystère de l'Incarnation, mais le mystère de l'ordre social ; la religion rattache au Ciel une idée d'égalité qui empêche le riche d'être massacré par le pauvre ». Un an avant le Concordat, il disait déjà à Roederer : « La société ne peut exister sans l'inégalité des fortunes et l'inégalité des fortunes ne peut exister sans la religion. Quand un homme meurt de faim à côté d'un autre qui regorge, il lui est impossible d'accéder à cette différence s'il n'y a pas une autorité qui lui dise : Dieu le veut ainsi : il faut qu'il y ait des pauvres et des riches dans le monde ; mais ensuite et dans l'éternité, le partage se fera autrement. » Charles Maurras n'a pas exprimé plus cyniquement cette idée de l'incomparable efficacité du catholicisme romain en tant que puissance mystificatrice, en tant que contre-poison du christianisme.

Outre son désir de renforcer son autorité et d'asseoir la société sur des bases immuables, des mobiles plus immédiats, plus pressants, incitaient Bonaparte à conclure un Concordat : désarmer l'opposition catholique et royaliste, la rallier. Son choix est significatif de l'abbé Bernier — ancien aumônier de la Vendée et longtemps le plus enragé des chouans — pour nouer la négociation avec Rome. L'historique des pourparlers ne sera pas rappelé ici ; les points principaux de l'accord sont bien connus. Le pape, certes, faisait de grandes concessions. Il reconnaissait l'abandon des propriétés ecclésiastiques aux acheteurs de biens nationaux ; il acceptait la réduction du nombre des diocèses et la désignation des évêques par le gouvernement, le serment de fidélité au chef de l'Etat, l'attribution aux ecclésiastiques d'un traitement qui les assimilait à des fonctionnaires. Mais il obtenait une contre-partie considérable : on lui abandonnait une des grandes conquêtes de la Révolution et de la philosophie des lumières, en reniant le principe que la religion est affaire de conviction intérieure à chaque personne ; comme si ni Voltaire ni Condorcet n'avaient existé, on déclarait « que la religion catholique est celle de la grande majorité du peuple français » et en outre que les consuls font « profession particulière » du culte catholique. C'était presque la reconnaissance du catholicisme religion d'Etat, obstinément réclamée par Rome et que Paris avait été tout près d'accorder.

Comment la nouvelle de la signature — 15 juillet 1801 — fut-elle accueillie en France ? Assez bien, il faut en convenir, surtout par les milieux populaires attachés à la foi et aux anciennes traditions. Le Concordat signifiait l'abandon de l'expérience décadaire peu goûtée dans les campagnes, le rétablissement du dimanche, des sonneries de cloches ; il confirmait la paix religieuse dans l'Ouest et mettait fin aux irritants conflits qui opposaient constitutionnels et insermentés un peu partout. Il rencontrait l'accord chaleureux, naturellement, du mouvement néo-catholique dont le salon d'Elisa était le foyer, de la réaction antiphilosophique animée par Fontanes, Laharpe, Geoffroy, Bonald et Chateaubriand. Mais plus à droite, chez les prélats d'Ancien Régime, chez les fidèles des Bourbons émigrés ou non, on grinçait des dents. Car, l'Autel restauré, le Trône restait abattu ; la religion conférait un scandaleux prestige à l'usurpateur. L'extinction des rancunes et des colères de l'Ouest, c'était pour les royalistes ardents la fin de l'espoir.

Cette amertume des contre-révolutionnaires ne pouvait guère inquiéter Bonaparte, elle était la preuve de sa réussite. Sur sa gauche, en revanche, la signature du Concordat accentuait deux courants de mécontentements et les faisait converger : celui de l'armée et celui des parlementaires, des libéraux, des républicains.

L'irritation éprouvée par les militaires lors de l'alliance entre le Premier Consul et l'Eglise romaine ne fut peut-être pas toujours inspirée par des mobiles très élevés, par de profondes convictions philosophiques, par un dévouement des plus purs à la Liberté. Certains étaient avant tout jaloux de Bonaparte, déçus de n'avoir pas obtenu après Brumaire une élévation comparable à la sienne, en récompense des services rendus. Le Concordat leur fournissait une occasion exceptionnelle de témoigner leur aigreur. Soldats de la Révolution, ayant combattu les rois et les prêtres, ils avaient beau jeu de dénoncer une politique qui menaçait de les « encapuciner », ils juraient de piétiner les drapeaux si Bonaparte mettait à exécution son projet de les faire bénir. Masséna, Macdonald, Brune, Lannes, Bernadotte, Moreau et bien d'autres ne se gênaient pas pour dire tout haut leur mauvaise humeur ; la rogne et la grogne se faisaient entendre jusqu'aux Tuileries. Le 12 octobre 1801, au cours d'une séance agitée au Conseil d'Etat, Brune, président de la section de la Guerre, s'écria : « Eh ! bien, nos épées n'ont triomphé que pour nous replacer dans la servitude religieuse ! »

Comment se manifesta cette résistance ou pseudo-résistance militaire, comment Bonaparte sut-il amadouer ces anciens combattants de la Liberté, nous y reviendrons ; mais il faut dès maintenant distinguer le cas de Moreau qui n'était pas une âme vulgaire. On le savait sincèrement républicain, on connaissait son abnégation et celle de ses officiers, on savait son armée du Rhin toujours animée des vertus légendaires de 92, fidèle à l'idéal révolutionnaire. Cette glorieuse armée, inactive après sa victoire, devenait aux yeux de Bonaparte, une menace. Il lui était difficile de s'attaquer au vainqueur de Hohenlinden, de l'éloigner en lui donnant un commandement secondaire. Du moins pouvait-il se débarrasser de ses soldats, les déporter outre-mer. D'où l'expédition de Saint-Domingue sur laquelle nombre d'historiens préfèrent ne pas s'étendre.

*
**

Depuis la perte des Indes et du Canada, Saint-Domingue était la plus riche de nos colonies ; et l'île entière nous appartenait depuis le traité de Bâle (1795), sa partie occidentale nous ayant été abandonnée par l'Espagne.

Sa prospérité, comme celle des autres Antilles et du Sud des Etats-Unis, reposait sur l'esclavage ; si bien que la cruelle institution représentait un facteur important de l'économie française. Dans nos ports de l'Ouest, beaucoup de grandes fortunes s'étaient édifiées grâce au trafic des nègres, à la traite ; armateurs, négociants, planteurs, négriers, étaient en fait solidaires. Comme les sudistes américains, les intéressés ne manquaient pas d'arguments pour justifier les razzias qui dépeuplaient les rivages du continent noir, pour approuver que des hommes, des femmes, des enfants, fussent enchaînés dans des cales fétides et les survivants, à l'issue de traversées meurtrières, vendus aux enchères et menés au fouet. Ainsi sont-ils arrachés à l'idolâtrie, disait-on, soustraits aux peines éternelles. Oui, la religion était alors invoquée à l'appui du crime et l'on ne sache pas que l'Eglise romaine, ni l'Eglise anglicane, aient lutté pour l'abolition. Qui donc dénonçait alors l'esclavage, sinon le parti philosophique ? C'est Brissot qui avait fondé la Société des *Amis des Noirs* avec Mirabeau, avec La Fayette, avec Condorcet qui en rédigeait les statuts, avec l'abbé Grégoire qui, toute sa vie, allait défendre cette cause. En octobre 1790 notamment, Grégoire publiait une *Lettre aux philantropes sur les malheurs, les droits et réclamations des gens de Saint-Domingue* : « un jour, des députés de couleur franchiront l'Océan pour venir siéger dans la Diète Nationale... » Alors, à Saint-Domingue, il est pendu en effigie par les colons furieux, tandis qu'à Nantes, une souscription est ouverte pour l'assassiner. Les pires injures sont lancées contre les *Amis des Noirs*. A la Constituante, une obstruction qui invoque le commerce, l'activité des ports, les intérêts de la nation, retarde la mise en cause de l'esclavage jusqu'à ce qu'en mai 1791 Grégoire réclame le droit politique pour les gens de couleur nés de père et mère libres. La discussion, âpre et violente, dure une semaine. « Périssent les colonies, s'écrie Robespierre qu'il est difficile de ne pas approuver ici, périssent les colonies s'il doit nous en coûter votre gloire et la justice ! » L'Assemblée, rétive, n'accorde les droits en question qu'aux mulâtres. Grégoire écrit à ses *Amis* de Saint-Domingue une lettre éloquente, les exhortant au calme, il sait les colères qu'allument là-bas ces refus et ces lenteurs : « Vous avez une patrie... Vos oppresseurs ont souvent repoussé loin des esclaves les lumières du christianisme, parce que la religion de la douceur, de l'égalité, de la liberté, ne convenait pas à ces hommes de sang. Charité est le cri de l'Evangile ! »

Le 5 février 1794 fut enfin voté par la Convention le décret abolissant l'esclavage dans toutes nos colonies. Entre temps, Grégoire était revenu plusieurs fois à la charge, le 27 juillet 1793 en particulier ; le 5 février il dut garder le silence, étant l'un des rares survivants des Girondins promis à la mort par la Montagne...

L'abolition venait trop tard pour épargner à la grande île les convulsions d'une guerre civile qui se compliqua d'une guerre étrangère ; une mêlée confuse opposa blancs, mulâtres, noirs, Français, Anglais, Espagnols. Un homme étonnant surgit qui parut sauver la situation, le noir Toussaint-Louverture, affirmant gouverner au nom de la France. Bonaparte, dont on ne peut vraiment pas célébrer le génie en la circonstance, ne saisit pas l'occasion. Il ne comprit pas que l'intérêt de la nation française pouvait s'accorder avec les sentiments de justice des *Amis des Noirs*, avec l'application, au moins progressive, des Droits de l'Homme dans les territoires d'outre-mer ; il ne devait reconnaître qu'à Sainte-Hélène l'avantage qu'aurait présenté l'octroi de l'autonomie à la plus riche de nos colonies : « C'était une grande faute que d'avoir voulu la soumettre par la force ; je devais me contenter de la gouverner par l'intermédiaire de Toussaint » (1).

Ce Toussaint avait largement donné les preuves de son loyalisme et de ses capacités en combattant les Anglais et en les chassant, expulsant aussi les Espagnols. Nommé général de division et même commandant en chef des troupes de Saint-Domingue par le Directoire, il avait été maintenu par les Consuls dans ce grade et ces fonctions. Il avait pacifié l'île et solidement assis son autorité, s'arrogeant même des pouvoirs extravagants, mais en usant avec modération et en tout cas dans un bon sens. Il avait ramené la prospérité, réorganisé l'administration, rétabli le commerce extérieur, rappelé les émigrés ; appliqué l'abolition, certes, mais non sans précautions, veillant au maintien de la main d'œuvre sur les plantations... Le 9 mai 1801, il proclamait une Constitution qui qualifiait l'île de « colonie faisant partie de l'empire français », mais qui l'affranchissait en fait des autorités

(1) *Mémorial*, **VI.**

de la métropole. Pour bien marquer cependant qu'il ne s'agissait pas d'un acte de sécession, il écrivit au Premier Consul une lettre datée du « 27 messidor an IX (16 juillet 1801) de la République Française une et indivisible » :

« Citoyen Consul (...) je m'empresse de vous l'adresser [la Constitution] pour avoir votre approbation et la sanction de mon gouvernement (...) Salut et profond respect. »

Lettre et document furent remis à Bonaparte de la part de Toussaint par un officier rapatrié, le colonel Vincent. Bonaparte contint mal sa colère : « Je ne laisserai jamais une épaulette sur l'épaule d'un nègre » dit-il à Vincent ; quant à sa réponse, il ne l'écrivit que le 18 novembre 1801 :

« Citoyen général,

« ... Nous avons conçu pour vous de l'estime, et nous nous plaisons à proclamer les grands services que vous avez rendus au peuple français. Si son pavillon flotte sur Saint-Domingue, c'est à vous et aux braves noirs qu'il le doit... »

Venaient ensuite des éloges sur l'action de Toussaint, éloges mitigés, une critique de sa Constitution et une invitation à reconnaître la souveraineté de la France.

« Que pourriez-vous désirer ? ajoutait-il. La liberté des noirs ? Vous savez que dans tous les pays où nous avons été, nous l'avons donnée aux peuples qui ne l'avaient pas (...) Comptez sans réserve sur notre estime et conduisez-vous comme doit le faire un des principaux citoyens de la plus grande nation du monde. »

Ce n'était pas si mal, après tout, le ton n'était ni raciste ni méprisant, et la nouvelle garantie de liberté des noirs avait de quoi rassurer. Nouvelle, car déjà le 4 nivôse an VIII (25 décembre 1799), donc le lendemain de la mise en vigueur de la nouvelle Constitution française, Bonaparte avait pris soin d'écrire ceci aux citoyens de Saint-Domingue : « Les Consuls de la République (...) vous déclarent que les principes sacrés de la liberté et de l'égalité des noirs n'éprouveront jamais parmi vous d'atteinte ni de modification. »

Le malheur, c'est que cinq jours avant sa conciliante réponse à Toussaint, Bonaparte prescrivait à Talleyrand de rechercher l'assentiment des Anglais quant à l'expédition décidée et de leur en exposer les motifs : « anéantir le gouvernement des noirs » : car « la liberté des noirs reconnue à Saint-Domingue et légitimée par le Gouvernement serait dans tous les temps un point d'appui pour la République dans le nouveau monde (...) Le sceptre du nouveau monde serait tôt ou tard tombé aux mains des noirs » si le gouvernement français avait reconnu leur pouvoir, « la secousse qui en résulterait pour l'Angleterre est incalculable... » (1).

Difficile de rêver pire duplicité. Aux noirs, le Premier Consul tenait un langage démocratique. Aux Anglais — qu'il tenait à rassurer après la signature des préliminaires de Londres (1er octobre 1801) car ils s'inquiétaient de ses visées sur l'Amérique — il se présentait en protecteur du système colonial et de l'esclavage.

Ce qu'il était en effet. N'avait-il pas rétabli l'ancien régime dans nos colonies en les soustrayant à la loi commune dans la Constitution de l'an VIII, en rétablissant sous d'autres noms les gouverneurs et les intendants d'autrefois, n'avait-il pas supprimé outre-mer tous les corps élus ? Est-ce que Joséphine n'avait pas horreur des nègres, ainsi que bien d'autres personnes de son entourage ? Plus tard, il dit avoir été poussé à l'expédition par « les criailleries des colons » qui avaient gagné à leur cause ses conseillers et ses ministres. Il est certain que presque tous opinèrent pour la manière forte un certain jour de l'automne 1801 aux Tuileries où il avait réuni une soixantaine de ministres, sénateurs et autres personnalités. Il y avait là Grégoire, aussi, et Grégoire gardait le silence. Le Premier Consul l'interpella :

— Qu'en pensez-vous ?

— Je pense que, fût-on aveugle, il suffirait d'entendre de tels discours pour être sûr qu'ils sont tenus par des blancs. Si ces messieurs changeaient de couleur, ils tiendraient probablement un autre langage.

— Allons, allons — Bonaparte eut un rire forcé — vous êtes incorrigible.

Pourquoi ces questions, ce simulacre de consultation, est-ce que tout n'était pas décidé et organisé ? Et puis et surtout, ne fallait-il pas à tout prix éloigner les soldats républicains de Moreau ?

Le 11 décembre 1801 appareilla de Brest une flotte trans-

(1) Au citoyen Talleyrand, ministre des relations extérieures. Paris, 22 brumaire an X (13 novembre 1801).

portant une dizaine de milliers d'hommes provenant presque tous de l'armée du Rhin, et commandée par le général Leclerc, mari de Pauline Bonaparte ; d'importants renforts allaient tripler l'effectif de ce corps expéditionnaire. Leclerc était porteur de la lettre à Toussaint du 18 novembre ; il avait aussi des instructions lui prescrivant de « se défaire de Toussaint, Christophe, Dessalines et des principaux brigands ».

Aussitôt débarqués, les Français entreprirent la reconquête ; bien plus aguerris que les hommes de Toussaint qui, pourtant, résistaient avec acharnement, ils les refoulèrent dans l'intérieur. Aucun de nos soldats ne soupçonnait qu'il combattait pour le rétablissement de l'esclavage, tous croyaient naïvement faire une guerre révolutionnaire. Pourtant, certaines nuits, ils entendaient les noirs chanter la *Marseillaise* et le *Ça Ira ;* alors, ils se retournaient vers leurs officiers comme pour leur dire : « La justice serait-elle du côté de nos ennemis barbares ? Ne sommes-nous plus les soldats de la France républicaine ? » (1).

Toussaint offrit de traiter et conclut un accord avec Leclerc le 5 mai 1802. Mais bientôt Leclerc l'attira dans un guet-apens, le fit arrêter et déporter en France. Incarcéré au fort de Joux, vêtu en forçat, soumis à de cruelles privations, à la faim, au froid, le prisonnier écrivit à Bonaparte, mais en vain, lui demandant à être jugé, se considérant toujours « comme un fils de la République une et indivisible ». On le trouva mort au terme d'une longue agonie, le 7 avril 1803 au matin.

Lors de son arrestation, dix mois plus tôt, on aurait pu croire que la résistance allait cesser du même coup ; mais la crainte du rétablissement de l'esclavage allait rallumer une guerre inexpiable. Crainte qui ne fut que trop justifiée par la décision prise à Paris et appliquée aux petites Antilles. Le 20 mai 1802, le Corps législatif votait en effet une loi qui officiellement « maintenait » l'esclavage dans les colonies (2) et qui, en réalité, visait à le rétablir là où il avait été aboli ; elle allait être complétée le 2 juillet par un arrêté interdisant sous peine de déportation l'entrée libre en

(1) P.I.R. James : *Les Jacobins Noirs.*
(2) Voir son texte plus loin, pp. 208 et 209.

France des noirs, mulâtres et gens de couleur, interdisant aussi les mariages mixtes.

Les arguments par lesquels Bonaparte fit soutenir sa loi esclavagiste devant le Corps législatif valent d'être connus. Le conseiller d'Etat chargé de cette tâche fut l'amiral Bruix ; on sait que les amiraux ont rarement été enclins à défendre la cause de la liberté dans les colonies ; seul Truguet prit le parti des hommes de couleur ; Bruix, pour sa part, déclara en substance ceci :

« Tandis que les anciens entretenaient leurs esclaves auprès d'eux et étaient témoins forcés de leurs mauvais traitements, nous modernes, nous reléguons les nôtres dans les îles lointaines d'où leurs cris ne peuvent retentir jusqu'à l'Europe : donc nous sommes plus humains que les anciens. La prospérité commerciale de la France exige qu'une certaine quantité de son produit en vins et en moissons soit envoyée dans les Antilles pour la consommation des noirs ; or ces noirs, s'ils étaient libres, préfèreraient le manioc au froment et la liqueur du sucre à nos vins ; donc il est indispensable qu'ils soient esclaves. Enfin, les Africains ont la peau d'une autre couleur que nous ; ils ont des mœurs, des opinions différentes des nôtres ; donc nous avons le droit de les acheter sur les bords du Sénégal, pour les envoyer féconder de leurs sueurs le sol des îles de l'Amérique plus fertile que le leur et qui n'est pas plus brûlant » (1).

Conclusion (propos textuel de l'amiral) : « *Il faut que les propriétés et le pouvoir soient dans les mains des blancs peu nombreux ; il faut que les nègres en grand nombre soient esclaves* » (2).

Après le principe, voyons son application, à la Guadeloupe pour commencer. Bonaparte avait solennellement déclaré que dans cette île, comme à Saint-Domingue, il n'y avait plus, il n'y aurait plus d'esclaves ; mais au mois de mai 1802, pour y réprimer un mouvement d'indépendance, il y envoya un corps expéditionnaire commandé par Richepanse, le brillant second de Moreau (après l'avoir vainement offert à Bernadotte). Au départ, il s'était gardé de lui prescrire de rétablir l'esclavage ; le 13 juillet, il lui en fit donner l'ordre

(1) D'après Fauriel, *Les derniers jours du Consulat.*
(2) *Moniteur* du 3 prairial an X.

par le ministre de la Marine, Decrès : La première mesure
à prendre « paraît être d'établir l'esclavage à la Guadeloupe
comme il l'était à la Martinique, en ayant soin de garder
le secret sur cette mesure et en laissant au général Richepanse le choix du moment de la publier ». Richepanse obéit,
les noirs se révoltèrent, la lutte fut terrible ainsi que la
répression ; presqu'aucun Français ne revint vivant ; Richepanse lui-même mourut de la fièvre jaune le 3 septembre.
Triste fin pour le généreux soldat qui avait joué un rôle
décisif à Hohenlinden et ouvert la marche sur Vienne.

Dix jours plus tard, une insurrection générale soulevait
Saint-Domingue. Jusque-là Leclerc avait préféré ne pas rétablir encore l'esclavage, mais voilà qu'arrivait la nouvelle de
la loi votée à Paris. D'ailleurs l'atrocité de la répression
conduite après l'arrestation de Toussaint avait jeté la population dans le désespoir. On fusillait, on noyait, on pendait,
on asphyxiait ; on envoyait chercher à la Havane des chiens
dressés à chasser le nègre, puis affamés. Insurgés, les nègres
se firent chasseurs de blancs, ils se battirent avec courage et
férocité. Flambée de haine, guérilla généralisée, incendies,
massacres : un désastre s'abattit sur l'armée française, démo-
ralisée, d'ailleurs, rongée par les maladies tropicales. Les
hôpitaux débordaient. Leclerc mourut le 2 novembre 1802.
Rochambeau (1) le remplaça, esclavagiste convaincu qui se
montra incapable de redresser la situation. L'île tout entière
va être reprise par les noirs et les mulâtres, y compris Port-
au-Prince, et Rochambeau capitulera le 19 novembre 1803.
Des trente-cinq mille hommes envoyés là-bas, à peine si
quelques milliers reviendront vivants ; les colons blancs
auront disparu ; triste compensation, la population noire
sera réduite de moitié.

Un homme avait prévu ce désastre, Volney. Contrairement aux autres intellectuels brumairiens ses amis, il avait
gardé d'assez bonnes relations avec le Premier Consul, continuant à le voir non pour le flatter mais pour lui donner
des avis. Résolument hostile à l'expédition de Saint-Domingue
(au moins autant pour des raisons pratiques et diplomatiques
que morales) il lui avait prédit qu'elle « ne réussirait pas
avec le sacrifice de cent mille hommes et de cent millions ».

(1) Le fils du combattant de la guerre d'Amérique.

Et il avait ajouté, paraît-il : « Si vous envoyez trente mille hommes à Saint-Domingue, il vous reviendra trente mille chapeaux. »

Il n'est pas surprenant que Grégoire et Volney, chacun à leur façon, aient formellement désapprouvé la funeste décision de Bonaparte. Mais comment s'était manifestée l'opposition libérale dans les assemblées ?

Au Corps législatif, la loi du 20 mai 1802 avait été votée par 211 voix contre 63 ; au Tribunat, elle en avait réuni 54 contre 27. Bien faiblardes ces minorités pour combattre le rétablissement de la déshonorante institution, alors que près de la moitié des tribuns s'étaient déclarés contre les tribunaux spéciaux et qu'une loi sur les archives avait rassemblé une majorité contraire.

C'est que dans l'intervalle, Bonaparte avait épuré les assemblées.

*
**

Fermons cette longue parenthèse, revenons à l'automne 1801. L'armée du Rhin s'étant embarquée pour Saint-Domingue, Bonaparte a vu avec soulagement s'éloigner ces soldats républicains hostiles à ses ambitions, écœurés par la signature du Concordat. Après la signature c'est la ratification qu'il lui faudra obtenir. L'affaire ne se présente pas très bien ; à l'ouverture de la session de l'an X, l'opposition dans les assemblées s'annonce encore plus sérieuse qu'en l'an IX, et toujours encouragée par l'élite intellectuelle.

L'ex-société d'Auteuil a continué de se réunir dans Paris même, elle y a retrouvé son âme avec Sophie de Condorcet venue s'installer dans la capitale Grande-Rue-Verte (actuellement rue de Penthièvre), non loin de Lucien et non loin de Julie Talma. Divorcée depuis 1797 du grand tragédien, amoureuse résignée de Benjamin Constant, la douce et spirituelle Julie est liée à l'impétueuse Sophie par une amitié profonde, par les mêmes convictions, par une admiration commune pour le philosophe qui avait contribué à fonder la République. Cette ancienne petite danseuse, il y a des années qu'elle aime à recevoir des hommes intelligents, elle aussi, des Cabanis et des Fauriel. C'est dans son modeste salon de la rue Matignon que Suard lui a présenté Constant ;

en 1795 déjà, Mallet du Pan écrivait à la cour de Vienne :
« Le parti dominant Girondin Républicain tient sa cabale
principale chez Julie Talma » — elle habitait alors rue Chantereine la maison qu'acheta Bonaparte.

Quant à Mme de Condorcet, par-dessus les années de la
Maisonnette et d'Auteuil elle renoue avec le temps où l'on
appelait son salon de l'Hôtel de la Monnaie « le foyer de
la République ». Elle accueille l'intelligentsia républicaine
Grande-Rue-Verte, les étrangers viennent y rencontrer les
opposants du Tribunat et de l'Institut. Un homme remarquable se tient à ses côtés, Fauriel, qui a heureusement remplacé Mailla-Garat dans sa vie. Fauriel, quelque temps fonctionnaire au ministère de la Police et secrétaire de Fouché,
a démissionné et travaille au Museum. C'est là que Sophie
l'a rencontré un matin de l'automne 1801 — la mode veut
qu'on se retrouve au Jardin des Plantes pour des cours
de botanique — et cette nouvelle passion c'est Cabanis qui
l'a favorisée sans le savoir en invitant, au château de Villette
où le vieux Grouchy vivait encore, Fauriel et Sophie.

Fauriel était aussi un grand ami de Mme de Staël ; à
partir du moment où il connaît Sophie, elle lui reproche son
« amitié paresseuse »... Retournée comme chaque printemps
à Coppet, en mai de cette année 1801, heureuse année qui
lui a permis de jouir de son Paris et qu'elle n'oubliera jamais,
Germaine écrivait le 6 juin à Fauriel : « Je m'occupe de
mon père, de l'éducation de mes enfants et de mon roman
qui vous intéressera, je l'espère. » Ce roman c'était *Delphine*.
En novembre elle revint à Paris nourrissant à nouveau des
illusions sur Bonaparte, comptant s'imposer à lui par son
talent, par le succès de son futur livre ; mais toujours animée du même idéal. Tentée de faire la paix avec le Premier
Consul, elle ne perdait pas l'espoir de le convertir, de le
rendre à la cause de la Liberté...

Le 1er frimaire an X (22 novembre 1801), la session parlementaire s'ouvrit avec un cérémonial inusité : salves d'artillerie, présence du ministre de l'Intérieur au Palais Bourbon. Bonaparte ne souhaitait évidemment pas rehausser le
prestige des assemblées ni avoir l'air de se soumettre à
leur contrôle ; mais il en attendait une approbation solennelle de sa politique passée et à venir, du Concordat en
particulier. Le lendemain 23, toujours au Corps législatif,

Thibaudeau donna lecture de l'*Exposé de la situation de la République,* imposant tableau des résultats obtenus et présentation des traités conclus, des lois en préparation. Incontestablement le bilan paraissait brillant. La sécurité intérieure était rétablie : colonnes mobiles, commissions militaires, tribunaux spéciaux, avaient complètement réduit, à la satisfaction générale, le brigandage qui infestait les grands chemins. Vingt routes principales, dégradées par dix ans de guerre civile, étaient réparées. Quatre voies nouvelles s'ouvraient à travers les Alpes. Des canaux se creusaient, des ponts étaient jetés sur la Seine, à Lyon, Lille, Saint-Quentin, Rouen, les manufactures étaient en pleine renaissance, de vastes défrichements s'opéraient, la nouvelle organisation administrative produisait de bons effets — encore que l'état des hôpitaux fût pire que jamais et que rien ne fût prévu pour quantité d'enfants abandonnés. Au dehors, la situation était plus favorable encore. Les préliminaires de Londres, signés le 1er octobre, amplifiaient le grand succès diplomatique de Lunéville ; suivis d'une série de traités avec diverses puissances, ils préludaient à la paix avec l'Angleterre, faisaient présager une paix générale... Mais au regard de l'opposition, il était clair que Bonaparte entendait exploiter tout cela pour accentuer le caractère dictatorial de son régime et faire ratifier de nouvelles mesures réactionnaires, à commencer par le Concordat.

La première manifestation de méfiance fut l'élection de Dupuis à la présidence du Corps législatif. Erudit rationaliste et familier de la société d'Auteuil, esprit pondéré au demeurant, Dupuis était l'auteur d'un important ouvrage, l'*Origine de tous les cultes,* qui se situait aux antipodes du *Génie du Christianisme.* Autre geste significatif de l'assemblée du Palais-Bourbon : le 24, ayant à désigner l'orateur de la députation qu'elle envoyait aux Consuls pour les remercier de l'*Exposé* lu la veille, elle choisit Grégoire. Et Grégoire ne se borna pas à des félicitations, à des platitudes : avec force il invita le gouvernement à en finir une bonne fois avec les guerres. « Les Français, rassasiés de gloire, éprouvent la soif du bonheur (...) Les nations, fatiguées des discordes sanglantes, détrompées des fausses idées de grandeur, éprouvant le besoin de s'unir, étendent les unes vers les autres des mains fraternelles. Malheur à celle qui ten-

terait de fonder sa prospérité sur le désastre des autres ! »
Et le courageux prêtre (1) républicain n'hésita pas à rappeler que « les dépositaires de l'autorité existent par le peuple
et pour le peuple »... Le droit de remontrance n'allait pas
plus loin d'une assemblée qui allait replonger dans le silence
pour un an. C'est au Tribunat qu'il incombait de poursuivre
la lutte.

Pas plus qu'à la session précédente, cependant, l'aile
gauche du Tribunat ne se hérissa dans l'opposition systématique que Thiers lui a reprochée. Ayant d'abord à examiner les cinq traités de paix récemment signés (Etats-Unis,
Deux-Siciles, Bavière, Portugal...), il les approuva presque
tous, à une quasi unanimité. Seule exception, le traité avec la
Russie dont l'article 3 stipulait :

« Les deux parties contractantes promettent mutuellement
de ne pas souffrir qu'aucun de leurs *sujets* se permette
d'entretenir une correspondance quelconque avec les ennemis
intérieurs du gouvernement actuel des deux Etats, d'y pro-
pager des principes contraires à leurs constitutions respec-
tives ou d'y fomenter des troubles. » Et tout *sujet* de l'une
des deux puissances contrevenant à cette interdiction serait
frappé d'expulsion.

A la lecture de cet article, le 30 novembre 1801, le tribun
Thibault l'interrompit, faisant remarquer que les Français
étaient des citoyens et non des sujets. Ou lui répondit de
plusieurs côtés qu'il s'agissait certainement d'une erreur de
copiste et l'incident n'alla pas plus loin. Il rebondit quelques
jours plus tard, quand le rapporteur, au nom du gouvernement, s'efforça de justifier le mot « sujet » : il visait des
émigrés conspirant en Russie contre la République et qui
ne méritaient donc pas le titre de citoyen. La discussion
menaçant de se faire houleuse, Jard-Panvilliers obtint qu'elle
se poursuivît en comité secret (7 décembre). Ce qui se passa
alors ne fit l'objet d'aucun procès-verbal et n'est guère connu
que par un récit tendancieux de Stanislas de Girardin qui
défendait le projet. Ganilh, Constant, Chénier, le combattirent violemment, nullement satisfaits des apaisements à
nouveau apportés par le rapporteur Costaz de la part du

_____

(1) Le 12 octobre, se soumettant à un ordre du pape, Grégoire s'était
démis de sa dignité épiscopale.

Premier Consul en personne. Il ressortait de l'explication fournie que la Russie aurait l'œil sur les émigrés français et la France sur les réfugiés polonais. Troc dont des événements récents nous permettent de mesurer l'infamie. Costaz démentit la honteuse contrepartie accordée par la France. Mais sans doute faisait-elle l'objet d'une clause secrète : on ne voit pas comment le tsar eût admis une non-réciprocité à son détriment... A vrai dire, c'est sur l'emploi du mot *sujet*, semble-t-il, que se concentrèrent les attaques de la gauche ; cinq ou six fois Chénier revint à la charge : depuis dix ans cinq millions de soldats se sont battus pour que nous fussions citoyens et nous voici redevenus des sujets ! On l'applaudit. La minorité, pourtant, n'entraîna pas la majorité. Quand on revint en séance publique on vota, le traité fut approuvé par soixante-dix-sept voix contre quatorze. Bonaparte n'en fut pas moins ulcéré et convoqua Girardin. Au fond, c'était surtout l'hostilité des deux assemblées législatives contre le Concordat qui l'inquiétait. Girardin le rassura tout en le conjurant de se montrer conciliant : en s'expliquant davantage avec les tribuns, il gagnerait leur compréhension :

« BONAPARTE. — Ma complaisance ne va pas cependant jusqu'à m'entretenir avec vos *chiens*, car il faut être *chien* pour risquer, pour un mot, de vouloir recommencer la guerre. Quels sont donc les quatorze qui ont voté contre le traité ?

GIRARDIN. — Je l'ignore, les votes sont secrets, et ils ne le seraient pas, citoyen consul...

BONAPARTE. — Je rencontre ces *chiens-là* partout, partout ils jettent des bâtons dans la roue (...) J'attends avec impatience le moment où ils seront expulsés des autorités (...) ce sont toujours les chiens qui assiègent votre tribune... (1) »

Le moment qu'attendait le Premier Consul était proche : avec la présentation des premiers titres du Code civil, le conflit allait atteindre sa phase critique. Non que Bonaparte eût attaché une importance extrême aux points mis en discussion ; mais son amour-propre était blessé au vif par l'obligation de soumettre son œuvre à lui, son chef-d'œuvre, à la critique des tribuns.

Dans quelle mesure faut-il lui attribuer la paternité véri-

(1) St. de Girardin : *Mémoires, Journal et Souvenirs*.

table de ce code civil ? Selon les uns, il n'a pas seulement ordonné et hâté la réalisation du grandiose ouvrage, mais intervenant fréquemment, personnellement et pertinemment dans sa rédaction, il a « illuminé » le savoir du Conseil d'Etat : « Ce n'est donc point par une plate flatterie, mais par le plus juste hommage, que le Code civil devait recevoir le nom de Code Napoléon sous lequel il a passé à la postérité (1). » Selon la thèse opposée, le principe de ce recueil de lois uniforme remplaçant la législation compliquée de l'Ancien Régime, avait été successivement décrété par la Constituante, la Législative et la Convention ; quant à sa réalisation, elle avait été fort avancée déjà sous le Directoire : « Le nouveau pouvoir n'eut donc ici qu'à reprendre et à terminer une œuvre en voie d'exécution. »

Personne n'a pu contester la vigueur de l'impulsion donnée par le Premier Consul aux travaux du Conseil d'Etat, non plus que l'efficacité, la netteté de certaines de ses interventions. Et tout le monde reconnaît qu'en réalisant l'*égalité* civile, il accomplissait, sur ce point, l'entreprise de la Révolution. Mais il n'y a mis tant d'ardeur, on l'a souligné dans le camp de ses adversaires, que pour faire admettre la disparition de l'autre conquête de 89, la *Liberté*. « C'est ainsi que déjà, sous les Césars romains, on avait vu le droit civil se développer en raison inverse du droit politique (2). »

L'ensemble de l'œuvre ne heurtant pas leurs principes, au contraire, ni les tribuns ni les députés de la gauche n'avaient évidemment de préjugés à son encontre. Toutefois, comme il ne s'agissait plus de faire du provisoire, comme l'argument d'urgence toujours invoqué tant que la guerre continuait avait perdu sa raison d'être, les deux assemblées estimaient devoir procéder à un examen approfondi des textes qui leur étaient présentés. Tâche épineuse : la Constitution interdisait au Tribunat d'apporter la moindre modification aux projets de loi : il lui fallait donc ou les approuver en bloc ou les repousser. Cette disposition qui s'était souvent révélée gênante allait donner à une attitude simplement critique l'apparence d'une volonté d'obstruction.

Il en fut ainsi dès la discussion du Titre préliminaire

(1) L. Madelin : *Le Consulat.*
(2) Jules Barni : *Napoléon Iᵉʳ et son historien, M. Thiers.*

— *De la publication, des effets et de l'application des lois* — rapporté par Andrieux (12 frimaire an X — 3 décembre 1801). Auteur dramatique brillant, homme fort cultivé, Andrieux avait été avec Ginguené et Say un des fondateurs et principaux rédacteurs de la *Décade* ; ayant également été avocat, juriste et vice-président du tribunal de cassation avant d'entrer aux Cinq-Cents, tout le qualifiait pour analyser le préambule en question. Il se montra fort sévère, y dénonça des inégalités, des bizarreries, des injustices, jugea « extrêmement vicieuse » la rédaction de tel ou tel article et conclut : « En nous résumant, nous avons trouvé que le projet de loi est en général incohérent, mal ordonné, déplacé à la tête du Code civil, et indigne d'y figurer »... Chazal, Thiessé, Mailla-Garat, opinèrent dans le même sens et, en dépit des efforts de Portalis et de Boulay de la Meurthe, le projet fut désapprouvé par soixante-cinq voix contre treize ; il fut ensuite rejeté par le Corps législatif (par une majorité de trois voix).

Le Titre Premier du Code allait soulever des objections encore plus vives. Les débats qui commencèrent le 25 frimaire (17 décembre) pour finir le 11 nivôse (1er janvier 1802), s'interrompirent pour faire place à l'examen du Titre II : *Des actes de l'état civil.* A part certaines critiques de Benjamin Constant, ce dernier texte ne reçut pas un mauvais accueil, il recueillit même une majorité considérable (28 décembre). Mais cette approbation massive d'une loi privant définitivement le clergé d'une de ses attributions sociales essentielles ne pouvait être un baume à l'irritation de Bonaparte ; elle annonçait trop bien ce que seraient les sentiments des tribuns envers le Concordat. Au reste, quelques jours plus tard, l'assemblée du Palais Royal se déclarait à nouveau contre la politique consulaire en rejetant le Titre Premier par trente voix de majorité.

Ce Titre, *De la jouissance et de la privation des droits civils,* pouvait-il obtenir l'assentiment d'hommes fidèles aux principes de 89 ? Deux de ses articles rétablissaient des pratiques de l'Ancien Régime : le droit d'aubaine qui frappait de représailles les étrangers ; la mort civile qui, entraînant notamment la confiscation des biens d'un criminel, dépouillait donc ses enfants. En outre, le gouvernement consulaire prétendait rétablir la marque (pour l'appliquer à certaines catégories de forçats, les faussaires, par exemple), autrement dit le châtiment du fer rouge aboli en 1791.

Chénier, entre autres, s'éleva contre le droit d'aubaine, pratique barbare condamnée déjà par Turgot et flétrie par Montesquieu. Le principe de la mort civile lui parut encore plus révoltant :

« Je supposerai tous les jugements équitables, tous les condamnés criminels. Mais leurs épouses ! Mais leurs enfants ! »

Evoquant la situation douloureuse des femmes qui, par conviction religieuse, refuseraient la dissolution de leur mariage, il déclara :

« C'est précisément par le même principe qui me fera toujours combattre le système des religions dominantes que je défendrai fidèlement la liberté absolue des opinions religieuses. »

Profession de foi remarquable de la part de l'ancien apôtre du décadi, si souvent accusé d'intolérance, lui et ses amis « philosophes » du groupe d'Auteuil.

« On s'écrie : il nous faut un code civil : oui, sans doute. La République française l'attend et l'obtiendra (...) Nous aurons un code civil, mais exempt des préjugés gothiques que la philosophie a renversés, mais fidèle aux principes philosophiques que nos législatures ont consacrés, mais digne de la République française, digne de la raison nationale et des lumières contemporaines. »

Le vote du Tribunat contre ce Titre Premier du Code intervint le 11 nivôse (1ᵉʳ janvier 1802). La séance avait été déjà très longue ; l'assemblée, sans désemparer, procéda à un autre vote non moins important : il s'agissait de désigner un candidat à un siège de sénateur vacant.

Aux termes de la Constitution, on s'en souvient, trois candidats devaient alors être offerts au choix du Sénat : un par le Premier Consul, un par le Corps législatif, un par le Tribunat. Quelques jours plus tôt, le cas s'était déjà présenté : le 4 nivôse (25 décembre), le Sénat avait comblé une vacance en élisant le candidat désigné par le Corps législatif, Grégoire, de préférence à celui du Premier Consul (le général Jourdan) et à celui du Tribunat (Desmeuniers). Auteur de la courageuse remontrance du 24 novembre, connu pour l'indépendance de son caractère, Grégoire représentait la fidélité à la République en même temps que le libéralisme chrétien. Plus que réservé à l'égard du Concordat, il n'avait pourtant pas fait preuve d'une hostilité irréductible ; évêque constitutionnel de Blois, pour faciliter la négociation avec Rome, il avait démissionné. Le Premier Consul, affectant d'apprécier ses avis, l'avait souvent reçu à la Malmaison, décidé en réalité à s'appuyer sur l'abbé Bernier, le chouan. La signification de son élection par le Sénat était claire : c'était un coup de semonce contre le Concordat. Il est vrai qu'un coup de semonce n'est qu'un coup à blanc.

Le 11 nivôse, donc, le Tribunat avait à choisir un nouveau candidat au Sénat. Par quarante-huit voix il élut Daunou, contre trente-neuf au général Lamartillière qu'on savait le protégé de Bonaparte. Chose plus grave encore, l'avant-veille, le Corps législatif aussi, par cent trente-neuf voix contre cent vingt-quatre, avait préféré Daunou à Lamartillière.

La leçon de l'affaire, du côté gouvernemental, fut aussitôt tirée par Cambacérès : « Les corps constitués qui jusqu'ici n'avaient montré que de l'opposition viennent de se mettre en état d'insurrection (...) La nomination de Daunou doit être considérée comme une déclaration de guerre contre le Premier Consul. » Et le Deuxième Consul ajoutait :

« Peut-on oublier,

« Que son opposition aux principes de la Constitution de l'an VIII a été constante ;

« Que chargé de la rédiger, il a profité de cette occasion pour en faire une rédaction malicieuse et hostile ;

« Que nommé conseiller d'Etat par Bonaparte, il n'a point voulu accepter.

« Qu'enfin, dans la dernière session du Tribunat, il a déclaré ne plus vouloir y revenir parce qu'il y avait tyrannie dans le gouvernement... » (Effectivement, depuis la discussion sur les tribunaux spéciaux, Daunou n'avait plus paru au Palais Royal.)

Le sentiment du chef de l'Etat en personne, on n'allait pas tarder à le connaître. Dès le 12 nivôse, recevant les sénateurs (comme le second jour de chaque décade), il commença par s'étonner que ceux-ci ne voulussent plus nommer de généraux, faisant ainsi allusion à l'élection de Grégoire et visant Kellermann qui tenta de se disculper. Il tourna ensuite son algarade contre Sieyès, l'accusant d'intriguer en faveur d'un prince d'Orléans, s'en prit ensuite à d'autres, puis, s'adressant à tous, déclara : « Citoyens, je vous préviens que je regarderais la nomination de Daunou au Sénat comme une insulte personnelle. Vous savez que jamais je n'en ai souffert aucune. »

Le Sénat Conservateur dont le rôle était de veiller au respect de la Constitution, et la prérogative de se renouveler par co-optation, le Sénat n'osa passer outre. La plupart de ses membres venus à l'audience se retirèrent affligés et effrayés, selon M. Thiers qui ajoute : « Les malveillants s'en allèrent criant que jamais on n'avait traité les membres des corps de l'Etat d'une manière plus indécente et plus insupportable. »

Autre exemple du peu d'égards du Premier Consul envers la qualité de sénateur : la scène qu'il fit à Volney, à l'été 1801, à propos du Concordat : sa colère était telle qu'il le frappa d'un coup de pied au ventre, d'après certains récits ; d'autres ne font état que d'une âpre discussion et du complet désaccord des deux hommes ; le coup de pied n'en fit pas moins son chemin à l'époque, témoin le *Journal de Stendhal* :

« 25 nivôse an XIII (...) Lorsque Milan voulut rétablir la religion en France, il gardait encore quelques ménagements avec les gens éclairés dont il avait voulu fortifier son gouvernement ; il fit donc venir Volney dans son cabinet et lui dit que le peuple français lui demandait la religion, qu'il croyait devoir à son bonheur de lui rendre.

« Mais citoyen consul, si vous écoutez le peuple, il vous demandera aussi un Bourbon. » Là-dessus Milan se mit dans une colère épouvantable, appela ses gens, le fit mettre dehors de chez lui, lui donna même des coups de pied à ce qu'on dit, et lui défendit de plus revenir chez lui...

« Le pauvre Volney, qui a une santé très faible, fit une maladie là-dessus ; mais cela n'empêcha pas que, dès qu'il fut rétabli, pensant que cette affaire serait portée au Sénat, il ne s'occupât à faire un grand rapport là-dessus ; on le sut, et on lui dit de cesser, ou qu'il serait assassiné ; depuis lors, il ne sort guère. *If true, for a future Tacite.* »

Cet épisode, s'il se place vraiment en 1801, n'entraîna pas une rupture entre Bonaparte et Volney ; leurs relations devaient survivre encore quelque temps à leur dissentiment croissant. Ce dissentiment que nous avons vu se manifester à propos de Saint-Domingue, avait commencé avec le nouveau régime ; à la personne qui lui transmettait l'offre du ministère de l'Intérieur, le savant avait répondu : « Dites au Premier Consul qu'il est trop bon cocher pour que je puisse m'attacher à son char. Il voudra le conduire trop vite, et un seul cheval rétif pourrait faire aller chacun de son côté ; le cocher, le char et les chevaux. » Rencontrant peu après Bonaparte qui lui reprochait son refus, il lui avait mis la main sur le cœur en disant : « C'est encore de la cervelle qu'il y a là. » Il est vrai que l'auteur du *Voyage en Orient* demeura bien après Brumaire, avec les Monge et les Laplace, un des familiers de la Malmaison. Mais pour aucun des cinq ou six « idéologues » siégeant au Luxembourg, la déception ne put être plus amère de voir le soldat philosophe tourner au despote militaire.

Quoi qu'il en soit, c'était au Tribunat et non au Sénat que se trouvait le fer de lance de l'opposition, que Bonaparte voulait briser. Cambacérès, qui lui déconseillait les moyens violents, imagina une opération en deux temps pour ne pas violer la Constitution. Dès le lendemain de la scène faite aux sénateurs, on passa à l'exécution : le 13 nivôse (3 janvier), un message consulaire adressé au Corps législatif retirait les projets de loi présentés (le Code civil et la marque) : « Le gouvernement (...) s'est convaincu que le temps n'est pas venu où l'on portera dans ces grandes discussions le calme et l'unité d'intention qu'elles demandent. »

Ainsi condamnées à la « diète des lois », les deux assemblées se trouvaient paralysées, bâillonnées, mais provisoirement ; pas encore mises pour de bon hors d'état de nuire. Contre celle du Palais Royal surtout, le Premier Consul multipliait les menaces, les propos exaspérés : « De toutes les assemblées, c'est la plus méprisable » dit-il le 2 nivôse au Conseil d'Etat et il prescrivit qu'on préparât sa réorganisation afin que le Tribunat « ne puisse plus insulter en public le gouvernement »... En août 1800 déjà, il avait dit à Roederer : « Il y a dans la Constitution une dépense bien mauvaise, c'est celle de quatre millions pour le Tribunat. Pourquoi un corps de cent membres, inutile et ridicule quand tout va bien, perturbateur quand quelque chose cloche, un véritable tocsin ? il faut réduire cela à trente membres sans séances

publiques, si ce n'est devant le Corps législatif... » Ce projet,
il y revint les 17 et 18 nivôse devant le Conseil d'Etat,
rejetant avec impatience l'exemple de l'Angleterre : « Il y
a une grande différence entre la discussion dans un pays
depuis longtemps constitué et l'opposition dans un pays qui
ne l'est pas encore... *Encore une fois, il ne faut point d'opposition*. Que voulez-vous faire avec des hommes comme Ganilh
et Garat-Mailla ? » Contre la réussite du parlementarisme
anglais, tous les arguments lui étaient bons : l'opposition
anglaise n'est pas dangereuse, ses membres « ne sont pas
des factieux. Ils (...) ne cherchent qu'à se faire acheter par
la Couronne. Chez nous c'est bien différent... »

En clair : les opposants du Tribunat ne sont pas des
gens qu'on achète ; il faut donc les éliminer. C'était la
deuxième phase de l'opération prévue : devant partir pour
Lyon et rester absent un mois, Bonaparte laissait carte
blanche à Cambacérès pour l'exécuter. En respectant la
Constitution, bien entendu, il suffisait de l'interpréter. Le
moment approchant du renouvellement du cinquième des
deux assemblées, un message consulaire pria le Sénat de
s'en occuper et Tronchet, complice de Cambacérès, fit passer
dans les couloirs du Luxembourg ce mot d'ordre : les sor-
tants, au lieu d'être tirés au sort comme prévu, seront
désignés par un scrutin du Sénat (auquel la liste des indé-
sirables était par ailleurs communiquée).

Il se trouva quinze sénateurs dont Cabanis, Destutt de
Tracy, Grégoire, Lambrechts, pour combattre non seulement
par leurs votes mais par leurs énergiques interventions cet
acte déshonorant. Le plus long discours fut celui de Garat
qui prit éloquemment la défense de Mailla-Garat son neveu
et de Daunou (24 nivôse an X, 14 janvier 1802). Après une
séance longue et confuse, la proposition Tronchet recueillit
quarante-quatre suffrages. La lâcheté de cette majorité se
manifesta jusque dans la procédure : au lieu de voter sur
des listes de noms à supprimer, on vota sur des listes de
noms à maintenir, liste dont vingt tribuns étaient éliminés
ainsi que soixante députés du Corps législatif.

Ainsi s'accomplit l' « épuration » des assemblées qui prit
effet par le sénatus-consulte du 27 ventôse an X (18 mars
1802). Tous les tribuns jadis membres de la société d'Auteuil
figuraient parmi les victimes, naturellement, tous ceux qui

s'étaient signalés par l'indépendance de leur caractère, Daunou, Benjamin Constant, Andrieux, Ginguené, Mailla-Garat, Laromiguière, Chénier, Chazal, Thiessé, Bailleul, Ganilh. Un de leurs collègues s'y trouvait aussi, Jean-Baptiste Say : il avait le tort d'être leur ami, d'être rédacteur de la *Décade* et surtout de ne pas avoir acquiescé aux vues financières de Bonaparte. « Il avait eu comme Daunou son dîner, non aux Tuileries, mais à la Malmaison » (1) et refusé alors de modifier son fameux *Traité d'Economie Politique*, refusé d'en faire un livre de circonstance voire de propagande justifiant les mesures décidées par le Premier Consul (2).

Des dociles et des obscurs, généralement fonctionnaires ou militaires, remplacèrent les éliminés. Trois personnalités marquantes, cependant, furent introduites au Tribunat : Carnot privé quelque temps plus tôt de son ministère de la Guerre, Daru, et Lucien rappelé de Madrid. Celui-ci allait rapidement racheter sa bévue du *Parallèle entre César et Bonaparte* en s'employant à transformer la structure du Tribunat et son règlement, lui imposant de délibérer à huis-clos, en un mot organisant sa totale impuissance. Le Conseil d'Etat lui-même était pratiquement dessaisi de l'élaboration des lois ; des conseils particuliers présidés par le Premier Consul en personne allaient préparer les grandes mesures soustraites à la compétence des assemblées législatives. Quant au Sénat, sa servilité était acquise ; le petit groupe d'indépendants qui y siégeaient ne disposerait plus avant longtemps d'aucune influence ; Sieyès qui s'était abstenu lors du vote sur l'épuration, ne reparaissait plus au Luxembourg : le « premier penseur révolutionnaire » quittait la scène de l'Histoire sur la pointe des pieds... Sans doute avait-il eu vent des dispositions menaçantes de Bonaparte qui, de Lyon, écrivait à Cambacérès le 28 nivôse : « Je vous prie de tenir la main à ce qu'on nous débarrasse exactement des vingt et des soixante mauvais membres que nous avons dans les autorités constituées (...) La conduite de Sieyès dans cette circonstance prouve parfaitement qu'après avoir concouru à

---

(1) F. Picavet : *Les Idéologues*.
(2) Xavier Treney : *Les grands économistes des* XVIIIe *et* XIXe *siècles.* — Le livre parut en 1804 et fut rapidement épuisé, mais la police en empêcha la réimpression. C'est en 1814 seulement que Say put en faire paraître une seconde édition.

la destruction de toutes les constitutions depuis 91, il veut encore s'essayer contre celle-ci (...) Il devrait faire brûler un cierge à Notre-Dame pour s'être tiré de là si heureusement... »

*
**

Dire que l'attentat consulaire contre la représentation nationale ait indigné la nation serait le contraire de la vérité. La France est au comble de l'admiration pour son héros. Quelle triomphante moisson de victoires il remporte, pacifiques et non plus sanglantes ! Paix avec l'Autriche et avec la Russie ; paix avec l'Espagne. Création d'une République italienne (que Bonaparte, acclamé par les délégués cisalpins à Lyon, « accepte » de présider, 26 janvier 1802). Paix avec l'Angleterre, enfin, signée le 25 mars à Amiens. « Jamais, à nul moment de sa vie, il n'apparut aux yeux de la nation tout entière, entouré d'une telle gloire : Bonaparte vainqueur et pacificateur. »

Ce fut assurément un beau moment de notre histoire, ce traité d'Amiens. Consacrant les conquêtes de la Révolution — conquêtes territoriales, s'entend — en même temps que la reconnaissance de la République française par les rois, mettant un point final à dix ans de convulsions, de guerres, de menaces d'invasions mortelles, il semblait promettre un avenir inouï de prospérité. Qui donc eût pu se risquer à prédire que ce triomphe portait en germe un désastre ? Combien y avait-il alors de Français capables de juger sainement, de lire au travers des apparences ? Nous-mêmes, ne sommes-nous pas enclins à juger sévèrement Mme de Staël qui retardait son départ de Suisse, au lendemain des préliminaires de Londres « pour ne pas être témoin de la grande fête de la paix » ? Il est bien clair pourtant que la suite des événements a donné raison à Mme de Staël et à ses amis.

C'est l'épuration des assemblées — elle disait l' « écrémage » du Tribunat — qui fit de Germaine de Staël l'irréconciliable ennemie de Bonaparte. Libérale et protestante, elle voyait écartés les derniers obstacles qui barraient la route au despotisme absolu ; les mesures les plus rétrogrades s'annonçaient, à commencer par un retour du cléricalisme, avec la ratification du Concordat. Mme de Staël et ses amis se seraient évidemment félicités d'une paix d'Amiens qui eût signifié la victoire de la Liberté. Mais le triomphe ne pouvait pleinement les réjouir de ce général qu'ils avaient salué comme un « philosophe à la tête des armées » et qui maintenant incarnait l'horreur des idées.

L'aversion de Napoléon Bonaparte pour les hommes de pensée, la pensée, il ne l'a peut-être jamais laissé éclater avec autant de violence (et de candeur) qu'au cours d'une longue discussion avec Joseph et Lucien à la Malmaison. Ils étaient venus l'y surprendre un matin ; il prenait son petit déjeuner et leur offrit de le partager « bien qu'il n'y eut qu'une tasse de café et un verre de limonade ». Mais laissons Lucien raconter :

« Il trempa ses lèvres dans la première et but seulement la limonade, après quoi il nous fit quelques questions sur les théâtres, sur la société et tout à coup dit à Joseph :

« A propos, mon frère, que devient votre grande et particulière amie, Mme de Staël ? Mon ennemie, dit-on ?

« Joseph, d'abord très calme et s'animant par degrés :

« Mon amie : je m'en honore ; ma particulière amie, c'est exagéré ; mon intime amie, nous ne nous voyons ni assez souvent ni d'assez près pour que cela soit vrai ; et votre ennemie, dit-on, c'est un mensonge.

« Le Consul : Peste ! Comme vous y allez ! là, là, là, c'est un mensonge ? Tant mieux, je le veux bien. Il n'y a pas de si petits ennemis ; et Lucien aussi est-il d'avis qu'elle n'est pas mon ennemie ? Il doit le savoir, car lui aussi il en tient pour Mme de Staël.

« Moi : Je ne sais pas précisément ce que vous appelez en tenir, citoyen Consul, mais la vérité est que, comme Joseph, je m'honore de l'amitié de cette illustre femme, et c'est la meilleure preuve que je puisse vous donner que je ne la crois pas votre ennemie.

« Le Consul : C'est très courtois, assurément. Vous me réduisez au silence. Comment donc, rien de plus péremptoire.

« Moi : Et qu'il me soit permis d'ajouter que si vous montriez pour elle seulement un peu de bienveillance, elle vous adorerait au lieu de vous admirer simplement, mais grandement, comme elle en fait profession.

« Le Consul : Ah ! c'est trop, c'est trop ; je ne me soucie pas de ces adorations-là, elle est trop laide. »

La conversation se poursuit, mais non plus sur le ton du badinage. Dénonçant l'influence malfaisante de l'illustre « amie » de ses frères, Napoléon ne sourit plus et montre les dents :

« LE CONSUL : ... Ah ! je la connais, accoutumée qu'elle fut à fronder ou à entendre fronder les gouvernements qui m'ont précédé. D'abord dans les salons de monsieur son père où l'on a commencé le procès de Louis XVI, car voyez-vous, M. Necker fut le premier bourreau du malheureux roi. Ensuite intrigaillant occultement après le 9 thermidor, et puis figurant en sous-ordre, c'est-à-dire par la parole, dans les orgies du Directoire, et puis enfin, tout récemment, régentant le Tribunat qu'elle m'oblige à épurer des membres ses amis, comme vous savez, ce qu'elle eut l'impertinence d'appeler, non épurer, mais écrémer, le Tribunat (...). Conseillez-lui de ne pas prétendre barrer le chemin, quel qu'il soit, où il me plaira de m'engager, sinon, je la romprai... je la briserai, je... mais que je suis simple de m'échauffer ainsi... dites-lui... dites-lui enfin qu'elle reste tranquille. C'est le parti le plus prudent. »

Lucien, pour faire diversion, loue la conversation de Mme de Staël, ses écrits « très estimés des métaphysiciens » et ses romans.

« LE CONSUL : Oui, je le sais ; mais d'abord je ne lis pas de romans depuis des années, et quant à ses œuvres métaphysiques, faut-il vous avouer à ma honte, qu'en les feuilletant par-ci par-là, je n'ai rien vu qui m'attachât à continuer à les lire, par la raison, hélas ! que je n'y ai rien compris du tout. »

Ici on peut se demander si Napoléon ne fait pas la bête ; l'ancien lieutenant d'Auxonne qui jadis dévorait Platon, Machiavel, Montesquieu, Rousseau, peut-il vraiment trouver hermétiques les ouvrages de Germaine de Staël ?

« LE CONSUL : Il est certain que je n'y ai pas perdu beaucoup de temps. Cependant un soir, après avoir entendu Roederer, Pictet, Diodati, Benjamin Constant et d'autres esprits de ce calibre exalter un traité sur la perfectibilité humaine, ou quelque chose comme ça. Oui, je crois que c'était là le titre du livre extatique (1), je me suis mis à l'étude au moins un quart d'heure pour tâcher d'y comprendre quelque chose. Le diable m'emporte si j'ai pu déchiffrer, je ne dirai pas des mots, il n'en manquait pas et de grands mots encore, mais toute l'attention de mon intelligence n'a pas réussi à trouver un sens à une seule de ces idées réputées si profondes.

« MOI : Mᵐᵉ de Staël ne résoudrait pas un problème de triogonométrie aussi bien que vous.

« LE CONSUL : Vous voulez dire par là que je n'entends rien en métaphysique. Eh ! bien, vous avez raison, aussi les métaphysiciens sont mes bêtes noires. J'ai rangé tout ce monde-là sous la dénomination d'idéologues, qui d'ailleurs est celle qui leur convient spécialement et littéralement, *chercheurs d'idées* (idées creuses en général) ; eh ! bien, l'application juste à leur égard de ce mot *idéologie*, les a fait tourner en ridicule encore plus que je ne m'y attendais. Le mot a fait fortune, je crois parce qu'il venait de moi. Il n'y a pas de mal à cela. On fera moins d'idéologie, car c'est le vrai mot : *idéologie*, science des idées. A tout prendre, et j'y ai bien réfléchi, ces pauvres savants-là ne se comprennent pas eux-mêmes. Comment pourrais-je m'entendre avec eux pour gouverner ainsi qu'ils le prétendent ? Oui, ils ont la rage de se mêler de mon gouvernement, les bavards ! Mon aversion va jusqu'à l'horreur pour cette race d'idéologues. Je ne suis pas fâché qu'on le sache.

« JOSEPH : Alors vous ne devez pas être étonné qu'à leur tour ils vous traitent d'idéophobe.

« LE CONSUL, *d'un air à la fois étonné et indigné :* C'est ainsi qu'ils me qualifient, dites-vous ? Je suis bien aise de l'apprendre, les insolents ! Ils me le revaudront...

Inquiet de la tournure prise par la discussion, regrettant que soit compromis le rapprochement qui leur paraissait arrangé entre leur frère et Mᵐᵉ de Staël, Lucien et Joseph protestent qu'elle n'est pas l'auteur du mot incriminé (c'était Roederer). Mais Napoléon ne veut rien entendre :

« LE CONSUL : Idéophobe ! Ah ! c'est ainsi ! Oui, c'est bien cela, c'est assez clair. Canon de gros calibre en réponse à mon feu de mousqueterie. C'est bon, c'est bon. Qu'ils tien-

---

(1) C'est *De la Littérature* à quoi songe en réalité Bonaparte. Un aperçu a déjà été donné plus haut de sa réaction à cette lecture.

nent bien leurs rangs, messieurs vos amis, les idéologues et vos maîtres, à ce qu'il me semble, je ne leur en passerai pas une de leurs idées dont, ils ont d'ailleurs bien raison, j'ai autant d'horreur que les enragés en montrent de l'eau. Idéophobe ! on ne peut pas gouverner avec ces gens-là, surtout quand ils trouvent des admirateurs, dans mes frères, encore ! (...) Idéophobe ! C'est gracieux ; pourquoi pas hydrophobe ?

« MOI : Par la raison que ce n'est pas la même chose, il faut en convenir. »

Alors, de la porte fermée du cabinet, une voix se fit entendre, qui interrompit cette scène moliéresque : « Citoyen Premier Consul, il est midi et les citoyens Consuls viennent d'arriver » (1).

Ce qu'exprime cette réaction de Bonaparte est trop clair, trop riche de sens pour appeler un commentaire. Soulignons seulement que le général se flatte sinon d'avoir créé le mot *idéologue* par dérivation du mot *idéologie*, du moins de l'avoir mis en circulation avec un sens péjoratif. « Idéologue », dans son langage, tout comme « métaphysicien », désigne l'intellectuel nébuleux qui prétend opposer des idées, des principes, à sa politique, à ses décisions. Cette phobie l'agitait déjà au lendemain de la rue Saint-Nicaise ; elle le hantera toujours. Devenu empereur, au cours d'une réception il s'approcha de Fontanes et lui dit : « Fontanes... grand maître de l'Université... du positif... du monarchique... pas de billevesées métaphysiques. » Et en lançant un regard à Destutt de Tracy, il ajouta : « ... idéologiques... »

Le mot « idéologie », le mot et la chose, c'était en effet Destutt de Tracy leur auteur : le 10 thermidor an IX (30 juillet 1801), la *Décade* avait annoncé la première partie de son *Projets d'Eléments d'Idéologie.* Pour Destutt — et Cabanis qui l'avait précédé dans cette voie — même si leurs études entreprises dans l'esprit de l'Encyclopédie débouchaient directement vers des applications d'intérêt humain et pratique, idéologie ne signifiait pas comme aujourd'hui système doctrinal, système politico-social, il correspondait bien plutôt à « analyse des sensations et des idées », à « psychologie ». Non pas utopie, mais théorie de la connaissance et des perceptions. Et parlant des chercheurs engagés comme eux

(1) Th. Jung : *Lucien Bonaparte et ses Mémoires.*

dans ce nouveau domaine de la philosophie et du savoir, Destutt et Cabanis disaient *idéologistes*, alors que Bonaparte disait *idéologues*, englobant jusqu'à Mme de Staël sous cette acception méprisante.

***

Le Tribunat épuré, la ratification du Concordat rendu d'ailleurs moins choquant par quelques retouches, allait être enlevée sans grandes difficultés. L'adjonction, au texte présenté, d'*Articles organiques* rognait les avantages consentis au catholicisme romain, établissait un certain degré de suprématie du pouvoir civil sur le clergé, marquait un retour au gallicanisme. Le gouvernement exercerait la police des cultes, réglementerait le costume des prêtres et les processions, contrôlerait les bulles, les conciles, les catéchismes. Insensible aux larmes du cardinal légat, le Premier Consul avait en outre imposé l'entrée de douze prélats constitutionnels dans le corps épiscopal. Enfin, le culte protestant était reconnu lui aussi, doté d'un statut et rémunéré... Inspirées par Talleyrand et Fouché, ces mesures empreintes de tolérance devaient vaincre, à leur avis, les dernières répugnances de l'opinion et des assemblées.

Même après l'exclusion des opposants ces répugnances subsistaient, puisqu'au Tribunat — convoqué en session extraordinaire le 15 germinal (5 avril) — sept voix sur soixante-dix-huit se prononcèrent contre le projet du Concordat et celui des Articles organiques ; le Corps législatif ne les adopta que par deux cent vingt-huit voix sur trois cents, la différence comprenant vingt et un suffrages hostiles et cinquante et une abstentions : chiffres relativement importants au regard de la prétention du Premier Consul qui venait de demander un vote unanime à la députation du Corps législatif venue le saluer ; mais certainement pas inexplicables si l'on songe à l'énormité de l'événement.

Elle apparut bientôt cette énormité ou si l'on préfère cette grandeur, elle éclata le 18 avril 1802, jour de Pâques, avec le tonnerre de soixante coups de canon saluant Bonaparte à sa sortie des Tuileries. Les cloches sonnent à toute volée, un fastueux cortège s'ébranle de carrosses à huit, six ou quatre chevaux, Consuls, corps de l'Etat, ministres, ambassadeurs, dames de la cour, laquais en livrées d'Ancien Régime, escortes caracolantes, dragons, hussards, mamelucks, grenadiers, entre des haies de badauds enthousiastes, massés depuis le palais, tout un fleuve de chamarrure, d'orgueil et de force s'écoule vers la cathédrale, vers le *Te Deum*. Sous le porche trente évêques attendent avec l'archevêque qui, à l'arrivée du Premier Consul, va lui présenter l'eau bénite. Les clairons sonnent, Bonaparte vêtu de rouge, gagne sa place sous un dais, les musiques militaires se déchaînent et les grondements des orgues. Lente et majestueuse la cérémonie se déroule jusqu'au moment de l'élévation : alors dans un cliquetis de présentez-armes, un roulement de tambour couvre les paroles sacramentelles ; fracassant hommage à l'éternelle présence de celui qui était venu annoncer le règne de Dieu dans l'humilité, la fraternité, la douceur : « Mon royaume n'est pas de ce monde... Rentre ton épée dans le fourreau »... Soyons justes : ce *Te Deum* célébrait aussi le retour de la paix.

Et l'assistance, qu'en pensait-elle ? Juste derrière Bonaparte, il y avait Talleyrand et Fouché, l'évêque et l'oratorien, sur des prie-Dieu rutilants. Ceux-là se levaient et s'agenouillaient quand il le fallait et même s'il leur arrivait d'échanger un clin d'œil, ils se regardaient certainement sans rire et sans se pousser du coude. Les sénateurs, les membres du Corps législatif et du Tribunat (épurés) savaient aussi se tenir. Mais en arrière et dans les bas-côtés s'entassaient des généraux irrévérencieux, tapageurs, indécents, grossiers. Berthier les avait pour ainsi dire amenés de force. C'est en vain qu'Augereau, député par ses camarades, était venu faire part au Premier Consul de leur peu d'ardeur à figurer dans cet exercice de dévotion : le recevant en présence de ses ministres, Bonaparte l'avait invité à obéir sans discuter. Il y eut pourtant une absence remarquée, celle de Moreau : pendant le *Te Deum* il se promena un cigare aux lèvres sur la terrasse des Tuileries.

Une autre personnalité notoire bouda aussi le spectacle, M™ de Staël : « Je m'étais enfermée dans ma maison pour ne pas voir cet odieux spectacle ; mais j'y entendais les coups de canon qui célébraient la servitude du peuple français... »

Le soir, le Premier Consul mécontent de l'attitude de ses généraux, leur demanda :

— N'est-il pas vrai qu'aujourd'hui tout paraissait rétabli dans l'ancien ordre ?

— Oui, mon général, répondit le général Delmas, c'était une belle capucinade ; il n'y manquait que les cent mille hommes qui se sont fait tuer pour détruire ce que vous rétablissez (1).

Quelques jours encore, nous le verrons, et Delmas qui va encore faire parler de lui sera arrêté.

**

Ni les grognements des soldats de l'an II, ni l'indignation muette des libéraux devant la « répétition habillée du couronnement » (2) ne pouvaient inquiéter beaucoup Bonaparte. Sans parler du peuple dépolitisé ou plutôt gagné à sa politique, celui des campagnes en particulier, l'appui d'un secteur non négligeable de l'opinion était acquis au Premier Consul : les royalistes satisfaits de la restauration de la religion et d'une autorité quasi-monarchique, compensant jusqu'à un certain point l'exil des Bourbons.

Ce sentiment, le *Génie du Christianisme*, paru depuis peu, le traduisit et l'amplifia. Aucun livre ne devait mieux servir les desseins du dictateur : il se le faisait lire le soir par sa belle-fille Hortense, il en fit rendre compte dans le *Moniteur* par Fontanes. Cet ouvrage d'apologétique était un acte politique aussi, une attaque directe contre les adversaires de Bonaparte, une provocation. Chateaubriand ne tendait à rien moins qu'à réfuter, confondre, refouler l'irrésistible mouvement philosophique qui avait engendré la Révolution. Mais les défenseurs de l'idée de progrès, les *idéologues*, n'étaient pas disposés à battre en retraite. Dans trois articles de la *Décade* (19 juin au 10 juillet 1802) Ginguené lança une contre-attaque éloquente et vigoureuse. A en croire l'auteur du

(1) Selon Bourrienne, c'est Augereau qui serait l'auteur de cette réponse.
(2) Le mot est de Mme de Staël. La Fayette, on va le voir, en dit un du même genre au Premier Consul.

Génie, les prodigieuses victoires des armées de la République n'avaient été remportées, en réalité, que par « des paysans chrétiens, de braves officiers qui avaient pratiqué toute leur vie les devoirs de la religion » alors que les « grands esprits » incrédules s'étaient tenus à l'écart des combats. Rendant coup pour coup, Ginguené répliqua qu'au moins ils n'avaient pas déserté leur patrie pour aller « rêver et faire des romans sur les Apalaches ou aux bords du Meschacebé » ; songeant à ses amis Girondins et à Condorcet, il rappela les proscriptions terribles auxquelles ils s'exposaient et qui « en moissonnèrent un plus grand nombre que le fer des Autrichiens et des Russes » ; il rétablit la vérité quant à l'idéal des volontaires de 92 :

« ... cette jeunesse valeureuse qui sortit en foule de nos villes, porta dans les camps français une fleur de talents, de connaissances, d'idées philosophiques et de sentiments élevés qui ne s'est jamais vue dans aucune armée du monde ; et c'est ce qui, joint à ce grand nom de la République et à cet amour pour la liberté, exalté jusqu'à l'enthousiasme, les rendit capables de ces exploits qui ont étonné la terre.

« ... Il n'y a rien là, je pense, qui appelle ou qui justifie le sarcasme et la dérision. »

Riposte d'autant plus ressentie par Chateaubriand que, plus jeune et attiré par les « idées nouvelles », il avait jadis fréquenté Ginguené breton comme lui, et plus ou moins subi son influence (1).

Huit jours après le *Te Deum* de Notre-Dame, intervint l'amnistie aux émigrés (qui accepteraient de prêter serment à la Constitution) ; elle allait déterminer leur retour en masse et accentuer le ralliement de la droite. Humaine en soi, cette mesure contribuait à raffermir la paix intérieure, la cohésion nationale, elle répondait à une préoccupation sincère du Premier Consul ; toutefois, elle était prise par un sénatus-consulte et donc indépendamment des assemblées législatives, sans égard pour la Constitution : comme les déportations après l'attentat de nivôse, comme l'épuration.

---

(1) Il lui devait même quelque reconnaissance, *Les Mémoires d'Outre-Tombe* (T. I) en font foi : « Mme Ginguené prévint mes sœurs et ma femme du massacre qui devait avoir lieu aux Carmes, et leur donna asile : elles demeuraient *cul-de-sac Férou,* dans le voisinage du lieu où l'on devait égorger. »

Il n'en fut pas de même pour la réorganisation de l'Instruction publique et l'institution de la Légion d'honneur qui furent votées respectivement les 1ᵉʳ et 19 mai 1802.

Cette loi de l'an X relative à l'Instruction publique ne réalisait pas encore le système conçu par Bonaparte et sur lequel nous reviendrons ; mais elle en faisait apparaître nettement déjà les tendances : sacrifier l'instruction primaire et même l'instruction supérieure à l'instruction secondaire, une instruction secondaire destinée à former des cadres disciplinés. C'était le contre-pied des vastes projets élaborés sous la Révolution par les Condorcet et autres, l'abandon des réalisations commencées sous le Directoire par des maîtres qu'inspirait l'esprit des Idéologues, la suppression des écoles centrales et leur remplacement par des lycées, lycées d'où l'histoire et la philosophie, matières subversives, étaient bannies. La *Gazette de France* du 28 avril 1802 annonçait que les professeurs se consacreraient à leur enseignement dont ils avaient été trop distraits par la *politique*. Mais les violons n'étaient pas très bien accordés : « L'institution qu'on vous propose, disait Roederer au Corps législatif, est aussi une institution *politique* ».

Ce qui mesure la dégradation intellectuelle des assemblées « écrémées », ce sont les majorités considérables par lesquelles elles approuvèrent une « réforme » qui abandonnait le peuple à l'analphabétisme tout en abaissant la culture de la bourgeoisie. Le temps des « conquêtes sur l'ignorance » était déjà loin.

La création de la Légion d'honneur, en revanche, rencontra de véhémentes objections, même au Conseil d'Etat où le projet n'obtint que quatre voix de majorité. Au Tribunat, il y eut 56 pour, 38 contre ; au Corps législatif 166 et 110. Tant de votes négatifs n'exprimaient pas de l'hostilité au régime ; ils traduisaient l'inquiétude d'anciens révolutionnaires qui, certes, avaient fait leur deuil de la liberté, mais redoutaient l'abandon du principe d'égalité, le retour aux préjugés nobiliaires. Ce sentiment était encore plus vif, naturellement, dans les milieux de l'opposition. Ecrivant à Benjamin Constant, Julie Talma se montre indignée : « On dit qu'on ne veut plus employer de roturiers dans les places distinguées. Les prétendus tribuns et les prétendus législateurs ont décrété la Légion d'honneur, ils ont perdu le droit de se fâcher. Ils ont prouvé qu'une caste ou des privilèges ne leur étaient plus odieux » (1).

En se faisant le dispensateur du ruban rouge (2) pour récompenser les dévouements à l'intérêt national, Bonaparte ne tenait-il pas aussi à recruter une légion de serviteurs étroitement *dépendants* de lui ? Les statuts de cette légion, il est vrai, stipulaient que ses membres devraient jurer « de se dévouer au service de la République », « de combattre (...) toute entreprise tendant à rétablir le régime féodal », « de concourir (...) *au maintien de la liberté et de l'égalité.* »

Ce fut la justification officielle. Il y en eut une autre, à l'usage du Conseil d'Etat. Répliquant à l'incorrigible Truguet, le Premier Consul s'écria : « On appelle cela des hochets, eh bien ! c'est avec des hochets que l'on mène les hommes. Je ne dirais pas cela à une tribune, mais [ici] on doit tout dire. *Je ne crois pas que le peuple français aime la liberté et l'égalité.* Ils n'ont pas été changés par dix ans de révolution (...) Voyez comme le peuple se prosterne devant les crachats des étrangers ! »

***

C'est le lendemain du vote de la Légion d'honneur, le 20 mai, que fut adoptée la loi rétablissant l'esclavage (3). Inutile d'y revenir, sauf pour en préciser les termes :

« Art. 1ᵉʳ. — Dans les colonies restituées à la France en exécution du traité d'Amiens du 6 germinal an X, l'esclavage sera maintenu conformément aux lois et règlements antérieurs à 89.

« Art. 2. — Il en sera de même dans les autres colonies françaises au-delà du Cap de Bonne Espérance...

(1) Cité par L. Madelin : *Le Consulat.*

(2) La loi créant la décoration ne fut promulguée que deux ans plus tard, le 3 juin 1804 ; sous sa forme première, le projet n'instituait que la qualité de légionnaire.

(3) « Loi du 30 Floréal an X relative à la traite des Noirs et au régime des colonies. » Elle figure dans le *Bulletin des Lois de la République*, n° 192, aussitôt après celle du 29 Floréal qui porte « création d'une Légion d'Honneur ».

« Art. 3. — La traite des noirs et leur importation dans les dites colonies auront lieu conformément aux lois existant avant ladite époque de 89. »

On comprend la discrétion sur ce point des historiens par ailleurs si prolixes quant aux fameuses « masses de granit », bases d'une France nouvelle alors posées par le génie constructeur de Napoléon... Riche d'événements, à coup sûr, ce mois de mai 1802 vit également s'accomplir ou presque, avec le Consulat à vie, l'opération de longue haleine commencée en brumaire.

L'affaire fut menée du 6 au 14, à partir d'une motion votée par le Tribunat. La ratification du traité d'Amiens lui étant présentée, cette assemblée au zèle désormais inconditionnel invita le Sénat « à donner aux Consuls un témoignage de la reconnaissance nationale » ; puis il envoya une députation aux Tuileries, une autre au Luxembourg.

Bonaparte feignit de ne pas comprendre : « Je ne désire d'autre gloire, déclara-t-il aux délégués du Tribunat, que celle d'avoir rempli tout entière la tâche qui m'était imposée. Je n'ambitionne d'autre récompense que l'affection de mes concitoyens ; (...) la mort même n'aura point d'amertume pour moi, si mes derniers regards peuvent voir le bonheur de la République aussi assuré que sa gloire. » Auprès des sénateurs aussi qui accouraient s'informer au palais — « Que veut le général ? Veut-il être roi ? Qu'il le dise... nous sommes tout prêts » — Bonaparte jouait le plus entier détachement, tout en leur faisant donner l'avis par Cambacérès que le Consulat à vie s'imposait.

Alors le Sénat, affectant de prendre cette modestie au sérieux, ne vota au Premier Consul qu'une prorogation de pouvoirs de dix ans. Non que l'assemblée du Luxembourg se montrât beaucoup plus résistante que par le passé. Mais l'impatience du jeune général ne laissait pas d'y éveiller des inquiétudes, d'y créer du flottement. Fouché, pour sa part, avait confirmé que le Premier Consul serait certainement satisfait de la prorogation de dix ans. La minorité républicaine s'était efforcée d'en persuader la majorité ; et certains de ses membres se montraient outrés par l'ambition de Bonaparte, en particulier Lanjuinais : Comment les Français sont-ils assez lâches, disait-il, pour accepter un tel maître, un individu d'une nation dont les Romains ne voulaient même pas pour esclaves ! Lefebvre, indigné, se serait alors jeté sur Lanjuinais l'épée à la main (1).

L'intervention décisive avant le vote (18 floréal, 8 mai) fut celle de Garat. Protestant violemment contre le principe du Consulat à vie défendu par certains, il avait cependant eu l'habileté, pour rassembler une opposition unanime contre le dessein de Bonaparte, de préconiser le compromis des dix ans. Un appui inattendu lui vint de Tronchet : le vieux juriste si dévoué au Premier Consul pour la rédaction du Code civil, trouva qu'il en demandait trop : « C'est un jeune homme ; il commence comme César et finira comme lui ; je lui entends dire trop souvent qu'il montera à cheval et tirera l'épée... » Après quarante-huit heures de délibérations, c'est par soixante voix contre une, celle de Lanjuinais l'irréductible, que fut votée la résolution prorogeant de dix ans les pouvoirs du Premier Consul. La majorité croyait bien faire. Les libéraux savaient qu'ils infligeaient un échec à Bonaparte.

Il fut en effet furieux, mais leur opposa une parade suggérée par Cambacérès : refusant l'offre du Sénat, il déclara qu'investi de la suprême magistrature par le suffrage du peuple, seule la confiance du peuple pourrait l'y retenir : « Vous jugez que je dois au peuple un nouveau sacrifice : je le ferai si le vœu du peuple me commande ce que votre suffrage autorise. »

Alors le Conseil d'Etat prit le relai du Sénat en l'occurrence insuffisamment maniable, et le 20 floréal (10 mai 1802) arrêta que deux questions seraient posées au peuple :

1° Napoléon Bonaparte sera-t-il Consul à vie ?

2° Aura-t-il la faculté de désigner son successeur ?

Bonaparte biffa la seconde (due à Roederer) ; la première, seule, parut le lendemain dans le *Moniteur,* avec l'avis que des registres seraient ouverts dans toutes les mairies, aux greffes et chez les notaires. Comme en l'an VIII, il s'agissait donc d'un plébiscite public : impossible de voter contre sans s'exposer aux représailles du pouvoir. Ceci dit, s'il faut en croire Aulard, il n'y eut guère de pression ; il n'en était pas

(1) L'anecdote est incertaine, comme bien d'autres, d'autant plus que les procès-verbaux du Sénat à cette date sont incomplets ou corrigés (A. Gobert).

besoin pour obtenir une masse de suffrages favorables ; le
peuple était bien loin de voir en Bonaparte un tyran. Les
opérations durèrent près de trois mois ; le 2 août 1802, le
Sénat, chargé du recensement, rendit un sénatus-consulte
commençant ainsi : « Le peuple français nomme et le Sénat
proclame Napoléon Bonaparte Premier Consul à vie. » Il y
avait eu 3 568 885 suffrages favorables ; seuls, 8 374 Français
osèrent voter ouvertement *non*.

Deux d'entre eux portaient un nom illustre : Carnot,
La Fayette. En marge de son vote négatif, sur le registre du
Tribunat, l'organisateur de la victoire écrivit : « Dussé-je
signer ma proscription, rien ne m'obligera à déguiser mes
sentiments. » Et La Fayette, de son côté : « Je ne puis voter
pour une telle magistrature jusqu'à ce que la liberté publique
soit suffisamment garantie ; alors je donnerai ma voix à
Napoléon Bonaparte. » En outre, il prit soin d'écrire une
longue lettre exposant les motifs de son refus au Premier
Consul et la lui fit remettre en mains propres.

Si le rôle joué en 1792 par le volontaire français de la
Révolution d'Amérique n'a pas ajouté à sa gloire, il resta
du moins fidèle à sa propre conception de la liberté. Quand
Bonaparte rentra d'Egypte, La Fayette non plus prisonnier
des Autrichiens, mais encore proscrit, lui écrivit pour le
féliciter et ne reçut pas de réponse. En 1800, las d'être exilé,
il lui écrivit encore, pour l'informer qu'il rentrait. D'abord
très mécontent, le Premier Consul préféra l'ignorer ; il
interdit même à Fontanes de prononcer son nom dans l'éloge
de Washington ; Bonaparte jugeait-il sa propre grandeur
menacée par le rappel d'un des gestes les plus nobles de
l'histoire de France ? ... Après Marengo, Lebrun lui présenta
La Fayette aux Tuileries et cette fois il crut bon de se
montrer aimable. Les deux hommes se revirent chez Joseph
à Mortefontaine. « Vous avez dû trouver les Français bien
refroidis par la liberté, lui dit Bonaparte, les boutiquiers
de Paris n'en veulent plus. » La Fayette lui répondit qu'ils
étaient en état de la recevoir, au contraire, et qu'ils l'attendaient de lui.

Néanmoins, le Premier Consul souhaita se l'attacher en
lui faisant offrir un siège au Sénat par Cabanis — Cabanis
qui alors n'avait pas encore rompu avec Bonaparte et qui
espérait évidemment renforcer le petit groupe libéral du

Luxembourg : « La première proposition que je reçus, a raconté La Fayette, fut honorable et séduisante. M. Cabanis à qui son esprit supérieur et son ardent républicanisme donnaient sur moi de grands droits, n'y avait pas encore joint ceux de l'amitié. » La Fayette déclina la proposition : il eût pris aussitôt une attitude que le gouvernement eût taxée d'« insurrection » et qui aurait mis ses amis dans l'embarras. Son interlocuteur le comprit : « M. Cabanis m'écouta avec une bienveillance qui n'a pas peu contribué à notre intime liaison... »

Retiré en Brie dans son château de La Grange, une espèce de Combourg caché dans les arbres, abri rêvé pour une solitude dédaigneuse, La Fayette allait s'abstenir de manifestations politiques ; mais il ne se gênait pas pour désapprouver devant ses visiteurs le gouvernement consulaire. De temps en temps il allait voir Bonaparte pour lui demander des radiations de la liste des émigrés. Un jour, le Premier Consul lui parla de ses projets de Concordat : « Avouez, lui répondit La Fayette, que cela n'a d'autre objet que de vous faire casser la petite fiole sur la tête. » Après le traité d'Amiens, ils eurent une longue conversation :

— Lord Cornwallis prétend que vous n'êtes pas encore corrigé.

— De quoi ? répliqua vivement le héros des Deux-Mondes. Est-ce d'aimer la liberté ?

La discussion s'anima. Bonaparte, pour la seconde fois, lui avait offert en vain un siège de sénateur ; il lui reprocha son obstination à ne pas se rallier.

— Que puis-je faire de mieux ? répondit La Fayette. J'habite la campagne, je vis dans la retraite, j'évite les occasions de parler ; mais toutes les fois qu'on viendra me demander si votre régime est conforme à mes idées de liberté, je répondrai que non ; car enfin, général, je veux bien être prudent, mais je ne veux pas être renégat.

Et il tint parole. Jusqu'en 1814 il devait rester à La Grange, sans rien tenter contre le pouvoir, mais sans rien en solliciter. Dès l'époque du Consulat à vie, il avait mis fin à ses rapports avec Bonaparte. Sur son vote négatif, il s'expliqua dans ses *Mémoires*, donnant au passage, sur l'état d'esprit de l'armée, une indication qui ne manque pas d'intérêt : « Il y eut dans les troupes qu'on imagina de consulter un assez grand nombre de refus, puni bientôt par des destitutions et l'envoi mortel à Saint-Domingue. » ... Quant à sa lettre d'alors au Premier Consul, on aimerait la voir émerger de l'oubli comme un exemple de dignité et de sens civique :

« ... le 18 brumaire sauva la France (...) On vit depuis dans le pouvoir consulaire cette dictature réparatrice qui, sous les auspices de votre génie, a fait de si grandes choses, moins grandes cependant que ne le sera la restauration de la liberté.

« Il est impossible que vous, mon général (...) vouliez qu'une telle révolution, tant de victoires et tant de sang, de douleurs et de prodiges, n'aient pour le monde et pour vous d'autre résultat qu'un régime arbitraire. Le peuple français a trop connu ses droits pour les avoir oubliés sans retour... »

En inscrivant son refus, La Fayette n'éveilla pas de grands échos ; il fut cependant imité par son ancien lieutenant Latour-Maubourg qui réclama la liberté de la presse comme condition préalable à son adhésion.

*
**

Le 15 thermidor an X (3 août 1802), le Sénat se transporta aux Tuileries pour présenter les résultats du plébiscite et le sénatus-consulte au Premier Consul, en présence de tout le corps diplomatique. « Sénateurs, répondit-il, la vie d'un citoyen est à sa patrie. Le peuple français veut que la mienne tout entière lui soit consacrée. J'obéis à sa volonté. En me donnant un nouveau gage, un gage permanent de sa confiance, il m'impose le devoir d'étayer le système de ses lois sur des institutions prévoyantes... »

Pour s'acquitter de ce devoir, le docile serviteur du peuple français ne perdit pas un instant. Dès le lendemain il faisait approuver par le Conseil d'Etat et homologuer sous forme de sénatus-consulte des modifications qu'il avait décidé d'apporter à la Constitution de l'an VIII. La plus importante lui donnait le droit de désigner son successeur. Quant aux autres innovations de cette nouvelle Constitution dite de l'an X, elles éliminaient les dernières traces de démocratie de cette République : remplacement des listes de notabilité par des collèges électoraux dont les présidents viendraient de Paris, réduction à cinquante des membres du Tribunat divisé en sections délibérant à huit clos, réduction des attributions du Conseil d'Etat, création d'un conseil privé lequel connaîtrait des traités de paix à la place des assemblées législatives, accroissement exorbitant des pouvoirs du Sénat qui, par des sénatus-consultes pris sur l'initiative du gouvernement, pourrait modifier la Constitution, la suspendre, dissoudre le Tribunat et le Corps législatif, casser les arrêts des tribunaux. Enfin le Premier Consul recevait la faculté de désigner soixante nouveaux sénateurs pour porter leur nombre total à cent vingt ; et la création, quelques mois plus tard, de prébendes appelées « sénatoreries », agrémentées de riches dotations en argent, terres et domaines nationaux, allait surexciter les vertus de dévouement et d'émulation au sein de l'assemblée du Luxembourg.

Contre la nouvelle Constitution, aucune protestation parlementaire n'était désormais possible ; et les résultats écrasants du plébiscite avaient brisé la velléité de résistance du Sénat. Tout au plus peut-on faire état d'actes sporadiques d'opposition : Garat, Lanjuinais, Lambrechts ; d'abstentions : Sieyès, Volney, Cabanis, Destutt de Tracy... toujours les mêmes noms. D'autre part, quelques conseillers d'Etat partisans du Consulat à vie avaient espéré obtenir, en contrepartie de ce renforcement de l'exécutif, le rétablissement de certaines garanties, de certains contrôles. Ce fut le cas de Thibaudeau et aussi de Roederer lequel « piétinant dans l'idée d'un consulat républicain » (1) n'arrivait pas à se mettre au pas. Cette complaisance pour l'idéologie n'était plus de mise. En mars 1802, Bonaparte avait confié à Roederer la « Direction de l'esprit public » c'est-à-dire l'Instruction publique et les théâtres ; en septembre il lui retira ce ministère ainsi que sa présidence de section au Conseil d'Etat et le nomma sénateur en guise de compensation :

— Nous vous avons placé entre les pères conscrits.

— Oui, vous m'avez envoyé *ad patres*.

L'établissement définitif de l'autocratie, en cet été 1802, ne provoqua-t-il que quelques refus, obligatoirement silencieux, et quelques timides réserves ? Grâce aux fissures qui existaient encore dans le système de censure des écrits,

---

(1) Octave Aubry : préface aux *Mémoires* de Roederer.

deux ou trois autres protestations purent se faire jour, sous forme de livres.

D'abord *Vrai sens du vote national sur le Consulat à vie*, brochure anonyme qu'on savait due à Camille Jordan, ancien député aux Cinq-Cents et proscrit de Fructidor, revenu après Brumaire. Jordan rendait hommage au génie de Bonaparte, il ne marchandait pas ses louanges au glorieux vainqueur « assis au sommet de sa puissance » ; il avait voté pour le Consulat à vie, oui. Mais jusque-là, pas plus loin. Indigné par les projets qu'on prête au dictateur, il rejette violemment le principe de l'hérédité, refuse de se « lier à un successeur inconnu » :

« ... nous remettre ainsi avec notre postérité à la merci de quelque successeur de Bonaparte » qui nous traînera dans des guerres insensées, « qui étendra sur cette terre (...) la double nuit de la superstition et du despotisme (...) Ah ! tout le sang se révolte à cette horrible image ; et il n'est pas un Français digne de ce nom qui sans doute alors ne s'écrie dans la noble langue de ces députés des Cortès instituant un roi : « *Nous qui sommes plus que vous, si vous signez cette charte, nous vous donnerons ce sceptre ; sinon, non.* »

Avec autant de véhémence, il s'élève contre l'adoption du titre d'Empereur, dont il est déjà question, paraît-il :

« Quoi encore ! donner à notre chef un titre dont l'origine fut toute militaire, dont la continuation fut toute féodale, qui fut de siècle en siècle un signe d'autorité despotique, qui règne encore au Mogol, à Maroc (...) Voir ainsi un féodal Empereur des Gaules en tête de la charte libre, des généreux Francs... »

Et la charte, justement, le rappel des revendications fondamentales, Jordan l'insérait dans son pamphlet. Il réclamait la liberté de la presse, la pleine représentation de l'opinion publique dans les assemblées législatives, l'indépendance de la justice, la limitation du pouvoir des prêtres, en un mot l'ensemble des garanties proclamées par les Constituants de 89 et accordées effectivement par la monarchie anglaise ; il invitait le Premier Consul à poser lui-même une limite à son immense pouvoir, à n'en user que « pour améliorer les destinées de l'espèce humaine », à « mener sans crainte avec le simple lien des lois populaires une grande nation dans les voies brillantes tracées par les lumières du siècle... »

A l'appui de sa remontrance, l'auteur avait cité les hautaines traditions espagnoles ; une discrète évocation de l'Angleterre sous Charles 1ᵉʳ lui permit encore de rappeler qu'il faut compter, parfois, avec la volonté populaire :

« Voilà ce que le peuple français désire (...) voilà ces fruits de la liberté (...) et dites-vous bien que plus nous nous éloignons des jours de meurtre et de feu, plus ce sentiment primitif se réveille dans les cœurs, plus il va s'exprimer avec énergie... »

Imprimée en juillet, la brochure fut aussitôt saisie, naturellement, et Bonaparte s'en expliqua au Conseil d'Etat : la revendication de la liberté de la presse, surtout, le mettait hors de lui : « La Fayette et Latour-Maubourg m'ont écrit qu'ils diraient oui, à condition que la liberté de la presse serait rétablie. Que peut-on espérer de ces hommes qui sont toujours à cheval sur leur métaphysique de 1789 ? »

Une réimpression et une diffusion clandestines empêchèrent le petit livre de passer inaperçu. Benjamin Constant écrivit à Fauriel que la nouvelle édition était distribuée dans tout Paris. Mᵐᵉ de Staël qui avait poussé Jordan à l'écrire comptait ainsi préparer l'opinion publique à la publication d'un ouvrage plus important dont elle était également l'inspiratrice : *Dernières vues de politique et de finances de M. Necker*, qui parut effectivement dans la première quinzaine d'août.

L'ancien Directeur général des finances de Louis XVI s'en était laissé persuader par sa fille, il se croyait encore une autorité suffisante pour être écouté de la France et de Bonaparte. Commençant par un hommage rituel à « l'homme nécessaire », il se permettait ensuite de sévères critiques contre la Constitution de l'an VIII, l'impuissance des assemblées, l'omnipotence du Premier Consul ; il reprenait les thèmes de *De la littérature* sur le despotisme militaire, contestait que le régime fût une République, demandait une nouvelle Constitution « parfaite pour l'ordre, et bonne aussi pour la liberté ». Et s'il écartait comme impraticable la fondation d'une dynastie par Bonaparte, il n'en soulevait pas moins cette question, jetant une lumière intempestive sur l'ambition, encore tenue secrète, du dictateur.

Naïvement, Necker avait envoyé ses *Dernières vues* à Lebrun pour qu'il en fît hommage au Premier Consul. Inutile de dire que celui-ci dicta au Troisième Consul une réponse peu encourageante. Le livre, au demeurant, fut peu lu. Quel bruit pouvait-il faire au milieu des acclamations et illuminations de la mi-août, anniversaire de Bonaparte et nouvelle fête nationale ? Contre les adresses de félicitations spontanées ou provoquées qui affluaient à Paris de toute la France une fois de plus, que pouvait l'ouvrage du vieux ministre oublié ? Il eut cependant un résultat : « Jamais, s'écria le Premier Consul, jamais la fille de M. Necker ne rentrera à Paris ! »... Interdiction qui allait être renouvelée en décembre, la publication de *Delphine* provoquant un nouvel accès de fureur de Bonaparte.

En s'attaquant à son premier grand roman, Mme de Staël s'était promis de ne pas en faire un roman politique : elle avait placé son action dans une histoire récente (1792), non dans l'actualité immédiate. Mais *Delphine*, roman de critique sociale et manifeste anticonformiste, battait en brèche la rigidité hypocrite du statut moral imposé à la femme, et il s'indignait en fait de l'état d'infériorité, de subordination, auquel le Premier Consul entendait la ramener après les dévergondages du Directoire. D'où le courroux de Bonaparte exaspéré par le considérable succès du livre en France et à l'étranger. Huit mois après la ratification du Concordat, cette satanée femme de lettres venait tout compliquer, tout gâcher. Ce roman « vagabondage d'imagination, désordre d'esprit, métaphysique du sentiment », idéologie pour tout dire, exaltait la liberté de penser et de vivre, admirait les Anglais, prenait la défense du divorce : de quoi donner un haut-le-cœur au vertueux général qui interdisait à Joséphine de recevoir une Mme Tallien, une Mme Grant. Et Lebensei, ce gentilhomme protestant élevé à Cambridge — on reconnaissait aisément en lui Benjamin Constant — parlait en adversaire de la religion catholique. Et par-dessus le marché tout le livre prônait l'idéal des Lumières. C'en était trop. Bonaparte écrivit lui-même un article (anonyme) pour les *Débats*, dénonçant les principes « très faux, très antisociaux, très dangereux » de *Delphine ;* il en fit faire d'autres, blessants, brutaux et grossiers ; il empêcha la vente du livre à la Foire de Leipzig ; quant à son auteur il déclara : « J'espère que les amis de Mme de Staël l'ont avisée de ne pas venir à Paris ; je serais obligé de la faire reconduire à la frontière par la gendarmerie. »

Autre élément à la charge de Mme de Staël : au lieu de placer un hommage au Premier Consul en tête de l'ouvrage, elle annonçait dans sa préface que l'accueil officiel lui serait indifférent : « la France silencieuse mais éclairée » était le public qu'elle s'était choisi.

*
**

La maréchaussée alertée contre un retour offensif de Germaine de Staël, on voit mal ce que l'Idéophobe, à la fin de 1802, pouvait encore redouter des « chevaliers de la métaphysique », des anciens habitués d'Auteuil, des Idéologues. Ceux du Luxembourg n'étaient qu'une poignée, leurs déclarations étouffées, leurs votes ne faisaient pas le poids. Ceux du Palais-Royal en avaient été chassés. Les uns et les autres se trouvaient privés d'exprimer à la tribune ou par écrit, d'échanger, même, des opinions indépendantes.

Ces représentants de la France éclairée mais silencieuse disposaient pourtant encore d'un abri : l'Institut, plus précisément sa seconde classe, celle des Sciences Morales et Politiques. Ils y étaient chez eux, puisque la fondation en était due à Daunou. Dernier foyer d'une philosophie qui avait illuminé l'Europe, dernier refuge en France de la liberté de l'esprit ; le respect y était assuré à la contradiction, la parole au non-conformisme : on y avait vu attaquer à fond Locke et l'Encyclopédie sans que personne se permît une interruption. Et la *Décade*, son organe, n'avait-elle pas approuvé qu'on effaçât des églises les inscriptions offensantes pour les catholiques ? Et préféré la célébration de la naissance de la République à celle de la mort du roi ? N'y avait-on pas toujours défendu les vrais principes de la Révolution et contre les folies sanglantes de Marat et de Robespierre et contre les gens d'ancien régime qui ne voyaient en elle que crime et massacre ? Ces idéologues des Sciences morales et politiques, le pays ne leur devait-il pas le Museum, l'Ecole des Langues orientales, les Ecoles de Santé, l'Ecole Polytechnique, les écoles centrales ?

Le 3 pluviôse an XI (23 janvier 1803), Bonaparte supprima la seconde classe de l'Institut et « déporta » ou si l'on préfère dispersa ses membres dans les autres classes (1).

La salle où l'intelligence française tenait ses assises est fermée. Le foyer des lumières du XVIIIᵉ siècle est mis sous le boisseau avec la raison et la réflexion, les valeurs humaines, la conscience. Aucune parole, aucune pensée ne prévaudront plus contre le règne de l'arbitraire, contre les impulsions de la démesure et le déferlement de la violence.

(1) Ainsi réorganisé, l'Institut comporta quatre classes :
1. Sciences physiques et mathématiques.
2. Langue et littérature française.
3. Histoire et littératures anciennes.
4. Beaux-Arts.

Les trois premières absorbèrent les membres des Sciences morales : Grégoire, par exemple, fut versé à la classe d'histoire et de littérature anciennes (arrêté du 8 pluviôse). Autrement dit, tous les membres de l'Institut furent conservés dans la nouvelle organisation ; mais le nombre de places fut augmenté pour admettre les anciens académiciens, ce qui était un des buts de l'opération (Thibaudeau). Le nombre des membres de la 2ᵉ classe fut fixé à quarante : l'Académie française se trouvait ainsi reconstituée tout en gardant pour quelques années le nom de classe de Langue et littérature française.

CHAPITRE VI

CÉSAR ET POMPÉE

L'Institut est mis hors d'état de nuire, les assemblées sont épurées, les journaux d'opinion supprimés. La police est partout, voit tout, entend tout. Elle peut faire des rapports optimistes sur l'état d'esprit du bon peuple. Cette ferveur de la nation va être rendue plus ardente encore, le culte du héros s'organise à travers le culte de Dieu. Les évêques et les curés étant intégrés à l'immense machinerie du pouvoir avec les préfets et les gendarmes, le Consul à vie dispose d'un formidable appareil de mobilisation des consciences. En mars 1803 une loi prescrira que soient frappées sur les monnaies la vieille devise monarchique « Dieu protège la France » et l'effigie de Napoléon Bonaparte. N'y a-t-il plus qu'à courber la tête, subir en silence l'asservissement de la République par celui qui avait la charge de la sauver ? Quel espoir reste-t-il à la Liberté trahie, sinon le recours à un soulèvement militaire ? Mais en l'an X de ce calendrier qui approche de son terme, reste-t-il des soldats républicains ?

Entre les opposants des assemblées et ceux de l'armée, des communications s'étaient établies de bonne heure. Dès l'époque des débats sur les tribunaux spéciaux, des tribuns de la minorité, Ginguené, Chénier, avaient pris contact avec des généraux mécontents. Si la plupart des camarades de Bonaparte l'avaient chaudement approuvé de balayer le régime des « avocats », son ascension vers le pouvoir suprême en avait indisposé beaucoup et surtout la hauteur, la distance, qu'il prenait par rapport à eux. La paix avait multiplié le nombre des généraux désœuvrés qui déblatéraient contre le « sultan Bonaparte » ; le Concordat, on l'a vu, allait encore alimenter leur irritation. Aussi, dès le début de 1801, le Premier Consul avait-il entrepris une rigoureuse épuration de l'armée. L'envoi, pour ne pas dire la déportation, à Saint-Domingue, de forts contingents provenant d'Allemagne, écartait le danger d'une révolte, mais le malaise subsistait.

Sourde et tenace, l'agitation s'aggrava au printemps 1802, toujours sous l'effet du fameux *Te Deum*, et aussi du Consulat à vie qui était dans l'air. Elle se traduisit par un mouvement vaste et diffus dit le « complot des généraux » et dans lequel ne furent d'abord impliqués que des officiers de second plan.

Le 25 avril, le général Oudinot reçoit à dîner dans sa villa de Polangis, près de Saint-Maur (1). Il y a là plusieurs autres généraux — Dupont, Marmont, Delmas qui huit jours plus tôt a témoigné sa mauvaise humeur à Bonaparte — et des officiers supérieurs dont le colonel Fournier (Sarlovèze), mauvaise tête et brillant houzard ; ce sabreur qui avait achevé la déroute des Autrichiens à Marengo est aussi de première force au pistolet... On boit, on s'échauffe, on se grise de fanfaronnades ; inquiet, Oudinot invite Delmas à la prudence : « Tu vas te faire déporter ! » « Dans ce cas, s'écrie Fournier, je me charge d'abattre Bonaparte à cinquante pas ! » Mêlé aux invités, le mouchard de service n'en perd pas une miette.

Et la police n'ignore pas non plus que sous les arbres du Luxembourg un groupe de militaires subalternes s'excite aux propos tyrannicides du chef d'escadrons Donnadieu. Deux attentats seraient en préparation, l'un visant le Premier Consul le 4 mai à la soirée du théâtre des Arts, l'autre le 5 à la parade du Carrousel. Fournier se trouva effectivement le 4 au théâtre — et aussi le Premier Consul. L'un et l'autre se toisent du regard ; Fournier est immédiatement appréhendé, mais discrètement et conduit au Temple où il retrouvera Delmas. Tous deux seront bientôt envoyés loin de Paris, en résidence surveillée. Quant à Donnadieu, arrêté dès le 3 puis libéré sous condition, il poursuivra sa carrière

(1) H. Gaubert : *op. cit.*

comme indicateur (affecté à la surveillance des émigrés en Angleterre).

Ces affaires plus ou moins gonflées par la police, Bonaparte ne tenait pas à ce qu'on les ébruitât, surtout à la veille de se faire nommer Consul à vie. Mais l'opposition militaire ne se traduisait pas que par de ridicules petits complots. L'indocilité de certains chefs importants préoccupait autrement le futur empereur. Pour les neutraliser, il les exilait vers des postes honorifiques, jouait sur leur crainte ou leur vanité. Un des plus gênants était le commandant de la garde consulaire Lannes, qui se croyait indispensable et continuait à le tutoyer ; ce fils de garçon d'écurie et ancien apprenti-teinturier menait grande vie, donnait des festins bruyants, fulminait contre le retour des émigrés et des prêtres. Bonaparte s'en débarrassa en le nommant ambassadeur à Lisbonne. Autre grande gueule, Augereau, l'homme de Fructidor ; réfractaire au 18 brumaire, il était venu par la suite offrir ses services ; comme il avait d'énormes concussions à se faire pardonner il n'était pas trop difficile à tenir.

Un problème qui aurait pu soulever plus de difficulté fut celui du glorieux Jourdan. Membre des Cinq-Cents et rebelle lui aussi au coup d'Etat — il avait dû sauter par les fenêtres de l'Orangerie — proscrit d'un jour et favorisé de la clémence de Bonaparte, il lui avait envoyé une lettre de remerciements puis s'était laissé nommer ambassadeur près de la République Cisalpine. S'acquittant de ses fonctions avec loyalisme, acceptant de ne plus servir qu'au second rang, l'ancien commandant de l'armée de Sambre-et-Meuse sacrifia sa foi républicaine à la discipline militaire et reporta sur la personne de Napoléon son ancien dévouement à la Liberté.

Il n'en fut pas de même de Lazare Carnot. Le 2 avril 1800, il avait fini par accepter le ministère de la Guerre, cédant aux instances réitérées de Lebrun. Ce poste qui lui revenait de droit, le Premier Consul ne le lui avait fait offrir que pour l'obliger à s'en démettre après l'avoir abreuvé de provocations, d'avanies. « Je ne serai pas longtemps ici », avait dit un soir Carnot au sortir d'une scène très vive, « cet homme ne marche pas droit. Il lui faut des ministres pour la forme, des ministres à lui et non des ministres français. » … « Le malheureux ! dit-il une autre fois, il va tout gâter. Son crescendo inconsidéré me fait trembler pour lui et pour

la France bien davantage. » Il donna sa démission une première fois, Bonaparte la refusa ; une seconde fois, elle fut
acceptée (8 octobre 1800). Berthier qui le remplaçait voulut
alors placer à la tête du Génie et nommer général de division
ce Carnot qui n'était que commandant. Le Premier Consul
lui renvoya son rapport avec la mention : « *Carnot ne doit
être rien dans une république* ».

Autrement dit : officier impropre à servir sous une dictature. La *note* était juste, appliquée à un caractère de cette
trempe.

Carnot entra au Tribunat, il est vrai, après l'épuration ;
et l'on peut penser qu'il eut tort. Mais il n'y manifesta que son
désaccord : il vota contre la Légion d'honneur, puis contre
le Consulat à vie ; nous le verrons voter seul contre l'Empire.

Opposant, Carnot n'était pas un intrigant. Encore moins
un rival. Le rival véritable de Bonaparte et le plus embar-
rassant, pour un temps, ce fut Bernadotte. Haut en couleurs,
plein d'aplomb, séduisant et gasconnant, mordu par le désir
d'arriver au plus haut, l'ancien sergent Belle-Jambe se trouvait au centre de quantité d'intrigues ; mais incertain, fuyant
et adroit, il se dégageait des situations compromettantes au
dernier moment. Il avait refusé de participer au 18 fructidor ;
plus tard, il avait reculé devant la proposition de Jourdan
et des jacobins de faire un coup d'Etat contre Sieyès, pas
assez vite cependant, l'affaire lui avait coûté son portefeuille
de la Guerre ; après le retour d'Egypte, sourd aux avances
de Bonaparte pour qui il éprouvait une jalousie violente,
il s'était tenu à l'écart de l'opération de Saint-Cloud ; mais
dès le 18 comprenant qu'il manquait le coche, il suggérait
vainement aux jacobins un plan qui lui ferait partager le
pouvoir avec Bonaparte : il y aurait un général des Cinq-
Cents en face du général des Anciens. Après quoi il s'était
répandu en déclamations. Si bien que Barras, un jour, lui
avait dit :

— Il suffirait qu'à la revue vingt généraux tirent leurs
épées ensemble pour les plonger dans le cœur du Premier
Consul !

— Sublime, infaillible, digne de l'antique ! répondit Bernadotte. Mais pour avouer aussitôt qu'il n'en aurait jamais
le courage.

Ce courage-là, non. Mais il ne craignait pas de tenir tête à Bonaparte, il lui arrivait de se quereller violemment avec lui. Ce fut le cas lors des premières mesures d'épuration contre les militaires républicains, mais, beau-frère de Joseph, puisqu'il avait épousé une demoiselle Clary, lui aussi, et très populaire à l'époque, Bernadotte n'était pas facile à fusiller, et pas même à éliminer. Bonaparte, ayant appris qu'il avait eu des relations avec Ceracchi et tout en feignant de croire à ses protestations d'innocence, l'avait sur le conseil de Fouché expédié à Rennes comme commandant de l'armée de l'Ouest. Armée désœuvrée, mécontente, indisciplinée. Bernadotte y joua un jeu trouble, tout en revenant souvent à Paris, où il fut d'ailleurs rappelé (décembre 1801).

C'est sa présence dans la capitale qui fit mûrir le « complot des généraux » : généraux d'un rang plus élevé que les Delmas et les Fournier, moins braillards, plus sérieusement engagés dans une action clandestine — sans qu'il y ait eu séparation absolue entre les uns et les autres — cherchant à se concerter avec les personnalités politiques de l'opposition que la police signalait se réunissant chez Destutt de Tracy. Cette conspiration resta assez mystérieuse. En 1808, Napoléon dira à Chaptal, à propos des généraux qui, sous le Consulat, ne lui pardonnaient pas ses succès : « Ils ont essayé plusieurs fois ou de me culbuter ou de partager avec moi. Comme le partage était moins aventureux, douze généraux ourdirent un plan pour diviser la France en douze provinces. On me laissait généreusement pour mon lot Paris et la banlieue. Le traité fut signé à Rueil. Masséna fut nommé pour me l'apporter. Il s'y refusa en disant qu'il ne sortirait des Tuileries que pour être fusillé par ma garde. Celui-là me connaissait bien... »

Le 4 mai 1802 au Conseil d'Etat, pour répondre à cette agitation, à ces conciliabules dont l'écho venait toujours jusqu'à lui, le Premier Consul fit une profession de foi antimilitariste qui ne manque pas de saveur : « Jamais le gouvernement militaire ne prendra en France, à moins que la nation ne soit abrutie par cinquante ans d'ignorance (...) Le militaire ne connaît point d'autre loi que la force, il rapporte tout à lui, il ne voit que lui. Je n'hésite pas à penser en fait de prééminence qu'elle appartient incontestablement au civil. »

Quant au rôle joué par Bernadotte dans la conspiration, Mme de Staël a écrit ceci :

« Il se formait alors, autour du général Bernadotte, un parti de généraux et de sénateurs qui voulaient savoir de lui s'il n'y avait pas quelques résolutions à prendre contre l'usurpation qui s'approchait à grands pas. Il proposa divers plans qui se fondaient tous sur une mesure législative quelconque, regardant tout autre moyen comme contraire à ses principes. Mais pour cette mesure il fallait une délibération au moins de quelques membres du Sénat, et pas un d'eux n'osait souscrire un tel acte. Pendant que toute cette négociation très dangereuse se conduisait, je voyais souvent le général Bernadotte et ses amis : c'était plus qu'il n'en fallait pour me perdre, si leurs desseins étaient découverts. Bonaparte disait que l'on sortait toujours de chez moi moins attaché à lui qu'on n'y était entré ; enfin il se préparait à ne voir que moi de coupable parmi tous ceux qui l'étaient bien plus que moi, mais qu'il lui importait davantage de ménager » (1).

Il était évidemment déraisonnable de la part de Bernadotte d'attendre des quelques sénateurs républicains qu'il rencontrait (Garat, Grégoire, Destutt, Lambrechts, Lanjuinais...) une mesure législative tendant à la destitution du Premier Consul. De ce côté-là c'était l'impasse. Est-ce pour en sortir que furent envisagées les solutions de violence ? D'après Savary, Bernadotte avait plusieurs fois assisté aux réunions de militaires qui discutaient les moyens de se défaire de Bonaparte ; mais alors qu'ils opinaient tous pour la mort, lui, conseillait un enlèvement de vive force.

Parallèlement à ce « complot des généraux » qui se dégonflait peu à peu dans la capitale, une fermentation dangereuse se développait dans la garnison de Rennes où Bernadotte avait laissé derrière lui son chef d'Etat-major, le général Simon. Le 20 mai, Simon expédiait à tous les coins de la France, dissimulés dans des pots de grès, des libelles des plus violents contre Bonaparte :

« Braves frères d'armes !... Frémissez avec nous, vous qui avez combattu pour la liberté ! La République, ouvrage de vos soins, de votre courage, de votre constance, n'est plus

(1) *Dix années d'exil.*

qu'un vain mot ! Bientôt, un Bourbon sera sur le trône, ou bien Bonaparte lui-même se fera proclamer empereur ou roi...

« Quel était notre but en combattant pour la République ? Anéantir toute caste noble ou religieuse, établir l'égalité la plus parfaite. ... C'est en vain que vous avez vaincu...

« Un tyran s'est emparé du pouvoir ; et ce tyran, quel est-il ? *Bonaparte !* »

L'origine des envois fut assez vite identifiée et le général Simon arrêté (le 24 juin) avec quelques-uns de ses officiers. Du fait que l'un des destinataires était le capitaine Rapatel, aide-de-camp de Simon et familier du château de Grosbois alors résidence de Moreau, Bonaparte put en conclure un peu vite que Moreau était le *deus ex machina* de l'affaire ; il enjoignit à Fouché de lui demander des explications. Moreau, d'un ton dégagé, se contenta d'ironiser sur cette « conspiration de pots de beurre ». Réponse trop désinvolte au gré du Premier Consul. Sa réaction fut violente... et surprenante : « Il faut que cette lutte finisse, dit-il à Fouché. Demain à quatre heures du matin, qu'il se trouve au Bois de Boulogne, son sabre et le mien en décideront : je l'attendrai. Ne manquez pas d'exécuter mon ordre. »

Le duel le plus sensationnel de l'histoire n'eut pas lieu. Interprétant l'ordre au lieu de l'exécuter, le ministre de la Police s'avisa d'obtenir un accommodement : Moreau consentit à se rendre aux Tuileries où on ne le voyait pas depuis quelque temps. Bonaparte lui fit un excellent accueil et tout se passa fort bien, apparemment. « Et cela fit un événement de cour, sans que personne se doutât que peu d'heures avant, ces deux hommes devaient se mesurer à coups de sabre. Mais la suite a montré que les cœurs n'en étaient pas moins ulcérés » (1).

L'indécision quant au vrai chef de cette conspiration de Rennes fut bientôt levée : c'était bel et bien Bernadotte ; le préfet de police Dubois en acquit la certitude grâce à des dépositions de comparses. Mais l'obscur général Simon, noblement et obstinément, continua de revendiquer la complète

(1) Desmarest : *Quinze ans de haute police sous le Consulat et l'Empire.*

responsabilité de l'affaire. Fouché prit cette thèse pour argent comptant, afin de ménager la gauche et de contrer Dubois. Bonaparte aussi feignit de l'adopter. En arrêtant Bernadotte à la veille du plébiscite, il eût fait éclater le scandale de l'opposition militaire ; il se borna à l'envoyer en congé pour cure thermale à Plombières avec la promesse d'un poste de gouverneur en Louisiane ou d'ambassadeur à Washington. Exil flatteur que Bernadotte saura éviter. Simon, lui, incarcéré au Temple et destitué, sera déporté en Guyane. Enfin, la garnison de Rennes fut dispersée ; un de ses régiments partit rejoindre à Saint-Domingue les soldats de l'armée du Rhin. Dans ses quartiers on trouva des inscriptions : « Vive la République ! Vive Moreau ! Mort au premier consul ! »

Restait Moreau, en effet. Celui-là, il n'était pas question de l'acheter avec une ambassade.

*

La vocation militaire du héros de Hohenlinden et sa vocation civique ne faisaient qu'un. Fils d'un avocat breton et prévôt de la société des étudiants en droit de Rennes, en 1788 il militait activement contre l'arbitraire monarchique. L'année suivante, le 30 juillet, il était élu par acclamation chef d'un bataillon de la milice nationale de la ville. Dès 1794 il était général de division. Abnégation et sang-froid, front haut et regard direct, le moral et le physique s'accordaient en lui. A la fin de 1796, en exécution d'ordres du Directoire, il se privait de deux divisions de son armée Rhin-Moselle pour les envoyer en renfort à Bonaparte. Peut-être faut-il bien connaître la mentalité des états-majors pour comprendre pleinement l'admiration qu'éprouva Carnot : « O Moreau, ô mon cher Fabius ! que tu fus grand dans cette circonstance ! que tu fus supérieur à ces petites rivalités de généraux qui font quelquefois échouer les meilleurs projets ! »

C'est seulement le 30 vendémiaire an VIII (22 octobre 1799) que Moreau rencontra pour la première fois Bonaparte. Gohier les recevait au Luxembourg. Les deux soldats se mesurèrent du regard, puis Bonaparte vint à Moreau et lui dit sa satisfaction de le connaître ; ils s'entretinrent de questions militaires et se quittèrent en très bons termes. Quelques jours plus tard nous le savions, ils se revirent en présence de Joseph. Bonaparte mit Moreau au courant de ses intentions et lui fit présent d'un cimeterre garni de diamants. Moreau qui n'éprouvait aucune sympathie pour le club du Manège, allait au-devant des désirs de Bonaparte : « Fatigué du joug des avocats qui perdent la république, je viens vous offrir mon appui pour la sauver. » Toutefois, il refusa, semble-t-il, d'entrer dans le secret de la conspiration, il ne s'enquit pas du rôle qui lui serait réservé — erreur qu'il dut regretter par la suite. Le 15 brumaire, nous les avons vus côte à côte au fameux banquet de Saint-Sulpice. Le 18, le décret des Anciens investissant Bonaparte du commandement en chef pouvait lever toute espèce de doute dans l'esprit de Moreau sur la légalité de l'opération projetée ; mais un peu plus tard, il fut désagréablement surpris, à coup sûr, en recevant l'ordre de séquestrer au Luxembourg Moulin et Gohier, les deux directeurs récalcitrants. En obéissant, il commit une faute grave (aux yeux de la clairvoyante postérité) ; mais, en même temps que les Cabanis et les Volney, il croyait contribuer au salut de la République. Et les mesures libérales prises par les consuls provisoires jusqu'à la promulgation de la nouvelle Constitution le confirmèrent dans cette illusion, comme bien d'autres. On se souvient de la proclamation de Lannes, de la lettre de Lefebvre à Mortier : « ça ira, je vous en réponds ». Le 7 nivôse an VIII (28 décembre 1799), prenant à Zurich le commandement de l'armée du Rhin, Moreau lui garantissait l'attachement du nouveau gouvernement aux principes de la Révolution : « Les Commissions législatives et les Consuls de la République nous donnent en ce moment la preuve de leur dévouement à la cause sacrée de la liberté en se hâtant de faire jouir les Français d'une Constitution qui garantit la plénitude de leurs droits. »

Il ne s'agissait pas d'une banale formalité officielle ; donner solennellement cette assurance était nécessaire. La flamme de l'an II brûlait toujours en cette armée-là inébranlable dans sa fidélité à l'idée révolutionnaire et bien différente de celle d'Italie. Les soldats de Bonaparte, électrisés par ses promesses, s'étaient battus pour la gloire, pour l'avancement et pour le butin. Ceux de Moreau restaient intègres et pauvres ; il en était qui refusaient l'avancement, comme Latour d'Auvergne. Jamais l'institution militaire ne fut justifiée par tant de pureté. Ces guerriers républicains traitaient en frères à délivrer les habitants des pays envahis. Leur chef donnait l'exemple de la modération et de la justice ; il se faisait obéir sans brutalité.

Il donnait aussi l'exemple de la discipline en acceptant pour la seconde fois de distraire une part considérable de ses effectifs (le quart) pour les envoyer à Bonaparte (à la veille du passage du Saint-Bernard). Entre les deux généraux l'entente continuait à se maintenir. Le loyalisme de Moreau était précieux au Premier Consul ; celui-ci n'en pouvait méconnaître le mérite, il savait que son nom avait été mis en avant pour le remplacer pendant la campagne de Marengo. Et à l'automne 1800, Moreau étant revenu pour quelques semaines à Paris, l'agitation redouble, on lui fait des avances de tous côtés, des « anarchistes » aux royalistes. Sieyès pense à lui, Mme de Staël le proclame son héros et on se plaît à dire autour de Constant que « si Moreau était à la tête des affaires, elles prendraient une tournure plus républicaine ». Moreau n'encourage aucune de ces ouvertures. Ses rapports avec le Premier Consul restent fort cordiaux, il se rend volontiers à une grande fête donnée en son honneur à la Malmaison ; et ses avis tirent à conséquence : la disgrâce de Lucien. Tout de même, le *Parallèle* n'a pas dû faire très bon effet sur Moreau lui-même.

En novembre 1800 il est de retour à son armée. Le 3 décembre, c'est Hohenlinden, le coup de tonnerre au cœur de l'Europe, et vraiment cette fois la gloire pour le vainqueur. Vers le « second général de la République » s'élève un concert d'éloges plus ou moins désintéressés. « Par son expérience, écrira Thiers, son habitude du commandement, sa haute renommée, il était après le général Bonaparte le seul homme capable alors de commander à cent mille hommes. » Mais le premier général de la République prend ombrage de cette renommée du second et les signes vont se multiplier de cette humeur malveillante. Paris refuse des promotions et des punitions au quartier général de Moreau. Mme Moreau se rend à la Malmaison et Bonaparte ne lui demande pas de nouvelles de son mari. Des articles

tendancieux vont paraître dans le *Moniteur* (germinal an IX),
critiquant la gestion de Moreau, l'accusant de malversations.
Moreau proteste et rétablit la vérité dans une lettre au
ministre de la Guerre ; celui-ci refuse de la publier. De retour
à Paris le 25 mai 1801 il se présente à Bonaparte, mais en
civil : l'entretien est froid. Il ne paraîtra pas à une grande
fête donnée un peu plus tard aux Tuileries — soit qu'il n'y
ait pas été convié, soit qu'il se soit abstenu de s'y rendre.

Désormais l'inimitié des deux généraux est patente. Cir-
convenu par les opposants et les mécontents, républicains
et royalistes, et se gardant de répondre à leurs invites,
Moreau ne s'en montre pas moins dédaigneux des tentatives
que va faire Bonaparte pour le remettre dans son jeu. Decaen,
un de ses lieutenants de l'armée du Rhin, sert d'intermédiaire. Moreau fait savoir qu'il est « trop vieux pour se
courber ».

Mais cette attitude ombrageuse, irréductible, ne s'expli-
que-t-elle pas aussi et surtout par les ressentiments personnels de Moreau, par de mesquines rancunes, par la néfaste
influence de sa femme et de sa « redoutable belle-mère »
(Mme Hulot) jalouses de Joséphine l'une et l'autre ? C'est la
thèse de Napoléon à Sainte-Hélène et de sérieux historiens
lui ont fait écho. Sans la rejeter absolument, un auteur des
plus qualifiés prête à Moreau d'autres mobiles : « La politique intérieure du Premier Consul, les mesures prises contre
les républicains après l'attentat de la rue Saint-Nicaise, la
suspension de la liberté de la presse, le retour progressif
aux formes monarchiques, l'accueil empressé fait aux représentants de l'ancienne noblesse constituaient des raisons
plus sérieuses de réprobation » (1).

Les vrais torts de Moreau à cette époque selon nous —
et ceci ne jette pas un doute sur la sincérité de ses convictions — furent de donner par son indécision de faux espoirs
aux uns et aux autres. Ferme sur le champ de bataille, montrant un esprit de décision, un sang-froid proportionnels à
la difficulté des situations, il était irrésolu, au contraire,
dans la vie politique pour laquelle il n'avait aucun don. Le
retour d'Egypte l'avait soulagé d'un grand poids : « Voilà
votre homme ! » avait-il dit à Sieyès qui pensait à lui pour

(1) Ernest Picard : *Bonaparte et Moreau.*

son coup d'Etat... Il n'encourageait ni ne décourageait personne. C'est pourquoi Mme de Staël, finalement, mit en Bernadotte toutes ses espérances. Mais, Bernadotte une fois brûlé, tous les espoirs de l'opposition se reportaient sur Moreau ; à la fin de 1802 il devenait le point d'attraction des républicains qui misaient de plus en plus sur lui — et le point de mire aussi des sbires de Fouché.

Il y avait eu déjà d'ailleurs — à une date incertaine, cela se comprend — l'ombre d'un complot, d'une complicité, entre Moreau et les gens d'Auteuil. Moreau voyait alors surtout, semble-t-il, Daunou, et le chef du bureau des sciences au ministère de l'Intérieur, Jacquemont, qui était membre de l'Institut. Jacquemont, qu'on a même taxé de royalisme, souhaitait carrément renverser Bonaparte ; il fut l'élément actif de l'affaire, animateur et intermédiaire. Comme participants, on a surtout cité Ginguené, Garat, Volney, Destutt, Chénier, Cabanis, Cabanis qui complètement revenu de ses illusions n'était pas le moins ardent. Les réunions avaient lieu chez Daunou et aux dîners du tridi. Jusqu'au moment où Fouché fit dire aux conjurés qu'il était au courant de tout et qu'ils feraient mieux d'en rester là. Les dîners du tridi cessèrent et c'est à Auteuil chez Destutt que se retrouvèrent, plus ou moins régulièrement, les Idéologues, et aussi chez Mme de Condorcet, chez Mme de Staël. A vrai dire, selon Fauriel, ami de leur groupe, « les hommes avec lesquels Moreau sympathisait par ses sentiments politiques se réduisaient à cinq ou six hommes qui faisaient partie de la minorité du Sénat... Ni Moreau, ni ces hommes n'avaient de plan arrêté pour s'opposer à tout ce que préparait Bonaparte. »

Ils n'avaient pas fait courir un grand danger au régime, mais certains s'agitaient beaucoup, Chénier en particulier (à qui ne semble pas penser Fauriel). Un certain jour de 1802, Mme de Staël déposa ce mot chez Daunou : « Je suis venue chez vous ce matin pour vous demander si vous ne saviez rien de Chénier, dont je suis fort inquiète et pour causer avec vous sur les services qu'on peut lui rendre. Je voulais lui offrir de l'argent, un asile et un passeport (...) Peut-être tout cela n'est-il qu'une frayeur sans sujet (...) Si vous vouliez venir, à onze heures, demain ou après-demain chez moi, vous me trouveriez seule et nous causerions... » Ne se

croirait-on pas en pleine clandestinité, en pleine résistance ?
Il se peut que l'auteur de *Delphine* ait exagéré. Mais les
souvenirs de la Terreur étaient dans tous les esprits.

Pour en revenir au seul Moreau, ce qui pouvait paraître
moins inoffensif que ses palabres avec les Idéologues, c'est
qu'au printemps 1802, il devenait ostensiblement plus irrévérencieux, plus frondeur. Il n'avait pas voulu paraître au
Te Deum, il refusait la Légion d'honneur, il convoquait son
cuisinier à la fin d'un grand dîner pour le décorer d'une
« casserole d'honneur ». On conçoit la rage de Bonaparte
et son idée de duel au sabre après l'accueil moqueur fait
par Moreau à Fouché. Il est vrai que l'explication entre les
deux généraux aux Tuileries semble avoir arrangé les choses.
Mais en décembre 1802, Moreau convié chez le ministre de la
Guerre s'y rend en habit de drap uni et en chapeau rond,
ce qui jure avec le style du nouveau régime, les costumes
chamarrés des autres invités, généraux ou non. Ailleurs, il
est question, en sa présence, de La Fayette, de Bonaparte
et de Washington. Il ne parle, lui, que de Washington.

— Vous l'aimez donc bien ? lui dit-on.

— Oui, je l'aime et je l'admire parce que, dans la conquête
de la liberté, il n'a ni échoué, ni opprimé.

Au début de 1803, il est sorti de sa réserve. Sa table, son
train de maison, sont ceux d'un personnage de haut rang,
un observateur royaliste écrit à Londres que « Moreau tâche
d'élever une cour rivale à celle de Saint-Cloud » (1). Il se
montre régulièrement dans le salon de Mme Récamier, sa
présence y suscite des remous flatteurs. » Un triomphe si éclatant a excité l'humeur de Bonaparte et Mme Récamier a été
invitée à suspendre ses assemblées. Pour peu que Moreau
continue à se montrer, il faudra bientôt fermer toutes les
sociétés et même tous les théâtres » (2). Le 31 janvier, il
donne un bal très brillant, à ce détail près que n'y paraissent
ni personnalités officielles ni membres de la famille Bonaparte. Toutes les suppositions sont permises, du moins à
des policiers. Que projette donc au juste Moreau ? Veut-il

(1) *Relations secrètes des agents de Louis XVIII à Paris sous le
Consulat :* rapport du 25 janvier 1803.
(2) *Ibid. :* 8 février 1803.

être le chef du parti républicain ? Ou rétablir les Bourbons ? Ou simplement fait-il du chantage ?

Mais toutes les suppositions sont permises aussi quant au zèle des policiers. Alors que le général est désormais suivi, épié, sa correspondance étroitement surveillée, que signifient ces inscriptions qui apparaissent en mars, sur des portes de cabarets, inscriptions en gros caractères — et qui n'attirent personne — : « Vive le général Moreau, au diable le gouvernement ! » ?

*
* *

25 mars 1802 : Traité d'Amiens.

17 mai 1803 : Rupture du traité d'Amiens.

Bonaparte, en 1802, devenait maître absolu de la France, grâce à la paix. A la reprise de la guerre, en 1803, il aspire à devenir le maître du monde.

Qui porte la responsabilité de la rupture ? Est-ce lui, est-ce l'Angleterre ? Admettons la thèse des responsabilités partagées. Ce qui compte ici pour nous, c'est que le cabinet de Londres va fournir à nouveau son appui aux actions subversives des émigrés entourant le comte d'Artois, en particulier au plus hardi d'entre eux, Georges Cadoudal. C'est lui, on s'en souvient, qui revenu d'Angleterre en Bretagne avait dirigé de loin l'attentat de la rue Saint-Nicaise, mais à la fin de 1801 il avait repassé la Manche, ne pouvant plus rien espérer faire dans l'Ouest : la Vendée catholique s'était ralliée, les commissions militaires de Bernadotte avaient fini par réduire les guérillas et le brigandage. Grâce à la rupture de la paix, il allait pouvoir se lancer dans de nouvelles entreprises, assuré du concours anglais. Le 21 août 1803, ramené par un petit bâtiment de la Royal Navy, Georges débarquait discrètement à la falaise de Biville (entre Dieppe et le Tréport) accompagné d'une poignée de chouans ; il en détachait deux vers la Bretagne et avec les autres gagnait Paris où une planque l'attendait.

Cette redoutable présence que la police ignora était la conséquence d'une machination qu'avait montée la police. Un certain Méhée de la Touche, en effet, ancien septembriseur, déporté de Nivôse, évadé, avait en février 1803 gagné l'Angleterre. Il y était parti pour le compte de Réal adjoint du « grand juge » Régnier lequel avait remplacé Fouché à la tête de la police (1). Réal n'en était pas moins l'ami de Fouché qui continuait à travailler par amour de l'art ; c'est d'eux que Méhée avait reçu ses instructions. Elles lui prescrivaient de convaincre le cabinet anglais et les émigrés qu'une collusion existait en France entre les révolutionnaires et les royalistes, qu'il fallait la renforcer, en faire une alliance, que c'était le seul moyen d'abattre Bonaparte. Moyennant quoi, par le canal de cet agent introduit dans la place, on comptait être instruit à Paris de tout ce qui se tramait à Londres. Méhée se fit écouter, si bien que les chefs de la conspiration — du côté français le comte d'Artois, non Louis XVIII naturellement — décidèrent de gagner à leur cause les généraux mécontents, à commencer par Moreau. C'est pour exécuter ce plan que Cadoudal avait débarqué en France, mais à l'insu de Méhée.

Comment pouvait-on croire à Londres que le républicain irréprochable Moreau accepterait de travailler pour le roi de France ? On le crut parce qu'un autre agent provocateur, le général en non-activité Lajolais, vint le raconter à Pichegru (passé aux royalistes et vivant en Angleterre depuis plusieurs années). Lajolais avait effectivement vu Moreau : Moreau lui avait parlé en termes affectueux de son ancien compagnon d'armes Pichegru, mais il ne lui avait nullement dit qu'il comptait prendre la tête d'un soulèvement ; encore moins lui avait-il promis de se mettre au service des Bourbons.

Ces fausses assurances de Lajolais déterminèrent le départ d'un second échelon de conjurés : à la fin de décembre 1803 et à la mi-janvier 1804, débarquèrent à leur tour à Biville Pichegru, Lajolais, le marquis de Rivière, les deux frères Polignac... Accueillis et guidés par Cadoudal, ils parvinrent sans encombre à Paris. Leur objectif était de contacter Moreau : une fois l'accord établi avec lui, on passerait à

----

(1) Le ministère de la Police générale fut supprimé le 14 septembre 1802 ; le comportement de Fouché avait de plus en plus mécontenté Bonaparte, surtout à la veille du Consulat à vie et lors du complot « des pots de beurre ». Toutefois, il le nomma sénateur en compensation. La police fut rattachée à la Justice dont le ministre porta le titre de grand juge.

la troisième phase de l'opération : le débarquement des « princes », comte d'Artois, duc de Berry et autres gentils-hommes illustres qui, à la tête de l'armée républicaine sou-levée, feraient une entrée triomphale dans la bonne ville de Paris.

L'arrivée de Pichegru et de ses compagnons, leur activité clandestine dans la capitale, l'inévitable fermentation des milieux royalistes, tout cela pouvait-il être complètement ignoré de Bonaparte et de ses polices ? Et les allées et venues en direction de Moreau retiré dans son magnifique château de Grosbois ?

Le 15 janvier 1804, l' « Exposé sur la situation de la Répu-blique » lu au Corps législatif comportait la phrase sui-vante : « Le gouvernement britannique tentera de jeter, et il a peut-être déjà jeté, sur nos côtes, quelques-uns de ces monstres qu'il a nourris pour déchirer le sol qui les a vus naître. » Jusque-là, quelques suspects avaient bien été arrê-tés, mais non interrogés. « Il ne faut pas se presser pour les arrestations » avait même écrit à Régnier le Premier Consul. Mais le 21, six jours après le débarquement de Pichegru, il ordonne l'interrogatoire de cinq prisonniers qui étaient effectivement des agents de Cadoudal. Plusieurs refu-sent de parler et sont fusillés. Deux révèlent (ou confirment) que Cadoudal est à Paris depuis cinq mois, donnent des précisions sur les débarquements de Biville et sur les itiné-raires suivis. Du coup Savary est envoyé à Biville ; pendant un mois il y guettera le débarquement des princes, multi-pliant en vain les signaux provocateurs vers le large.

De ce moment aussi une action policière de vaste enver-gure se déclenche ; Bonaparte intervient personnellement pour lancer de tous côtés arrestations, perquisitions, inter-rogatoires. Un des lieutenants de Cadoudal, Bouvet de Lozier, conduit au Temple le 10 février, puis apparemment oublié pendant trois jours, est trouvé pendu, mais encore agité de soubresauts à l'aube du quatrième. On le dépend ; il demande à être entendu par le grand juge Régnier et le conseiller Réal, et ceux-ci recueillent sa déposition étrange-ment emphatique de la part d'un rescapé reprenant son souffle : « C'est un homme qui sort des portes du tombeau, encore couvert des ombres de la mort, qui demande ven-geance de ceux qui par leur perfidie l'ont jeté lui et son parti

dans l'abîme où il se trouve... » Cette exorde introduit la
« révélation » du plan des conjurés dans toute son ampleur,
et de certains faits plus ou moins précis : Pichegru est à
Paris depuis trois semaines ; accompagné de Cadoudal, il a
rencontré Moreau boulevard de la Madeleine ; Moreau avait
promis de rallier la cause des Bourbons, ensuite il s'est
rétracté, proposant aux conjurés de l'aider à se faire dictateur. Toutefois, Bouvet ajoute qu'il ne peut appuyer ces
accusations que par des demi-preuves. Cela se conçoit :
la promesse prêtée à Moreau se fondait sur les fallacieuses
assurances données à Londres par Lajolais.

Porteur de ces déclarations sensationnelles, Réal, le 14
au matin, se précipite aux Tuileries, pénètre jusqu'à Bonaparte à peine réveillé. Un conseil secret est convoqué, il
durera toute la nuit. Le 15, un détachement de gendarmerie
est envoyé à Grosbois ; sur le pont de Charenton il rencontre Moreau, l'arrête, le conduit au Temple... Moreau
aurait pu, cependant, éviter cette extrémité que Bonaparte,
pour sa part, eût préféré lui épargner ; quand le réseau de
soupçons et de surveillance se resserrait autour de l'ancien
commandant de l'armée du Rhin, le Premier Consul, à nouveau, s'était inquiété auprès de Decaen, lui avait carrément
posé la question : ne peut-on calmer Moreau avec de l'argent ? Decaen lui avait exposé la position de Moreau, les
vrais mobiles de son attitude, ses griefs. Bonaparte s'était
fait menaçant : Moreau se conduit mal, il a correspondu avec
Pichegru, il faudra le dénoncer à la France.

Le 17 février 1804 devant le Tribunat stupéfait, Regnault
de Saint-Jean d'Angély lisait le rapport du grand juge sur
la conspiration en général et la culpabilité de Moreau en
particulier. Un seul tribun protesta, Moreau, frère du général, affirmant qu'il était « innocent des crimes atroces »
qu'on lui imputait, et réclamant qu'il fût solennellement jugé
par ses « juges naturels ». Mais le jury du département de
la Seine était suspendu par un sénatus-consulte, un vaste
mouvement d'adresses était orchestré dans l'armée, dans les
corps de l'Etat, dans l'épiscopat, pour flétrir le traître
Moreau, animateur de la conspiration royaliste. L'afflux de
ces pétitions, mandements et autres appels à la vengeance
dura des semaines, des mois ; la lecture du *Moniteur* de
l'époque fait irrésistiblement penser à l'indignation « spon-

tanée » des masses soviétiques lors des procès de Moscou et autres, au raz-de-marée de résolutions flétrissant les inculpés.

Tout cela était bel et bon, mais on n'avait toujours pas mis la main sur Cadoudal ni sur Pichegru. Aussi proposa-t-on au Corps législatif le 28 février « une loi par laquelle tout individu qui recélerait Georges, Pichegru et soixante de leurs complices (...) serait puni de mort. Quiconque les ayant vus (...) ne les dénoncerait pas, serait puni de six ans de fers. Cette loi formidable, qui ordonnait, sous peine de mort, un acte barbare, fut adoptée le jour même où elle avait été présentée, sans aucune réclamation » (Thiers). Puis Murat fut nommé gouverneur de la capitale et celle-ci sou-mise à un redoublement de mesures policières, personne n'eut la permission de franchir les barrières, des patrouilles circulant le long du mur d'octroi reçurent l'ordre de tirer à vue sur tout fuyard. « Un moment on sembla revenu aux plus mauvais temps de la Révolution. Une sorte de terreur s'était répandue dans Paris... » (*Ibid.*) Terreur efficace. Dès le 28, la personne qui donnait asile à Pichegru le livrait ; puis les deux Polignac étaient arrêtés ainsi que le marquis de Rivière et enfin, carrefour de l'Odéon, le 9 mars, au terme d'une poursuite mouvementée, Georges Cadoudal. Interrogé par Réal et Dubois, Pichegru, assura-t-on, fut torturé mais resta obstinément muet. Cadoudal, au contraire, affirma être venu pour enlever le Premier Consul ; mais précisa-t-il, non pas pour l'assassiner : il aurait lancé un assaut à armes égales contre son escorte ; quant à la date, il attendait l'arrivée d' « un prince français ».

Ce qui n'avait rien d'étonnant. Ce prince, Savary l'avait guetté un mois du haut de la falaise de Biville. Pourquoi brusquement Bonaparte décida-t-il que ce chef attendu par les conjurés était non plus le comte d'Artois fixé à Londres, mais le duc d'Enghien résidant à quelques kilomètres de la frontière française non loin de Strasbourg ? Crut-il vrai-ment aux rapports du sous-officier de gendarmerie qui, chargé d'espionner le duc, affirma qu'il avait Dumouriez près de lui ?

Depuis un siècle et demi tout le monde considère l'exé-cution du duc d'Enghien comme une tache indélébile dans la vie de Napoléon. Une manifestation supplémentaire de réprobation serait superflue. Bornons-nous à rappeler les éléments saillants de l'affaire : aucune participation du jeune prince au complot de Cadoudal ne fut relevée ; les crises de colère de Bonaparte — « Suis-je donc un chien que le premier venu peut assommer impunément ? » — étaient probablement feintes et en tout cas injustifiées. Toutefois, le duc avait porté les armes contre la République, il était décidé à recommencer : cela, il l'affirma avec autant de crânerie qu'il avait mis d'indignation à nier sa participation à un futur attentat contre la vie du Premier Consul.

Légalement, il y avait là une base suffisante pour une condamnation à mort — à condition que celle-ci fût le dénouement d'une procédure régulière. Or l'enlèvement en territoire étranger était déjà une violation du droit des gens. Que dire de la suite ! Le simulacre de jugement qui se réduisit à l'interrogatoire par Hulin, l'absence de garanties judiciaires (ni témoins, ni défenseur, ni public), la sentence lue dans le fossé à côté d'une tombe creusée depuis plusieurs heures, face au peloton d'exécution déjà prêt, à la lueur d'un falot qui pour n'avoir pas été fixé sur le cœur de la victime, n'en donne pas moins à la scène l'éclairage d'un meurtre inavouable.

Les signes tardifs de la mauvaise conscience de Napoléon, on les trouve dans O'Meara et Las Cases mais aussi dans les *Mémoires* de Savary. Lorsque le futur duc de Rovigo, mission accomplie, vient en rendre compte à la Malmaison, il n'est pas peu surpris d'être écouté « avec la plus grande surprise », comme s'il avait mal exécuté les instructions et d'entendre : « Voilà un crime et qui ne mène à rien ! »

Le crime paya peu, en effet. Il ne déplaisait pas aux fanatiques du jacobinisme, bien obligés de le porter au crédit du régime ; il pouvait provoquer de bruyantes approbations chez les bonapartistes de gauche se prétendant fidèles à l'esprit de la Convention. Mais il indigna Chateaubriand, nous y reviendrons, et il fournit un prétexte aux puissances qui se disposaient à former la troisième coalition. Thiers l'affirme : « La sanglante catastrophe de Vincennes devint la principale cause d'une troisième guerre générale. »

Chez les catholiques français, l'émotion resta discrète et pour cause. Le loyalisme du clergé était acquis ; le nécessaire fut fait en temps utile pour l'exalter davantage encore, compromettre l'Eglise à fond et placer l'auteur du meurtre sous son patronage. Le 21 mars, le *Moniteur* consacrait sa première colonne à un bref de Pie VII adressé « à son très cher fils en Jésus-Christ Napoléon Bonaparte » et sollicitant son intervention en faveur des églises d'Allemagne. Et un peu plus loin, une note relativement discrète signalait la découverte, sur la rive droite du Rhin, d'une conspiration d'émigrés dirigée par un prince de Bourbon. Le lendemain 22, l'article de tête s'étendait sur une messe solennelle suivie d'un *Te Deum*, qui venait d'être célébrée à Saint-Roch : M. l'évêque de Coutances, qui officiait, prononça un noble discours : « Soldats, ne l'oubliez jamais, le Dieu que le vainqueur de Marengo adore ; le Dieu devant qui on l'a vu venir dans la cathédrale de Milan abaisser son front couronné par la victoire et alors sortir du sanctuaire plus grand encore qu'il n'y était entré, n'est pas le Dieu des lâches (...) Je viens aujourd'hui porter au pied du trône de l'arbitre suprême de la vie et de la mort, les vœux, les prières et l'amour de toute la nation pour le chef qu'elle s'est donné. » Suivi d'une page d'adresses chaleureuses au Premier Consul — leur nombre, depuis un mois, ne cessait de croître, — ce morceau d'éloquence sacrée servait à faire passer l'acte du jugement rendu à Vincennes de « Louis-Antoine-Henri de Bourbon, duc d'Enghien »... Il est piquant d'en rapprocher le propos tenu quelques jours plus tôt par Roederer à Bonaparte (le 8 mars) : « ... votre *nouveau clergé* me paraît fort douteux. Ils ne voient dans votre gouvernement qu'un intérim. Les plus dévoués déclarent que, si la volonté du ciel se manifestait, après votre mort, pour un Bourbon, ils jureraient fidélité à un Bourbon ; c'est ce que me déclarait dernièrement l'évêque de Coutances, l'homme le plus dévoué du clergé et dont l'ambition serait d'être votre aumônier. »

Sobre de détails sur la fin du duc d'Enghien, le *Moniteur* se fit plus prolixe à propos de la mort de Pichegru trouvé étranglé dans sa prison le 6 avril au matin. La cause de cette mort, survenue hors de la présence de toutes les personnes interrogées, y fut exposée avec une méticuleuse précision : la strangulation « avait été faite à l'aide d'une cravate de soie noire fortement nouée, dans laquelle on avait passé un bâton ayant quarante-cinq centimètres de long et cinq de pourtour et qu'on avait fait de ce bâton un tourniquet avec lequel ladite cravate avait été serrée de plus en plus », etc. En conclusion de leur rapport, les médecins et chirurgiens commis pour examiner le cadavre « estimaient » que l'individu en question « s'était étranglé lui-même ».

Comme en pareil cas, cette thèse du suicide ne suscita qu'incrédulité ; mais Pichegru était trop déconsidéré aux yeux de la nation pour que son assassinat, vrai ou supposé, pût émouvoir. Aujourd'hui encore, on ne peut rien affirmer dans un sens ou dans l'autre. Il n'est nullement certain que Bonaparte ait fait étrangler Pichegru. Mais son innocence n'est pas prouvée du fait qu'il laissa sortir indemne de sa prison un Moreau, adversaire bien plus gênant. Si Moreau avait été passé au tourniquet, de violentes réactions seraient survenues, très probablement, d'incalculables conséquences eussent été à craindre.

Moreau fut jugé.

*
**

Entre la mort du duc d'Enghien et celle de Pichegru, d'une part, et le procès de Moreau d'autre part, s'intercale l'institution de l'empire.

On a pu écrire que c'est à la faveur de la conspiration que Napoléon Bonaparte a pu réaliser son rêve : « L'art avec lequel on exploita le complot explique merveilleusement la coopération qu'on lui avait prêtée. Ce sont deux coups montés en même temps, deux parties liées (...), deux entreprises qui tendent au même but (1). » Et Napoléon lui-même n'a pas dissimulé que la mort du prince et le procès de Moreau « l'avaient servi dans l'accomplissement de l'œuvre qu'il ourdissait depuis longtemps » (2) ; il en usa comme d'un tremplin pour s'élancer vers le pouvoir héréditaire.

Le fait ressort d'ailleurs des adresses encombrant les colonnes du _Moniteur_ depuis la fin février. Elles avaient commencé par exprimer indignation, fidélité et dévouement, sans plus ; à partir des événements en question, elles récla-

(1) Lanfrey : _op. cit._
(2) Mme de Rémusat citée par Fauriel (_Les derniers jours du Consulat_).

mèrent l'hérédité comme le seul moyen d'apaiser les inquiétudes du pays, de ruiner les espérances des conspirateurs. Elles émanaient toujours des fonctionnaires, des magistrats, des évêques, des conseils locaux nommés par le gouvernement ; contresignées par des Masséna et des Bernadotte, elles exprimaient également les « vœux impatients de l'armée » ; elles préparaient les manifestations dans le même sens des grands corps de l'Etat.

Impatient lui aussi, impatient de rentrer en grâce, Fouché s'était dépensé pour mettre en mouvement le Sénat ; au vu de pièces établissant la participation d'agents anglais d'Allemagne à la conspiration Cadoudal, l'assemblée du Luxembourg, dès le 6 germinal (27 mars) déclarait qu'il y avait lieu de « modifier les institutions » et adressait au Premier Consul le vœu qu'il attendait : « Ne différez pas, grand homme, achevez votre ouvrage en le rendant immortel comme votre gloire. » Feignant alors la réflexion, Bonaparte pressa ses préfets et ses généraux de multiplier les démonstrations spontanées, tout en consultant « à titre privé » le Conseil d'Etat. Celui-ci conclut à l'hérédité malgré certaines objections, malgré une protestation énergique de Berlier : « Ceux qui ont fait la Révolution deviendraient objet de risée s'ils reconstruisaient l'édifice qu'ils ont renversé. »

A partir de l'adresse du Sénat un mois s'écoula, puis le Premier Consul lui fit connaître sa réponse (6 floréal) : « ... Vous avez jugé l'hérédité de la suprême magistrature nécessaire pour mettre le peuple français à l'abri des complots de nos ennemis et des agitations (...) Plusieurs de nos institutions vous ont en même temps paru devoir être perfectionnées pour assurer sans retour le triomphe de l'égalité et de la liberté publiques (...) Je désire que nous puissions dire au peuple français le 14 juillet de cette année : il y a quinze ans, par un mouvement spontané, vous courûtes aux armes, vous acquîtes la liberté, l'égalité, la gloire. Aujourd'hui, ces premiers biens assurés sans retour sont à l'abri de toutes les tempêtes, ils sont conservés à vous et à vos enfants. »

Quinze ans, en effet, depuis la prise de la Bastille ! Il avait suffi de quinze ans et les Français étaient invités à réclamer une dictature héréditaire pour mieux conserver leurs conquêtes de 89 !

La France républicaine, plutôt que le Sénat, c'était le Tribunat (amoindri et épuré) qui pouvait sembler la représenter, de ce côté aussi le scénario fut vivement réalisé. Son président, Fabre de l'Aude, ami de toute la famille Bonaparte, avait un exécutant parfait sous la main, le tribun Curée « autrefois républicain ardent ». Curée prépara une motion tendant à ce que Napoléon Bonaparte fût proclamé Empereur des Français et à ce que la dignité impériale fût déclarée héréditaire dans sa famille.

Ce fut le 10 floréal an XII (30 avril 1804) que cette motion vint en discussion au Palais-Royal. Un seul orateur se leva pour la combattre, Carnot :

« ... Je suis loin de vouloir atténuer les louanges données au Premier Consul : ne dussions-nous à Bonaparte que le Code civil, son nom mériterait de passer à la postérité. Mais quelques services qu'un citoyen ait pu rendre à la patrie, il est des bornes que la raison impose à la reconnaissance nationale. *Si ce citoyen a restauré la liberté publique, s'il a opéré le salut de son pays, sera-ce une récompense à lui offrir que le sacrifice de cette même liberté ?*

Carnot n'hésita pas à mettre en cause la préméditation de Bonaparte et sa mauvaise foi : à partir du Consulat à vie, chacun pouvait « aisément juger qu'il existait une arrière-pensée et prévoir un but ultérieur (...) Aujourd'hui se découvre enfin d'une manière positive le terme de tant de mesures préliminaires (...) J'ai voté dans le temps contre le consulat à vie ; je voterai de même contre le rétablissement de la monarchie comme je pense que ma qualité de tribun m'oblige à le faire. »

Assurant ensuite qu'il s'exprimera avec impartialité et saura, le cas échéant, s'incliner devant le vœu de la nation régulièrement exprimé, Carnot examine et réfute posément les arguments produits en faveur du rétablissement de la monarchie : l'hérédité dans l'Empire romain n'empêcha pas le vice et le crime. Il rappelle aussi les strictes limites qui contenaient l'exercice de la dictature sous la République : « Si les Fabien et les Cincinnatus, les Camille, sauvèrent la liberté romaine par le pouvoir absolu », il s'en dessaisirent dès qu'ils le purent. « *César fut le premier qui voulut le conserver ; il en fut la victime ; mais la liberté fut anéantie pour jamais.* »

Une déclaration de loyalisme envers la patrie menacée par l'ambition planétaire de l'Angleterre terminait ce discours assez bref, empreint d'une pondération qui n'atténuait pas sa fermeté, seule affirmation de la dignité de la personne humaine dans une assemblée de laquais. Au passage, Carnot n'avait pas hésité à qualifier de « factice » la manifestation d'une « opinion presque exclusivement concentrée parmi les fonctionnaires publics », il souligna l'anéantissement de la liberté de la presse, l'impossibilité d' « insérer dans un journal la réclamation la plus respectueuse et la plus modérée » et les inconvénients auxquels on s'exposerait en exprimant une opinion contraire au pouvoir.

Pouvait-il témoigner un plus grand mépris au troupeau qui assiégeait la tribune ? Sur quarante-neuf tribuns présents, quarante-huit s'étaient inscrits pour expliquer leur vote favorable ; près de la moitié purent parler, rivaliser de bassesse à l'égard du nouveau monarque, le placer au niveau de Capet ou de Charlemagne voire encore plus haut, dénigrer, renier, la Révolution.

Acclamée par cette quasi-unanimité du Tribunat, transformée en vœu et portée en délégation au Luxembourg, la motion Curée allait naturellement y trouver une approbation presque aussi massive. La commission chargée d'examiner le message du Premier Consul du 6 floréal avait adressé aux sénateurs une circulaire les priant de faire connaître individuellement, par écrit, leur « pensée tout entière » sur les perfectionnements possibles à apporter aux institutions de la République. La plupart répondirent en envoyant leur assentiment au vœu du Tribunat ; trois seulement firent parvenir un billet négatif : Grégoire, Lambrechts et vraisemblablement Volney ; les deux premiers appuyaient leur refus d'une lettre réclamant des garanties contre les excès de pouvoir du nouveau gouvernement. Il y eut aussi deux bulletins blancs, attribués à Sieyès et à Garat. Enfin, « quelques-uns ne firent pas de réponse ; c'était la société dite d'Auteuil, Cabanis, Praslin, etc (1). »... Cette petite minorité se réduisit encore le 28 floréal (18 mai) lors de la présentation du nouvel acte constitutionnel, ultime formalité concrétisant les volontés de Bonaparte. Le seul sénateur à prendre la parole

(1) Thibaudeau : *Le Consulat et l'Empire.*

pour émettre un avis contraire fut Grégoire : il le fit hautement et réclama — ce qui lui fut refusé, naturellement — l'insertion au procès-verbal de sa lettre de désaccord (1) et de ses propositions annexes. A son vote négatif ne s'en ajoutèrent que deux, celui de Lambrechts et celui de Garat (ou de Volney), sans parler de deux bulletins blancs.

La résistance des Idéologues du Sénat venait donc de faiblir encore ; Cabanis avait demandé un congé à partir du 1ᵉʳ floréal, Lanjuinais aussi était absent pour raisons de santé ; Destutt de Tracy, à notre connaissance, n'est mentionné nulle part comme ayant fait acte d'opposition ou même d'abstention... Penseurs plutôt que lutteurs, sans doute se résignaient-ils au fait accompli.

Exception devrait être faite pour Volney qui eût préféré un Louis XVIII garantissant certaines libertés à Napoléon les supprimant toutes. Il était grandement perplexe, pourtant, écrivant à Jefferson le 8 floréal : « Eussiez-vous préféré le vote de l'armée ? » L'avènement du nouveau souverain étant inévitable, ne valait-il pas mieux que son autorité lui fût conférée par les pouvoirs civils plutôt que par cette armée de plus en plus impatiente, menaçante aux dires de certains ? Murat ne prétendait-il pas que bientôt il ne pourrait plus contenir ses troupes ?... L'argument, méthodiquement propagé, avait fait son chemin, il avait ébranlé même un Volney, on le voit. Pas pour longtemps, car sans parler de son vote présumé hostile, il démissionna. « Qu'avez-vous fait, Volney ? » lui dit peu après Napoléon perçant la foule des sénateurs venus en corps lui rendre hommage, « est-ce le signal de la résistance que vous avez voulu donner ? Pensez-vous que cette démission soit acceptée... ? » Elle fut refusée et un décret du Sénat interdit la démission d'aucun de ses membres.

Ce n'était pas un signal de résistance. C'était simplement le geste d'un homme décidé à demeurer un réfractaire silencieux. Si lent à perdre ses illusions sur son jeune ami de Corse, il ressentait plus douloureusement que quiconque,

---

(1) « Je vous transmets la déclaration que tout système héréditaire dans le pouvoir exécutif ainsi que dans le Sénat, tout changement des dénominations dans le titre de la suprême magistrature sont contraires à mon opinion (...) J'aurai vécu sans lâcheté, je veux mourir sans remords. »

nous l'avons dit, le dénouement de l'aventure brumairienne. Mais il nourrissait maintenant un autre grief contre Bonaparte : l'affaire Moreau. Volney et Moreau avaient été camarades à Rennes avant la Révolution, ils y avaient milité ensemble, le premier comme journaliste, le second comme étudiant. Ne se perdant pas de vue, ils avaient renoué par la suite ; et Volney vantant à ses amis idéologues les qualités de Moreau, n'avait pas peu contribué aux espoirs fondés sur lui par ceux-ci lors des dîners du tridi.

C'est le 18 mai 1804 que l'acte d'accusation contre Moreau fut publié (et contre les membres de la conspiration Cadoudal). C'est ce même jour que le Sénat votait le « Sénatus-consulte organique du 28 floréal an XII » instituant l'Empire, pour se transporter sans perdre une minute à Saint-Cloud. Là, son président, le Second Consul Cambacérès, salua le Premier Consul du titre de Majesté Impériale. « J'accepte, répondit Napoléon, le titre que vous croyez utile à la gloire de la nation. Je soumets à la sanction du peuple la loi de l'hérédité... » Par là il fallait entendre qu'un plébiscite allait être ouvert, mais qu'on n'en attendrait pas les résultats.

Quelles étaient les dispositions principales de ce Sénatus-Consulte, autrement dit, de cette Constitution de l'an XII ?

Elle confiait « le gouvernement de la République » à un empereur héréditaire, Napoléon Bonaparte, et fixait le principe de sa succession : à défaut d'héritier naturel ou adoptif, elle serait dévolue à Joseph, puis à Louis. Quant à l'organisation des pouvoirs publics, elle n'était guère modifiée.

Le Sénat, il faut le reconnaître, avait prévu dans son projet l'institution de certaines garanties ; par l'exercice d'un droit de veto, il souhaitait protéger les libertés individuelles ; il se réservait aussi d'interpréter les Sénatus-Consultes qu'il rendrait. « Prétention monstrueuse ! » s'était écrié Bonaparte en Conseil d'Etat : les Sénateurs « voulaient à la fois légiférer, juger et gouverner », si on les laissait faire, « ils iraient jusqu'à rappeler les Bourbons ! » Aussi ne leur avait-il accordé que la faculté de désigner deux commissions, l'une des libertés individuelles, l'autre de la liberté de la presse. La première était habilitée à recevoir des pétitions de personnes s'estimant arbitrairement détenues (et de leurs familles) ; elle pouvait alors inviter le Sénat à déférer l'affaire à la « Haute-cour impériale » et déclarer qu'il y avait de « fortes

présomptions » que les libertés individuelles avaient été vio-
lées — mais seulement après trois instances auprès du
ministre. Les pouvoirs accordés à la seconde n'étaient pas
moins dérisoires. Par ailleurs, tout un contingent de princes
et de hauts dignitaires étaient introduits dans le Sénat auquel
l'empereur s'attribuait de choisir de nouveaux membres sans
limitation de nombre. Quant au Corps législatif et au Tribunat, leur faible marge d'activité était encore réduite.

L'innovation la plus marquante apportée aux structures
de l'Etat était la création de hiérarchies honorifiques d'un
caractère ostensiblement, agressivement monarchique. Pro-
mus princes comme les autres membres de la famille (sauf
Lucien et Jérôme) dans l'ordre d'hérédité, Joseph et Louis
se voient conférer le titre l'Altesse Impériale ; le premier
sera Grand Electeur, le second Grand Connétable. Cambacérès est fait Archichancelier, Lebrun Architrésorier. Il y a
aussi un Grand Aumônier et un Grand Maréchal du Palais,
un Grand Ecuyer et un Grand Veneur, un Grand Maître des
Cérémonies, un Grand Chambellan (Talleyrand), des chambellans ordinaires, des aumôniers ordinaires (dont deux évêques), des écuyers cavalcadours, des pages et des hérauts
d'armes. Mêmes anachronismes ronflants dans la maison
de l'Impératrice (1), même domesticité d'Ancien Régime au
service de Madame Mère, des princes, des princesses. Nouveau Versailles où régicides et sans-culottes éperdus d'aristocratie coudoient des survivants de la Vieille France pres-
sés de se réaffirmer gentilshommes en se plaçant comme
valets ; valets, qui plus est, de l'usurpateur...

Seule institution qui n'appelle pas le sarcasme, celle des
maréchaux.

*
**

La proclamation au son des trompettes du nouveau
régime ne provoqua dans Paris aucune réaction notable. On
commentait avec passion, en revanche, le grand procès qui
s'ouvrait.

---

(1) Un premier aumônier, une dame d'atours, douze dames du
palais, un premier chambellan, deux chambellans, un premier écuyer,
deux écuyers cavalcadours, un secrétaire des commandements.

C'est le 28 mai 1804 que l'ancien commandant de l'armée du Rhin fut traduit devant « la Cour de justice criminelle et spéciale de la Seine » ; Georges Cadoudal et quarante-cinq autres inculpés comparaissaient en même temps que lui. Mais, a écrit Thibaudeau, « Pichegru s'était fait justice, Georges s'avouait coupable ; il ne restait plus que Moreau. Ce n'était plus, à proprement parler, que son procès. Il devint plus menaçant que la conjuration ; *c'était entre Bonaparte et Moreau, entre César et Pompée.* » Une partie dramatique allait se jouer, Paris le sentait. « Toutes les avenues du Palais de Justice étaient encombrées » raconta Mme Récamier qui put assister à la première audience. Partisans et curieux s'écrasaient dans la salle et s'entassaient au dehors.

Composé pour la circonstance, le tribunal n'était pourtant pas une commission militaire ; le souci des formes n'allait pas manquer à la conduite des débats alors que les responsables de l'instruction avaient recouru tantôt à de grossières tentatives de corruption et tantôt à des sévices cruels. Interrogeant lui-même un aide-de-camp de Moreau, le croyant devenu hostile à son chef et disposé à le charger, Réal lui avait proposé, en vain, le brevet de général de division et cent mille écus. La torture avait été employée pour arracher les aveux de plusieurs inculpés qui les rétractèrent ; l'un d'eux, Picot, domestique de Cadoudal, brandit face à la Cour ses mains encore enflées et meurtries après quinze jours. Des dépositions ainsi rectifiées, il apparut à l'évidence que les royalistes de Londres avaient été induits en erreur par Lajolais à qui Moreau n'avait jamais confié le moindre mandat ; et que Moreau, au contraire, s'était obstinément refusé à participer à leur complot.

Quant aux premiers interrogatoires subis par Moreau lui-même au Temple, le président lui fit grief d'avoir adopté un système de dénégations par la suite insoutenables. Reproche apparemment fondé : Moreau avait affirmé au grand juge qu'il n'avait vu ni Georges ni Pichegru et qu'il ignorait leur présence à Paris. Accusé il répondit : « Je regardais cet interrogatoire comme un interrogatoire de police... Je ne voulais pas du tout qu'un seul mot de moi pût être la cause de l'arrestation de Pichegru. » C'est au Premier Consul qu'il entendait réserver ses déclarations. Le 9 mars, en effet, il lui avait écrit en s'expliquant sur ses relations avec Pichegru et en ajoutant : « Quelque proposition qui m'ait été faite, je l'ai repoussée par opinion et regardée comme la plus insigne de toutes les folies. »

Il faut dire que Moreau avait déjà indisposé le Directoire par son indulgence envers l'ancien chef de l'armée du Nord. A la veille du 18 fructidor, ayant eu en mains les preuves de sa trahison, il n'en avait averti Paris que le 19. Mais il avait refusé de lui apporter son concours, sa correspondance en fait foi... Cette affaire lui avait valu une disgrâce d'un an — après quoi, au printemps 99, remplaçant Scherer puis Joubert en Italie, il avait une fois de plus témoigné brillamment de son loyalisme républicain.

Cette fois, on lui imputait à crime d'avoir rencontré un Pichegru déterminé à tuer le Premier Consul. Mais plusieurs témoins déclarèrent que le résultat de ses entrevues avait été si décourageant pour Pichegru que celui-ci allait renoncer à rester en France. Il n'avait pas rompu avec un traître ? Mais depuis le commencement de la Révolution, répondit Moreau, il y en eut beaucoup, de traîtres ; et *« beaucoup furent républicains qui ne le sont plus maintenant ! »* L'allusion fit frémir. Moreau retrouvait son audace des champs de bataille, sa maîtrise ; cet indécis de la politique faisait face maintenant avec à-propos :

« Quand j'ai vu les fructidorisés à la tête des autorités de l'Etat, quand l'armée de Condé remplissait les salons de Paris et ceux du Premier Consul, je pouvais bien m'occuper de rendre à la France le vainqueur de la Hollande ! » Et comme on lui reprochait des propos haineux contre le gouvernement consulaire, il revendiqua le droit légal d'éprouver certains sentiments et de les exprimer en privé.

Au seul témoin à charge cité contre lui, trouble personnage qui déclarait lui avoir fait des propositions de la part de Pichegru, Moreau répliqua : « Voilà deux hommes dont l'un fait des propositions et l'autre les accepte. Quel est le plus coupable ? Celui qui les fait. Pourquoi, depuis notre déposition, suis-je tenu au secret, tandis que M. Rolland a été mis à l'Abbaye chez un de ses amis, jouissant de la plus grande liberté ? »

Les autres réponses de Moreau furent empreintes de cette pertinence. Mais la plus forte réfutation qu'il opposa à ses accusateurs fut le 5 juin le simple récit de sa vie.

La salle ce jour-là était étouffante, encore plus bondée que d'habitude ; on attendait la plaidoirie du défenseur du général vers qui se tournaient tous les regards et qui lui-même reconnaissait quelques-uns de ses compagnons d'armes, le courageux Lecourbe en particulier. Mais tout d'un coup Moreau se leva et demanda à parler d'abord :

« J'étais voué à l'étude des lois au commencement de cette révolution qui devait fonder la liberté du peuple français. Elle changea la destination de ma vie ; je la vouai aux armes : je n'allai pas me placer parmi les soldats de la liberté par ambition ; j'embrassai l'état militaire par respect pour les droits de la nation : je devins guerrier parce que j'étais citoyen. Je portai ce caractère sous les drapeaux, je l'y ai toujours conservé. Plus j'aimais la liberté, plus je fus soumis à la discipline... » Cela ne sonne-t-il pas vrai et grand, de la grandeur de Vigny ?

Résumant ses états de service, Moreau rappela qu'on lui avait proposé de faire une « journée » à peu près semblable à celle du 18 brumaire et qu'il l'avait refusé ; puis ce qu'avait été son rôle ce jour-là, et son dévouement à Bonaparte. Et n'était-il pas absurde de lui reprocher d'avoir voulu conspirer, alors qu'à la paix il n'avait songé qu'à licencier son armée de 100 000 hommes si souvent triomphante :

« ... depuis la victoire de Hohenlinden jusqu'à mon arrestation, mes ennemis n'ont jamais pu ni me trouver ni me chercher d'autres crimes que la liberté de mes discours. Mes discours... ils ont été souvent favorables aux opérations du Gouvernement, et si quelquefois ils ne l'ont pas été, *pouvais-je donc croire que cette liberté fût un crime chez ce peuple qui avait tant de fois décrété celle de la pensée, celle de la presse, et qui en avait beaucoup joui sous les rois même ?* »

Si vraiment j'avais voulu organiser un complot ou y entrer, dit-il encore, n'aurais-je pas dissimulé mes sentiments, n'aurais-je pas sollicité des postes me mettant à la portée du pouvoir ?... « Pour me tracer cette marche, à défaut d'un génie politique que je n'eus jamais, j'avais des exemples sus de tout le monde, et rendus imposants par des succès. Je savais bien peut-être que Monck ne s'était pas éloigné des armées quand il avait voulu conspirer ; et que

Cassius et Brutus s'étaient approchés de César pour le percer... »

Péroraison qui porta l'émotion de l'assistance à son comble et fit trembler le plancher de trépignements : il était interdit de battre des mains, sous peine d'arrestation immédiate, depuis la salve d'applaudissements provoqués six jours plus tôt par une dédaigneuse réponse de Moreau au président. Tout au long du procès, l'atmosphère avait été fiévreuse ; il y eut en particulier une séance, raconte Bourrienne, « dont l'effet électrique fut prodigieux. Il me semble voir encore le général Lecourbe, ce digne ami de Moreau, entrant inopinément dans la salle d'audience avec un jeune enfant. Il le prend, l'élève dans ses bras, et s'écrie d'une voix forte mais émue : « Soldats, voici le fils de votre général ! » A ce mouvement imprévu, tout ce qu'il y avait de militaires dans la salle se leva spontanément et lui présenta les armes, en même temps un murmure flatteur parcourut l'auditoire. Certes, si en ce moment Moreau eût dit un mot, l'enthousiasme était tel en sa faveur que le tribunal s'en allait être renversé et les prisonniers libres. » Et Fauriel qui s'étend longuement sur ce procès et qui cite ce récit de Bourrienne, ajoute : « On raconte que Georges dit à cette occasion : « Si j'étais Moreau, je coucherais ce soir aux Tuileries »... Moreau n'était pas Georges Cadoudal, il garda le silence.

Autre anecdote significative de son prestige : les deux gendarmes qui l'escortaient étaient restés debout et tête nue par respect pour lui ; le président leur ordonna de se couvrir et de s'asseoir. Ce n'est qu'à l'ordre donné et réitéré par l'accusé lui-même qu'ils obtempérèrent.

L'impression fut profonde dans la capitale, tout au moins dans les milieux intellectuels et la bourgeoisie. « Jamais l'opinion de Paris ne s'est montrée avec tant de force », écrivit Mme de Staël. Et Mme Récamier : « Sur la fin du procès toute affaire était suspendue, la population tout entière était dehors : on ne s'entretenait que de Moreau (...) La nuit qui précéda la sentence (...) les abords du Palais de Justice ne cessèrent d'être remplis d'une foule inquiète ; la consternation était universelle (1). » On pourrait taxer ce témoi-

_____
(1) *Souvenirs et Correspondance.*

gnage d'exagération : Mme Récamier était très liée avec
Mme Moreau et sa mère ; à l'issue de la première audience,
comme elle passait près de Moreau, celui-ci lui avait dit
quelques mots de remerciements ; le lendemain Cambacérès
lui interdisait de retourner au tribunal... Mais ses souvenirs
sont confirmés par ceux du ministre de l'Intérieur de l'époque, Chaptal : Dans les théâtres, on réagissait tellement à
tous les passages applicables à la situation de Moreau que
la police fit ôter chaque jour une ou deux pièces du réper-
toire pour ne plus autoriser que *Phèdre.* Ce qui était encore
trop : « Le public applaudissait avec transport les vers
suivants :

> *Le jour n'est pas plus pur que le fond de mon cœur.*
> *Un seul jour ne fait pas d'un homme vertueux*
> *Un perfide assassin, un lâche incestueux.*

« La pièce fut supprimée et le Théâtre Français eût été
fermé si le procès avait duré plus longtemps (1). »

Les Idéologues, cela va de soi, n'étaient pas restés indif-
férents. Le groupe d'Auteuil s'était concerté pour tenter de
faire évader Moreau ; Garat s'était proposé pour le défendre :
afin de l'en empêcher, le Sénatus-Consulte qui suspendait le
jury avait aussi stipulé que les accusés seraient défendus
par des avocats (2). Celui de Moreau, qui s'appelait Bonnet,
sans enflammer le public, fit une plaidoirie qui porta. Si
Moreau avait commis une imprudence, il ne s'était jamais
fait le complice de Pichegru et de Cadoudal : cette conviction, à la fin des débats, s'imposa au tribunal lui-même.

Napoléon le savait. Par l'intermédiaire de Réal et de
Cambacérès présents dans un local voisin de la Chambre
du Conseil, il avait exercé d'insistantes pressions pour obtenir une condamnation à mort. Le 9 juin au matin, quand les
douze juges se réunirent pour délibérer, celui qui avait
achevé l'instruction, un ancien montagnard nommé Thuriot,
revint à la charge, affirmant que l'Empereur, d'une part,

(1) Chaptal : *Mes souvenirs sur Napoléon.*
(2) Néanmoins, selon Bourrienne (*Mémoires,* t. VI), le discours prononcé par Moreau était l'œuvre de « son ami » Garat qui ne craignit
pas d'encourir ainsi l'ire de Bonaparte.

voulait la condamnation à mort et, d'autre part, était décidé à faire grâce. « Mais nous, qui nous fera grâce à nous-mêmes si nous couvrons cette infamie ? » s'écria un autre juge, l'helléniste Clavier. On vota. Sept voix contre cinq se prononcèrent pour l'acquittement.

Il ne restait qu'à rédiger le jugement, ce que demanda Lecourbe (frère du général). Le président Hémart s'y refusa, prétendit imposer silence à Lecourbe. L'empereur, informé du vote, lui avait fait enjoindre de reprendre la délibération sur la base de nouvelles charges, de nouveaux aveux qu'il prescrivait d'obtenir de certains accusés ; par Cambacérès, il faisait exiger une « sentence plus conforme à la justice et à l'intérêt de l'Etat ». La délibération reprit donc, âprement, et se prolongea pendant des heures. Opiniâtre, Lecourbe revint à la charge, combattit le déni de justice ; d'autres juges faiblirent, impressionnés par les arguments du président et de Thuriot : un acquittement serait exploité par les puissances étrangères, provoquerait une guerre civile, obligerait le gouvernement à un coup d'Etat ; tableau si menaçant que quelqu'un (Granger) déclara qu'il fallait condamner même un innocent. Un compromis fut proposé qui rallia une majorité de huit voix contre quatre : Moreau fut condamné à deux ans de prison.

« C'est le comble de l'horreur et de l'infamie » écrivit Moreau au sortir de l'audience ; s'il était prouvé que j'avais pris part à la conspiration, « je devais être condamné à mort comme un chef. Personne ne croira que j'y ai joué le rôle d'un caporal. » Napoléon, lui, entra en fureur : « On me le condamne comme un voleur de mouchoirs ! Qu'en faire ? » Fouché résolut le problème en proposant à Mᵐᵉ Moreau la commutation de la peine en bannissement. Au nom de son mari malade, elle accepta ; tous deux partirent pour les Etats-Unis.

Le verdict, rendu le 10 juin 1804 à l'aube, ne concernait pas que Moreau, il englobait tous les accusés et comporta vingt condamnations à mort, des peines d'emprisonnement, des acquittements. A la prière de Joséphine, Napoléon commua huit peines capitales en bannissements ; Bouvet de Lozier fut un des bénéficiaires de cette clémence. On remarqua que les douze à qui fut refusée la grâce impériale étaient des roturiers ; ce fut le 25 juin qu'ils furent extraits de la

Conciergerie pour être emmenés place de Grève. Sur la charrette fatale, Georges Cadoudal, assisté de son confesseur, récitait des prières : « ... maintenant et à l'heure de notre mort. » La guillotine surgissait devant eux, protégée par des cavaliers, au milieu d'une foule immense. « A l'heure de notre mort, dit Cadoudal au prêtre, nous y voilà ! » Au bourreau il intima de le faire monter le premier et, autre Danton, de montrer sa tête au peuple ; il embrassa ses amis et se fit bénir ; et quand fut immobilisée sous le couperet son encolure formidable, il eut le temps de crier deux fois : « Vive le Roi ! »

Le rude bonhomme, au cours du procès, n'avait pas fait preuve d'une énergie moindre. Hautain, sarcastique et bref, sur son débarquement, son séjour à Paris, ses fréquentations, il avait refusé de répondre. Mais sur ses projets et ses intentions, il avait simplement déclaré qu'en effet, il se proposait de ramener les Bourbons, au besoin en se débarrassant du Premier Consul. Au sujet de ses compagnons, il ne lâcha rien qui pût les compromettre ; et il s'attacha surtout à souligner le refus de Moreau de participer au complot, ce qui était la vérité, vérité de nature à nuire à Bonaparte auprès de l'opinion.

Une telle force d'âme commande le respect ; elle ne démontre pas que la cause défendue était la bonne. Entre les mains puissantes d'un Cadoudal victorieux, que serait devenue la liberté de la France ? Et Bara le petit tambour capturé par les Vendéens, sommé de crier « Vive le Roi ! », n'avait-il pas été massacré en criant « Vive la République ! » ? Ce n'est pas au parti chouan, on s'en doute, que vont nos préférences. Mais la question des opinions n'est pas la seule. Ce qui compte aussi dans cette histoire, c'est de distinguer ceux qui restent debout, qu'ils soient de droite ou de gauche, de ceux qui se couchent. Les premiers étaient plutôt rares dans cette France de 1804. Et l'attitude vaut d'être signalée de quiconque alors sut sacrifier sa vie, sa carrière, son confort, ou plus simplement sut placer sa dignité au-dessus de sa vanité. Sans faire de lui un héros, reconnaissons que jusqu'à un certain point ce fut le cas de Chateaubriand.

Chateaubriand, qui jamais ne se départit de son loyalisme

monarchique, avait cependant admis dès 1797, dans son
Essai sur les Révolutions, que l'avenir appartenait aux gouvernements démocratiques. Un peu plus tard, voyant le Premier Consul mettre fin au chaos et s'attacher à réconcilier
les Français, il apportait un précieux appoint à sa politique,
on l'a vu, avec le *Génie du Christianisme*, il faisait œuvre
de propagande, il se comportait en écrivain engagé, écrivant
dans sa préface (1) : « ... tout homme qui peut espérer quelques lecteurs, rend un service à la société, en tâchant de
rallier les esprits à la cause religieuse ; et dût-il perdre sa
réputation comme écrivain, il est obligé en conscience de
joindre sa force, toute petite qu'elle est, à celle de cet
homme puissant qui nous a retirés de l'abîme. »... Ostensiblement, Bonaparte lui témoigna sa satisfaction. C'était au cours
d'une soirée donnée par Lucien, le 8 avril 1802 ; invité
« comme ayant rallié les forces chrétiennes et les ayant
ramenées à la charge », le jeune Chateaubriand avait alors
vécu une des scènes les plus flatteuses de son existence :

« J'étais dans la galerie lorsque Napoléon entra : il me
frappa agréablement ; je ne l'avais jamais aperçu que de
loin. Son sourire était caressant et beau ; son œil admirable (...) Le *Génie du Christianisme* qui faisait en ce moment
beaucoup de bruit, avait agi sur Napoléon... » Apercevant tout
à coup l'écrivain, Bonaparte s'écrie : « Monsieur de Chateaubriand ! » La foule alors s'écarte, se reforme en cercle autour
d'eux, et à brûle-pourpoint, le Premier Consul attaque le
sujet de l'Egypte, des Arabes qui tombent à genoux au milieu
du désert : « Qu'était-ce que cette chose inconnue qu'ils
adoraient vers l'Orient ? »

La phrase était propre à subjuguer l'auteur du *Génie*
(et sans doute est-ce lui qui lui donna sa pleine beauté en
la transcrivant). L'Egypte avait favorisé la lune de miel entre
les Idéologues et Bonaparte ; c'était leurs adversaires, maintenant, qu'il s'agissait de séduire :

« Bonaparte s'interrompit, et passant sans transition à
une autre idée : « Le christianisme ? Les idéologues n'ont-ils
pas voulu en faire un système d'astronomie ? Quand cela
serait, croient-ils me persuader que le christianisme est

(1) Préface de la première édition. La seconde fut précédée d'une
dédicace contenant un hommage non moins appuyé.

petit ? (...) Les esprits forts ont beau faire, malgré eux ils ont encore laissé assez de grandeur à l'infâme. »

Ainsi *distingué*, comme on disait à Versailles, Chateaubriand pouvait obtenir ce dont il rêvait : en mai 1803, il fut nommé secrétaire de la légation de France à Rome. En février de l'année suivante, il se voyait confier les fonctions de ministre près la République du Valais récemment créée, avec la promesse d'une ambassade. Avant de rallier son poste, en mars 1804, il se rendit aux Tuileries pour prendre congé du Premier Consul (qu'il n'avait pas revu depuis la soirée chez Lucien) ; mais la galerie était pleine, les deux hommes ne s'abordèrent pas. Chateaubriand trouva à Bonaparte un air sinistre. Le surlendemain, il comprit, il devait s'en souvenir toute sa vie : revenant du boulevard des Invalides où il avait été « faire ses adieux » à un cyprès jadis planté par Mme de Beaumont, il traversait le pont Louis XVI et le jardin des Tuileries ; près du pavillon de Marsan, il entendit des crieurs publics annoncer à des passants « pétrifiés » le jugement et la condamnation à mort du « nommé Louis-Antoine-Henri de Bourbon né le 2 août 1772 à Chantilly :

« Ce cri tomba sur moi comme la foudre ; il changea ma vie, de même qu'il changea celle de Napoléon. Je rentrai chez moi ; je dis à Mme de Chateaubriand : « Le duc d'Enghien vient d'être fusillé. » Je m'assis devant une table et me mis à écrire ma démission. Mme de Chateaubriand ne s'y opposa point et me vit écrire avec un grand courage. Elle ne se dissimulait pas mes dangers : on faisait le procès au général Moreau et à Georges Cadoudal ; le lion avait goûté le sang, ce n'était pas le moment de l'irriter... »

Et Chateaubriand ne le cache pas, sur le conseil d'un ami, il supprima des « phrases de colère » de cette lettre de démission pour raisons de santé ; mais il pria Talleyrand qui en était le destinataire officiel, d'en faire agréer au Premier Consul les « douloureux » motifs réels. Dans son entourage, raconte-t-il aussi, on craignit le pire ; Fontanes devint presque fou de peur, ce qu'on croit sans peine ; ses autres amis, pendant plusieurs jours, d'heure en heure, se présentaient à la loge de son portier, tremblant qu'il n'eût été enlevé par la police. Puis cette sympathie qu'on avait osé lui témoigner s'affaiblit : « Ceux qui m'avaient le plus applaudi s'éloignèrent ; ma présence leur était un reproche. »

Le maître de la France approchait des marches du trône. Tout le monde s'écartait pour lui faire passage, l'ovation suprême allait jaillir du pays (1). L'émotion que le procès Moreau avait pu soulever dans la capitale était retombée d'elle-même, impuissante devant le consentement général de la nation. Cette abdication de la patrie de la Liberté, personne n'en a donné un raccourci plus frappant que l'auteur des *Mémoires d'Outre-Tombe* :

« On distinguait les vieilles générations républicaines qui se retiraient, des générations impériales qui s'avançaient. Des généraux de la réquisition, pauvres, au langage rude, à la mine sévère, et qui, de toutes leurs campagnes, n'avaient remporté que des blessures et des habits en lambeaux, croisaient les officiers brillants de dorure de l'armée consulaire (...) Les révolutionnaires enrichis commençaient à s'emménager dans les grands hôtels vendus du faubourg Saint-Germain. En train de devenir barons et comtes, les Jacobins ne parlaient que des horreurs de 1793 (...) Bonaparte, plaçant les Brutus et les Scevola à sa police, se préparait à les barioler de rubans, à les salir de titres, à les forcer de trahir leurs opinions et de déshonorer leurs crimes. Entre tout cela poussait une génération vigoureuse semée dans le sang, et s'élevant pour ne plus répandre que celui de l'étranger : de jour en jour s'accomplissait la métamorphose des républicains en impérialistes et de la tyrannie de tous dans le despotisme d'un seul. »

(1) Le résultat du plébiscite — qui portait sur l'hérédité, non à proprement parler sur l'institution de l'Empire — fut proclamé le 6 novembre : 2 579 *non* et 3 572 329 *oui*. Les abstentions étaient comptées dans les *oui*.

CHAPITRE VII

LE SCEPTRE DE FER

Ce fut certes un beau spectacle qui fut offert à Paris le 2 décembre 1804. On avait pensé qu'il pourrait se dérouler au Champ-de-Mars en souvenir de la fête de la Fédération ; mais l'Empereur des Français ne voulait pas se soumettre « au brouhaha de la populace » ; le Conseil d'Etat opinait pour les Invalides, lieu plus militaire que religieux, mais Napoléon tenait à Notre-Dame.

La cathédrale a été métamorphosée : les portails sont masqués par un arc-de-triomphe aux armes de l'Empereur, agrémenté de pyramides, les voûtes se cachent sous du carton. Dès l'apparition des souverains deux énormes orchestres dominés par le bruit du canon attaquent des marches martiales. La cérémonie attendue patiemment par Pie VII depuis deux bonnes heures va commencer. Les acteurs gagnent leur place.

Dans son tableau du *Sacre*, un des plus célèbres du monde, salué par l'Empereur comme le chef-d'œuvre qu'il souhaitait, et qui ne représente ni le sacre de Napoléon ni son couronnement mais celui de Joséphine, David montre une Joséphine qu'Isabey, promu maquilleur, est parvenu à rajeunir de dix ans, agenouillée devant un Napoléon très à l'aise en empereur romain d'opéra, le front ceint de lauriers, grave et beau, s'apprêtant à poser la couronne sur la tête de son épouse ; dans une loge, sous la propre famille du peintre, Madame Mère contemplant son *Nabulio* est l'expression même du bonheur. Or Madame Mère n'était pas là. Pour ne pas assister au triomphe de la veuve Beauharnais qu'elle s'obstinait à appeler « cette femme », elle s'était retirée près de Lucien, en Italie, à Rome d'abord, à Frascati ensuite. Napoléon, déjà, destine l'Europe à sa famille : il est furieux que Lucien ait épousé une roturière, la belle Alexandrine Jouberthon dont le mari défunt était agent de change ; furieux que Jérôme, également absent, soit marié à une simple miss Patterson. Mais pour la postérité il faut que la *mamma* préside et se réjouisse, que le clan reste solidement uni.

Aux Tuileries, en ce 2 décembre, les préparatifs avaient été interminables. Dans la nef glacée de la cathédrale, le pape se tenait immobile sur son trône. L'assistance, plus curieuse que recueillie et de plus en plus affamée, mangeait des saucisses...

Passons sur les détails du sacre, les libertés prises avec la liturgie qui attristèrent le Saint-Père, passons sur le geste de l'Empereur se couronnant lui-même avant de couronner l'impératrice, mais retenons son mot à Joseph près de qui il se trouva un instant :

— Joseph, si notre père nous voyait !

Tout a été parfaitement réglé par Louis-Philippe comte de Ségur, grand maître des cérémonies ; Fontanes, l'ami Fontanes, a accueilli Sa Sainteté par quelques belles paroles et achevé de convaincre Sa Majesté de reprendre les emblèmes rituels de la monarchie capétienne, voire carolingienne : le sceptre, l'épée, le globe, la main de justice. Napoléon ne s'est pas fait prier. Il s'était incliné à Aix-la-Chapelle devant les reliques vraies ou supposées du grand Charlemagne qui l'obsédera de plus en plus. La première fois que Cambacérès l'avait appelé Sire, il n'avait pu dissimuler sa joie. Le put-il davantage quand le Pontife de Rome prononça ces mots solennels : VIVAT IMPERATOR IN AETERNUM !

***

Les années passeront, le caractère monarchique, rétrograde, archaïque, du régime, ne cessera de s'accentuer. Le 1er mars 1808, Napoléon instituait la noblesse impériale.

Conférée en récompense de services rendus, cette noblesse, bien qu'héréditaire, ne comportait pas les privilèges d'avant 1789 ; mais elle violait le principe de l'égalité au profit du droit d'aînesse puisque certains titres étaient pourvus de majorats.

Divorcé, puis remarié avec Marie-Louise (1810), devenu par conséquent neveu par alliance de Marie-Antoinette et de Louis XVI, l'Empereur des Français impose une stricte étiquette d'Ancien Régime à ses courtisans : révérences, présentations, préséances, hiérarchie des fauteuils, tabourets et le reste. La cour devient toujours plus nombreuse — en 1812 elle comptera quatre-vingt-cinq chambellans — l'ancienne aristocratie y domine, Mme de Montesquiou, jadis gouvernante des enfants de France, est attachée à la personne de l'impératrice.

Cette mentalité qu'on serait tenté de qualifier d'ultra-royaliste n'imprègne pas que la cour, mais aussi le gouvernement. Les *Mémoires* de Grégoire contiennent à ce sujet une note bien curieuse ; il s'agit de l'élection des « muets » au Corps législatif par le Sénat :

« Les choix étaient arrêtés à l'avance et l'on faisait circuler les listes (...) A défaut de mérite, on faisait impudemment valoir des motifs tels que ceux-ci :

« Généalogie, ancienneté de famille — Un de ses ancêtres a servi sous Henri IV — Richesses. Apte par conséquent à devenir législateur.

« D'autres : — Quatre oncles chevaliers de Saint-Louis. Parents chevaliers de Malte — Décoré de l'ordre de Cincinnatus. *Ergo* capacité législative...

« A logé Sa Majesté l'impératrice — Assisté au couronnement. — Assisté au baptême du roi de Rome — Sa nomination fera plaisir à l'empereur — Capacité. »

Voilà donc l'état d'esprit régnant au Sénat à l'apogée de l'Empire et voilà comment le Corps législatif désormais va se recruter. D'ailleurs le Sénat ne discute plus, il ne sert qu'à voter les sénatus-consultes qui lui sont présentés et qui, en pratique, avec les décrets, remplacent les lois. Le Palais-Bourbon n'abrite plus que l'ombre de la représentation nationale. Ce qui restait du Tribunat a été dissous en 1807. Le Conseil d'Etat est confiné dans des tâches administratives.

L'année du mariage autrichien est aussi celle du rétablis-

sement officiel de l'arbitraire monarchique : un décret du
15 mars 1810 régularise l'existence des prisons d'Etat destinées aux suspects qu'il n'est convenable « ni de faire traduire
devant les tribunaux, ni de faire mettre en liberté ». Ces
Bastilles impériales sont au nombre d'une vingtaine (dont
le Temple, le Mont Saint-Michel, Vincennes, le château d'If...) ;
le nombre de leurs pensionnaires sera estimé en 1814 à
2 500 ce qui n'est pas un chiffre astronomique, nous avons
connu mieux depuis ; mais il est d'autres moyens que l'in-
carcération pour se débarrasser des individus gênants ; certains sont envoyés dans des asiles d'aliénés, d'autres placés
en résidence surveillée ou relégués dans des îles.

Pas d'arrestations massives, à vrai dire. Pourquoi y en
aurait-il ? Même si sa popularité, à partir de la guerre
d'Espagne, est en baisse, Napoléon n'aura jamais à mater
un peuple insurgé ; soutenir qu'il ait usé de la terreur
comme moyen de gouvernement serait excessif. Mais de la
peur, oui. Le pouvoir illimité de sa police, de ses polices,
effrayait. L'année 1810 verra aussi le remplacement de Fouché (1) — considéré comme trop indulgent, soupçonné d'intelligences avec les ennemis du régime — par Savary, instrument plus sûr. Plus que jamais Napoléon tient à être informé
sur tout et sur tous, sur les sentiments du bas peuple, les
pensées secrètes de son entourage et de sa famille. L'espionnage et la délation sont des moyens essentiels de son
gouvernement ; le cabinet noir de Lavalette en est toujours
un rouage important. Depuis le Consulat l'efficacité du système s'est accrue ; et si le « renseignement » demeure une
activité fondamentale des polices, leurs pouvoirs répressifs
ont été augmentés, la détention administrative tendant à remplacer les sanctions prononcées par les tribunaux même en
matière de droit commun. La magistrature d'ailleurs a été
sévèrement épurée, et domestiquée ; la désignation des jurys
de jugement est confiée aux préfets ; les tribunaux spéciaux,
maintenus, ne comprennent plus que des militaires ; les
garanties individuelles des accusés sont réduites à presque
rien par le code d'instruction criminelle et le code pénal ;
ce dernier rétablit les peines les plus réactionnaires, par

(1) Le 10 juillet 1804, il avait été fait à nouveau ministre de la
Police. Juste récompense de son intervention au Sénat.

exemple le poing coupé avant la décapitation pour les parricides, la marque au fer rouge, le boulet aux pieds, le carcan, pour les forçats, la déportation avec mort civile, mesures contre lesquelles s'étaient éloquemment élevés Chénier et ses amis du Tribunat lors de la session de l'an X. Non pas cruel mais généralement impitoyable, Napoléon ne se laisse pas attendrir facilement. Il ne lui répugne pas de recourir à ces archaïsmes barbares ; sa philosophie de l'autorité a répudié l'esprit des lumières pour invoquer les sombres traditions du Haut Moyen Age. N'a-t-on pas fait des recherches extravagantes à son intention, afin de retrouver les attributs historiques du sacre, sceptre, mains de justice et le reste ? Inauthentique, la hampe de son sceptre n'était qu'une tige d'argent doré garnie de velours. Ce métal ne lui allait pas. Il dira à Sainte-Hélène qu'il fallait à la France « un sceptre de fer » (1).

Oui, pour affirmer son autocratie, il invoque les traditions les plus ténébreuses, il mobilise l'arsenal théologique, il fait menacer des peines de l'enfer. En 1811 est mis en usage dans toutes les églises de l'Empire un catéchisme qui contient ceci :

« D. Que doit-on penser de ceux qui manqueraient à leur devoir envers notre Empereur ?

« R. Selon l'apôtre saint Paul, ils résisteraient à l'ordre établi de Dieu même, et se rendraient dignes de la damnation éternelle. »

On pourrait citer de ce catéchisme quantité d'autres réponses non moins édifiantes. Contentons-nous de celle-ci qui précise la nature du concours fourni à l'Empereur par sa gendarmerie sacrée :

« R. Les chrétiens doivent aux princes qui les gouvernent, et nous devons en particulier à Napoléon Iᵉʳ notre Empereur, l'amour, le respect, l'obéissance, la fidélité, le service militaire, les tributs ordonnés pour la conservation et la défense de son Empire et de son trône. »

Le service militaire, non seulement le catéchisme l'impose

(1) *Journal* de Gourgaud, 30 janvier 1817 : Les gazettes annoncent que des troubles se produisent en France, que « le peuple prend le dessus ». Réaction de Napoléon : « Eh ! bien, malgré tout cela, la route que suivait le roi était la bonne. *Il faut en France un sceptre de fer*, de la vigueur ».

comme un devoir sacré aux consciences chrétiennes, mais encore des évêques interviennent personnellement pour assurer le succès des opérations de la conscription — cette conscription qui ne soulèvera pas indéfiniment l'enthousiasme. Et si les lettres pastorales ne sont pas assez nombreuses, assez chaleureuses, le gouvernement impérial rappelle l'épiscopat à l'ordre, et l'épiscopat invite les curés à ranimer du haut de la chaire le patriotisme et l'esprit d'obéissance de leurs paroissiens. Pendant une bonne partie du règne, ce système concordataire fonctionnera à la satisfaction de l'Empereur. Et du clergé. La protection constante du gouvernement lui est acquise. Tel préfet prescrit à ses maires d'assister régulièrement à la grand-messe (1808) ; tel autre se fait blâmer pour n'avoir pas suivi la procession de la Fête-Dieu (1806). L'astronome Lalande ayant pris la défense de l'athéisme dans un ouvrage, Napoléon lui fait enjoindre (par l'Institut) « de ne plus rien imprimer ». Mais qui peut encore imprimer sous l'Empire ?

Sous le Consulat — sans parler de la presse devenue ce que nous savons — la publication des livres avait été subordonnée à l'agrément d'une « commission de révision » dépendant du grand juge. En 1805, Fouché réorganise le contrôle de tous les écrits en créant un « bureau de presse » ensuite appelé « bureau des journaux, des pièces de théâtre, de l'imprimerie et de la librairie ». Pour ce qui est du théâtre, Napoléon se montre particulièrement sourcilleux ; attentif aux réactions du public, redoutant l'effet des allusions politiques à la scène, il décide en 1807 de fermer toutes les salles de Paris sauf huit : quatre grandes et quatre petites. Ainsi réduite, l'activité théâtrale est non seulement surveillée, mais hiérarchisée, fonctionnarisée. Le nombre des imprimeurs est également limité (soixante à Paris). Assez longtemps l'Empereur a théoriquement répudié la censure en matière de librairie. Ce qu'il prétendait écarter, semble-t-il, c'était la censure préventive ; ce qu'il refusait, c'était de donner d'avance l'autorisation de publier tel ou tel ouvrage ; un libraire pouvait imprimer n'importe quoi, à ses risques et périls, tant pis si ensuite la police jugeait le livre subversif et le saisissait (1). Ce n'est que le 5 février 1810 que la

---

(1) E. d'Hauterive : *Napoléon et sa police*.

censure fut instituée et réglementée, l'impression des livres étant soumise à des censeurs, leur mise en vente pouvant être interdite par la police et les préfets.

A l'égard des journaux, la politique de l'Empereur est non moins tyrannique, mais plus complexe. Connaissant le pouvoir de la presse, il désire l'utiliser. Une censure purement négative ne ferait pas son affaire, il veut qu'elle dirige et stimule.

Le 22 avril 1805, il écrit à Fouché : « Réprimez un peu plus les journaux ; faites-y mettre de bons articles. Faites comprendre aux rédacteurs du *Journal des Débats* et du *Publiciste* que le temps n'est pas éloigné où, m'apercevant qu'ils ne sont pas utiles, je les supprimerai avec tous les autres et n'en conserverai qu'un seul... »

Cette menace, il ne la mettra pas complètement à exécution ; il est vrai que des treize journaux autorisés en nivôse an VIII, il n'en restait plus guère au début de l'empire — sans parler du *Moniteur* — que trois ou quatre dignes d'être mentionnés : Les *Débats* et la *Gazette de France*, d'inspiration royaliste mais fort prudents, le *Publiciste* qui appartenait à Suard et la *Décade* (1).

Dirigée par J.B. Say, la *Décade* est le dernier refuge de l'esprit républicain au début de l'Empire. On n'y aborde pas les sujets politiques, jamais directement en tout cas ; mais cette abstention est une forme d'opposition. L'organe des Idéologues disparaîtra en 1807.

A la tête du *Publiciste*, Suard se comporta avec dignité au lendemain de la mort du duc d'Enghien et du procès Moreau, avec courage même, un courage contrastant avec la pusillanimité dont il avait fait preuve dix ans plus tôt en n'abritant pas Condorcet traqué. Napoléon lui ayant fait demander dans une lettre de « ramener » l'opinion « égarée » par ces deux affaires, il refusa : « J'ai soixante-treize ans ; mon caractère ne s'est pas plus assoupli avec l'âge que mes membres... » ; il se déclarait « profondément affligé » par cet « acte de violence » et d'injustice, il estimait fort naturel le mécontentement public « sur l'intervention notoire

---

(1) Les tirages étaient très faibles. Les *Débats* avaient 1 850 abonnés, le *Publiciste* 2 850, le *Moniteur* 2 450, la *Décade* 666 (chiffres de 1803).

du gouvernement dans une procédure judiciaire soumise à une cour de justice ». Cette réponse n'étant pas publique, Napoléon s'abstint de faire un éclat. S'emparer du journal sans en avoir l'air était préférable ; le ministre de la Police lui désigna un rédacteur, Lacretelle (aîné), et préleva quatre douzièmes de ses bénéfices : deux allant au gouvernement, deux à Lacretelle. Le *Publiciste* vivota ainsi jusqu'à 1810 et fut alors réuni à la *Gazette de France*.

De même, Napoléon, le 20 mai 1805, prescrivait à Fouché d'affecter aux *Débats* un censeur dont les appointements (12 000 francs) seraient payés par les propriétaires du journal. Ce procédé de mise en tutelle et de spoliation fut étendu au reste de la presse, le tribut imposé aux journaux servant à rétribuer les censeurs (ou « directeurs » ou « rédacteurs »), à alimenter la caisse de la police, à constituer des pensions en faveur des gens de lettres soumis ou ayant fait leur soumission. Le système ne fonctionnant pas toujours à la perfection, la police avait le pouvoir de saisir, suspendre, supprimer. En février 1811, le *Journal des Débats* — plus exactement le *Journal de l'Empire* qui l'avait remplacé — était confisqué. En septembre un décret réduisait le nombre des journaux à quatre. C'est que Napoléon, alors, renonça à tirer quoi que ce soit de positif de la presse. Jusque-là, de 1805 à 1810 surtout, il avait donné très fréquemment des instructions écrites et verbales à son ministre de la Police au sujet d'articles à faire insérer ; il lisait lui-même les quotidiens et tous les dix jours se faisait présenter une analyse de tous les livres, brochures, affiches, discours... et même des sermons. Ses préoccupations majeures, à vrai dire, étaient d'ordre militaire : ne pas renseigner l'ennemi, le tromper sur ses projets, impressionner les puissances, nuire à l'Angleterre. C'est ainsi qu'il ordonna une campagne dénonçant des atrocités commises contre les catholiques d'Irlande. Propagande de guerre, en somme. Quant à la politique intérieure, il interdisait tout ce qui risquait de troubler les esprits : ne pas attaquer la religion. Ne pas attaquer la philosophie non plus, prévenir les disputes théologiques, idéologiques, ne pas ranimer les rancunes révolutionnaires... Il redoutait aussi les informations susceptibles de ridiculiser la Cour ou les personnes de son entourage, de faire croire à des prodigalités. Diriger l'opinion publique, maintenir, développer la confiance, l'enthousiasme, le zèle : il attendait cela des journalistes et des écrivains. Il comptait aussi et surtout, mais à plus longue échéance, sur les éducateurs.

En matière d'éducation nationale, Napoléon a réalisé le projet dont il avait jeté les bases en l'an X, l'organisation définitive de l'Université intervenant en 1811. Cette Université qui détient le monopole de l'enseignement, il en a nommé « grand-maître » Fontanes dont il apprécie grandement les mérites et qui est au surplus son beau-frère de la main gauche. Fontanes s'acquitte de sa mission à la perfection. « Faites-moi des hommes qui croient en Dieu » lui a dit l'Empereur, et le grand-maître charge les horaires des lycées de toutes sortes de prières, pratiques et exercices de dévotion. Fort bien. Il faut une discipline catholique. Il faut aussi une discipline classique : on enseigne les lettres, c'est-à-dire l'Antiquité, Corneille et Bossuet — « Cela est grand, sublime et *subordonné* » dit Napoléon — ; on enseigne peu les sciences, pas du tout la philosophie. Il faut enfin une discipline militaire. Les lycées impériaux, reconnaissons-le, ressemblent davantage encore à des casernes qu'à des séminaires. Les élèves portent des uniformes ; les études, les récréations, les examens, tout roule au son du tambour.

Et l'enseignement supérieur ? En 1811, à l'Ecole Normale où Villemain est jeune professeur, dans les combles de l'ancien collège Louis-le-Grand, il n'y a que quarante élèves (et trois ou quatre maîtres).

L'enseignement primaire ? Napoléon l'a fait confier aux Frères des Ecoles Chrétiennes et s'en est expliqué comme suit : « Je préfère voir les enfants d'un village entre les mains d'un moine qui ne sait rien que son catéchisme et dont je connais les principes, que d'un quart de savant qui n'a point de base pour sa morale et point d'idée fixe... Un frère Ignorantin suffit pour dire à l'homme du peuple : « Cette vie est un passage » (1).

C'est donc l'enseignement secondaire surtout que Napoléon s'attache à organiser, et dans un but très précis. Développer l'aptitude à diriger, à commander, mais d'abord à obéir, à lui obéir, voilà ce qu'il exige de son Université. L'Université impériale, on l'a dit souvent, est un moule. Mais

(1) D'après L. Madelin, *op. cit.*, t. XI.

l'image, trop péjorative, ne traduit pas exactement la réalité.

Napoléon ne comprime pas la jeunesse française : il l'exalte. Ce sont des légions enthousiastes qui se lèvent à son appel et qui s'élancent vers la gloire. Du moins en sera-t-il ainsi tant que son étoile n'aura pas atteint sa culmination. C'est à un despotisme actif que la nation s'est livrée. L'Empereur s'est forgé un sceptre de fer ; mais l'âme de son système n'est pas la répression.

***

Toujours est-il que l'efficacité du pouvoir s'est accrue depuis l'époque consulaire. Et toute résistance militaire étant désormais impensable, autant que toute opposition politique ouverte contre l'Imperator triomphant, qu'attendre des Idéologues d'Auteuil, que furent-ils, que deviendront-ils ? Et Mme de Staël et Chateaubriand ? Dans ce pays grisé de fanfares et de victoires, que pouvait une poignée d'hommes dépositaires de la conscience humaine et de la raison, que pouvaient la philosophie et le talent contre la force ? Nous voici au cœur du sujet. Une remarque s'impose avant de répondre. Napoléon dans l'éclat de ses triomphes n'incarnait pas que la force. *Irrésistible* il ne l'était pas seulement par son invincibilité dans les batailles, par la formidable puissance de ses armées, l'omniprésence de ses polices, la solidité des structures de son Etat, le zèle de ses préfets, de ses juges et de son clergé. Il l'était par son génie : affecter de l'ignorer ne serait guère moins ridicule que de prétendre le révéler. Encore convient-il d'éviter les malentendus.

Génie : non que les plus hautes qualités de l'esprit humain aient animé la tête et le cœur de Napoléon Bonaparte, certainement pas. Mais Napoléon Bonaparte était doué d'un ensemble d'aptitudes surhumaines, phénoménales : volonté farouche, mémoire infaillible, capacité cérébrale et rapidité d'un ordinateur, puissance de travail illimitée... En présence d'une force aussi fantastique, incommensurable au commun des mortels, sans doute est-il vain d'engager le combat, insensé d'espérer gagner. Cela ne veut pas dire que devant le surhomme il faille se coucher.

Quant à l'*ascendant* de Bonaparte, Sainte-Beuve a rassemblé des notes éparses de Roederer. On y voit le Premier Consul présidant à l'élaboration du Code civil et inspirant au Conseil d'Etat un respect fait d'admiration bien plus que de crainte :

« Il peut passer dix-huit heures de suite au travail, à un même travail, à des travaux divers. Je n'ai jamais vu son esprit las. Je n'ai jamais vu son esprit sans ressort, même dans la fatigue du corps, même dans l'exercice le plus violent, même dans la colère. Je ne l'ai jamais vu distrait d'une affaire par l'autre, sortant de celle qu'il discute pour songer à celle qu'il vient de discuter ou à laquelle il va travailler. »

L'auteur de ces lignes était un admirateur, évidemment, mais pas un adorateur, non plus qu'un vil courtisan. Roederer qui avait joui de la faveur du Premier Consul ne fit pas l'impossible pour la garder, on l'a vu à propos du Consulat à vie. En mars 1804, après la divulgation du fameux complot, Bonaparte reprocha à Roederer d'avoir refusé le ministère de l'Intérieur. « Citoyen Premier Consul, répondit-il, vous m'avez très bien jugé en ne me nommant pas. Je suis un homme de parti ; je suis un soldat du parti philosophique... » Ce qui n'était pas une déclaration de rupture. Roederer acceptera encore de l'empereur certaines missions, mais à l'extérieur. Une espèce de bonapartiste de gauche, en somme, « difficile à atteler ».

Pour en revenir à l'impossibilité d'une véritable opposition à l'Empire (l'empire à son apogée), on ne s'étonnera pas que se prolonge l'effacement des Idéologues de la scène politique. Leurs forteresses avaient été démantelées, Tribunat, Sciences Morales, Conseil de l'Instruction publique, Ecoles centrales... ; au Sénat devenu ce que nous savons ils étaient entourés d'une majorité accrue d'inconditionnels. Que pouvaient-ils sinon se replier sur leurs travaux personnels ?

Cette attitude d'abstention plus ou moins résignée mais non pourvue de dignité, qui les fit appeler par Napoléon « les boudeurs d'Auteuil », rien ne l'éclaire mieux qu'une lettre à Fauriel d'un ami de Volney, Pariset :

« ... j'ai pris le parti du silence. Ce n'est pas que je n'aie conservé les mêmes principes, mais il faut les tenir sous le boisseau (...) Réservez votre doctrine secrète pour un petit nombre d'amis sûrs (...) Travaillez sans relâche. Le

travail vous rendra libre et vous consolera (...) Il faudra
bien du temps pour qu'on puisse entendre qu'une bonne
loi vaut mieux qu'un coup de sabre (...) que faire ? Se ranger
du côté des chefs, prendre leurs maximes et leur langage ?
Ou bien (...) vivre sans prostituer votre caractère, sans
renoncer à votre raison ? Mon choix est fait, il est irrévo-
cable (1) ».

C'est bien ainsi que Volney vécut sous l'empire, opposant
dédain ou froideur aux avances que Napoléon continue à lui
faire. Sa démission de sénateur ayant été refusée, il ne vient
plus au Luxembourg que rarement, pour « déposer dans
l'urne, silencieusement, un bulletin d'opposant » avec ses
quelques amis de la minorité. Quand il se marie, c'est sans
en demander l'autorisation au monarque, usage récemment
établi pour les sénateurs ; aimablement abordé à ce propos
par Napoléon, il coupe court. Nommé comte, il ne se donne
pas la peine de refuser cette distinction ; elle ne ranimera
pas son zèle. Retiré en 1806 à Sarcelles où il a acquis un
domaine, Volney y partage sagement son temps entre l'hor-
ticulture et l'érudition. Dans *Recherches nouvelles sur l'Histoire ancienne*, Volney « maintient avec hauteur les revendications de la pensée libre », les positions avancées de
Voltaire et de d'Holbach face au retour offensif de l'obscu-
rantisme dogmatique.

Conduite estimable, somme toute, sans héroïsme mais
sans faiblesses. Pourrons-nous en dire autant de Daunou qui,
sous la Révolution, avait donné tant de preuves de courage ? Sous le Directoire, il est vrai qu'il s'était plus ou
moins confiné dans ses chères études, mais sous le Consulat,
n'avait-il pas manifesté son attachement à la Liberté avec
une vigueur nouvelle, au point de provoquer l'ire du dictateur ?

Victime de l'épuration du Tribunat, il en avait également
souffert comme d'un coup mortel infligé à la République ;
cette nouvelle épreuve d'une vie qui en avait connu beaucoup, il n'était plus en état de la supporter et tomba gra-
vement malade. Le ressort de la lutte, en lui, était définitivement cassé ; son opposition ne sera plus qu' « une opposition à voix basse » et peut-être encore est-ce trop dire.

(1) Cité par M. Jean Gaulmier dans son *Volney*.

Sainte-Beuve l'accuse d'avoir capitulé, Sainte-Beuve qui deviendra un protégé du Second Empire : qu'aurait-il donc fait de mieux à l'avènement du premier ?

Il est exact que, profondément déprimé et menacé de perdre sa situation de bibliothécaire du Panthéon, Daunou signa une lettre qu'avait préparée Fouché et que Davout se chargea de remettre à Napoléon. Napoléon, évidemment satisfait, lui répondit qu'il lui laissait ses fonctions et même « qu'il souhaitait vivement utiliser ses talents dans une place plus éminente et qu'il priait Dieu de l'avoir en sa sainte garde »... Formule renouvelée de l'Ancien Régime et qui ne manquait pas de saveur, adressée à l'oratorien devenu rationaliste. Toujours est-il qu'un peu plus tard, après le sacre, Daunou fut nommé archiviste de l'Empire : inestimable faveur accordée à l'ancien organisateur de l'Institut, puisque sous une monarchie absolue, c'est au bon plaisir du souverain qu'on doit tout.

Seulement il fallait remercier, il fallait payer. Daunou paya son tribut. Publiant l'*Histoire de l'anarchie de Pologne* de Rulhière, dans une longue préface de soixante-quinze pages il plaça les lignes suivantes :

« C'est à la suprême loyauté du Chef de l'empire, à l'invariable libéralité de ses sentiments et de ses pensées, que le public devra la pureté du texte de cette histoire (...) C'est faire un bien noble usage de l'autorité souveraine, que d'exiger ainsi la plus fidèle et la plus libre publication d'un important ouvrage, écrit avec indépendance. Au milieu de tant de bienfaits et de triomphes, ce service rendu aux lettres appelle aussi l'attention publique... »

C'était incontestablement un hommage et qui portait atteinte à la vérité — l'invariable libéralité de Bonaparte ! — mais une fois accomplie cette formalité indispensable à la publication de l'ouvrage, Daunou passe de la louange à l'exhortation. Il s'efforce d'obtenir que les victoires impériales servent la cause de la liberté en Europe. Nous sommes en 1807, année de Friedland, année de Tilsitt. La fin de la préface de Daunou est un appel à la libération de la Pologne : « L'indépendance de la Pologne est un intérêt de l'Europe autant qu'un droit des Polonais et la renaissance de ce vertueux peuple sera l'un des vastes bienfaits dont l'histoire de Napoléon se compose... »

En somme, un peu à la manière de Bossuet, c'était tracer au monarque la voie à suivre, lui rappeler en quoi devait consister « le digne usage de la victoire ». Nous verrons plus loin, à propos de l'Europe en général et de la Pologne en particulier, le cas que l'Empereur fit de ces enseignements.

Un autre ouvrage de Daunou (non plus une simple préface, un vrai livre), publié en 1810, contient un nouvel hommage au souverain exprimé en termes plus élogieux encore, au point de nous paraître à première vue consternants.

Mais voyons les intentions de l'auteur ; elle transparaissent dans le très long titre de l'œuvre : *Essai historique sur la puissance temporelle des papes, sur l'abus qu'ils ont fait de leur ministère spirituel et sur les guerres qu'ils ont déclarées aux souverains, spécialement à ceux qui avaient la prépondérance en Italie...* Il est clair qu'à la faveur de cet essai, Daunou espérait acheminer Napoléon vers une rupture du Concordat. Il ne reniait donc pas toutes ses convictions — ce qui eût été étonnant — ; ayant fait la part du feu, il pouvait continuer à défendre certaines idées qui lui étaient essentielles. Au reste, voici le passage qui nous choque et qui se situe à la fin du livre :

« Abolir le pouvoir terrestre des pontifes est l'un des plus vastes bienfaits que l'Europe puisse devoir à un héros. La destinée d'un nouveau fondateur de l'empire de l'Occident, est de réparer les erreurs de Charlemagne, de le surpasser en sagesse et par conséquent en puissance ; de gouverner, de raffermir les Etats que Charles n'a su que conquérir et dominer ; d'éterniser enfin la gloire d'un auguste règne, en garantissant par des institutions énergiques, la prospérité des règnes futurs. »

Quant à la signification de l'ouvrage lui-même, il reste dans la ligne des Idéologues, sévèrement anticlérical par conséquent, mais nullement sectaire : « Le christianisme avait, durant sept cents ans, glorifié Dieu, sanctifié l'homme, consolé la terre, avant qu'aucun ministre de l'Evangile eût songé à s'ériger en prince temporel... »

Dans les années qui suivirent, Daunou montra peut-être encore de la faiblesse, non de la bassesse. Il accepta la Légion d'honneur. Il refusa d'être nommé censeur (sans réussir à faire insérer son refus au *Moniteur*). Comme Volney, il restait à contre-courant de la grande vague cléricale qui attaquait la philosophie du XVIIIᵉ siècle ; dans un mémoire sur le *Destin,* avec indépendance et largeur de vues, il confrontait les conceptions de l'antiquité et du christianisme relatives à la divinité, il continuait à réclamer la tolérance au nom de l'équité et de la raison. Cette fidélité au moins relative au libéralisme, il devait la maintenir sous la Restauration qui commença par le destituer ; un peu plus tard, nommé professeur au Collège de France, il protesta contre les Ordonnances et démissionna.

Cabanis aussi fut contraint par l'Empire de se confiner dans ses travaux intellectuels, Cabanis devenu le plus mécontent des brumairiens mécontents. Il est vrai que sa vocation véritable était dans la médecine et la philosophie plutôt que dans la politique. L'œuvre qu'il accomplit dans ce sens témoigne d'une pensée plus activement indépendante que Daunou, encore que bridée par les mêmes entraves. En 1802 il avait fait paraître *Rapports du physique et du moral,* livre bientôt admiré par Benjamin Constant comme « une des plus belles productions du siècle » (et qui, de fait, annonçait Darwin et le transformisme). Trois ans plus tard, il en publiait une réédition : mais précédée d'une préface qui, comparée à la précédente, donne l'impression d'une retraite défensive (1). Les termes très vifs qui dénonçaient fanatisme et despotisme y sont édulcorés, les critiques rationalistes des dogmes catholiques très atténuées ; la satire indirecte mais violente du gouvernement de Bonaparte en est supprimée... Il fallait céder ce terrain ou ne plus se battre.

C'est au contraire une lutte méritoire que le disciple de Condorcet continua, dans ses dernières années, pour l'affranchissement de l'esprit humain. Sa lettre à *Thurot sur les poèmes d'Homère* défendait la philosophie contre le *Génie du Christianisme,* sa lettre sur les *Causes premières* adressée à Fauriel en 1806 contenait un éloge du stoïcisme, « religion simple et consolante », « celle de Franklin et de Turgot », idéal respectueux à la fois de l'entière collectivité et de la personne.

La santé de Cabanis n'avait pas été moins altérée que celle de Daunou, par les mêmes sombres événements. Un voile

_____
(1) F. Picavet : *Les Idéologues.*

de mélancolie tombe sur le soir de cette vie qui se voulait consacrée à alléger la souffrance humaine, qui dans un grand élan de générosité, de confiance, avait cru en de fausses promesses, et que comprimait, pour finir, un despotisme étouffant, conquérant, sanglant. Autour de la figure en train de s'estomper de celui que Manzoni appelle l' « angélique Cabanis » rayonnent les joies apaisantes de l'amitié, et comme le reflet des sentiments qui avaient entouré sa « bonne mère » mourante. « Je passe une soirée très douce chez Mme de Condorcet avec Cabanis et Fauriel » note en janvier 1807 dans son *Journal intime* Benjamin Constant. Et le 26 avril suivant, Destutt de Tracy annonce à Maine de Biran que Cabanis qui se promenait dans son jardin d'Auteuil, a eu une attaque : « Il va ces jours-ci aller à la campagne chez Mme de Condorcet, ajoute-t-il ; nous faisons des intrigues pour lui donner le goût de la botanique, il s'y prête et ce sera un grand bonheur. » Quittant Auteuil pour la Maisonnette à la prière de sa famille et de ses amis soucieux de lui épargner toute fatigue intellectuelle, Cabanis renonçait à ses études et même « aux entretiens si chers de la philosophie » ; l'été suivant il se retirait au village de Rueil dans une solitude qui n'eût été véritablement reposante que si son besoin de dévouement ne l'avait poussé à secourir jusqu'au bout les malheureux. Accompagné d'un neveu, il partait à cheval pour les villages des environs, entrait dans les chaumières des malades, donnait des soins, des remèdes, des bons de pain et de viande. Le 5 mai 1808, frappé d'une seconde attaque, il mourut. Ainsi disparaissait obscurément une des dernières figures, la plus attachante peut-être, de cette paisible société d'Auteuil, flattée puis honnie par Napoléon.

Le souverain se souvint-il du chaleureux appui que Cabanis lui avait apporté en Brumaire ? A vrai dire, la rupture entre eux n'avait pas été complète, il leur arrivait d'échanger des propos touchant la religion, la philosophie. Toujours est-il que Napoléon jugea opportun d'associer l'Empire au deuil de l'intelligence française : il ordonna que la dépouille du célèbre médecin fût transportée au Panthéon.

Le geste fut apprécié ; à tout le moins la politesse fut rendue. Le 21 décembre 1808 Destutt de Tracy, élu à l'Académie française (1) en remplacement de son ami Cabanis, y prononçait son éloge et le terminait par un éloge de Napoléon : « Oserai-je à tant de suffrages glorieux en ajouter un auquel nul autre ne peut être comparé ? J'ai vu le héros qui fait l'admiration de l'univers se plaire à la conversation de M. Cabanis, apprécier ses vastes connaissances, goûter son aimable et noble caractère (...) Et je me plais à voir l'honorable mémoire de votre illustre confrère, de mon excellent ami, s'unir en quelque sorte à la gloire immense du Héros, dont les exploits seront l'éternel entretien des siècles à venir. »

Une fois de plus, nous voici profondément choqués, déroutés, par un dithyrambe émanant d'un homme dont le caractère ignorait la flatterie, dont tout le passé commandait l'estime. Essayons encore d'y regarder de plus près.

L'auteur des *Idéologues* (2) a souligné l'intérêt d'un *Mémoire* publié en janvier 1798 par Destutt *sur les moyens de fonder la morale d'un peuple.* Celui-ci y préconisait en même temps que l'indépendance de la magistrature une réorganisation de la justice sur des bases humaines et rationnelles. Et la lecture de ce *Mémoire* fait comprendre « comment les idéologues ont hésité à combattre sans merci un gouvernement qui organisait l'administration civile, militaire et judiciaire, mettait de l'ordre dans les finances, assurait la répression des délits et des crimes, promulguait le Code civil et d'autres... » Or, à la date où Destutt prononçait son éloge de Cabanis, une part du programme qu'il réclamait dix ans plus tôt avait été réalisée par Bonaparte devenu empereur : « Ne faisait-il pas des canaux, des bassins, des routes, des ponts et des quais ? Ne promettait-il pas un million à l'inventeur d'une machine à filer le lin et un million à qui remplacerait le sucre de canne par le sucre de betterave, en pensionnant Jacquart et décorant Lenoir et Oberkampf ? »

Seulement, ajoute le même auteur, en bien d'autres domaines, Napoléon s'était refusé à appliquer les conceptions des Idéologues : cela ressort par exemple d'un *Mémoire*

(1) Reconstituée, on l'a vu, sous le nom de deuxième classe de l'Institut.

(2) Picavet (*op. cit.*).

de Destutt datant du Consulat, *Observations sur le système actuel de l'Instruction publique*. Et Destutt était découragé par le caractère de moins en moins libéral de la politique impériale.

Certes. Mais alors ?

L'explication, que nous avons ébauchée à propos de Daunou et de Cabanis, est sans doute celle-ci : plutôt que de s'exiler, de perdre leurs instruments de travail, leurs bibliothèques, ces hommes d'étude se résignaient à brûler une pincée d'encens sur l'autel de ce César qu'ils avaient appelé au pouvoir ; ils ne pensaient pas se renier puisque tout n'était pas négatif, tout n'était pas condamnable dans son action. Ce rite accompli, ils pouvaient poursuivre leur effort tendant à l'affranchissement de l'esprit humain. Les années en question furent fécondes pour Destutt : de 1801 à 1805, il publiait *Projets d'éléments d'Idéologie*, de nombreux travaux sur la formation des langues et l'origine de l'écriture, une *Grammaire*, une *Logique* (1). Mais c'est son *Commentaire sur l'Esprit des Lois*, écrit en 1806 et 1807, qui nous retiendra ; en même temps que le projet d'une constitution idéale, on y trouve un exposé complet de la doctrine politique de l'auteur, une critique méthodique, approfondie, de la monarchie héréditaire, évidemment inspirée par le régime napoléonien. Défendant énergiquement la liberté de l'esprit et la tolérance, soutenant que la religion doit être une affaire strictement individuelle, il vise le Concordat en écrivant : « Tout gouvernement qui veut opprimer s'attache les prêtres, puis travaille à les rendre assez puissants pour le servir. » Il qualifie d' « illégales » et « illégitimes » ce qu'on appelle les Constitutions de l'Empire ; et à propos du Sénat, de ce Sénat dont il fait partie, il écrit : « ... la liberté est toujours impossible à défendre dans une nation tellement fatiguée de ses efforts et de ses malheurs qu'elle préfère même l'esclavage à la plus légère agitation qui pourrait résulter de la moindre résistance ; et telle était la disposition des Français lors de l'éta-

(1) Ces deux derniers ouvrages forment les 2e et 3e parties des *Eléments d'Idéologie*. Les 4e et 5e parties devaient paraître en 1815 (*Traité de la volonté et de ses effets*). — Stendhal « adorait l'*Idéologie* » ; il fit la connaissance de Destutt de Tracy en 1817, et on lit dans les *Souvenirs d'Egotisme* : c'est « l'homme que j'ai le plus admiré à cause de ses écrits, le seul qui ait fait révolution chez moi... »

blissement de leur Sénat ; aussi se sont-ils vu enlever sans le moindre murmure et presque avec plaisir jusqu'à la liberté de la presse et la liberté individuelle. » Ce qui se dégage de ces lignes, avec une profonde aversion pour l'Empire, c'est le découragement, le sentiment que dans les présentes conditions il est impossible de résister. La question de l'opportunité de la résistance, Destutt se l'est aussi posée ailleurs ; il estime qu'il n'est pas toujours raisonnable de s'opposer avec violence et impatience à ce qui est déraisonnable.

Cette attitude n'a rien d'exaltant. En revanche, il y a quelque chose de tonique, de réconfortant pour l'esprit, dans l'intelligence critique de ce *Commentaire* à certains égards très en avance sur l'époque. A propos de ce que nous appelons la question démographique : « *Il s'agit de les rendre heureux* (les peuples) *et non pas de les rendre nombreux.* » Le génie de Napoléon avait-il découvert cette vérité devenue la plus pressante nécessité du monde moderne ?... Même lucidité prophétique dans le commentaire de cette pensée de Montesquieu — souvent attribuée à Lénine ou Marx — qu' « *une république qui veut demeurer libre ne doit pas avoir de sujets* » : « Ceci est parfaitement applicable au gouvernement représentatif et j'en conclus qu'il ne doit pas avoir de possessions outre-mer soumises à la métropole. Il peut lui être utile de former des colonies (...) Mais il doit les émanciper dès qu'elles sont en état d'exister par elles-mêmes. » Dommage que cette sagesse n'ait pas inspiré l'Occident et la France du xxᵉ siècle. Destutt pensait naturellement au désastre de Saint-Domingue, à toutes les « guerres absurdes et ruineuses » faites pour conserver les conquêtes : « c'est une orgie de l'autorité en délire ».

Mais ce *Commentaire* si clairvoyant, si libéral, si hostile au régime napoléonien, quand donc parut-il, et où ? En juillet 1811 à Washington, traduit en anglais. Et seulement en 1819 en France.

En 1809, Destutt qui correspondait régulièrement avec Jefferson lui avait fait passer son manuscrit avec une lettre. Lui demandant de le faire traduire, il ajoutait : « Mais il est de la plus grande importance pour moi qu'on ne sache jamais, ou du moins qu'après ma mort, que cet ouvrage vient de moi. Si même le nom de Condorcet pouvait conduire à le soupçonner, il serait peut-être à propos de le supprimer... (1) » Combien significatives ces lignes écrites l'année qui suivit le discours de réception à l'Académie ! Et ce nom de Condorcet suffisant à faire redouter la vengeance de l'Empereur, frappé en quelque sorte de proscription ! N'avions-nous par raison de le placer au commencement de ce conflit de la pensée libre avec Bonaparte ?

L'Empereur... Apparemment satisfait des hommages académiques qui lui étaient rendus, de l'apparente soumission d'un Destutt ou d'un Daunou, il n'en gardait pas moins une méfiance, une antipathie insurmontables pour ces « métaphysiciens » dont il affectait de mépriser les « billevesées idéologiques ». Idéologues, métaphysiciens : c'est-à-dire songe-creux, utopistes. Jugement d'autant plus faux que le chef de l'école idéologique rejetait absolument les spéculations métaphysiques ; il entendait rester sur le terrain du concret, du positif. La France possède aujourd'hui une Ecole nationale d'administration, forme nouvelle de l'Ecole libre des Sciences politiques. L'idée première en revient à Destutt de Tracy : dans un rapport sur l'Instruction publique de février 1800, il avait réclamé l'institution d'une école qui fût pour les sciences morales et politiques l'équivalent de Polytechnique — et par laquelle il eût fallu passer avant d'accéder aux postes élevés de la République. La seule réponse faite avait été un accusé de réception du ministre ; Bonaparte ne songeait-il pas à supprimer la seconde classe de l'Institut ? Ce genre de sciences-là, il ne voulait plus en entendre parler.

Passer au crible la conduite de tous les autres membres de l'école idéologique — Garat, Andrieux, Ginguené — serait fastidieux. On notera seulement que Jean-Baptiste Say, un des « épurés » du Tribunat, demeura irréductiblement hostile à l'Empereur ; l'auteur du *Traité d'Economie politique* (« le meilleur qui ait été encore fait » disait Destutt) écrira plus tard : « Bonaparte a fait rétrograder la marche de la civilisation... C'est l'ignorance de l'économie politique qui l'a conduit à Sainte-Hélène. Il n'a pas vu que le résultat inévitable de son système était d'épuiser ses ressources et

(1) Gilbert Chinard : *Jefferson et les Idéologues.*

d'aliéner les affections de la majorité des Français (1). »...
Lui aussi avait fait parvenir son maître livre au Président
américain, accompangé d'une lettre (2) : « Il vous appartient
de montrer aux amis de la liberté répandus en Europe, quelle
étendue de liberté personnelle est compatible avec le maintien du corps social. On ne pourra plus alors souiller par
des excès la plus belle des causes ; et l'on s'apercevra peut-
être enfin que la liberté civile est le véritable but de l'organisation sociale. »... Cabanis et Garat étaient également des
correspondants de Thomas Jefferson : les Idéologues ne
cessèrent de considérer les Etats-Unis comme « l'espérance
et l'exemple de l'Univers » ; mais ils se gardaient de lui dire
un seul mot de la situation politique de la France (3).

Autre opposant irréductible à Napoléon : Grégoire. Lors
de l'institution de l'empire, il s'était montré le plus énergique des sénateurs de la minorité. Il le resta. Il fut même
le seul à voter contre une adresse de félicitations quand fut
créée la noblesse héréditaire, le 12 mars 1808. Deux ans plus
tard, lors du mariage avec Marie-Louise, Grégoire fit savoir
qu'il ne s'y rendrait pas. La police, pour flatter l'Empereur,
le dénonçait comme conspirateur ; Napoléon n'en croyait
rien, il lui arrivait même de le faire appeler pour le consulter
sur des affaires ecclésiastiques, — tout en s'exprimant avec
aigreur sur son compte, en le mettant dans le même sac
que les idéologues ses amis.

Le dernier personnage de ce groupe qui nous retiendra
est Chénier. Nous l'avions vu au Tribunat s'élever avec énergie, avec violence, même, contre l'arbitraire. Personne n'avait
exaspéré autant le Premier Consul. Mme de Staël, on s'en
souvient, avait un jour cherché à lui procurer les moyens
de fuir. Non pas arrêté, simplement exclu du Palais-Royal,
et même pourvu en 1803 d'un poste universitaire, l'ancien
conventionnel n'en ressentit pas moins durement le coup
d'arrêt porté à sa carrière politique. Circonstance qui concordait avec une maladie grave, des malheurs intimes et la
perte de sa fortune. Si au moins la scène du Français lui
avait été rendue ! De son découragement et de cet espoir,

(1) Picavet : *op. cit.*
(2) Reçue le 3 novembre 1803.
(3) G. Chinard : *op. cit.*

il s'ouvrit un jour à Fouché dont l'oreille était complaisante à ce genre de confidences. Fouché sut le convaincre de faire une pièce se terminant par un couronnement : désireux de voir comment le public réagirait à cette allusion, l'Empereur ne lui demandait pas autre chose. Chénier faiblit et écrivit *Cyrus*, pièce maladroite dans laquelle il espérait compenser ses flatteries par des vers exaltant la Liberté. Mais l'Empereur n'en fut pas satisfait ; sifflé par son ordre et en même temps fort mal accueilli par les libéraux, *Cyrus* ne fut joué qu'une fois. Chénier en fut pour son remords, un remords, un chagrin, qui allaient ronger ses dernières années.

Pourtant il essaya de lutter encore, de se racheter ; il se retrempa dans la fierté et la pauvreté, dans des lectures austères et fortes, dans les tragiques grecs, dans Tacite — qui était une des bêtes noires de Napoléon. Il durcit son inspiration et son talent. Il osa écrire coup sur coup *Tibère* et l'*Epître à Voltaire*.

La tragédie de *Tibère* à peine achevée, Napoléon se la fit lire par Talma à Saint-Cloud. D'abord il la trouva belle ; mais bientôt agité, nerveux, il se leva, marcha de long en large tout en écoutant, et à la fin il prit l'acteur par le bras : « Chénier est fou : sa pièce ne sera pas jouée, dites-le lui bien. »

Chénier n'était pas fou. Espérait-il vraiment que l'Empereur laisserait déclamer dans Paris des vers comme ceux-ci :

> *Là, du nouveau tyran j'ai connu l'âme altière.*
> *J'ai vu les chevaliers, le Sénat, Rome entière,*
> *Tout l'empire à l'envi, se faisant acheter,*
> *Briguer la servitude et s'y précipiter.*

Chénier, dramaturge, fut naturellement banni du théâtre ; fonctionnaire, il allait être privé de son emploi après la parution de son *Epître à Voltaire*, poème généreux, véhément et sarcastique, qui commençait par glorifier l'idéal des philosophes.

Dans les milieux littéraires, on y vit le chef-d'œuvre de Marie-Joseph Chénier. La *Décade* osa en faire l'éloge ; le reste de la presse se déchaîna. Et sur un rapport de Fouché, « dans l'intérêt de la morale », le poète fut destitué de ses fonctions d'inspecteur des études, malgré une lettre de Daunou représentant au ministre de l'Intérieur que la victime de cette décision allait être réduite à la misère. Chénier commença à vendre sa bibliothèque. Une place modeste se trouvant vacante aux Archives, Daunou y casa Chénier. « Voilà un tour que me joue Daunou ! » dit Napoléon quand il vit la nomination.

L'Empereur ne souhaitait pas faire mourir de faim un Chénier qui eût reconnu son autorité. Obligé de soutenir une mère sans ressources, endetté, malade, l'auteur de *Tibère* en fut bientôt réduit à solliciter le monarque ; il le fit sans se renier, sans s'abaisser, dans une lettre datée du 22 mai 1806 qui se terminait ainsi : « Fussiez-vous irrité contre moi, j'oserais rappeler à votre majesté vingt ans de travaux littéraires et politiques, vingt ans écoulés à faire ce que j'ai cru mon devoir. L'existence ne sera jamais pour moi douce et brillante ; mais sire, vous ne voudriez pas me la rendre impossible ; et si les grands talents seuls ont droit à votre faveur, tous les Français ont droit à votre justice. »

Le ton de cette lettre forçait le respect. L'Empereur fit accorder à Chénier une pension annuelle de 8 000 francs, plus un travail historique rétribué. Mieux : à l'approche des derniers moments du poète malade, il lui fit remettre 6 000 francs sur sa cassette personnelle. Magnanimité ? Oui. Libéralisme ? Non. Chénier avait dû promettre de se confiner dans la littérature pure et l'érudition ; il s'enfonçait dans l'étude et la solitude. L'homme à qui la France doit le *Chant du Départ* était condamné au silence. Rien de lui ne paraîtrait plus de son vivant. Un de ses derniers poèmes, le dernier peut-être, est *La Promenade à Auteuil*, « élégie composée sous le régime impérial », publiée en 1817 sans nom d'auteur :

> *Le soleil affaibli vient dorer ces vallons.*
> *Je vois Auteuil sourire à ses derniers rayons.*
> *Oh ! que de fois j'errai dans tes belles retraites,*
> *Auteuil, lieu favori, lieu saint pour les poètes !*

D'Auteuil son regard se pose sur les coteaux boisés de Saint-Cloud. Cette vision du soir de sa vie, c'est dans un raccourci poignant l'aventure des Idéologues, la grande illu-

sion de Brumaire quand du jardin de Mme Helvétius, anxieu-
sement, on guettait les messages venus de là-haut.

« Saint-Cloud je t'aperçois » dit-il, et il s'en détourne :

> *Désormais je n'y vois que la toge avilie*
> *Sous la main du Guerrier qu'admira l'Italie*
>
> .. ..
>
> *Ah ! de la Liberté tu vis le dernier jour.*
> *Dix ans d'efforts pour elle ont produit l'esclavage ;*
> *Un Corse a des Français dévoré l'héritage.*

Le soleil se couche ; une voix monte du vallon solitaire,
appelle le poète :

> *... viens ; tes amis ne sont plus sur la terre.*
> *Viens ; tu veux rester libre et le peuple est vaincu.*

*
**

C'est le 10 janvier 1811 que Marie-Joseph Chénier mourut, à quarante-six ans.

La question de son remplacement à l'Académie française
se posait. L'Empereur désirait que le fauteuil vide fût occupé
par l'auteur du *Génie du Christianisme*. D'où un nouvel épisode du conflit latent entre les intellectuels et Napoléon, le
premier rôle revenant en la circonstance à l'unique grand
représentant de l'opposition de droite, Chateaubriand.

Depuis sa démission en signe de protestation contre l'exécution du duc d'Enghien, l'attitude de l'illustre écrivain
n'avait pas été exempte de variations, de contradictions. Le
8 mars 1806, juste après le retour triomphal du vainqueur
d'Austerlitz, il avait publié dans le *Mercure*, à propos d'un
livre d'histoire, une évocation lyrique de Charlemagne et du
génie conquérant des Gaulois. L'article n'avait pas déplu ;
escomptant le ralliement de son auteur, le gouvernement
impérial avait autorisé, voire facilité le voyage que celui-ci
entreprenait en Orient. Mais de ce fameux périple Chateaubriand était revenu (mai 1807) très impressionné, comme
vingt ans plus tôt Volney, par la dégradation infligée là-bas
aux populations par le despotisme. Impatient de jouer enfin
un rôle et toujours fidèle aux Bourbons, ayant appris sur

le chemin du retour qu'on comptait sur lui, il trouvait les belles madames du Faubourg Saint-Germain frétillantes d'espoir : à Eylau et sur les champs de bataille de Pologne, l'usurpateur connaissait ses premiers revers. Le 7 juillet, dans le *Mercure* (qu'il venait d'acheter), tout en rendant compte d'un récit de voyage en Espagne, Chateaubriand définissait la mission de l'historien et affirmait sa grandeur dans une page célèbre, la plus forte peut-être et à coup sûr la plus belle que la tyrannie napoléonienne ait inspirée :

« ... Lorsque, dans le silence de l'abjection, l'on n'entend plus retentir que la chaîne de l'esclave et la voix du délateur ; lorsque tout tremble devant le tyran et qu'il est aussi dangereux d'encourir sa faveur que de mériter sa disgrâce, l'historien paraît, chargé de la vengeance des peuples. C'est en vain que Néron prospère, Tacite est déjà né dans l'Empire ; il croît inconnu auprès des cendres de Germanicus, et déjà l'intègre Providence a livré à un enfant obscur la gloire du maître du monde. Bientôt toutes les fausses vertus seront démasquées par l'auteur des *Annales* ; bientôt il ne fera voir, dans le tyran déifié, que l'histrion, l'incendiaire et le parricide... »

Ainsi, clairement et hautement cette fois, l'écrivain affrontait la puissance de l'Empereur : non pas sa personne — Napoléon était alors à Tilsitt — mais son gouvernement, sa police. Il se déclarait même conscient de ses risques, et prêt à les assumer :

« ... il faut être préparé à tous les malheurs et avoir fait d'avance le sacrifice de son repos et de sa vie. »

L'article fait sensation. Guizot venant de Paris le récite en Suisse chez Mme de Staël. Mme de Chateaubriand tremble. On apprend Friedland, Tilsitt et le retour une fois de plus triomphal de l'Empereur (27 juillet 1807). Le *Mercure* du 1er août publie encore des pages de Chateaubriand, mais consacrées aux mœurs des Orientaux. Napoléon doit avoir d'autres soucis en tête que les journaux parus en son absence, on peut l'espérer. Hélas, le cardinal Fesch lui met sous les yeux le *Mercure* du 7 juillet. Napoléon éclate et dit à Fontanes :

« Chateaubriand croit-il que je suis un imbécile, que je ne comprends pas ? Je le ferai sabrer sur les marches des Tuileries. »

Le tuer à coups de sabre, non, mais il fut sérieusement question de l'arrêter. La sanction le frappant personnellement se réduisit en fin de compte à peu de chose, une interdiction de séjour à Paris, assortie de menaces contre « M. de Chateaubriand et sa clique » : « Ils se mettront, par la moindre conduite suspecte, hors de ma protection. » Mais des mesures furent prises pour restreindre encore le peu de liberté des journaux : remplacement des censeurs et rédacteurs aux *Débats,* au *Publiciste,* à la *Gazette de France,* fusion du *Mercure* et de la *Revue Littéraire* (ancienne *Décade*) : tour de vis supplémentaire du système mis en place deux ans plus tôt.

Dépossédé de son journal — mais peut-être bien indemnisé ? — Chateaubriand achète une « chaumière » à la Vallée-aux-Loups. Mélancoliquement il y plante des arbres et termine *Les Martyrs.* Cette fois-ci il lui faut faire très attention, il ne s'agit plus de jouer les Sertorius. Fouché le prévient que l'ouvrage sera saisi s'il offense le moindrement l'Empereur.

L'Empereur ne sera offensé en rien, au contraire : on ne le comparera plus à Tibère, mais à Dioclétien. Un Dioclétien, l'auteur a pris soin de le souligner, « meilleur et un peu plus grand qu'il ne paraît dans les auteurs de son temps ». En revanche, il est une catégorie de personnages, dans son récit, qui n'ont pas le beau rôle : les « sophistes ». C'est-à-dire le parti philosophique, les Ginguené et les Chénier qui ont encore trop de prestige à l'Académie. En outre, dans le portrait de Hiéroclès, le proconsul d'Achaïe, tout le monde reconnaîtra le hideux ministre de la Police : « Son front étroit et comprimé (...), ses yeux faux ont quelque chose d'inquiet comme ceux d'une bête sauvage ; son regard (...) à la fois timide et féroce (...) ; un sourire vif et cruel (...) Je ne sais quoi de cynique et de honteux respire dans tous les traits du sophiste. On voit que ses ignobles mains porteraient mal l'épée du soldat, mais qu'elles tiendraient aisément la plume de l'athée ou le fer du bourreau. »

Se croyant paré du côté de Dioclétien, l'écrivain avait cru pouvoir cribler d'outrages le proconsul, narguer le fer du bourreau. Méprise tragique. Un de ses parents allait la payer de sa vie.

La résistance royaliste n'avait pas absolument désarmé dans l'Ouest depuis l'instauration de l'Empire. Une certaine agitation secrète subsistait sur les côtes ; en Normandie on continuait à conspirer. De temps à autre un chef chouan se faisait prendre et fusiller. En septembre 1808 à Rennes, on condamne à mort sept agents des Princes convaincus de faire la navette entre la France et les émigrés d'Angleterre, à partir de Jersey leur base d'opérations. Un autre de ces agents a pu débarquer à Saint-Cast et y séjourner dans la clandestinité plusieurs mois : c'est Armand de Chateaubriand, cousin de l'auteur des *Martyrs*. Le 6 janvier 1809, il s'embarque avec un compagnon pour repasser la Manche, mais leur petite embarcation est prise dans une tempête et rejetée à la côte. Au début de février, Chateaubriand l'écrivain apprend que son cousin a été arrêté et transféré à Paris. Aussitôt il s'adresse à Fouché qui le reçoit et le berne : aucun Chateaubriand ne figure sur les listes des prisons. Rassuré, l'écrivain ne pousse pas plus loin ses démarches. C'est seulement peu avant le 30 mars, apprenant que son cousin bel et bien arrêté va être traduit devant une commission militaire, qu'il fait remettre à l'impératrice, par Mme de Rémusat, une lettre destinée à l'Empereur, ainsi qu'un exemplaire des *Martyrs*. Napoléon lit la lettre et la jette au feu. Sans doute fallait-il implorer sa clémence et non sa justice : « Chateaubriand me demande justice, il l'aura. » Chateaubriand écrivit une seconde lettre, suppliante, celle-là et humble, enfin ce qu'il fallait : « ... Daignez, Sire, faire éclater votre clémence, en faveur d'une famille qui, depuis plusieurs siècles, verse son sang pour son pays (...) Si j'avais acquis plus de renommée dans la carrière des lettres, j'aurais quelques titres, peut-être, pour m'adresser à votre gloire. Mais je n'apporte au pied de votre trône qu'une obscure douleur et les larmes d'un sujet fidèle. »

Après quoi il attendit l'audience du souverain, restant habillé toute la nuit. La nuit du jeudi au vendredi saint 31 mars, à quatre heures, Armand tombait sous les balles d'un peloton d'exécution dans la plaine de Grenelle, ainsi que deux de ses compagnons, comme lui condamnés à mort le 30. Prévenu au matin, Chateaubriand ne put qu'aller se pencher sur le cadavre de son cousin. Telle est du moins la version des *Mémoires* où le récit de la tragique aventure, vers la fin, s'élargit dans un effet de grandes orgues et dans une réminiscence d'*Athalie* :

« Tout se mêle de ce malheur qui ne frappait que des personnages inconnus : on eût dit qu'il s'agissait de la chute d'un monde : tempêtes sur les flots, embûches sur la terre, Bonaparte, la mer, les meurtriers de Louis XVI, et peut-être quelque passion, âme mystérieuse des catastrophes du monde. On ne s'est pas même aperçu de toutes ces choses ; tout cela n'a frappé que moi et n'a vécu que dans ma mémoire. Qu'importaient à Napoléon des insectes écrasés sur sa couronne ?

« Le jour de l'exécution, je voulus accompagner mon camarade sur son dernier champ de bataille ; je ne trouvai point de voiture, je courus à pied à la plaine de Grenelle. J'arrivai, tout en sueur, une seconde trop tard : Armand était fusillé contre le mur d'enceinte de Paris. Sa tête était brisée ; un chien de boucher léchait son sang et sa cervelle. Je suivis la charrette qui conduisait le corps d'Armand et de ses deux compagnons, plébéien et noble, Quintal et Goyon, au cimetière de Vaugirard (...) Je retrouvai mon cousin pour la dernière fois, sans pouvoir le reconnaître : le plomb l'avait défiguré, il n'avait plus de visage... »

Chateaubriand, ostensiblement, prit le deuil. C'était théâtral, c'était crâne. La rancune de Fouché n'était pas éteinte ; il fit cribler d'attaques *Les Martyrs* par les journaux à sa dévotion, il s'efforça, d'ailleurs sans succès, de faire discréditer le livre dans les milieux catholiques.

Chéri des duchesses, l'illustre gentilhomme gardait l'admiration du noble faubourg. Pour le reste, il ne faut pas dramatiser ; il continuait à fréquenter des salons gouvernementaux, il restait l'ami de hauts fonctionnaires comme Fontanes. Fontanes, il est vrai, n'était plus le zélateur effronté des apothéoses consulaires ; président du Corps législatif, il lui appartenait de présenter vœux et félicitations au souverain : or, d'année en année, ses discours se ressentaient de l'inquiétude croissante du pays devant la guerre endémique. Le 27 octobre 1808, en présence des grands corps de l'Etat, des hauts dignitaires, il osa présenter à l'Empereur assis sur son trône des réflexions qui, assorties de beaucoup de louanges, n'en ressemblaient pas moins à une leçon :

« Le premier des capitaines voit donc quelque chose de

plus héroïque et de plus élevé que la victoire. Oui, Sire, nous le tenons de votre propre bouche : il est une autorité plus durable que celle des armes, c'est l'autorité qui se fonde sur de bonnes lois et sur des institutions nationales (...) Le Corps législatif doit surtout célébrer les triomphes paisibles qui ne sont jamais suivis que des bénédictions du genre humain (...) Il n'était qu'un moyen de modérer votre grandeur, c'était d'en modérer l'usage... » (1).

Ce n'était plus le langage de l'adulation inconditionnelle. Fontanes allait jusqu'à reprocher à Napoléon revenu d'Erfurt de repartir pour l'Espagne, comme s'il pressentait ce que serait cette funeste aventure : « Déjà vous abandonnez la France qui depuis tant d'années vous a vu si peu de jours ; vous partez, et je ne sais quelle crainte, inspirée par l'amour et tempérée par l'espérance, trouble toutes les âmes. »

Grand maître de l'Université depuis 1808 et président du Corps législatif depuis 1804, Fontanes ne devait pas garder au-delà de 1809 la présidence de cette assemblée, présidence à la faveur de laquelle il s'était mis « presque en posture d'opposant ». Si nous rapprochions son discours du 27 octobre de celui prononcé par Destutt de Tracy en décembre de la même année à l'Académie, nous serions tentés de conclure à la plus grande indépendance de Fontanes ; mais, sur le cas Destutt, nous nous sommes suffisamment expliqués. Relions plutôt le discours en question aux premiers symptômes de défection que Napoléon constate dans son entourage. Revenu en France dès janvier 1809, il sait qu'on a envisagé de le renverser, il est convaincu que Talleyrand et Fouché le trahissent, il démet le premier de sa charge de grand chambellan ; le tour de l'autre viendra.

Wagram, rétablissement spectaculaire, oppose, momentanément au moins, un démenti éclatant aux pessimistes, déconcerte les conspirateurs. Et c'est le mariage autrichien (1810), qui détermine, on l'a vu, le grand tournant de la politique intérieure. Les fastes de la cérémonie qui font de la nièce de Marie-Antoinette la souveraine des Français ne provoquent dans le peuple aucun enthousiasme : l'installation aux Tuileries, le *Te Deum* du Concordat, le sacre... Paris commence

(1) D'après Albert Cassagne : *La vie politique de François de Chateaubriand.*

à être blasé en fait de cortèges. Mais le ralliement des grandes
familles aristocratiques au nouvel Ancien Régime s'accentue ;
on liquide sinon les dernières traces de l'ère révolutionnaire,
du moins les derniers suspects de complicité avec l'idée républicaine. Fouché, le régicide, est chassé, ainsi que Dubois.
La France n'y perdra rien, certes, mais que gagnera-t-elle à
son remplacement par Savary, cet exécuteur des plus basses
besognes, qui se tenait debout derrière le fauteuil de Hulin
pendant la sinistre nuit de Vincennes ? Ce « duc de Rovigo »
épouvante : « il tuerait son père si je le lui ordonnais » disait
de lui (paraît-il) l'Empereur. Mais il a reçu l'ordre de rassurer, il obéira. Rassurer le faubourg Saint-Germain d'abord.
Ensuite gagner les écrivains, on dirait aujourd'hui les « récupérer ». « Traitez bien les hommes de lettres » ordonne l'Empereur au nouveau chef de la Police, « on les a indisposés
contre moi en leur disant que je ne les aimais pas (...)
Ce sont des hommes utiles, qu'il faut distinguer, parce qu'ils
font honneur à la France ! »

Savary ne vit alors rien de mieux que de partager
100 000 francs entre les poètes qui sauraient célébrer le
mariage impérial. Le résultat ne fut pas brillant ; aussi
s'avise-t-on de remettre en honneur un vieux projet de Napoléon : il avait décidé en 1804 de distribuer tous les dix ans,
à l'anniversaire du 18 brumaire, des prix qui seraient attribués par les différentes classes de l'Institut à des savants,
des écrivains et des artistes. Fixée en principe à novembre 1810, cette cérémonie des « prix décennaux » permit en
effet d'honorer des Laplace, des Lagrange, des Berthollet,
des Cuvier. Mais dans le domaine littéraire elle n'aboutit
à rien, la seconde classe — l'Académie française — ayant
refusé de donner son prix à Chateaubriand : le parti philosophique, dont Chénier qui vivait encore, Chénier grand
adversaire de Chateaubriand, y détenait encore la majorité
et ne voulait pas couronner le *Génie du Christianisme*.

C'était un échec : Napoléon comptait sur ce prix pour
s'attacher définitivement l'illustre écrivain. Aussi son ministre
de l'Intérieur, Montalivet, pria-t-il l'Académie de motiver
son refus. La réponse, embarrassée, resta défavorable à
l'ouvrage ; si bien que toute l'affaire des prix décennaux
avorta, en fin de compte aucun ne fut décerné. Alors Savary
chercha une compensation : introduire Chateaubriand à

l'Académie, en faire le candidat officiel de l'Empereur... C'est sur ces entrefaites que survint la mort de Chénier.

Pressenti pour occuper le fauteuil vacant, Chateaubriand hésita, se laissa convaincre par Fontanes, se présenta, fut élu. Satisfait, Napoléon sourit à Fontanes : « Alors, messieurs de l'Académie, vous avez joué de finesse avec moi : vous prenez l'homme au lieu du livre. » Et il laissa entendre qu'une « grande place littéraire » pourrait être donnée au nouvel élu, une « direction générale des bibliothèques de l'Empire ».

Restait un point épineux : le discours. L'auteur du *Génie du Christianisme* pouvait sans difficulté opposer ses convictions religieuses à l'irréligon du voltairien disparu. Pour le reste, sa tâche était hérissée d'embûches : il pensa s'en tirer moyennant une péroraison glorifiant la montée de César au Capitole, célébrant ses conquêtes et les merveilles de son règne.

Erreur : d'abord repoussé par une commission de l'Institut, le texte fut réclamé et lu par Napoléon qui fit convoquer l'auteur par Daru :

« J'allai à Saint-Cloud : M. Daru me rendit le manuscrit çà et là déchiré, marqué *ab irato* de parenthèses et de traces de crayon par Bonaparte ; l'ongle du lion était enfoncé partout, et j'avais une espèce de plaisir d'irritation à le sentir dans mon flanc. M. Daru ne me cacha point la colère de Napoléon, mais il me dit qu'en conservant la péroraison, sauf une douzaine de mots et en changeant presque tout le reste, je serais reçu avec de grands applaudissements... »

Daru insista, il dépêcha à l'écrivain rétif la belle Mme Gay. Peine perdue. Daru reçut une lettre de refus ferme et fière : « Le mal est sans remède, car je ne puis prononcer le discours que j'ai écrit, et l'honneur me défend d'en composer un autre. »

Acte de résistance incontestable, mais dicté par des sentiments bien différents de ceux de Chénier et de ses amis. Si la gauche de l'Académie avait repoussé le discours, c'est qu'elle y voyait une profession de foi catholique et royaliste, un réquisitoire contre la Révolution régicide, une revanche des attaques du « parti philosophique » contre le *Génie du Christianisme*. Cet « éloge » du poète défunt était bien plutôt un blâme de ses opinions et de sa conduite ; contenu cependant par les limites de la bienséance et accordant à Chénier talent, générosité et sincérité. A la faveur de quoi l'illustre vicomte s'était cru permis d'introduire certaines déclarations libérales. Etrange discours qui exaltait la religion, la monarchie légitime et la liberté. Il manifestait une aversion prononcée pour la République, mais poussait hardiment des pointes contre le despotisme impérial :

« M. de Chénier adora la liberté : pourrait-on lui en faire un crime ? Les chevaliers même, s'ils sortaient aujourd'hui de leurs tombeaux, suivraient les lumières de notre siècle. On verrait se former une illustre alliance entre l'honneur et la liberté...

« La liberté n'est-elle pas le plus grand des biens et le premier des besoins de l'homme ? (...) La liberté est si naturellement l'amie des sciences et des lettres, qu'elle se réfugie auprès d'elles lorsqu'elle est bannie du milieu du peuple. »

Ce n'était pas les seuls passages qui avaient irrité l'Empereur :

« Dans le manuscrit qui me fut rendu, le commencement du discours qui a rapport aux opinions de Milton (1) était barré d'un bout à l'autre de la main de Bonaparte (...) L'éloge de M. de Fontanes avait une *croix*. Presque tout ce que je disais sur M. de Chénier, sur son frère, sur le mien, sur les autels expiatoires que l'on préparait à Saint-Denis, était *haché* de traits. Le paragraphe commençant par ces mots : « M. de Chénier adora la liberté etc. », avait une *double rature* longitudinale... »

Si le discours avait été prononcé, déclara Napoléon à Daru, les portes de l'Institut auraient été fermées, et l'auteur jeté dans un cul-de-basse-fosse pour le reste de sa vie. A Philippe de Ségur, président de l'Académie française, il fit en public une scène encore plus violente : « Monsieur, les gens de lettres veulent donc mettre le feu à la France ! J'ai mis tous mes soins à apaiser les partis, à rétablir le calme, et les idéologues voudraient rétablir l'anarchie !... Comment l'Académie ose-t-elle parler des régicides, quand moi qui suis couronné, et qui dois les haïr plus qu'elle, je dîne avec eux et je m'asseois à côté de Cambacérès ? » Il le menaça

---

(1) Héros républicain de la Révolution d'Angleterre, le grand Milton avait ardemment défendu la liberté de la presse.

aussi de dissoudre sa Compagnie, il lui dit qu'il avait mérité
Vincennes ; mais le lendemain, admit que sa colère était
feinte : « Je ne vous en veux pas. Ceci est de ma politique.
Je vous ai dit hier ce que je voulais qu'on répétât... »

Chateaubriand, lui, risquait-il Vincennes pour de bon ?
Ce n'est pas impossible. Rien de très clair n'a pu être établi
à cet égard. Sinon que Savary, qui continua ses tentatives
pour faire de Chateaubriand un partisan zélé de l'Empereur,
usa à la fois de menaces et d'offres d'argent. Ces offres, il ne
semble pas que l'écrivain les ait acceptées. En ces années-là
il resta en proie à la gêne, et à la mélancolie. De sourdes
intrigues policières se nouaient contre lui. Le 4 septembre
1812, le préfet de police Pasquier — qui était son ami —
l'invita charitablement à s'éloigner de Paris quelque temps :
il partit pour passer un mois à Dieppe, puis revint à la
Vallée-aux-Loups, toujours tenu en demi-disgrâce et en sus-
picion. Pasquier venait le voir : il fouillait sous les meubles
par acquit de conscience, feuilletait les manuscrits, mais ses
préoccupations, ses doutes, comme chez Fontanes, étaient
trop visibles. Le démon de la guerre une fois de plus avait
saisi l'Empereur : il entraînait une armée immense dans les
profondeurs de la Russie. Comment cela allait-il finir ?

L'inquiétude, la crainte, travaillaient les créatures du
régime, et l'un de ses piliers faiblissait. Un changement considérable était en effet intervenu dans les relations entre
l'Eglise et l'Empire. Ayant prétendu dès 1805 obtenir du
pape des actes de belligérance contre l'Angleterre, et le pape
ayant refusé, Napoléon lui avait signifié qu'il était Charlemagne et donc le maître de Rome. Le conflit n'avait cessé
de s'aggraver ; le dévouement illimité du clergé français
s'était mué en désaffection, il avait effectivement quelques
motifs de crier à la persécution désormais. Rome était
occupée (1808), les Etats pontificaux annexés (1809). Le pape
excommuniait l'Empereur, l'Empereur faisait arrêter le Pape ;
il essayait de faire nommer des évêques sans l'investiture
pontificale et de réunir un concile national ; pour briser
la résistance de l'épiscopat il faisait incarcérer trois évêques
à Vincennes (juillet 1811). Le transfert de Pie VII à Fontainebleau (juin 1812), la mise en vigueur d'un nouveau Concordat arraché au Pape et bientôt désavoué par lui, des arrestations d'ecclésiastiques récalcitrants, tout cela achève de

détacher de l'Empereur le clergé qui désormais aspire au retour des Bourbons. Ces sentiments du monde catholique, le monde aristocratique les partage. Chateaubriand est en rapport avec ces milieux ; bien qu'il ne se livre à aucun acte public d'opposition, on regarde vers lui, on se met à compter sur lui. Des communications lui viennent d'un peu partout, y compris de l'entourage de Pie VII ; il est « un centre et un lien pour beaucoup de ces haines d'origines diverses que rencontrait l'Empire à son déclin ». Et rien que par son silence, il était « à l'intérieur, ce que Mme de Staël était au-dehors, l'image d'une opposition vivante contre l'abus de la dictature et l'oppression de la pensée » (1).

*
**

Mme de Staël. Nous l'avions perdue de vue depuis la fin de 1802, alors qu'ayant regagné Coppet comme tous les étés, l'implacable ressentiment du Premier Consul lui avait interdit Paris. Il ne lui pardonnait ni le frémissant pamphlet de Camille Jordan dont elle était l'inspiratrice, ni les *Dernières vues* de M. Necker, ni *Delphine* qui semblait le narguer en prenant le contre-pied de tout ce qu'il prônait. Et sans parler de ses motifs d'irritation antérieurs, l'irritation de Bonaparte était attisée par des femmes de lettres jalouses : A leur tête Mme de Genlis qui avait un salon, de l'esprit, des dons pédagogiques — elle avait été « gouverneur » des enfants du duc d'Orléans, dont Louis-Philippe duc de Chartres — et des dispositions pour l'espionnage qui firent d'elle une des informatrices les plus appréciées de Napoléon.

Mme de Staël, cependant, ne se résignait pas ; elle se débattait, pour ainsi dire, rejetait l'accusation d'avoir inspiré le livre de son père : « Comme si l'on pouvait conduire la plume d'un homme qui pense si haut ! » Le Premier Consul ne désarmait pas : « Puisqu'elle est à Coppet, qu'elle y reste ! On verra l'année prochaine. » Donc il *redoutait* sa présence. Donc il reconnaissait son importance. Et elle que rien n'effrayait autant que l'indifférence et l'oubli, confiait

---

(1) Villemain, *Souvenirs contemporains*.

à Lacretelle : « Il me craint. C'est là mon orgueil, ma jouissance, et c'est là ma terreur. »

Comptant sur l'appui de Joseph, elle quitte Coppet le 16 septembre 1803, avec Mathieu de Montmorency. Paris lui est défendu : elle s'installera à six lieues de la capitale, dans une maison prêtée par son notaire, à Maffliers, près de Beaumont-sur-Oise et des Herbages, propriété de Benjamin Constant (1). Benjamin ne se réjouit pas de ce voisinage, mais sait dissimuler son mécontentement. D'autres visites se succèdent à Maffliers et Germaine qui ne désespère pas de rouvrir bientôt son salon parisien, se sent presque heureuse. Mme Récamier, en particulier, a quitté son château de Clichy pour se rapprocher d'elle. Les deux femmes s'étaient liées à Paris l'année précédente ; Juliette, comme Germaine, était une amie de Camille Jordan, elle l'avait même caché plusieurs semaines (il avait failli être arrêté après la publication de son livre) ; et son père à elle, M. Bernard, avait bel et bien été incarcéré au Temple en août 1802 pour activités clandestines (royalistes), des démarches auprès de Bernadotte et de Joseph avaient permis sa libération, mais Mme Récamier n'en était pas moins passée dans l'opposition. Nous savons qu'elle ira témoigner sa sympathie à Moreau dans la salle d'audience.

Revenons à Maffliers. Ce n'était pas pour s'enterrer dans une froide et sombre maison de campagne que Germaine avait fait le voyage, elle comptait retrouver au plus tôt Paris. D'ailleurs en quittant Coppet, elle avait écrit ceci à Bonaparte :

« Citoyen Premier Consul,

« Ayant eu connaissance l'hiver dernier, que mon retour à Paris ne vous serait pas agréable, je me suis condamnée, sans aucun ordre direct de votre part, à passer dix-huit mois dans l'exil.

« Quelques paroles de bonté que vous avez depuis, prononcées sur moi et qui me sont revenues, m'ont persuadée

---

(1) Exclu du Tribunat, Benjamin Constant obligé de se restreindre, avait dû se défaire de son domaine d'Hérivaux et s'était installé aux Herbages, maison plus modeste. Ce qui suffirait à prouver l'invraisemblance de la thèse le représentant poussé vers la carrière politique par de vulgaires appétits d'argent, prêt à toutes les bassesses pour s'assurer le traitement de 15 000 livres attaché au siège de Tribun.

que cet exil vous paraissait assez long et que vous voudriez bien prendre en considération les intérêts de ma famille qui rendent mon retour à Paris absolument nécessaire. Je m'arrêterai cependant à dix lieues, ne me permettant pas d'arriver sans savoir votre intention à mon égard. Si je connaissais le genre de prévention que mes ennemis ont essayé de vous inspirer contre moi, je saurais ce que je dois dire pour me justifier. Je me borne à vous assurer que je ne prononcerai ni n'écrirai un seul mot relatif aux affaires publiques pendant mon séjour en France... »

Le 4 octobre, elle revenait à la charge, mais en écrivant à Joseph : « C'est un des grands malheurs de la persécution de vous obliger à demander l'air qu'on respire. » Joseph court à Saint-Cloud, puis répond bien gentiment, mais sans laisser grand espoir :

« Madame,

« ... j'ai fait tous les efforts que vous aviez le droit d'attendre des sentiments que vous me connaissez, mais je ne crois pas avoir réussi ; le Premier Consul a terminé la conversation en me disant qu'il verrait ce soir le Grand Juge. Agréez, madame, le vif regret que j'éprouve de n'avoir pas mieux répondu à la confiance que vous me témoignez et que je mérite par l'amitié que je vous ai vouée.

Joseph BONAPARTE. »

La décision ne tarda pas : Bonaparte fit notifier à Mme de Staël par Regnault de Saint-Jean d'Angély que sa résidence était trop proche de Paris et qu'elle devait la quitter avant le 7 octobre, sous peine de se faire reconduire à Coppet par quatre gendarmes. Des rapports de police, émanant en particulier de Mme de Genlis, avaient considérablement exagéré le nombre des personnes se rendant à Maffliers.

Une visite de Benjamin Constant à Fouché resta sans effet. Le 7, Germaine fit mine d'obéir ; mais au lieu de s'éloigner, elle trouvait asile chez Mme Récamier installée dans le voisinage, à Saint-Brice. Et de là, se refusant à considérer la partie comme perdue, elle écrivait une nouvelle lettre au Premier Consul :

« Je vivais en paix à Maffliers sur l'assurance que vous aviez bien voulu me faire donner que j'y pouvais rester lorsqu'on est venu me dire que des gendarmes devaient me prendre avec mes deux enfants. Citoyen Consul, je ne puis le croire ; vous me donneriez ainsi une cruelle illustration, j'aurais une ligne dans votre histoire.

« Vous perceriez le cœur de mon respectable père qui voudrait, j'en suis sûre, malgré son âge, vous demander quel crime j'ai commis, quel crime a commis sa famille pour éprouver un si barbare traitement. Si vous voulez que je quitte la France, faites-moi donner un passeport pour l'Allemagne et accordez-moi huit jours à Paris (...) Citoyen Consul, il n'est pas de vous le mouvement qui vous porte à persécuter une femme et deux enfants ; il est impossible qu'un héros ne soit pas le protecteur de la faiblesse. Je vous en conjure encore une fois, faites-moi la grâce entière, laissez-moi vivre en paix dans la maison de mon père à Saint-Ouen. »

Cette lettre (qu'elle confia au consul Lebrun), pas plus que la précédente, Germaine n'en fera état dans *Dix Années d'exil*. Ce ne sont pas, aux yeux de la postérité, de glorieux titres de résistance. Elle sollicite. Mais fléchit-elle vraiment le genou ?... Il y a tout de même un accent de protestation dans sa seconde requête ; cette « quémandeuse » est aussi une « rouspéteuse » qui réclame son dû. Elle le prend d'assez haut, elle s'imagine que le despote n'osera pas frapper de bannissement la fille de l'illustrissime ministre de Louis XVI. Et se croyant invincible, exorcisée par cette vieille idole (dont personne ne se soucie plus) elle rentre tranquillement à Maffliers. Et le samedi 15 octobre, cela elle le raconte dans *Dix Années d'exil*, elle est à table avec trois amis quand on sonne à la grille. Laissons-la parler. Ce qu'elle dit est si simple et si évocateur qu'on est avec elle dans cette maison perdue : Elle voit un homme en habit gris à cheval : « Il me fit demander ; je le reçus dans le jardin. En avançant vers lui, le parfum des fleurs et la beauté du soleil me frappèrent (...) Cet homme me dit qu'il était le commandant de la gendarmerie de Versailles, mais qu'on lui avait ordonné de ne pas mettre son uniforme dans la crainte de m'effrayer : il me montra une lettre signée de Bonaparte, qui portait l'ordre de m'éloigner à quarante lieues de Paris, et enjoignait de me faire partir dans les vingt-quatre heures... »

Elle rétorque avec beaucoup de sang-froid, acquis après coup peut-être, que « partir dans les vingt-quatre heures convenait à des conscrits, mais non à une femme et à des enfants. » En conséquence, elle lui propose de l'accompagner à Paris où trois jours seront nécessaires à ses préparatifs de départ. Le gendarme, « le plus littéraire des gendarmes », monte dans sa voiture. Mme de Staël s'arrête à Saint-Brice le temps d'embrasser Juliette Récamier qui jure une haine éternelle à Bonaparte, et d'attendrir Junot qui se trouve là. Lui aussi se rend à Saint-Cloud pour plaider la cause de la persécutée. Peine perdue. Les interventions de Regnault, de Fontanes, de Lucien, ne font que redoubler la colère du Consul qui se plaît à répéter :

— Je la connais, *passato il pericolo, gabbato il santo*. Non, non, entre elle et moi, plus de trêve ni de paix. Elle l'a voulu, qu'elle en porte la peine.

Dans les appartements qu'elle avait pris soin de louer rue de Lille, elle croit pouvoir reprendre sa vie d'antan avec des amis. On se repaît de souvenirs, on évoque les débuts de la Révolution, les glorieux moments de M. Necker. Germaine s'épanouit, resplendit, comme si ces belles journées allaient se renouveler, mais le lendemain son gendarme est là, lui rappelant qu'il faut partir. Elle mendie un jour, encore un jour, et pour gagner un peu de temps, accepte l'hospitalité de Joseph — qui fait encore vainement une tentative en sa faveur — et de sa femme, à Mortefontaine.

Retournera-t-elle à Coppet ? Non, elle choisit décidément la Prusse : « J'avais (...) le désir de me relever par la bonne réception qu'on me promettait en Allemagne, de l'outrage que me faisait le Premier Consul ».

Le tout dévoué Joseph qu'elle attend dans une auberge de Bondy (espère-t-elle encore que Napoléon se ravisera ?) rapporte de Saint-Cloud l'assurance que l'ambassadeur de France à Berlin lui fera bon accueil. Elle part, accompagnée de Benjamin Constant qui la soutient « par son étonnante conversation ». Le lendemain 26 octobre 1803 ils sont à Metz, où le préfet donne des fêtes en son honneur. Elle reste quinze jours dans cette ville où Charles de Villers, cet officier émigré qui l'a initiée à Kant et avec qui depuis un an elle correspond, est venu à sa rencontre. Formée par l'Encyclopédie, Germaine a étudié très sérieusement la nouvelle philosophie. Elle pressent combien ce séjour forcé en Allemagne peut l'enrichir. De là, elle soulèvera l'Europe entière contre le tyran. Il a ses armées. Mais elle a ses idées, son talent, ses puissantes relations ; sans oublier les écrivains qui seront heureux de la connaître. Mais le sont-ils tous tellement ?

A Weimar qui la conquiert et la retient pendant trois mois, elle voit Goethe, Schiller, Wieland. Son assurance étonne. Goethe comprend très bien qu'elle veut non seulement connaître mais se faire connaître. Schiller qui parle mal français avoue que les interrogatoires auxquels elle le soumet lui sont un supplice. Elle somme Goethe, convalescent à Iéna, de rentrer à Weimar : « Si vous ne revenez pas avec moi lundi, je vous avoue que je serai un peu blessée »... Et à qui lui dit un jour qu'elle ne comprend peut-être pas tout à fait bien Goethe, justement, elle répond tout simplement : « Monsieur, je comprends tout ce qui mérite d'être compris ; ce que je ne comprends pas n'existe pas. »

C'est à Weimar que lui vient l'idée d'écrire un livre sur l'Allemagne, une Allemagne intellectuelle et pacifique. A Berlin, traitée en ambassadrice, présentée à la reine-mère veuve de Frédéric-Guillaume II, à la belle reine Louise, elle regrette la studieuse, la calme Weimar. Berlin est plein d'espions, de complots, d'intrigues. Les journaux anglais répandent des calomnies sur la France et pas seulement sur son chef. La nouvelle de l'exécution du duc d'Enghien se répand : « L'orgueil national allemand est blessé par les formes de l'arrestation du prince ». Et ce forfait est en quelque sorte pour elle une victoire. On écoute avec passion celle que Bonaparte a persécutée, chassée. Son importance grandit encore, elle quittera l'Allemagne beaucoup plus célèbre qu'elle ne l'était en y arrivant, et devenue le symbole de l'opposition lorsque la mort de son père l'obligera à rentrer.

En apprenant la nouvelle fatale qui lui parvint le 22 avril 1804 à Weimar, apportée par Benjamin Constant de Coppet, « elle tomba avec un cri perçant ». Goethe fut de ceux qui vinrent lui présenter des condoléances. Elle se mit en route accompagnée de Constant, mais aussi de Schlegel (1), qu'elle donnait pour précepteur à son fils : il l'accompagnera partout, achèvera de la germaniser pour ainsi

---

(1) Guillaume Schlegel, frère de Frédéric.

dire, l'aidera à mûrir le livre puissant qu'elle porte déjà dans sa tête.

Six ans cependant allaient s'écouler avant que *De l'Allemagne* ne fût imprimé. Dans l'intervalle se place d'abord l'intermède italien (décembre 1804-juin 1805) qui devait nous valoir *Corinne*. Après quoi commencent « les grandes années de Coppet ». Parmi les visiteurs célèbres qui s'y succédèrent, il y eut, en août 1805, Chateaubriand. Elle lui fit part de sa nostalgie de Paris, elle se mourait de ne pas revoir « le ruisseau de la rue du Bac » ; mais lui qui n'était pas encore l'irréductible adversaire de Napoléon, fut agacé par ses plaintes : « Qu'était-ce à mes yeux que cette infélicité de vivre dans ses terres avec les conforts de la vie ? Qu'était-ce que le malheur d'avoir de la gloire, des loisirs, de la paix, dans une riche retraite, en comparaison de ces milliers de victimes sans pain, sans nom, sans secours, bannies dans tous les coins de l'Europe, tandis que leurs parents avaient péri sur l'échafaud ? Il est fâcheux d'être atteint d'un mal dont la foule n'a pas l'intelligence. »

Exil : la châtelaine de Coppet n'avait que ce mot à la bouche, il revient toujours sous sa plume. Ce mot de misère, de solitude, de malheur : « L'exilé partout est seul » dira Lamennais. Dans la demeure princière de Mᵐᵉ de Staël défilaient toutes les gloires intellectuelles de l'Europe et trente invités s'asseyaient chaque jour à sa table. Et malgré sa créance de deux millions dont Napoléon lui refusait toujours le remboursement, elle était colossalement riche. Chateaubriand, lui, avait pensé mourir de faim à Londres en 93 dans une mansarde sans feu...

Enfin, en avril 1806, elle fait ses bagages. Le 28, elle arrive à Auxerre. Elle ne s'y fixera pas. N'importe. Qu'elle soit à Auxerre, au château de Vincelles tout proche, ou à Blois, à Rouen, au château d'Acosta près d'Aubergenville où elle termine *Corinne*, l'Empereur ne la perd pas de vue. Le 1ᵉʳ avril 1807, de Prusse, il ordonne que Germaine soit tenue à quarante lieues de Paris. Et c'est encore trop : « Cette femme est un vrai corbeau (...) Qu'elle s'en aille dans son Léman. »

Fouché, qui trouve bien commode de se renseigner en lisant les lettres qu'elle reçoit et qu'elle envoie, se montre au contraire indulgent et la laisse se glisser dans Paris.

D'où cette semonce de Napoléon qui, à cinq cents lieues de la France, s'enorgueillit de savoir « mieux ce qui s'y passe que le ministre de la Police » : « Je vois dans votre bulletin du 27 avril que Mme de Staël était partie le 21 pour Genève. Je suis fâché que vous soyez si mal informé. Mme de Staël était les 24, 25, 26, 27 et 28 et est probablement encore à Paris... »

Qu'y faisait-elle ? Conspira-t-elle ? Elle avait vu beaucoup de gens de lettres, donné pas mal de dîners ; elle s'était, une nuit de lune, promenée dans les rues suivie à distance par des policiers... Elle ne découragea certainement pas l'esprit de résistance qui couvait où nous savons, ni les espérances des royalistes spéculant sur une défaite de l'usur- pateur en Prusse orientale. Et tout en s'occupant de la sortie prochaine de son livre, obstinément, elle s'attachait à ce projet : s'établir tout près de Paris pour y recevoir des visites. Benjamin Constant alla de sa part demander à Fouché l'autorisation d'acheter une propriété à Cernay. Fouché y mit une condition : que Mme de Staël introduise des louanges de l'Empereur dans *Corinne* — laissant même entendre qu'alors ses deux millions lui seraient rendus.

Mme de Staël refusa. On nous l'a montrée en mars 1803 prête à glisser un « éloge imprimé » dans une réédition de *Delphine* (1). Cette fois il est difficile de l'accuser de double jeu, de maquignonnage. Elle est une opposante irréductible (elle avait d'ailleurs commencé de l'être dès l' « écrémage » du Tribunat), et comprend enfin qu'elle ne peut pas le rester impunément. Renonçant à ses illusions et à ses travaux d'incrustation auprès de la capitale, elle reprend le chemin de la Suisse à la fin d'avril 1807. Son départ coïncidait avec la publication de *Corinne* qui allait faire sensation.

Cette victoire littéraire, l'écho n'en laissera pas indiffé- rent l'Empereur qui, après son succès de Friedland, « arbore ses aigles sur le Niémen » : « Il campe à Osterode quand il reçoit *Corinne ou l'Italie*. C'est la nuit ; il feuillette l'ouvrage du pouce, fait réveiller Talleyrand ; l'ex-évêque arrive, bâil- lant, frottant ses yeux ahuris qui clignotent. (...) « Lisez-moi cela. » (...) Au bout de quelques instants le souverain s'impa- tiente et parle de « fatras » ; il ajoute : « (...) c'est du temps

---

(1) H. Guillemin : *Mme de Staël, Benjamin Constant et Napoléon.*

perdu que de lire cela ! » (1). A Sainte-Hélène il reprendra
le livre pour le rejeter encore. Ce nouveau roman, pire que
Delphine, avait tout pour lui déplaire : la proclamation du
droit de la femme à épanouir sa personnalité, l'identification
théâtrale de l'auteur à son héroïne, la sympathie pour l'Angleterre incarnée par le bel Oswald, le côté superficiel du tempérament français représenté par le comte d'Erfeuil, l'ouverture sur l'Italie et les cultures étrangères. Par cet élargisse-
ment de l'horizon intellectuel, cette volonté d'affranchissement du préjugé national, *Corinne* annonçait *De l'Allemagne*.

A la fin de 1807, Germaine de Staël repart pour l'Allemagne, justement, et l'Autriche, accompagnée de Schlegel.
Elle voyagera en paix du fait que l'Empereur a prescrit aux
représentants de la France de lui accorder « toute protection ». Elle voit Munich, elle est présentée à la Cour à
Vienne et fêtée — en Allemagne plus qu'en Autriche — comme
l'adversaire de l'adversaire détesté, reçue avec honneur dans
tous les salons. Elle passe majestueuse et souriante, vêtue
d'une robe constellée de diamants, parle, interroge, écoute
un peu, reprend goût à la vie, savoure la gloire qui lui
ouvre toutes les portes, une gloire grisante comme l'amour.
Mais ce voyage si enrichissant pour elle redouble l'hostilité
de Napoléon. Voilà cette maudite Suissesse anglophile éprise
de l'Allemagne à présent, une Allemagne que Schlegel exalte
tout en dénigrant la France dans des conférences qui ont
un succès considérable. En outre, elle est entrée en rapports
avec Gentz, agent de l'Autriche et de l'Angleterre, ennemi
juré de l'Empereur. Et l'Empereur ordonne à ses ministres
en Allemagne et ambassadeurs de renforcer leur surveillance.

Six mois plus tôt, il se sentait rassuré de la savoir à nouveau de l'autre côté du Rhin. En décembre 1807, à Chambéry,
retour de Milan, il avait accordé une audience au jeune
Auguste de Staël venu lui demander la fin de l'exil de sa
mère (et le remboursement des millions). Admettant qu'elle
n'était pas une « méchante femme », il s'était emporté en
entendant son fils affirmer qu'elle voulait se consacrer à la
littérature :

« On fait de la politique en parlant de littérature, de

_____

(1) Françoise d'Eaubonne : *Une femme témoin de son siècle :
Germaine de Staël* (Flammarion).

morale, de beaux-arts, de tout au monde !... Il faut que les femmes tricotent !...

« Si je la laissais venir à Paris, elle ferait des sottises ; elle me perdrait tous les gens qui m'entourent ; elle me perdrait Garat. N'est-ce pas elle qui m'a perdu le Tribunat ?...

« Paris, voyez-vous, c'est là que j'habite et je n'y veux que des gens qui m'aiment (...) Qu'elle aille partout où elle voudra, à Rome, à Naples, à Vienne, à Berlin, à Milan, à Lyon, à Londres même faire des « libelles ». Il n'y a que votre mère qui soit malheureuse quand on lui laisse toute l'Europe ! »

Il lui laissait toute l'Europe en la croyant inoffensive hors Paris. Maintenant il s'aperçoit qu'elle est un ferment de résistance en Europe.

De retour à Coppet en juin 1808, elle faisait un an plus tard une brève incursion à Lyon et y rencontrait Mme Récamier (dont le salon parisien, où brillait Benjamin Constant, était devenu le centre de l'opposition mondaine). En dehors de l'incroyable agitation sentimentale de Germaine de Staël, la grande affaire pour elle était alors de finir *De l'Allemagne* et de préparer sa publication en France. L'autorisation qu'elle avait d'y résider, à condition de ne pas se rapprocher de Paris, étant toujours valable, en avril 1810 elle quitta la Suisse une fois de plus, accompagnée de toute sa cour : Juliette Récamier, Mathieu de Montmorency, Benjamin Constant, Schlegel, etc. C'était le grandiose château de Chaumont qui allait les accueillir, prêté par son propriétaire, alors aux Etats-Unis. Celui-ci revint, on se replia sur le château voisin de Fossé. Mme de Staël y corrigeant ses épreuves retrouva presque le bonheur dans la satisfaction de l'œuvre accomplie : « Dieu veuille que cet été se renouvelle » écrit-elle.

Hélas ! Elle allait bientôt apprendre que son livre était condamné au pilon et elle-même à la proscription. On était en 1810, année du durcissement, de l'établissement de la censure littéraire, du remplacement de Fouché par la brute inconditionnelle Savary. A l'égard de la censure, Mme de Staël se croyait en règle, ayant obtenu le visa pour les deux premiers tomes de l'ouvrage. Quant au troisième, Juliette Récamier en emportait les épreuves le 25 septembre à Paris, avec une lettre de Germaine à Napoléon le conjurant de les lire et de lui accorder une audience. Mais dès le 27 le préfet l'invitait de la part de Savary à partir dans les quarante-huit heures, et à lui remettre son manuscrit et ses épreuves. D'ailleurs les exemplaires imprimés chez Mame à Tours étaient déjà mis sous scellés. Alors fièvreusement, Germaine de Staël multiplie requêtes, protestations et interventions. Son fils Auguste lui rend compte ainsi d'une démarche qu'il a faite auprès du censeur et policier Esménard : « Je lui ai dit que pour des retranchements tu céderais jusqu'au point où cela ne défigurerait pas ton ouvrage, mais que tu le brûlerais plutôt que de consentir à une ligne d'addition. » Et bientôt lui arrive une lettre du 3 octobre, signée du duc de Rovigo : elle lui accorde un délai de huit jours, pas plus, et donne les motifs de la décision impériale :

« ... Il ne faut point rechercher la cause de l'ordre que je vous ai signifié dans le silence que vous avez gardé à l'égard de l'Empereur dans votre dernier ouvrage ; ce serait une erreur : il ne pouvait pas y trouver de place qui fût digne de lui ; mais votre exil est une conséquence naturelle de la marche que vous suivez constamment depuis plusieurs années. Il m'a paru que l'air de ce pays-ci ne vous convenait point, et nous n'en sommes pas encore réduits à chercher des modèles dans les peuples que vous admirez.

« Votre dernier ouvrage n'est point français ; c'est moi qui en ai arrêté l'impression... »

Quelques jours plus tard, *De l'Allemagne* était effectivement pilonné. Toutefois l'auteur avait réussi à sauver son manuscrit original. Quant à l'exemplaire qui avait été présenté à Napoléon, il l'avait jeté au feu.

On comprend très bien sa fureur. L'éloge que Mme de Staël faisait de la vitalité de l'Allemagne et de ses vertus — qu'elle résumait d'un mot, « enthousiasme », c'est-à-dire élan intérieur, spirituel — faisait cruellement ressortir l'appauvrissement intellectuel et moral d'une France pervertie par le despotisme. La phrase ultime de son livre résonnait comme un reproche aux Français, un appel à se ressaisir : « O France ! terre de gloire et d'amour ! si l'enthousiasme un jour s'éteignait sur votre sol, si le calcul disposait de tout et que le raisonnement seul inspirât le mépris des périls, à quoi vous servirait votre beau ciel, vos esprits si brillants, votre nature si féconde ? Une intelligence active, une impétuosité savante vous rendraient les maîtres du monde ; mais vous n'y laisseriez que la trace des torrents de sable, terribles comme les flots, arides comme le désert ! »

Ceci dit, y avait-il dans le livre un encouragement à une résistance nationale allemande contre Napoléon ? Certainement pas. Tout au plus y trouve-t-on deux lignes, ce qui est peu en six cents pages, pour constater que « l'esprit militaire et l'amour de la patrie », « ces deux sources de dévouement existent à peine chez les Allemands pris en masse ». Ce sera moins vrai en 1813. Ce l'était encore en 1810, mais passons. Mᵐᵉ de Staël ne s'était pas placée sur le terrain politique. *De l'Allemagne* était un vaste tableau révélant l'âme et le visage d'un grand peuple voisin au public français qui en ignorait presque tout. Essai grandiose sur un génie national jetant alors son plein feu et qui, plus tard, illuminera la jeune ferveur d'un Renan et d'un Michelet. Depuis que Voltaire avait découvert l'Angleterre, qu'avait-on lu de plus *important* ? Et depuis l'ouvrage posthume de Condorcet, quel livre français avait davantage fait honneur à la vocation de la France qui est l'universalisme ?

En faisant détruire *De l'Allemagne*, l'Idéophobe venait de remporter sa plus grande victoire sur l'esprit.

*
**

Dans le récit du retour de Mᵐᵉ de Staël de Blois à Coppet surgissent des images fortement évocatrices de l'Empire soumis au sceptre de fer : « A cinquante lieues de la frontière de Suisse, la France est hérissée de citadelles, de maisons d'arrêt, de villes servant de prison, et l'on ne voit partout que des individus contraints par la volonté d'un seul homme, des conscrits du malheur... » A Dijon sont « des prisonniers espagnols qui ont refusé de prêter le serment ». A Auxonne des prisonniers anglais. A Besançon, encore des Espagnols et aussi des « exilés français » dans la citadelle... « A l'entrée de la Suisse, sur le haut des montagnes qui la séparent de la France, on aperçoit le château de Joux, dans lequel sont détenus des prisonniers d'Etat (...) C'est dans cette prison que Toussaint-Louverture est mort de froid. (...) Je passai au pied de ce château un jour où le temps était horrible ; je pensais à ce nègre transporté tout à coup dans les Alpes, et pour qui ce séjour était l'enfer de glace ; je pensais à de plus nobles êtres qui y avaient été renfermés, à ceux qui y gémissaient encore (...) Rien ne peut donner l'idée (...) de cette absence de sécurité, état habituel de toutes les créatures humaines sous l'empire de Napoléon » (1).

A Coppet ce fut la fin des beaux jours. Pour n'avoir pas assez ponctuellement exécuté l'ordre de saisir les manuscrits et épreuves du livre, le préfet du Léman, Barante, fut destitué, comme l'avait été le préfet du Loir-et-Cher, Corbigny. Son successeur interdit à Mme de Staël de s'éloigner à plus de deux lieues du château (mai 1811) ; il ordonna à Schlegel d'en partir. En août, Mathieu de Montmorency qui était venu la voir en fut puni par l'interdiction de se tenir à moins de quarante lieues de Paris. Bientôt Juliette Récamier fut frappée de la même sanction pour la même raison. Le village de Coppet fut truffé d'espions. La police soudoyait des domestiques du château ; le courrier était lu par les gardiens. La vie de Germaine de Staël devenait intenable en Suisse. Où aller ? On lui refusa un passeport pour l'Amérique ; on lui refusa d'aller vivre en Italie. Elle se décida pour l'Angleterre : pour l'atteindre il ne restait qu'un moyen, « c'était le tour de l'Europe entière »... Entreprendre en 1812 le tour de l'Europe ! On reste confondu par tant d'opiniâtreté, par tant de courage.

Le 23 mai, accompagnée de M. de Rocca, son second mari (2), elle montait dans sa voiture, mais sans bagages, un éventail à la main, pour ne pas donner l'éveil, disant qu'elle reviendrait pour dîner. En descendant l'avenue, elle crut s'évanouir... Heureusement elle put sans encombre atteindre la frontière du Tyrol et la franchir : « C'est ainsi qu'après dix ans de persécutions toujours croissantes, d'abord renvoyée de Paris puis reléguée en Suisse, puis confinée dans mon château, puis enfin condamnée à l'horrible douleur de ne plus revoir mes amis et d'avoir été cause de leur exil, c'est ainsi que je fus obligée de quitter en fugitive deux patries, la Suisse et la France, par l'ordre d'un homme moins

_____

(1) *Dix Années d'Exil.*
(2) Jeune officier genevois d'origine piémontaise, mutilé de la guerre d'Espagne. Elle venait d'en avoir un fils et l'avait épousé secrètement. (Le baron de Staël était mort en mai 1802.)

français que moi ; car je suis née sur les bords de cette Seine où sa tyrannie seule le naturalise (...) Où est sa patrie ? c'est la terre qui lui est soumise. Ses concitoyens ? ce sont les esclaves qui obéissent à ses ordres. »

Arrivée à Vienne, Mme de Staël y fut bientôt en butte aux tracasseries d'espions la suivant partout. Le gouvernement autrichien n'éprouvait nul plaisir de sa présence. Où aller ? « La géographie de l'Europe, telle que Napoléon l'a faite, ne s'apprend que trop bien par le malheur : les détours qu'il fallait prendre pour éviter sa puissance étaient déjà de près de deux mille lieues... » La fugitive gagna la Galicie, traversa la Pologne, et le 14 juillet 1812 entra en Russie : « cet anniversaire des premiers jours de la Révolution me frappa singulièrement : ainsi se refermait pour moi le cercle de l'histoire de France qui, le 14 juillet 1789, avait commencé. »

« On n'était guère accoutumé à considérer la Russie, écrit-elle encore, comme l'Etat le plus libre d'Europe ; mais le joug que l'Empereur de France fait peser sur tous les Etats du continent est tel, qu'on se croit dans une république dès qu'on arrive dans un pays où la tyrannie de Napoléon ne peut plus se faire sentir. »

La puissance du conquérant rencontrerait-elle des limites ? Depuis le 24 juin, la Russie, à son tour, était attaquée et envahie ; si bien que Mme de Staël pouvait craindre de se voir coupée de la route de Moscou : « Bizarre sort pour moi, que de fuir d'abord les Français, au milieu desquels je suis née, qui ont porté mon père en triomphe, et de les fuir jusqu'aux confins de l'Asie ! »

« Frémissant » à la pensée de ce que sa capture aurait de « tragique et de ridicule », elle parvint à Moscou quand Napoléon n'était pas encore à Smolensk. Elle fut frappée par l'élan patriotique des Russes, aussi bien des paysans que des grands seigneurs ; peu de jours auparavant, au Kremlin, un peuple immense avait entouré l'empereur Alexandre en lui promettant de défendre son empire à tout prix. Visitant le sanctuaire de la vieille Russie, l'arsenal barbare où tout raconte les sombres atrocités de l'histoire des tsars, elle médita sur ce despotisme asiatique si contraire à notre civilisation d'Occident, ces gouvernements « dont la seule limite est l'assassinat des despotes » ; mais aussi sur les vertus que cette nation avait su conserver à travers tant de sinistres péripéties. C'était par une splendide journée d'août. L'exilée, d'un clocher de la cathédrale, contemplait les coupoles dorées étincelant au soleil, et les sinuosités de la Moskowa « qui, depuis la dernière invasion des Tartares n'avait plus roulé de sang dans ses flots » ; elle se rappelait l'émouvante lettre pastorale écrite par le vieil archevêque Platon au tsar Alexandre : il lui « envoyait l'image de la Vierge, des confins de l'Europe, pour conjurer loin de l'Asie l'homme qui voulait faire porter aux Russes tout le poids des nations enchaînées sous ses pas. »

Un moment, un moment seulement, la pensée lui vint que Napoléon pourrait bientôt « se promener sur cette même tour » d'où elle admirait la ville ; la beauté du ciel lui fit repousser cette crainte...

De cette même muraille du Kremlin, un mois plus tard, le conquérant regardait flamber Moscou. Son rêve s'en allait en fumée d'ajouter à l'empire d'Occident celui de l'Orient. Et qu'adviendrait-il de l'Europe, de la France, s'il se laissait surprendre au cœur de la Russie par l'hiver ? A la mi-octobre, il se résignait à ordonner la retraite.

Aucune fresque historique ne s'est plus durablement imprimée dans les imaginations françaises que le lent cheminement, trébuchement dans la neige, de cette Grande Armée pour qui chaque journée était un désastre. Elle comptait au départ, on s'en souvient, près de sept cent mille hommes, dont le tiers seulement étaient des Français, le reste rassemblant des Allemands, des Polonais, des Italiens, des Illyriens et des Espagnols. Ses pertes, morts et prisonniers, furent de cinq cent mille. Tandis que Ney, à l'arrière-garde, faisait le coup de feu contre les cosaques et les partisans, l'Empereur ne quittait pas la tête de la longue colonne. De temps en temps, des estafettes lui apportaient des dépêches de France. Le 6 novembre, entre Wyasma et Smolensk, il reçut un rapport qui le fit pâlir. Ce qui s'était passé quinze jours plus tôt à Paris était stupéfiant :

« Un général obscur, détenu depuis 1808, s'étant échappé un soir de la maison de santé où il avait été transféré en dernier lieu, se présente à une caserne, revêtu d'un habit de général et muni de faux ordres qu'il avait fabriqués dans sa prison ; annonce au commandant que Napoléon a été tué à Moscou d'un coup de feu, et que le Sénat, secrètement rassemblé, a décidé le rétablissement de la République ; se fait remettre la cohorte qui occupait cette caserne ; se rend, à la tête de cette cohorte, à la prison de la Force ; en fait sortir deux généraux prisonniers, Lahorie et Guidal, auxquels il communique et fait accepter la nouvelle de la mort de Napoléon et les faux décrets du Sénat ; fait arrêter et conduire à la Conciergerie (...) le ministre de la police duc de Rovigo et le ministre de la guerre duc de Feltre ; transmet au préfet de la Seine Frochot l'ordre de préparer à l'Hôtel de ville une salle pour le gouvernement provisoire ; au colonel d'un des régiments de la garnison de Paris celui de garder par des détachements toutes les barrières de la capitale, ordres qui sont exécutés sans aucune difficulté ; et n'est enfin arrêté dans le succès de son entreprise que pour s'être troublé lui-même après avoir renversé d'un coup de pistolet le commandant de la place de Paris, Hulin » (1).

Jules Barni, à qui nous empruntons ce raccourci, a lui-même cité le commentaire inspiré à M. Thiers par cette fameuse tentative de Malet : « Tant de crédulité à admettre les ordres les plus étranges, tant d'obéissance à les exécuter, accusaient non pas les hommes toujours si faciles à tromper et si prompts à obéir quand ils en ont pris l'habitude, mais le régime sous lequel de telles choses étaient possibles. Sous ce régime de secret, d'obéissance passive et aveugle, où un homme était à lui seul le gouvernement, la Constitution et l'Etat, où cet homme jouait tous les jours le sort de la France et le sien dans des aventures fabuleuses, il était naturel de croire à sa mort, sa mort admise, de chercher une sorte d'autorité dans le Sénat, et de continuer à obéir passivement, sans examen, sans contestation, car on n'était plus habitué à concevoir, à souffrir une contradiction. On n'aurait

(1) La scène se déroula de nuit place Vendôme où se trouvait la résidence de Hulin. Mal réveillé, impressionné par l'aplomb de Malet, il se disposait à obtempérer comme les Frochot et autres. Ce fut sa femme — née Louise Tiersonnier, sœur de mon arrière-grand-père maternel — qui lui mit la puce à l'oreille, criant du fond de l'alcôve : « Mon ami, demandez-lui donc s'il a un mandat. » Le coup de pistolet de Malet fracassa la mâchoire de Hulin, d'où le sobriquet de *Bouffe-la-balle* qui lui resta dans l'armée.

Le général Lahorie, « complice » de Malet, était un ancien chef d'état-major de Moreau.

L. V.

pas surpris par de tels moyens un Etat libre (...) Dans un Etat despotique, le téméraire qui met la main sur le ressort essentiel du gouvernement est le maître, et c'est ce qui donne naissance aux conspirations de palais (...) Il existait pourtant un héritier de Napoléon, et l'on n'y avait même pas songé ! »

C'est cela surtout qui indigna l'Empereur et qui l'inquiéta : « Il paraissait blessé au fond de l'âme » a raconté Caulaincourt, un de ceux, très rares, que Napoléon mit alors dans sa confidence : « — Avec les Français, ajouta-t-il, il faut, comme avec les femmes, ne pas faire de trop longues absences. »

Ce n'est que le 4 décembre, à Smorgoni, que l'Empereur réunit ses maréchaux pour les informer de son intention de regagner la France au plus vite. Pour raffermir sa couronne, il allait abandonner son armée. Il est vrai que ses maréchaux, ducs et princes, sachant leur propre destin lié à cette couronne, furent unanimes à l'engager à partir. Le roi de Naples et le prince Eugène l'en avaient même vivement pressé déjà. Alors il avait simulé une violente colère, prétendant que seul son plus mortel ennemi pouvait lui proposer chose pareille, et tiré son épée pour en menacer Murat...

Le lendemain, par un froid de trente degrés, Napoléon montait avec Caulaincourt dans une voiture bientôt changée contre un traîneau. Pendant le trajet, il fit part à son compagnon de mille réflexions et jugements sur la situation, sur ses projets, sur les hommes. Une apologie familière, en somme un avant-goût du *Mémorial*.

S'adressant au descendant d'une grande famille féodale qu'il avait fait son Grand Ecuyer, un des thèmes favoris de Napoléon était le rôle de l'aristocratie dans la nation, la mentalité frondeuse du faubourg Saint-Germain, l'attitude rétive de certains hobereaux restés à l'écart : « Ils reviendront, car ils aiment le pouvoir et la Cour par-dessus tout. Peut-être sera-t-il trop tard s'ils se font attendre. Aujourd'hui, ceux-là feraient presque cause commune avec quelques cerveaux creux comme les La Fayette, Tracy, qui crient au despotisme, comme s'il y en avait, là où on les laisse crier, intriguer, critiquer à leur aise. »

A l'approche de Paris, de nouvelles dépêches ramenaient

la conversation sur l'affaire Malet. Aussitôt arrêté, le conspirateur avait été jugé et fusillé avec ses complices ; mais qui voyait juste, de Savary soutenant que Malet avait agi de lui-même, ou de Clarke, pensant au contraire que le complot avait eu des ramifications au Sénat ? « Il voit des jacobins partout. Nous verrons qui a raison. »

Le 18 décembre au soir, dans une chaise de poste, cette fois, menée à un train d'enfer, Napoléon et Caulaincourt arrivaient dans la capitale. Treize jours seulement depuis la Russie, record pour l'époque... Toujours au grand galop, le postillon fit passer la voiture sous l'Arc de Triomphe du Carrousel (privilège des équipages impériaux) et l'arrêta devant le perron alors que l'horloge sonnait le dernier quart avant minuit.

Infatigable, Napoléon dès le lendemain matin recevait un par un tous ses ministres, commençant par Cambacérès et terminant par Savary qu'il garda deux heures. Savary se disculpa — comment résister seul, en robe de chambre, à cinq soldats en armes ? — et expliqua que Malet avait agi seul, qu'il n'y avait pas eu de complot. Ce qui justifiait ce mot de Napoléon : « Tout est organisé chez nous de telle façon qu'un caporal pourrait avec quelques hommes, dans un moment de crise, s'emparer du gouvernement. »

Qui était donc ce Malet ? Avait-il vraiment agi seul ? Tout le monde connaît sa réponse au président du tribunal lui demandant s'il avait des complices : « Vous même, monsieur, et la France entière si j'avais réussi. »

Claude-François de Malet, jeune mousquetaire de la Maison du Roi avant 89, avait embrassé avec enthousiasme la cause de la Révolution ; pendant le Consulat, il avait continué à manifester ses opinions de façon assez tapageuse ; commandant de la place d'Angoulême lors du sacre, il avait refusé d'illuminer. Toujours en conflit avec les préfets dans ses différentes garnisons, le général Malet commandant de la place de Rome en 1807 avait été dénoncé par l'ambassadeur comme concussionnaire — en Italie, beaucoup d'officiers avaient-ils les mains pures ? — et rappelé à Paris. Mis en non-activité, il avait fréquenté des opposants clandestins, originaires du Jura comme lui, jacobins, très montés contre l'Empire, mais sans envergure. Ce groupe n'avait pas d'importance politique. Il en allait autrement d'un embryon de comité formé autour de l'ancien député girondin et ministre de la Guerre, Servan, et qui comprenait les sénateurs libéraux (Grégoire, Garat, Destutt de Tracy, Volney, Lanjuinais, Lambrechts) et des haut-fonctionnaires dont Jacquemont (ce membre de l'Institut et chef du bureau des sciences au ministère de l'Intérieur, qui avait servi d'intermédiaire en 1802 entre Moreau et le groupe Cabanis, Chénier, Daunou). Leur activité, fort discrète, se bornait à préparer le rétablissement de la République au cas où l'Empereur viendrait à être tué à la guerre. Fouché, au courant et d'accord, sans doute, fermait les yeux ; on se souvient de son attitude plutôt débonnaire lors des dîners du tridi. Mais en mai 1808, Servan mourut et Malet réussit à contacter Jacquemont. Celui-ci lui confirma l'existence d'un projet dû notamment à Garat, Cabanis et Destutt et visant à rétablir la Constitution de l'an VIII ; une réunion de douze sénateurs était prévue pour le mettre au point et l'on comptait rallier la majorité des autres, les événements d'Espagne leur ayant donné à réfléchir. Jacquemont précisait à Malet, de la part de Garat, qu'il serait tenu au courant, mais qu'il était inutile, en attendant, de chercher à se revoir.

Ainsi instruit de ce qu'il voulait savoir, Malet, il faut le dire, agit de façon déloyale : il monta son complot — son premier complot, nous ne sommes encore qu'en 1808 — à l'insu de Jacquemont et autres, mais en se préparant à détourner les soupçons sur eux au cas où il serait découvert. Gagnant à sa cause un certain nombre d'officiers aigris, il élabora un plan consistant à emprisonner Cambacérès et à soulever la garnison de Paris ; il fit rédiger un faux sénatus-consulte qui mettait Napoléon hors-la-loi et instituait une « Dictature » de neuf membres dont lui-même et Moreau, il fit préparer des affiches et un ordre du jour à l'armée... Une indiscrétion révèle tout au préfet de police Dubois. Arrêté (9 juin 1808) et emprisonné, Malet s'arrange, sans en avoir l'air, pour mettre en cause Jacquemont, lequel arrêté le 12 affirme ne rien savoir du complot Malet, ce qui est la vérité, et se garde de fournir aucune indication sur son propre groupe. Il est d'ailleurs secrètement soutenu et conseillé par Fouché, chef et ennemi de Dubois qui, lui, fait un rapport tendant à gonfler l'affaire :

« La conspiration devait éclater à la fin de mai. Douze

à quinze mille personnes devaient d'abord y prendre part, et on comptait sur un bien plus grand nombre, et notamment sur les mécontents de tous les partis qui auraient agi mus par leur seule haine de Bonaparte. Vingt-deux sénateurs s'étaient engagés formellement. Voici les noms des principaux : Destutt-Tracy, Lambrechts, Volney, Lanjuinais, Garat, Boissy d'Anglas, Sieyès, Latour-Maubourg et Cabanis. Moreau était désigné comme généralissime provisoire. »

Fouché, au contraire, envoie à Napoléon des rapports minimisant tout cela. Un conseil de police réuni par ordre de l'Empereur, innocente complètement Garat et Destutt. Aux yeux de Napoléon, tout n'est pas si simple ; à propos des interrogatoires de Jacquemont et d'un de ses amis, il écrit à Fouché : « Je suis loin de n'y voir, comme vous, rien de nouveau ; j'y vois évidemment un complot dont l'un et l'autre sont. Quelle est la société que fréquentent ces individus ? Benjamin Constant doit être là-dedans. Cette canaille sera-t-elle toujours protégée à Paris ? (...) Je ne soupçonne pas Garat, mais c'est une tête faible (...) il ne serait pas étonnant qu'il se lançât dans de fausses démarches et qu'il finît par se trouver compromis. »

Le point de vue de Fouché n'en prévaut pas moins à Paris ; les sénateurs signalés ne sont pas inquiétés ; en 1809 un certain nombre de détenus seront élargis, dont Jacquemont éloigné à quarante lieues de la capitale mais réintégré dans l'administration. Quant à Malet, d'abord maintenu sous les verrous, il obtiendra d'être transféré dans une maison de santé : c'est là, nous l'avons vu, qu'il va préparer à loisir son second complot, le plus fameux, celui de 1812.

Nous rejoignons donc l'extraordinaire épisode qui faillit jeter bas l'Empire, qui annihila même pour quelques heures l'Etat napoléonien. Les mêmes noms à peu près qu'en 1808 vont sortir de l'ombre, qui symbolisent la fidélité à la Liberté et qui, dans la pensée de Malet, lui rallieront l'opinion. Voici le texte de son sénatus-consulte apocryphe :

« Sénat Conservateur. Séance du 22 octobre 1812.

« La séance s'est ouverte à huit heures du soir, sous la présidence du sénateur Sieyès. Le Sénat, réuni extraordinairement, s'est fait donner lecture du message qui lui annonce la mort de l'empereur Napoléon qui a eu lieu sous les murs de Moscou le 7 de ce mois. Le Sénat (...) a décrété ce qui suit :

« ... Il est établi un gouvernement provisoire composé de quinze membres dont les noms suivent : MM. le général Moreau, président ; Carnot, ex-ministre, vice-président ; le général Augereau ; Bigonet, ex-législateur ; Destutt-Tracy, sénateur ; Florent-Guyot, ex-législateur ; Frochot, préfet du département de la Seine ; Jacquemont, ex-tribun ; Lambrechts, sénateur ; Montmorency (Mathieu) ; Malet (général) ; Noailles (Alexis) ; Truguet, vice-amiral ; Volney, sénateur ; Garat, sénateur.

« Ce gouvernement est chargé de veiller à la sûreté intérieure et extérieure de l'Etat ; de traiter immédiatement de la paix, etc. »

Deux noms de cette liste y figuraient à l'intention des royalistes, Montmorency (ami de Mᵐᵉ de Staël) et Noailles. Ajoutons que dans ce nouveau régime, la garde nationale était donnée à La Fayette, et l'armée à Masséna. Ce qui frappe le plus, c'est qu'au cœur de son gouvernement, Malet a encore placé le petit groupe des Idéologues, le noyau des sénateurs libéraux.

Etaient-ils prévenus du rôle qu'il leur destinait ? Pas plus qu'en 1808 semble-t-il. Mais était-ce le sentiment de Napoléon ?

Dès le 20 décembre 1812, recevant une délégation du Sénat venue l'assurer de sa fidélité par la bouche de Lacépède, il insistait sur le caractère héréditaire de son Empire : « Nos pères avaient pour cri de ralliement : Le roi est mort, vive le roi ! Ce peu de mots contient les principaux avantages de la monarchie... »

Et répondant ensuite à l'adresse du Conseil d'Etat, se déclarant persuadé de l'amour du peuple pour son fils, du peuple « convaincu des bienfaits de la monarchie », il ajoutait :

« C'est à l'idéologie, à cette ténébreuse métaphysique qui, en recherchant avec subtilité les causes premières, veut sur ces bases fonder la législation des peuples, au lieu d'approprier les lois à la connaissance du cœur humain et aux leçons de l'histoire, qu'il faut attribuer tous les malheurs qu'a éprouvés notre belle France. Ces erreurs devaient et ont effectivement amené le régime des hommes de sang. En effet, qui a proclamé le principe de l'insurrection comme un devoir ? qui a adulé le peuple en le proclamant à une souveraineté qu'il était incapable d'exercer ? qui a détruit la sainteté et le respect des lois, non en les faisant dépendre des principes sacrés de la justice, de la nature des choses et de la justice civile, mais seulement de la volonté d'une assemblée composée d'hommes étrangers à la connaissance des lois civiles, criminelles, administratives, politiques et militaires ? »

Ainsi, comme au temps du Consulat, c'était l' « idéologie », c'est-à-dire l'idée républicaine et la pensée libre, qu'il poursuivait de sa rancune hargneuse. L'idéologie, les Idéologues, depuis douze ans il n'avait cessé d'en être obsédé. A la première nouvelle de la conspiration, ne s'était-il pas écrié : « Encore un coup des idéologues » ? N'avait-il pas aussitôt pensé à faire arrêter non seulement Jacquemont mais Tracy et les autres prétendus complices de 1808 (1) ?

Pour couper une bonne fois son régime de la démocratie, Napoléon, terminant son discours, se montra encore plus tranchant : « Voilà les principes que le Conseil d'Etat d'un grand Empire ne doit jamais perdre de vue ; il doit y joindre un courage à toute épreuve, et, à l'exemple des présidents Harlay et Molé, être prêt à mourir en défendant le souverain, le trône et les lois. »

La guerre qu'il s'agissait de poursuivre avait commencé vingt ans plus tôt :

La République nous appelle...
Pour elle un Français doit mourir.

Maintenant on envoyait les Français se faire tuer pour défendre un trône.

---

(1) Fr. Masson : *La vie et les conspirations du général Malet.* — C'est toujours la même obsession qui fait dire par Napoléon à Talleyrand en 1811, à propos d'un cours de Royer-Collard attaquant Condillac : « Savez-vous qu'il s'élève dans mon Université une nouvelle philosophie qui pourra bien nous faire grand honneur et nous débarrasser tout à fait des idéologues en les tuant sur place par le raisonnement... » Compliment d'ailleurs plus ou moins désavoué par Royer-Collard : « L'Empereur se méprend. Descartes est plus intraitable au despotisme que ne le serait Locke... »

CHAPITRE VIII

CHAPITRE VIII

TRAHISONS ET FIDÉLITÉS

L'Empereur, nerveusement, a repris les leviers de commande de l'Etat, il en modifie les rouages et en resserre les écrous ; il organise une régence, il réduit le rôle du Corps législatif à moins que rien.

Malet fusillé, Chateaubriand disgrâcié, Mme de Staël refoulée aux bords de la Baltique, la presse asphyxiée, l'élite intellectuelle plus découragée que jamais, peut-on encore parler d'une résistance intérieure ?

Le désenchantement, l'irritation ont gagné le clergé ; les dignitaires, les nantis s'inquiètent. Chose plus grave, une autre nouvelle opposition entre en ligne de compte, celle du peuple, du peuple dégrisé et effrayé. Le sentiment des petits, de la masse obscure qui a fourni les poitrines, ce sentiment de confiance trahie est-il tellement différent de celui des hommes de pensée ?

Cette lassitude populaire ne se perçoit nulle part davantage que vers les marches de l'Est, au bord des routes qui débouchent sur une Europe criblée de champs de bataille. Elles y avaient déversé des flots de guerriers enthousiastes, elles n'avaient rapatrié que des régiments victorieux. Après la Bérésina, elles ne recueilleront que les survivants d'une armée de spectres.

Aux confins de la Lorraine et de l'Alsace, à Phalsbourg, vieille citadelle, vieille sentinelle chevronnée du territoire national, un petit apprenti-horloger qui travaillait près de la porte de France avait assisté émerveillé aux chassés-croisés de la gloire :

« C'est là qu'il fallait voir arriver des princes, des ambassadeurs et des généraux, les uns à cheval, les autres en calèche, les autres en berline, avec des habits galonnés, des plumets, des fourrures et des décorations de tous les pays. Et sur la grande route, il fallait voir passer les courriers, les estafettes, les convois de poudre, de boulets, les canons, les caissons, la cavalerie et l'infanterie. Quel temps ! Quel mouvement !

« ... On chantait presque tous les mois le *Te Deum* pour quelque nouvelle victoire, et le canon de l'arsenal tirait ses vingt et un coups, qui vous faisaient trembler le cœur. »

Mais vint le temps où chaque victoire créait de l'inquiétude dans toutes les familles ; on attendait des nouvelles de l'un, de l'autre, et les actes de décès : « La paix ne se faisait jamais ; une guerre finie, on en commençait une autre. Il nous manquait toujours quelque chose, soit du côté de la Russie, soit du côté de l'Espagne ou ailleurs ; l'Empereur n'était jamais content. »

Le vieil horloger Goulden, patron de l'adolescent, regardant défiler les troupes, lui demande rêveur combien il en avait déjà vu partir, combien il en avait vu revenir :

« Ceux que tu n'as pas vus revenir sont morts, comme des centaines et des centaines de mille autres mourront, si le bon Dieu n'a pas pitié de nous, car l'Empereur n'aime que la guerre ! Il a déjà versé plus de sang pour donner des couronnes à ses frères, que notre grande Révolution pour gagner les Droits de l'Homme. »

Joseph, le jeune homme, étant fiancé, et boiteux, redoute de partir à la conscription. En 1812, au commencement de la guerre contre les Russes, sa crainte grandit. Les régiments après les régiments s'engouffraient sous la porte de France, traversaient la place d'Armes, sortaient par la porte d'Allemagne... Enfin le 10 mai, de grand matin, les canons tonnèrent. M. Goulden réveille son ouvrier :

— Lève-toi... le voilà !

« Nous ouvrîmes la fenêtre. Au milieu de la nuit, je vis s'avancer au grand trot, sous la porte de France, une centaine de dragons dont plusieurs portaient des torches ; ils passèrent avec un roulement et des piétinements terribles ;

leurs lumières serpentaient sur la façade des maisons comme
de la flamme, et de toutes les croisées on entendait des
cris sans fin : « Vive l'Empereur ! Vive l'Empereur ! »

A l'automne, mauvaises nouvelles de Russie. Goulden :
« Dans ce moment, Joseph, il y a quatre cent mille familles
qui pleurent en France ; notre Grande Armée a péri dans
les glaces de la Russie ; tous ces hommes jeunes et vigoureux, que nous avons vus passer pendant deux mois, sont
enterrés dans la neige. »

Le 29e Bulletin de la Grande Armée... Le désastre frappe
au cœur un vieux forgeron, le porte-drapeau des volontaires
de Phalsbourg en 92, qui a ses trois fils là-bas. Et Goulden
de dire tristement :

« Oui, mais ce n'est que le commencement des plus
grands malheurs : ces Prussiens, ces Autrichiens, ces Russes,
ces Espagnols, et tous ces peuples que nous avons pillés
depuis 1804, vont profiter de notre misère pour tomber sur
nous. Puisque nous avons voulu leur donner des rois qu'ils
ne connaissaient ni d'Eve ni d'Adam, et dont ils ne voulaient
pas, ils vont nous en amener d'autres, avec des nobles et
tout ce qui s'ensuit. De sorte qu'après nous être fait sai-
gner aux quatre veines pour les frères de l'Empereur, nous
allons perdre tout ce que nous avions gagné par la Révolution. »

Le vieil horloger enseigne au jeune homme le patriotisme vrai : « Il n'y a qu'une chose pour laquelle un
peuple doit marcher (...) c'est quand on attaque notre Liberté,
comme en 92 ; alors (...) celui qui reste en arrière est un
lâche. »

Le 8 janvier 1813, grande affiche à la mairie : levée de
centaines et centaines de milliers de nouveaux conscrits.
Joseph est pris. Sa tante, indignée, lui conseille de fuir par
la Suisse. Goulden lui conseille de ne pas déserter, au
contraire : le pays va être envahi, cette fois il faudra le
défendre.

Cette *Histoire d'un Conscrit de 1813* traduit-elle vraiment l'état d'esprit des Français d'alors ? Récusera-t-on son
accent de sincérité, sa forte naïveté d'image d'Epinal ? Nullement fermés au rayonnement de la légende napoléonienne,
Erckmann-Chatrian n'ont pas essayé de la ternir ; au reste,
leur récit ne signifie pas que le peuple voulait se soulever

contre l'Empereur, mais qu'il ne voulait plus se battre pour *lui*.

Quelle était la proportion des mécontents ? Il est certain qu'à partir de la guerre d'Espagne, la répugnance, la « sourde irritation », la résistance à la conscription, se généralisèrent dans les campagnes — et pas seulement dans l'Ouest où le refus de servir devenait la règle. Dès 1808 on a pu évaluer à plus de 300 000 le nombre des réfractaires, non compris ceux qui désertaient en route par milliers (1). Un petit fait peu connu mais lourd de sens est la désertion, en 1810, du futur curé d'Ars, alors jeune recrue de la région lyonnaise. Entraîné par un camarade dans un maquis, il eut d'abord des scrupules et alla se présenter au maire de l'endroit. « Cet homme, comme de nombreux Français de ce temps-là, était contre Napoléon et avait déjà caché un certain nombre de réfractaires. Il engagea le nouveau venu à faire comme les autres. » Et le jeune séminariste, après avoir mûrement réfléchi, retourna dans son maquis, échappant à grand mal aux patrouilles : un jour, caché dans un tas de foin, il fut piqué par le sabre d'un gendarme et sut réprimer un cri de douleur... Plus tard, il ne manifesta de sa conduite aucune contrition, et il semble qu'autour de lui personne n'en ait été scandalisé (2).

*
**

Que ces guerres d'Espagne, de Russie, d'Allemagne, aient été considérées comme injustifiées par d'honnêtes Français et qu'ils aient en conséquence refusé l'obéissance à l'autorité impériale, cela n'est pas surprenant. Il y eut plus grave. Il y eut la fiévreuse activité de Mᵐᵉ de Staël à Saint-Petersbourg puis à Stockholm et à Londres, pour élargir, durcir, la coalition contre Napoléon, pour lui susciter des ennemis. Il y eut la tragique rentrée en scène de Moreau.

Exilé aux Etats-Unis depuis 1804, Moreau y avait mené une vie fort tranquille et semblait ne plus s'intéresser aux

(1) L. Madelin, *op. cit.*, t. XI : *La Nation sous l'Empereur*.
(2) P. Lorson, S.J. : *Un chrétien peut-il être objecteur de conscience ?*

affaires de France. Jusqu'à certain jour de 1808 où vint le
retrouver son compatriote rennais et ancien aide-de-camp,
le colonel Rapatel (le premier destinataire des « pots de
beurre »). Moreau n'était pas devenu un réactionnaire, on
en a la preuve dans les égards que lui témoignait le président Jefferson ; il n'en conseilla pas moins à Rapatel de
repartir pour aller prendre du service dans l'armée du
tsar ; et le 6 juin 1812, Rapatel, effectivement, s'embarqua
à destination de la Suède. Ainsi commence pour Moreau
lui-même le dénouement de ce qu'il faudrait appeler la tragédie de son déshonneur, si l'on croyait devoir identifier la
cause de la France à celle de Napoléon.

Il n'y avait pas de raison pour que les sentiments du
héros de Hohenlinden eussent changé à l'égard de cet autre
général qui s'était fait confier le destin de la République
afin de la détruire. Que Bonaparte, après s'être emparé de
la France par cette trahison, lançât les armées de la France
et d'une Europe subjuguée à l'assaut de la Russie et de
l'univers, cela voulait dire que sa victoire serait la défaite
totale de la liberté. Le devoir était plus que jamais de le
combattre et donc de rejoindre le camp de ses ennemis.
Devoir cornélien, décision mortelle, mais d'une irréprochable logique morale ; même si un vieux ressentiment, sti-
mulé par des rancunes féminines, rongeait toujours le cœur
du grand soldat exilé. Cette logique pourtant, en ce qui le
concernait personnellement, Moreau ne l'eût peut-être pas
poussée à son ultime conséquence s'il n'en avait été pressé
par Mᵐᵉ de Staël, française de cœur assurément, mais dont
la vraie patrie, la Liberté, ne connaissait pas de frontières.

De Moscou elle était montée à Saint-Petersbourg. On l'y
reçut en triomphe, on la salua comme la « conscience de
l'Europe outragée ». Alexandre lui parla comme à un homme
d'Etat ; il sut lui dire exactement ce qu'il fallait pour la
mettre dans son jeu, affirmant des convictions libérales,
l'assurant de son intention d'adoucir les maux du servage.
En ce jeune souverain, dès l'abord, elle ne vit que noblesse,
bonté, dignité, sagacité, modestie :

— Sire, lui dit-elle, votre caractère est une constitution
pour votre empire, et votre conscience en est la garantie.

— Quand cela serait, lui répondit-il, je ne serais jamais
qu'un accident heureux.

De cette visite contée dans *Dix Années d'Exil* se dégage
une candeur dans l'admiration, presque attendrissante. Mais
le récit ne dit pas tout. Le tsar partit ensuite pour Abo,
capitale de la Finlande, pour y rencontrer Bernadotte ; or
Mme de Staël avait été le « chaînon » de leur entretien.

Ce Bernadotte, rentré en grâce depuis le complot de
Rennes, était devenu prince royal de Suède avec l'accord
de Napoléon. De cet ambitieux vulgaire, que nous ne sommes
pas tentés de défendre, reconnaissons tout de même qu'il
n'avait pas complètement tort de se considérer comme lié
par des devoirs envers le nouveau pays dont il adoptait
la nationalité (et la religion !) plutôt qu'envers Napoléon
et la France. Toujours est-il qu'ayant ébauché une alliance,
en principe défensive, avec le tsar en avril 1812, il la ren-
força en août à Abo ; la part prise par Mme de Staël dans
la préparation de la négociation fut considérable, elle poussait à la guerre à outrance les deux partenaires. Et renouant
la trame des conspirations du Consulat, elle se souvient
aussi du rebelle exilé en Amérique, elle tisse les fils d'une
nouvelle conjuration qui groupe, malgré la distance, le tsar,
Bernadotte et Moreau. Le colonel Rapatel qui est arrivé
à Stockholm presse son ancien chef de quitter les Etats-
Unis pour venir le rejoindre. Auguste de Staël, fils aîné de
Germaine, est maintenant aide-de-camp de Bernadotte. Et
sa mère, après une seconde entrevue avec Alexandre, retour
d'Abo, va elle-même rejoindre Stockholm (24 septembre
1812), y tenir une cour, exciter Bernadotte, détacher l'Autriche de la France, prêcher la croisade. Huit mois plus
tard elle partira pour Londres — où elle pourra enfin
publier *De l'Allemagne* — et d'où elle va conjurer Moreau
de rallier le « camp de la liberté ».

Les guillemets s'imposent, car enfin ce tsar Alexandre,
deux ans plus tard, c'est lui qui va fonder la Sainte Alliance
des rois contre les peuples. Mais il est toujours l'Archange
libérateur aux yeux de son admiratrice, et l'Autre le dragon
qu'il faut terrasser. Une véhémence impérieuse anime les
appels qu'elle lance à Moreau. Elle lui avait écrit pour le
supplier de venir d'Amérique en Europe. Apprenant son
arrivée, elle se réjouit que sa lettre ait été inutile et lui
récrit de Londres, le 12 août 1813, pour le féliciter, le
flatter, lui tracer sa conduite, définir ses buts de guerre

sur le ton d'un chef d'Etat s'adressant au chef de ses armées.

« Votre nom est prononcé sur les rives de l'Europe, il doit retentir en France (...) Supportez tout pour agir. Dieu veuille qu'on vous donne d'immenses moyens, mais avec des moindres, montrez-vous encore (...) Surtout, parlez aux Français, dites-leur bien qu'on ne fait la guerre qu'à un homme qui est un étranger et promettez-leur ce que vous pouvez leur donner plus qu'un autre : un gouvernement libre sous une forme quelconque, car il ne faut pas se dégoûter des principes comme des malheurs. La vérité et la liberté seront toujours la seule force des honnêtes gens... »

A propos de l'Angleterre, elle ajoute :

« Si vous êtes obligé d'attendre des moments plus heureux, ne regardez pas ce pays comme ennemi de la France. Je n'en connais pas de plus juste envers elle et ici plus qu'ailleurs, la croisade est contre un homme.

« Se peut-il que la race humaine entière ne soit pas aussi forte que LUI ?... »

Bientôt elle revient à la charge : « Vous seul pouvez délivrer l'Europe du joug qui l'oppresse. Les talents militaires de Napoléon ne peuvent être combattus que par les vôtres (1). »

A la vérité Moreau n'a pas attendu ces lettres pour mettre son épée au service de la coalition. Il est déjà conseiller militaire du commandant en chef des Alliés, Alexandre.

Le 27 août 1813 s'engage la bataille de Dresde. Napoléon y a réuni 70 000 hommes, seulement, face à 150 000 Autrichiens. Il est vrai qu'il dispose de deux autres armées : l'une est en Silésie, l'autre dans le Brandebourg où elle s'oppose à un corps russo-suédois commandé par Bernadotte. Oui, on en est là maintenant, on n'en est plus à la provocation aux mutineries dans les casernes, il ne s'agit plus d'un duel au sabre au Bois de Boulogne. Bernadotte fait tirer des étrangers sur les Français du maréchal Ney ; et Moreau, à des centaines de kilomètres plus loin, Moreau est à cheval à côté du tsar, sous le feu des canons français. Il fait observer au souverain qu'il s'expose inutilement.

(1) Lettres découvertes par M. Fleuriot de Langle et publiées dans le *Miroir de l'Histoire* de juin 1966.

Alexandre s'éloigne. Moreau reste : un boulet le frappe et traversant son cheval, lui brise les deux jambes.

On le transporte à l'arrière. Il faut l'amputer au moins de la droite. « Coupez les deux ! » ordonne-t-il. Il supporte l'opération sans broncher et succombe quelques jours plus tard.

Avant de mourir, il eut la force d'écrire de sa propre main à sa femme pour la rassurer :

« Ma chère amie, à la bataille de Dresde, il y a trois jours, j'ai eu les deux jambes emportées d'un boulet de canon. Ce coquin de Bonaparte est toujours heureux. On m'a fait l'amputation aussi bien que possible. Quoique l'armée ait fait un mouvement rétrograde, ce n'est nullement par revers mais par décousu et pour se rapprocher du général Blücher. Excuse mon griffonnage. Je t'aime et je t'embrasse de tout mon cœur. Je charge Rapatel de finir. V. M. (1)

***

Naturellement, nous le répétons, on a le droit de considérer Moreau comme un traître.

Il n'est peut-être pas interdit non plus de penser que le vrai responsable de cette « trahison », le vrai coupable, était Napoléon. Du seul point de vue du bon sens, comment ne pas reconnaître que prétendre écraser toutes les résistances du continent, du Tage à l'Oural, était le projet d'un dément, et qu'il fallait maîtriser au plus tôt ce mégalomane forcené ?

A Dresde, le génie du conquérant le servit encore. Mais à Leipzig, sept semaines plus tard, la Bataille des Nations fauchait 40 000 Français. La première bataille de la campagne, Lützen, avait été déjà affreusement meurtrière. Le jeune héros d'Erckmann-Chatrian y avait vu les Prussiens monter à l'assaut en criant comme des loups *Faterland ! Faterland !*, il avait vu des morts de toutes les nations entassés pêle-mêle dans des fossés d'une demi-lieue. *Le conscrit de 1813* était aussi à Leipzig : « Napoléon passe avec sa redingote grise. Tous crient *Vive l'Empereur !* Mais tous les généraux font une mine du diable... »

(1) *Ibid.*

La défection des Saxons enrôlés contre leur gré précipitait un désastre qui entraînerait l'évacuation de l'Allemagne, l'écroulement de la Confédération du Rhin, la dislocation de l'Empire. Et déjà nos troupes étaient rejetées d'Espagne... Combien de temps cette folie allait-elle durer ? Pour reconquérir l'Europe, fallait-il sacrifier la France ?

Revenant à Paris, l'Empereur trouvait une population bien plus inquiète et nerveuse qu'à son retour de Russie. Depuis octobre, les appels de conscrits se succédaient : il en fallait 120 000, puis 160 000, puis 150 000 plus 40 000 ; la garde nationale était mobilisée, il était question de levée en masse. Les autorités réquisitionnaient à tort et à travers, d'énormes augmentations d'impôts étaient décrétées, les traitements amputés, la monnaie perdait sa valeur, on croyait retourner aux assignats... Afin de redresser le moral du pays, Napoléon décida de réunir solennellement Sénat, Conseil d'Etat et Corps législatif dans une « séance impériale » le 19 décembre 1813.

« Tout a tourné contre nous » reconnut-il. « Rien ne s'oppose de ma part au rétablissement de la paix (...) C'est avec regret que je demande à ce peuple généreux de nouveaux sacrifices... »

Il sentit même la nécessité de fournir au Sénat et au Corps législatif la preuve de ses dispositions enfin pacifiques, il accepta — ce qui était leur rendre un semblant d'importance — de leur communiquer les pièces relatives aux négociations entamées avec les alliés. Deux commissions de cinq membres furent alors élues : celle du Sénat approuva respectueusement, humblement, les conclusions de l'Empereur. Celle du Corps législatif, chose étonnante, se montra rétive, presque menaçante, désignant comme rapporteur l'avocat Lainé, homme de talent et de caractère, imprudemment introduit au Palais-Bourbon en 1808 (1).

---

(1) Autre nom à mentionner à ce propos, celui de Maine de Biran. Disciple de Destutt de Tracy et de Cabanis jusqu'en 1804, resté leur ami mais devenu spiritualiste et chrétien, il était entré au Corps Législatif en 1809. Participant activement à la Commission Lainé, ce philosophe à l'âme timide et délicate manifestait pour la première fois son hostilité à Napoléon, hostilité qui fera de lui un royaliste en 1814-1815.

Lainé osa inviter le souverain à promettre de « ne continuer la guerre que pour l'indépendance du peuple français et l'intégrité de son territoire ». Il fit valoir que toutes les puissances belligérantes avaient « exprimé hautement le désir de la paix » et qu'elles confirmaient à l'Empire français « une étendue de territoire que n'a jamais eue la France sous les rois ». Ce n'est pas tout. Lainé conjurait l'Empereur de garantir à la nation française « le libre exercice de ses droits politiques ». Il déclarait, en terminant, que le devoir des députés appelés autour du trône était de « porter au Monarque la vérité et le vœu des peuples pour la paix ».

Vœu irrecevable, vérité insupportable. Les assemblées avaient été épurées pour moins que cela en 1802. Et cette fois la presque unanimité du Corps législatif — deux cent vingt-neuf voix contre trente et une — approuvait le rapport Lainé !... Napoléon interdit son impression, décréta le 31 décembre l'ajournement de l'assemblée et, le 1er janvier 1814, à la réception des Tuileries, apostropha ses membres présents en ces termes :

« Messieurs les Députés,

« Je vous ai appelés autour de moi pour faire le bien : vous avez fait le mal (...) Les onze douzièmes parmi vous sont bons ; les autres sont des factieux. Retournez dans vos départements ; je suivrai de l'œil ceux qui ont de mauvaises intentions. Vous avez cherché à m'humilier (...) Vous avez cherché à me *barbouiller* aux yeux de la France, c'est un attentat ; qu'est-ce que le trône, au reste ? Quatre morceaux de bois dorés recouverts de velours ; et moi aussi je suis sorti du peuple (...) J'ai un titre, vous n'en avez pas. Qu'êtes-vous dans la Constitution ? Vous n'êtes rien. Vous n'avez aucune autorité. *C'est le trône qui est la Constitution, tout est dans le trône...* M. Lainé, je le répète, est un méchant homme (...) Je suis de ces gens qui triomphent ou qui meurent (...) Les habitants de l'Alsace et de la Franche-Comté ont un meilleur esprit que vous ; ils me demandent des armes, je leur en fais donner. Je leur envoie de mes aides-de-camp pour les conduire en partisans. »

*
**

Le 29 janvier 1814, tout en commençant d'envahir la France, les Alliés faisaient savoir qu'ils entendaient cette fois la réduire à ses frontières de 1792.

Le lendemain 30 janvier, le point final était mis à un livre qui allait aussitôt paraître à Hanovre : *De l'Esprit de Conquête et de l'Usurpation dans leurs rapports avec la civilisation européenne.* Son auteur, Benjamin Constant, espérait contribuer à la chute de Napoléon.

Depuis l'épuration du Tribunat, douze années s'étaient écoulées. Après son séjour en Allemagne en 1803-1804 auprès de Mme de Staël, Benjamin avait espacé ses relations avec elle et s'était remarié. Longtemps plongé dans des études historiques et philosophiques à Gœttingue, il se trouvait en 1813 à Hanovre : en novembre, il y vit Bernadotte qui le flatta, l'invita maintes fois à dîner, lui fit mille avances : il souhaitait son intervention auprès de son ancienne amie pour que celle-ci convainquît le tsar Alexandre que lui, Bernadotte, prince royal de Suède, était le personnage le plus apte à gouverner la France au lieu de Napoléon. L'intrigue, dans ce sens, n'eut pas le temps d'aboutir ; mais elle rapprocha l'auteur d'*Adolphe* de l'auteur de *Corinne ;* Germaine allait surexciter l'ambition de Benjamin, son hostilité au tyran. Encore mal informée, elle lui écrivait de Londres le 30 novembre : « Se peut-il que vous n'ayez pas été rejoindre le prince royal ? Il vous estime tant, il a une si belle perspective, si conforme à nos sentiments. Ne ferez-vous donc rien de vous, de ce *vous* si supérieur que vous m'avez ôté ? »

Effectivement, Constant fut quelques mois conseiller du prince et pour un temps, entre Londres et Stockholm, les activités s'entrecroisèrent, de Constant, de Bernadotte, de Mme de Staël. C'était le gouvernement britannique plutôt que le russe qu'il s'agissait cette fois d'influencer. *De l'Esprit de Conquête*, traduit en anglais, paraissait à Londres en mars 1814. Trop tard : « Les événements vont si vite que mon livre n'aura plus le mérite de l'audace » écrivait son auteur le 18 janvier.

Livre bien mince, au demeurant, par rapport à la dimension des combats de la campagne de France. Il n'en est pas moins vrai que la cause première de la défaite de Napoléon ce fut son mépris des réalités raisonnables (qu'il appelait chimères idéologiques), son aversion pour les principes de la civilisation libérale que *De l'Esprit de Conquête* exprimait admirablement. Cette « dialectique de la force faible et de la victoire vaincue » encore qualifiée aujourd'hui de chef-d'œuvre (1), c'est au moment où le conquérant perdait pour toujours son Empire que Constant lui donnait sa forme définitive. Jamais sans doute le despotisme militaire, le despotisme tout court, n'auront été analysés dans leur essence et leurs conséquences avec autant de clarté, de pénétration, de vigueur.

De ce condensé d'une sagesse politique lentement mûrie et d'abord amassée par son auteur en d'épais ouvrages manuscrits, nous ne citerons que quelques lignes :

« ... de nos jours, la guerre ne procurant aux peuples aucun avantage, et n'étant pour eux qu'une source de privations et de souffrances, l'apologie du système de conquêtes ne pourrait reposer que sur le sophisme et l'imposture.

« Tout en s'abandonnant à ses projets gigantesques, le gouvernement n'oserait dire à sa nation : « Marchons à la conquête du Monde. » Elle lui répondrait d'une voix unanime : « Nous ne voulons pas la conquête du Monde. »

« Mais il parlerait de l'indépendance nationale, de l'honneur national, de l'arrondissement des frontières, des intérêts commerciaux, des précautions dictées par la prévoyance ; que sais-je encore ? Car il est inépuisable, le vocabulaire de l'hypocrisie et de l'injustice.

« Il parlerait de l'indépendance nationale, comme si l'indépendance d'une nation était compromise parce que d'autres nations sont indépendantes.

« Il parlerait de l'honneur national, comme si l'honneur national était blessé parce que d'autres nations conservent leur honneur.

« Il alléguerait la nécessité de l'arrondissement des frontières, comme si cette doctrine, une fois admise, ne bannissait pas de la terre tout repos et toute équité ; car c'est toujours en dehors qu'un gouvernement veut arrondir ses frontières... »

Répétons-le, il s'agit d'une œuvre qui mérite l'admiration.

(1) O. Pozzo di Borgo : *op. cit.*

Et pourtant, on éprouve à la lire quelque gêne, à cause des circonstances de sa publication : l'Empereur, par la force des choses, devenait le défenseur du sol national ; le cas de conscience se posait de la guerre juste ou injuste. Ce problème angoissant, la solution n'en est pas toujours évidente, immédiate — en admettant qu'en cette matière soit concevable une solution, une décision absolument juste. Et puis aucun homme de bonne foi n'est à l'abri d'une erreur. Mais il est des indécences qui ternissent l'éclat du plus grand esprit. En 1814, une fois de plus, le caractère de Benjamin Constant fut inférieur à sa pensée. Il écrivait par exemple dans son *Journal intime* : « Les Français sont fous et méchants », et, non content de presser Mme de Staël de faire imprimer à Londres son *Esprit de Conquête*, il voulait lui faire transmettre aux autorités anglaises un mémoire mettant la France au ban des nations... Noblement, Mme de Staël refuse : « Est-ce le moment de mal parler des Français quand les flammes de Moscou menacent Paris ? »... « Je ne ferai rien contre la France. Je ne tournerai contre elle dans son malheur ni la réputation que je lui dois, ni le nom de mon père qu'elle a aimé ; ces villages brûlés sont sur la route où les femmes se jetaient à genoux pour le voir passer. *Vous n'êtes pas français, Benjamin !* » (22 mars 1814).

Elle avait souhaité la défaite de Napoléon, mais pas l'invasion de la France. La présence des soldats étrangers sur le sol de France lui était insupportable, à commencer par ceux de son cher Alexandre : « On ne doit pas dire du mal des Français quand les Russes sont à Langres » avait-elle écrit aussi à Benjamin le 23 janvier.

*
* *

Le cas de Constant et de Germaine de Staël mis à part, comment les Français réagirent-ils lors de la première invasion ?

Le vieux réflexe de 92 joua chez quelques-uns. Carnot qui avait toujours refusé de servir l'Empire, écrivait à Napoléon le 24 janvier : « C'est peu, sans doute, que l'offre d'un bras sexagénaire ; mais j'ai pensé que l'exemple d'un soldat dont les sentiments patriotiques sont connus pourraient rallier à vos aigles beaucoup de bras incertains. » Il allait défendre Anvers assiégée et bombardée, résister avec acharnement jusqu'au 18 avril, donc bien après la bataille de Paris et l'abdication de Fontainebleau... Dans l'Est, en Champagne, il y eut des mouvements de résistance paysanne, provoqués par les exactions, les violences, des Russes, des Prussiens. Mais dans l'ensemble, on était las de combattre.

Napoléon pouvait-il appeler à l'insurrection nationale, comme il s'en était vanté devant les députés ? Le voulut-il ? Fin mars, à Arcis-sur-Aube, il livrait son dernier combat sur le sol français. Tout était perdu... à moins que... A ses côtés, « au milieu du feu », Sebastiani lui proposa l'ultime ressource. « Chimères, trancha l'Empereur, chimères empruntées au souvenir de l'Espagne et de la Révolution française ! Soulever la nation dans un pays où la Révolution a détruit les nobles et les prêtres et où j'ai moi-même détruit la Révolution ? »

Ce fut le 31 mars que les troupes alliées entrèrent dans Paris. Le 1ᵉʳ avril, à l'invitation de Talleyrand et conformément au vœu d'Alexandre, le Sénat nomma un gouvernement provisoire ; le 2, par un décret longuement et sévèrement motivé, il décida la déchéance de l'Empereur qui fut proclamée le 3, avec le concours du Corps législatif. Puis, sans oublier de s'attribuer l'hérédité et de maintenir leur dotation, les sénateurs rédigèrent hâtivement une Constitution.

Vautrée depuis toujours dans la servilité, l'assemblée du Luxembourg achevait de se déshonorer en flétrissant un despotisme qu'elle n'avait servi qu'à couvrir. Digne prélude à la suite écœurante de reniements, trahisons et palinodies par quoi se distinguèrent les classes dirigeantes françaises en ces années 1814-1815. « Le difficile n'était pas de faire son devoir mais de savoir où était le devoir » dit plus tard un grand militaire de ce temps. Noble scrupule. Pour la plupart, soldats ou civils, le problème était de saisir juste le moment, pas trop tard surtout, pour faire pivoter leur loyalisme toujours inaltérable, toujours disponible.

Encore une fois, le rôle joué en avril 1814 par le Sénat « conservateur » inspire un profond mépris. Il faut cependant préciser que sa majorité seule tombe sous le coup de ce mépris ; cela ressort et du déroulement de l'affaire et de l'attitude gardée par la minorité jusque-là.

Cette petite minorité de sénateurs libéraux que nous avons vue se former à partir de la société d'Auteuil, ne s'était certes pas livrée à des manifestations spectaculaires de protestation ; elle n'avait pas, comme la gauche du Tribunat, attiré la foudre. On pourrait donc en induire que, de guerre lasse, elle s'était ralliée, que dans le secret des séances, elle apportait ses suffrages à l'Empereur. Or l'Empereur lui-même nous en a fourni le démenti, confirmant ce que nous avons appris par ailleurs à propos des deux conspirations de Malet.

S'entretenant en 1812 avec Narbonne qu'il avait envoyé visiter l'Ecole normale, Napoléon en critiquait l'enseignement et ajoutait : « Deux déclamations, l'une contre Sylla, l'autre pour Marc-Aurèle. Franchement, je vous croyais bien au-dessus (...) de l'idéologie du professeur Garat qui, Dieu merci, ne fait plus de leçons politiques, et ne vote plus contre moi qu'au scrutin secret du Sénat (1) . »

Et à propos des prix décennaux, condamnant l'idéal des philosophes : « Le XVIIIe siècle, hormis Frédéric II, n'entendait rien à l'art de gouverner. Celui-là seul avait appris la politique en faisant la guerre. Le reste, et les gens de lettres surtout, y compris Montesquieu, singeaient Tacite et ne voyaient rien au-delà ; et Tacite, vous le savez, fausse l'Histoire pour peindre éloquemment. Il calomnie l'Empire ; il est dans la minorité, du vieux parti de Brutus et de Cassius. *C'est un sénateur mécontent, un boudeur d'Auteuil, qui se venge la plume à la main dans son cabinet.* »

Et toujours au même interlocuteur, se plaignant d'avoir été comparé à Tibère, se jugeant au contraire semblable à Dioclétien qui avait su maintenir une puissante autorité civile dans un empire guerrier : « Je voudrais bien voir *nos idéologues, votre ami Tracy, Garat, Volney, qui scrutinent contre moi dans le Sénat,* mis en demeure d'en faire autant (...) Moi j'ai pacifié le peuple en l'armant ; et j'ai rétabli les Majorats, l'Aristocratie, la Noblesse héréditaire, à l'ombre des carrés de la Garde Impériale, toute composée de fils de paysans, petits acquéreurs de biens nationaux, ou simples prolétaires. »

_____

(1) Villemain : *Souvenirs contemporains.*

La petite flamme de l'opposition ne s'était donc jamais éteinte au Sénat. Discrète, mais suffisante pour y maintenir un principe de contestation. C'est ce qu'a souligné un historien des plus autorisés en la matière (1) à propos de la genèse de l'acte de déchéance :

« Dans le Sénat (...) il restait un petit groupe d'hommes honorables et indépendants qui, par leur protestation permanente bien que silencieuse contre le despotisme de l'Empereur quand il était tout-puissant, avaient acquis le droit de se séparer de lui quand il succombait sous ses fautes. Plus éclairés et plus prévoyants que d'autres, ces hommes s'étaient réunis quelquefois pendant les premiers mois de 1814, tantôt chez M. Lambrechts, tantôt ailleurs, et s'étaient demandé ce qu'il y avait de mieux à faire dans le cas où l'empereur serait vaincu. Un d'entre eux, Grégoire, avait même été jusqu'à préparer un acte de déchéance dirigé contre la servilité du Sénat, aussi bien que contre le despotisme de l'Empereur, et qui confiait à une sorte de gouvernement provisoire le soin de nommer des ministres, de préparer une constitution, et de négocier avec les puissances étrangères. A mesure que les événements devenaient plus graves, ce petit groupe grossissait, et dans les journées du 29 et du 30, il y avait eu chez M. Lambrechts d'abord, puis au palais même du Sénat, des réunions officieuses auxquelles assistaient une vingtaine de membres. »

Ce qu'il y avait de mieux à faire dans le cas où l'Empereur serait vaincu : on reconnaît la préoccupation qui avait été celle de ces mêmes hommes en 1808, en 1812 : assurer pacifiquement le retour aux principes de 89, le rétablissement d'institutions libérales. Thiers, qui ne les aimait guère, a reconnu qu'au cours des négociations avec Talleyrand, ils avaient manifesté plus de caractère que les autres : refusant de se laisser amener en vaincus aux pieds des Bourbons. Ce n'était certes pas un Grégoire qui allait travailler à la restauration de l'Ancien Régime. Pas davantage un Lambrechts ; originaire des Pays-Bas et recteur de l'Université de Louvain avant la Révolution, il n'avait pas appartenu à la société d'Auteuil et n'avait joué un rôle en France

(1) Dans l'*Histoire du Gouvernement Parlementaire en France*, T. II. L'auteur, Prosper Duvergier de Hauranne, député lors du Deux-Décembre, fut incarcéré, puis exilé pour s'être solidarisé avec ses collègues arrêtés.

qu'après Fructidor, comme ministre de la Justice du Directoire ; ses opinions républicaines n'en étaient pas moins
fermes ; nommé sénateur en 1804, il avait continuellement
siégé à côté des Idéologues du Luxembourg.

Lambrechts ayant pris cette part à l'initiative de la
déchéance, il était convenable que la rédaction des « considérants », autrement dit de l'exposé des motifs, lui fût
confiée ; il présidait à cet effet une commission qui comprenait Garat, Lanjuinais, Barbé-Marbois et... Fontanes.

Une autre commission de cinq sénateurs fut chargée de
préparer un projet de Constitution : Lambrechts encore,
Destutt de Tracy, Lebrun, Barbé-Marbois, Emmery — et
c'est à dessein que nous soulignons le nom du chef de
l'école idéologique. Sur le rôle oppositionnel, qui touche
à sa fin, des membres de l'ancienne société d'Auteuil, nous
aurons l'occasion de revenir. Leur résistance, nous l'aurions
souvent souhaitée un peu plus nerveuse et active ; mais
enfin, ni au Sénat ni au Tribunat ils n'avaient trahi. Et le
plus éminent de leurs représentants, en ce crépuscule de
l'Empire, se comporta honorablement. Alors que notables,
dignitaires et maréchaux tombaient à genoux devant la
monarchie capétienne, le droit divin et le drapeau blanc, la
commission de Constitution du Sénat resta fidèle au principe de la souveraineté du peuple en ce début d'avril 1814.
Il lui était impossible d'empêcher le retour de Louis XVIII,
elle n'en soutint pas moins qu'il devait rentrer non pas en
tant que roi héréditaire, mais investi par le choix de la
nation et à condition de jurer d'observer la Constitution.

Une telle exigence souleva l'opposition violente de sénateurs réactionnaires, l'abbé de Montesquiou en particulier,
agent de Louis XVIII placé par Talleyrand dans le gouvernement provisoire. Appelé au trône le 6 avril, le jour même
où Napoléon se résignait à abdiquer à Fontainebleau, le roi
allait rejeter la Constitution du Sénat et la remplacer par
une Charte *octroyée*.

*
**

Les Bourbons revenaient « dans les fourgons de l'étranger », c'est vrai ; mais on pourrait aussi dire portés, si l'on
ne craignait l'abus des métaphores, portés par une vague

de propagande, un déferlement de dithyrambes célébrant la dynastie légitime et outrageant l'usurpateur vaincu. La dominante en ce concert fut la brochure de Chateaubriand, *De Bonaparte et des Bourbons*.

Depuis trois mois le pamphlet circulait sous le manteau. Le 5 avril il parut ; son retentissement fut immense, son effet plus fort qu'une armée de cent mille hommes, pour reprendre un mot de Louis XVIII complaisamment cité par l'auteur.

Après un siècle et demi, ce sont encore là des pages terribles. Par exemple, l'imprécation faisant écho à l'apostrophe lancée à l'envoyé de Barras le matin du 18 brumaire :

« ... Dis, qu'as-tu fait de cette France si brillante ? (...) Qu'as-tu fait, non pas de cent mille, mais de cinq millions de Français que nous connaissions tous, nos parents, nos amis, nos frères ? (...) Tu voulais la république et tu nous a apporté l'esclavage (...) Qui est-ce qui a assassiné le duc d'Enghien, torturé Pichegru, banni Moreau, chargé de chaînes le souverain pontife, enlevé les princes d'Espagne, commencé une guerre impie ? C'est toi. Qui est-ce qui a perdu nos colonies, anéanti notre commerce (...) exposé la France à la peste, à l'invasion, au démembrement, à la conquête ? C'est encore toi. (...) La voix du monde te déclare le plus grand coupable qui ait jamais paru sur la terre (...) ; c'est au milieu de la civilisation, dans un siècle de lumières, que tu as voulu régner par le glaive d'Attila et les maximes de Néron. Quitte enfin ton sceptre de fer ; descends de ce monceau de ruines dont tu avais fait un trône... »

L'histoire de la première Restauration n'entre pas dans notre propos. Rappelons cependant les prétentions excessives de Louis XVIII, roi par la grâce de Dieu, l'attitude arrogante, provocante, de son frère et de tous les « niais de grande race » qui n'avaient rien appris ni rien oublié. Il fallait vraiment des prodiges de maladresse pour retourner les sentiments de la nation une fois de plus. Ce tour de force fut accompli : la France qui devait saluer avec des transports d'enthousiasme le retour de Napoléon en mars 1815 était le même pays qui avait appris avec soulagement son départ moins d'un an plus tôt. D'excellents esprits espéraient alors retrouver la paix et les libertés avec la monarchie constitutionnelle.

Le 16 avril 1814, écrivant à un parent, Volney se félicitait du « changement le plus heureux, le plus inespéré » qui avait « enfin clos cette grande et horrible tragédie » : « C'est un rêve pour nous de recouvrer la liberté, je devrais dire la civilisation, de la main de ces étrangers qu'on avait tant pris soin de nous présenter comme des ogres. » Une paix générale et durable ne lui paraissait pas douteuse, et à l'intérieur, il ne voulait pas croire à un retour offensif de l'Ancien Régime. A tout le moins, le philosophe espérait-il avec ses amis les Tracy et les Daunou que Louis XVIII lettré et sceptique allait rétablir « le trône mais sans l'autel ». Cette illusion, l'extravagante intolérance cléricale du nouveau régime ne fut pas longue à la dissiper. Le 17 octobre 1814, Volney démissionnait de la Société des antiquaires dont le président sollicitait le patronage royal (1)... Il ne se réconciliera pas pour autant avec Napoléon Bonaparte son ami de jadis ; après le retour de l'île d'Elbe, il ne se précipitera pas dans l'antichambre des Tuileries.

Un revirement spectaculaire, au contraire, fut celui de Benjamin Constant, mais il est difficile d'en éclairer les mobiles, tant l'intérêt personnel chez lui coexistait avec le souci des principes. On lit dans son *Journal intime* : « 7 avril (1814) : La liberté n'est pas perdue ; tâchons de nous faire une place commode dans un système paisible ; essayer en vaut la peine. » Et le 16 : « Revu beaucoup de gens (...) Talleyrand bien, dit-on. Servons la bonne cause et servons-nous. »

A la vérité il ne demande aucune « place » à la monarchie rétablie et son activité politique se borne à des ouvrages et articles de doctrine (*Réflexions sur les Constitutions*, etc). Mais quand le 6 mars 1815 on apprend le débarquement du golfe Juan, il s'agite, prépare un article antibonapartiste qui paraît le 11, et le 19 dans les *Débats* en publie un autre des plus violents, presque autant que celui de Chateaubriand de l'année précédente, et apparemment guère moins favorable au roi : « Buonaparte (...) C'est Attila, c'est Gengis Khan, plus terrible et plus odieux » qui n'use des ressources de

_____

(1) J. Gaulmier : *op. cit.*

la civilisation que « pour régulariser le massacre et administrer le pillage. » Louis XVIII au contraire, « venu au milieu de nous seul et désarmé » s'est montré « noble, bon, sensible » et une année de son règne « n'a pas fait répandre autant de larmes qu'un seul jour du règne de Buonaparte ». Et voici qu'il reparaît, l' « homme teint de notre sang et poursuivi naguère par nos malédictions ». Il se montre, il menace. Allons-nous nous comporter en esclaves parjures ? « Non, tel ne sera pas notre langage. Tel ne sera pas du moins le mien. Je le dis aujourd'hui sans crainte d'être méconnu. J'ai voulu la liberté sous diverses formes, j'ai vu qu'elle était possible sous la monarchie, j'ai vu le Roi se rallier à la nation ; je n'irai pas, misérable transfuge, me traîner d'un pouvoir à l'autre, couvrir l'infamie par le sophisme, et balbutier des mots profanés pour racheter une vie honteuse... »

Dans la nuit qui suivit la parution de cette philippique, le Roi quittait discrètement son palais par une porte, l'Empereur, vingt-quatre heures plus tard, allait y rentrer par une autre, l'Empereur au terme de sa fantastique reconquête, du plus émouvant chapitre de sa légende : l'aigle volant de clocher en clocher jusqu'aux tours de Notre-Dame, rapportant les trois couleurs, rapportant la Liberté aux acclamations des Français. Le 20 mars dans la nuit, sa calèche « entourée de quelques cavaliers sabre au clair et vociférant » pénètre dans la cour du Carrousel mais sans réussir à fendre la foule. On arrache Napoléon de sa voiture, on l'emporte sur les épaules à son perron des Tuileries : « Mes enfants ! Vous m'étouffez » (1).

Alors ? Qu'allait faire Constant ? Tuer Attila, ou fuir ou se suicider ?

Il alla bientôt trouver Attila qui le nomma conseiller d'Etat. Jolie performance, une des palinodies les plus réussies de l'Histoire : « On m'a reproché de ne m'être pas fait tuer auprès du trône que, le 19 mars, j'avais défendu ; c'est que, le 20, j'ai levé les yeux, j'ai vu que le trône avait disparu, et que la France restait encore (2). »

L'épisode, d'un comique certain, appelle néanmoins un

---

(1) Claude Manceron : *Napoléon reprend Paris.*
(2) Benjamin Constant : *Mémoires sur les Cent-Jours.*

examen sérieux. Il est lié à la promulgation de l' « Acte additionnel » et donc à la conversion de Napoléon au libéralisme (autre palinodie, mais patience...).

L'article incendiaire des *Débats* est peut-être plus facile à expliquer que le revirement qui suivit. La passion amoureuse de son auteur pour Mme Récamier était alors à son paroxysme. Constant s'était jeté à corps perdu vers les Bourbons poussé par Juliette, affolé par sa coquetterie, ses manèges, son charme, décidé à tout pour lui plaire, croyant « sincèrement brûler ses vaisseaux et risquer sa vie en poussant ce cri » « cette clameur à contre-courant de l'Histoire » (1).

Quant à la rapidité avec laquelle il a retourné sa veste, on peut évidemment l'attribuer à l'ambition la plus cynique. Ce n'est pas l'avis de M. Paul Bastid (2) : tout en reconnaissant ce que l'affaire a de déplaisant, tout en jugeant équivoque la conduite du citoyen, il loue la pensée du théoricien politique. C'est cette même thèse de la constance politique de Benjamin Constant en dépit de tout qu'a développée M. Pozzo di Borgo :

« Certes, il a, jusqu'en 1815, combattu sous trop de drapeaux, passant en un an (avril 1814-avril 1815) du service de Bernadotte à celui de Louis XVIII (et un moment de Murat), et se ralliant pour finir à Napoléon (...) Seulement, sous des uniformes divers, il a toujours servi la cause de la liberté (3). »

Preuves à l'appui ? La base inébranlable de la doctrine de Constant se trouve dans ses *Œuvres manuscrites* de 1810 : c'est la théorie de la monarchie constitutionnelle à l'anglaise : pouvoir royal neutre, ministres responsables, deux Chambres — le tout assorti de garanties judiciaires et d'une complète liberté de la presse, liberté considérée comme le « droit des droits ». Monarchie constitutionnelle à défaut d'une République devenue impossible en ces années-là.

Ces idées, Constant continua de les soutenir sous le premier règne de Louis XVIII, contre les ultras voire contre

(1) Cl. Manceron : *op. cit.*
(2) *Op. cit.*
(3) Commentaires de O. Pozzo di Borgo aux *Ecrits et Discours politiques de Benjamin Constant*, t. II.

le roi lui-même, et jusque dans son article du 19 mars (trop long à reproduire en entier). Il incarnait en quelque sorte l'opposition de Sa Majesté, il était même, au dire de Thiers, « le publiciste employé par le parti libéral *contre* la première Restauration ». Napoléon une fois revenu, Constant renonça-t-il à son système, trahit-il son idéal ?

Il n'avait pas à craindre que l'Empereur, en le convoquant, exigeât de lui une rétractation. Apparemment l'Empereur était converti au libéralisme, en fait, il y était provisoirement résigné. Résigné, contraint, contraint par la nécessité, nullement gêné d'ailleurs d'accueillir l'homme qui la veille l'avait injurié, de composer avec lui. C'est ce que Constant a pris soin de souligner en présentant sa propre défense : « Si dès l'origine, Bonaparte eût rencontré dans ses alentours des hommes indépendants, il aurait transigé avec eux, il aurait accepté un pouvoir limité (...) Le mépris même qu'il affectait pour l'espèce humaine le conduisait aux transactions. Il ne regardait pas les hommes comme des êtres moraux, mais comme des choses (...) s'il eût rencontré de la résistance, il l'eût considérée comme un obstacle physique et il eût cédé (1). »

Ceci dit, comment se passa la rencontre en question ?

Elle eut lieu le 14 avril 1815. Après sondages des dispositions réciproques grâce aux bons offices d'intermédiaires (Fouché, Sébastiani), l'Empereur avait invité l'écrivain à venir le voir aux Tuileries. Il lui parla longuement, en tête-à-tête : « Il examina froidement, dans son intérêt avec une impartialité trop voisine de l'indifférence, ce qui était possible et ce qui était préférable... »

« La nation, me dit-il, s'est reposée douze ans de toute agitation politique, et, depuis un an, elle se repose de la guerre (...) Le goût des constitutions, des débats, des harangues paraît revenu ; cependant ce n'est que la minorité qui les veut ; ne vous y trompez pas. Le peuple, ou si vous aimez mieux, la multitude, ne veut que moi (...) Je ne suis pas, comme on l'a dit, l'empereur des soldats ; je suis celui des plébéiens, des paysans de France (...) Ils me regardent comme leur sauveur contre les nobles. Je n'ai qu'à faire un signe, ou plutôt qu'à détourner les yeux, les nobles seront massa-

---

(1) *Mémoires sur les Cent-Jours.*

crés dans toutes les provinces (...) mais je ne veux pas être
le roi d'une jacquerie. S'il y a un moyen de gouverner par
une constitution, à la bonne heure ! (...) Voyez donc ce qui
semble possible ; apportez-moi vos idées : des discussions
publiques, des élections libres, des ministres responsables,
la liberté de la presse... je veux tout cela... (1) »

Constant se retira, réfléchit, revint. Favorablement impressionné par les dispositions conciliantes de l'Empereur, il
accepta de préparer un projet sur les bases envisagées. Non
sans faire certaines objections ; il souhaitait en particulier
que la future Constitution ne fût pas rattachée par son titre
à celles de 1802 et 1804. Napoléon, au contraire, ne voulant
à aucun prix avoir l'air de désavouer son passé, la baptisa
Acte additionnel aux Constitutions de l'Empire, et sur ce
point resta intraitable. Constant céda, ce sacrifice sur la
forme lui permettant de sauvegarder l'essentiel. L'Acte représentait en effet un changement considérable en remplaçant
l'autocratie impériale par un régime parlementaire à l'anglaise. Le pouvoir législatif désormais serait exercé non
plus par l'Empereur seul mais concurremment avec lui par
deux Chambres : l'une, celle des Pairs, héréditaires et nommés par le souverain, l'autre, des Représentants (au nombre
de six cent quatre-vingt-douze) *élus* directement par les deux
séries de collèges de département et d'arrondissement. Cette
dernière Chambre aurait le droit à l'initiative des lois et à
leur amendement, la priorité des résolutions en matière de
finances, la faculté de mettre les ministres en accusation
(mais non de les renverser). Les libertés fondamentales
étaient garanties : protection des citoyens contre l'arbitraire,
suppression du bannissement, liberté de la presse et abolition de la censure — effectivement la liberté de la presse
sera respectée pendant les Cent-Jours — compétence du
jury pour les délits de presse, compétence des tribunaux
militaires restreinte aux délits militaires, subordination des
levées d'hommes à la puissance législative, interprétation
des lois soustraite à l'exécutif.

Discuté et approuvé par le Conseil d'Etat où Benjamin
Constant est introduit le 20 avril, l'Acte additionnel, promulgué le 22, fut en général froidement accueilli. Son titre

(1) *Ibid.*

faisait mauvais effet. Dans les milieux républicains, dans le peuple, on fut déçu par ce qu'il contenait encore d'impérial et de monarchique. Le grand élan retomba qui avait poussé la nation au-devant du héros débarqué au golfe Juan pour ressusciter la Révolution. Constant lui-même éprouva des inquiétudes. En sortant de l'Elysée, il vit La Fayette et lui tint ce propos étrange :

« Je suis entré dans une route sombre et douteuse (...) On ne peut guère auprès du pouvoir répondre de soi-même. Souvenez-vous de ce que je vous dis maintenant, surveillez-le (Napoléon) et si jamais il vous paraît marcher au despotisme, ne croyez plus ce que je vous dirai dans la suite. Ne me confiez rien ; agissez sans moi et contre moi-même. »

La Fayette avait commencé par se montrer méfiant. Il n'était pas resté quatorze ans réfractaire dans sa retraite de La Grange pour croire Napoléon subitement converti à la Liberté ; il n'allait pas se jeter dans ses bras sans demander des garanties. A Constant qui — malgré tout — l'invitait à se rallier, à Joseph qui l'en pressait, il répondit en posant une condition : la convocation immédiate des Chambres. Non sans résister, l'Empereur y consentit : il décida la réunion des collèges électoraux par un décret du 30 avril ; un autre décret reconnut aux communes le droit d'élire leurs municipalités et leurs maires.

Dès lors, le parti libéral pouvait difficilement marchander son adhésion plus longtemps. La Fayette ne cacha pas sa satisfaction et félicita Benjamin Constant. On n'était plus en 1802, on n'était plus en 1812. L'horizon se chargeait de lourdes menaces contre la France ; il y avait de fortes raisons de le craindre, la coalition qui se reformait ne visait plus tellement le conquérant oppresseur des peuples que la subite réincarnation d'une Révolution qui avait déclaré une haine implacable aux rois. Un homme intelligent et généreux se fit le défenseur de cette thèse, Simonde de Sismondi (1). Futur théoricien du socialisme, précurseur de Proudhon et de Marx, économiste de grande classe comme J.B. Say et Saint-Simon, Sismondi, à la fin de l'Empire ne s'était encore fait connaître que comme historien et publiciste ; citoyen suisse, il était l'hôte de marque de Mme de Staël à Coppet

(1) Dans le *Moniteur* des 29 avril, 2, 6 et 28 mai 1815.

et, de ce fait, ses articles ne pouvaient passer inaperçus. Leur accent eût suffi, d'ailleurs, à les protéger de l'oubli :

« Si Napoléon succombe dans cette lutte terrible, il n'y aura plus de France... Il n'y aura plus de France ; et cette effroyable pensée ne ferait pas bouillonner le sang dans les veines de tout Français ! Et parmi les hommes dont le nom seul rappelle l'illustration passée de la France, il y en aurait d'assez aveuglés par la passion pour travailler à l'anéantissement de leur patrie ! (...) Et vers qui donc les peuples de l'Italie se tourneraient-ils un jour pour trouver un libérateur ? De qui les patriotes de l'Espagne espéraient-ils du secours sous le joug qui les opprime ? Qui sauverait l'indépendance de la Suisse (...) ? Qui mettrait un terme aux vexations sous lesquelles succombent les peuples des rives du Rhin ? Qui conserverait à la Saxe son existence ? Qui ferait encore entendre à la Pologne le doux nom de liberté ? »

Sur les questions soulevées par cet appel pathétique en faveur d'un Napoléon généreux libérateur de l'Europe, il nous faudra revenir. Ne retenons ici que la chaleur de ce plaidoyer. Au reste, Sismondi avait examiné la nouvelle Constitution sous tous ses aspects : garanties de la sûreté individuelle, représentation nationale, équilibre et harmonie des pouvoirs. Ce qui donnait à sa complète approbation un poids considérable, c'est que pendant quinze ans, comme il ne manquait pas de le souligner, pendant quinze années au cours desquelles il avait publié quatorze volumes touchant à des matières politiques, son opposition était restée « silencieuse mais inflexible », il n'avait pas une fois mentionné le nom de Napoléon. Maintenant, il le déclarait indispensable au salut de la France : Dans les circonstances actuelles, « le premier besoin de la nation française est celui du talent et du caractère de son chef ».

Benjamin Constant, La Fayette, Sismondi... Il n'est pas étonnant que Mme de Staël se soit ralliée elle aussi. L'invasion de 1814 l'avait bouleversée ; puis la déchéance de Napoléon lui avait permis de rentrer en France après ses dix ans d'exil et elle en attendait une grande joie. Mais, racontera-t-elle, en abordant à Calais « les premiers hommes que j'aperçus sur la rive portaient l'uniforme prussien ; ils étaient les maîtres de la ville, ils en avaient acquis le droit par la conquête : mais il me semblait assister à l'établissement du régime féodal... ». Continuant sa route, les Allemands, les Russes, les Cosaques, les Baskirs s'offraient à ses yeux de toutes parts, elle croyait faire un mauvais rêve, des sentiments contraires la tiraillaient : « J'estimais les étrangers d'avoir secoué le joug, je les admirais sans restriction à cette époque ; mais voir Paris occupé par eux, les Tuileries, le Louvre, gardés par des troupes venues des confins de l'Asie (...) c'était une douleur insupportable. » Même impression en montant l'escalier de l'Opéra garni de sentinelles russes : elle écrira à ce propos des lignes frappantes pour qui a vécu l'autre occupation cent trente ans plus tard : « En entrant dans la salle, je regardai de tous les côtés pour découvrir un visage qui me fût connu, et je n'aperçus que des uniformes étrangers (...) je me sentais humiliée de la grâce française prodiguée devant ces sabres et ces moustaches, comme s'il était du devoir des vaincus d'amuser encore les vainqueurs (1). » Un an plus tard, le débarquement du golfe Juan ne la réjouit nullement : elle y voyait une catastrophe pour la France — et l'exil pour elle. Mais son trouble fut extrême : « C'en est fait de la liberté, dit-elle, si Bonaparte triomphe, et de l'indépendance nationale s'il est battu. » Le 10 mars 1815, avec l'impression que la terre s'était ouverte pour l'engouffrer, elle s'enfuyait vers Coppet (2). Mais la tournure des événements, les garanties obtenues par Constant, les articles de Sismondi, la menace d'une nouvelle invasion, tout cela dissipait en grande partie ses craintes, ses perplexités. Elle se déclara pour l'Acte additionnel, l'écrivit au roi Joseph et à Benjamin Constant. Bien mieux, elle envoya son fils Auguste les voir l'un et l'autre ; et Joseph qui n'avait jamais caché à Napoléon sa sympathie pour Germaine de Staël, présenta à l'Empereur le jeune homme porteur de la lettre de sa mère. L'Empereur le reçut fort bien.

Sur cette réconciliation, ou si l'on préfère cette trêve entre Mme de Staël et Napoléon, vient se greffer l'affaire des deux millions. Assurément, la baronne désirait plus que

---

(1) *Considérations sur la Révolution française*, V^e partie.
(2) Venue de Londres à Paris, via Calais, en mai 1814, après le séjour — relativement bref — dans la capitale évoqué plus haut, elle avait passé l'été de cette année-là à Coppet pour regagner Paris à la fin de septembre.

jamais le remboursement de la fameuse dette afin de conclure le mariage de sa fille (avec le duc de Broglie). En outre l'inconséquence est flagrante, c'est vrai, entre son approbation de l'Acte additionnel et le jugement implacable qu'elle portera un peu plus tard sur Napoléon, le blâme qu'elle formulera contre Benjamin et Sismondi :

« Si c'était un crime de rappeler Bonaparte, c'était une niaiserie de vouloir masquer un tel homme en roi constitutionnel ; du moment qu'on le reprenait, il fallait lui donner la dictature militaire, rétablir la conscription, faire lever la nation en masse, enfin ne pas s'embarrasser de la liberté quand l'indépendance était compromise. L'on déconsidérait nécessairement Bonaparte en lui faisant tenir un langage tout contraire à celui qui avait été le sien pendant quinze ans. Il était clair qu'on ne pouvait proclamer des principes si différents de ceux qu'il avait suivis quand il était tout puissant, que parce qu'il y était forcé par les circonstances... Quelques amis de la liberté, cherchant à se faire illusion à eux-mêmes, ont voulu se justifier de se rattacher à Bonaparte en lui faisant signer une constitution libre ; mais il n'y avait point d'excuse pour servir Bonaparte ailleurs que sur le champ de bataille... (1) »

Faut-il conclure que son ralliement fut une feinte, un froid calcul pour récupérer ses millions ?... Sa correspondance garde la trace de la pression exercée sur elle par Sismondi, de la résistance qu'elle lui opposa, du débat de conscience qui la tourmenta. Quant à attribuer systématiquement les attitudes politiques de Mme de Staël à des mobiles d'intérêt ce serait méconnaître sa vraie nature faite de spontanéité, d' « enthousiasme », et qui si souvent lui dicta des interventions généreuses, nuisibles parfois à sa situation personnelle. Sous la première Restauration, revenue de Londres et ayant rouvert son salon de Paris, elle en avait fait un foyer de libéralisme ; reçue à la cour de Louis XVIII, elle n'avait pas craint de l'indisposer en prenant la défense de Joseph et de Murat. Et ayant entendu dire que Napoléon était menacé d'assassinat à l'île d'Elbe, elle alerta aussitôt Joseph, elle alla jusqu'à lui offrir de partir pour mettre elle-même en garde l'illustre exilé.

---

(1) *Considérations sur la Révolution française*, V^e partie.

De retour en France, Napoléon fit dire à son ancienne ennemie qu'il lui était reconnaissant de ce geste. Et l'on ne s'étonne pas qu'il ait bien accueilli le jeune Auguste de Staël ; ni qu'il ait fait miroiter aux yeux de sa mère la restitution de ses millions (grâce aux bons offices de Fouché revenu à la Police naturellement). Se réconcilier avec tout le parti libéral, y compris Mme de Staël, avec elle surtout, était pour lui une nécessité. Il mesurait plus que jamais le prestige dont l'auteur de *De l'Allemagne* jouissait en Europe. Par Joseph il lui fit écrire (5 avril 1815) une lettre on ne peut plus rassurante — et flatteuse pour son livre : « Je l'ai lu à l'île d'Elbe ; il n'y a pas une pensée qui dût le faire défendre. Je ne veux plus de censeurs ; que l'on dise ce que l'on pense, et que l'on pense ce que l'on voudra... » Un peu plus tard, toujours par l'intermédiaire de Joseph, il demanda à Mme de Staël en même temps qu'à La Fayette, une intervention dont il attendait beaucoup. Il ne s'agissait de rien moins que de dissuader le gouvernement anglais de recommencer la guerre, projet qui rencontrait au Parlement une assez vive opposition. Le ministre des Etats-Unis à Paris, M. Crawford, devant passer par Londres, où il serait très écouté, en regagnant son pays, La Fayette qui était son ami accepta très volontiers de lui garantir les dispositions libérales, les intentions pacifiques de l'Empereur ; il amena chez lui Joseph qui le chargea d'une mission auprès du Prince régent et de Lord Castlereagh (le chef du *Foreign Office*) et lui remit à leur intention un certain nombre de papiers dont une lettre de Mme de Staël : avec éloquence, avec passion, elle conjurait les autorités anglaises de faire la paix, elle affirmait que Napoléon ne voulait plus la guerre, mais que si on le forçait à recommencer, il aurait derrière lui toute la nation (1).

Mais six semaines plus tard, dix jours avant Waterloo, c'est vers Alexandre qu'elle se tournera à nouveau, plaçant en lui toutes les espérances de la France, de l'Europe, de la liberté, et disant de Napoléon : « L'homme que nous

(1) L'authenticité de cette lettre a fait jadis l'objet d'une controverse (Thiers, Sainte-Beuve, Mme Lenormant nièce de Mme Récamier, etc.). Nous croyons cependant devoir en faire état, conformément à l'opinion plus récemment exprimée par Paul Gautier.

détestons » (1)... Ce revirement, nous n'essaierons pas de le
justifier. Nous ne tairons pas non plus ce qu'on a pu écrire
de son action après la seconde chute de l'Empereur : reprenant dans le concert européen son rôle de « troisième puissance », « elle défend avec une ardeur généreuse la France
envahie, la liberté menacée » (2). Partie pour l'Italie afin de
ne pas revoir l'occupation étrangère, elle ne retourna d'ailleurs à Paris qu'en octobre 1816 ; s'entourant de libéraux
comme Camille Jordan, Barante et Guizot hostiles aux Bourbons, elle mit à profit les derniers mois de sa santé
chancelante pour achever son ultime profession de foi :
Considérations de la Révolution française... C'est le jour
anniversaire de cette Révolution qu'elle devait mourir :
14 juillet 1817.

Revenons aux Cent-Jours, à l'Acte additionnel, aux sentiments de la gauche. Les confusions, les paradoxes, les faux-
semblants de la nouvelle situation n'étaient pas de nature à
créer une quelconque unanimité. Rien d'étonnant à ce que
les réactions des anciens opposants aient été contradictoires.
Par exemple :

Ginguené, l'ex-directeur de la *Décade*, accepte de Napoléon la mission de gagner à la France l'ancien précepteur
d'Alexandre (La Harpe) pour détacher le tsar de la nouvelle
coalition.

Volney : déçu par les Bourbons, il n'en demeure pas
moins à l'écart de l'Empereur retour de l'île d'Elbe : « Que
vient faire encore cette bête féroce ? » aime-t-il à répéter.
« Il fera payer bien cher à la France le peu de bien qu'il
lui a fait. »

Destutt de Tracy, au contraire, plus amer encore à l'égard
des Bourbons (« en agissant comme les Stuarts, ils périront
comme eux ») semble s'être rallié à Napoléon avec Ginguené,
Sismondi, Constant.

Carnot : il avait rendu Anvers à Louis XVIII (mais non
aux alliés), puis lui avait demandé audience ; sa froideur
l'avait rendu furieux, il avait alors écrit un *Mémoire au roi*
d'une extrême violence. Napoléon revenu aux Tuileries le

_____

(1) Lettre de Mme de Staël au tsar, du 8 juin 1815, citée par le
même auteur, toujours dans *Madame de Staël et Napoléon*.
(2) *Ibid.*

convoque, le fait ministre de l'Intérieur, comte et pair de France. Carnot accepte, tout en lui écrivant : « le 20 mars doit nous faire remonter tout d'une haleine au 14 juillet. » En outre il lui demande bientôt deux décrets, l'un abolissant les dénominations de *sujets* et de *monseigneur*, l'autre annonçant des modifications à l'Acte additionnel. Jusqu'au bout il s'opposera à l'abdication. Quand elle sera prononcée, on le verra « se cacher le visage dans ses mains pour répandre des larmes ».

Mais Grégoire, qui avait constamment voté au Sénat dans le sens que nous savons, Grégoire dont Napoléon avait dit « il est incorrigible » le demeurera jusqu'au bout : en juin 1815 il s'inscrira contre l'Acte additionnel sur le registre de l'Institut.

*
**

Ces décisions des uns et des autres, que pèsent-elles devant le destin, devant la coalition que l'évasion de l'île d'Elbe devait fatalement reformer ? Des forces énormes se massent contre la France. Les émissaires auprès des puissances ont échoué. Au Parlement de Londres, l'opposition ne réussit pas à faire voter une motion en faveur de la paix. Les dés sont jetés.

Nuit et jour, encore servi par sa formidable puissance cérébrale, son génie d'organisation, son génie tout court, Napoléon travaille à former une nouvelle armée. Son activité semble intacte et son regard fouille partout. On le voit se rendre en personne dans les ateliers d'armement, les selleries, les forges. Et pourtant un mauvais germe attaque sa confiance, il y a dans son tempérament une fêlure. Que représente-t-il désormais, le sait-il au juste ? Quelle force politique, quelle idée, quelle France ? Contraint de paraître autre qu'il n'était, il se sent mal à l'aise dans son nouveau rôle, une fausse note perce dans ses discours. Tout au long de sa remontée prodigieuse — Grenoble, Lyon, Mâcon, Avallon, Auxerre — acclamé, poussé en avant par des foules révolutionnaires qui parfois criaient « A bas les prêtres ! », n'a-t-il pas joué au jacobin, voire au montagnard et presque au septembriseur, n'a-t-il pas déclaré au maire d'Autun : « Vous vous êtes laissé mener par les prêtres et les nobles... je les lanternerai » ? Ensuite des rapports alarmants sont arrivés des préfectures : la France chante la *Marseillaise ;* onze mois de pouvoir royal ont suffi pour ressusciter l'élan de 92 et même la fureur de 93 ; on crie « A bas les prêtres, les aristocrates à la lanterne ! » Tout cela effraie l'Empereur et l' « énergie » (1) qui l'entoure, c'est-à-dire l'insistance qu'on met à lui réclamer liberté de la presse et Constitution.

Il cède. Il accorde à Benjamin Constant presque tout. Trop même, en créant la pairie héréditaire, disposition malheureuse, erreur due à Constant comme n'a pas manqué de le remarquer Thiers ; mais il s'obstine à baptiser Acte additionnel la Constitution et cette faute capitale c'est bien à lui, Napoléon, qu'elle incombe. Si bien que pour des raisons déjà dites et malgré les *satisfecit* des Sismondi et des La Fayette, cette Charte du libéralisme impérial est un échec. La France comprend que dans l'esprit de Napoléon, la nouvelle monarchie constitutionnelle comportera moins de constitution que de monarchie. La presse est libre, c'est vrai, les journaux recommencent à foisonner comme quinze ans plus tôt, et des tendances les plus extrêmes, ils ne subissent pas de poursuites. Et les électeurs sont convoqués, c'est vrai, avant même que l'Acte soit plébiscité. Mais les opérations de vote, quand il s'agit d'élire les députés, marquent l'effondrement, sinon de l'esprit civique des Français, du moins de l'enthousiasme bonapartiste : « dans 67 départements sur 86, on ne peut pas réunir, comme l'exige la loi, la moitié plus un des électeurs inscrits » (2). Lors du plébiscite, même indifférence : seulement 1 305 206 oui (contre 4 206 non) sur un total de cinq à six millions d'inscrits. Autre grave symptôme de la désaffection populaire : la lenteur avec laquelle les recrues répondent aux appels, le grand nombre de celles qui n'y répondent pas.

Napoléon n'a pas osé ordonner la levée en masse, ni amalgamer les gardes nationaux à l'armée ; il n'a pas osé non plus favoriser le vaste mouvement des « Fédérations » qui se forment dans toute la France, dans l'esprit de 90 et 92

(1) *Mémoires* de La Fayette.
(2) S. Charléty : *La Restauration* (t. IV de l'*Histoire de France contemporaine* de Lavisse). Quant au résultat, les libéraux obtinrent la majorité des 629 sièges de la Chambre, le reste se partagea entre 80 bonapartistes et une quarantaine de jacobins.

pour défendre à la fois la liberté et la nation contre les dangers intérieurs, contre une nouvelle insurrection vendéenne, contre les rois coalisés. Pourtant d'ardents républicains des Fédérations affirment leur loyalisme à l'Empereur dans leurs manifestes. Ils ne demandent qu'à rendre leur confiance au héros qui avait sauvé la France à Marengo et la République sur le parvis de Saint-Roch. C'est la réapparition du général de Vendémiaire qu'ils attendent. Mais non. Celui-là ne reviendra pas. Ce n'est pas chaussé des bottes de 93 comme il disait à Augereau pendant la campagne de France, ce n'est pas en soldat de la Révolution que Napoléon Bonaparte va se présenter au pays avant de repartir au combat. C'est revêtu du costume impérial. L'absolutisme de droit divin, quoi qu'il en dise, lui colle à la peau.

On le vit donc arriver au Champ-de-Mars le 1er juin dans le carrosse du sacre traîné par huit chevaux, une toque à plumes sur la tête, rutilant de soieries, un lourd manteau lui tombant des épaules. Traversant une foule de soldats enthousiastes — cinquante mille en tout — et de curieux, il entra dans l'Ecole Militaire contre laquelle était dressée une vaste construction supportant un trône et un autel. Des tabourets étaient réservés aux frères et dans une tribune appliquée contre les fenêtres de l'Ecole, Madame Mère bien là cette fois et les sœurs avaient pris place. Les magistrats, les représentants des collèges électoraux, les détachements de l'armée apportant leurs drapeaux, garnissaient les gradins de l'amphithéâtre. Sous sa toque, l'Empereur semble triste. La grandiose mascarade reste morne. Des acclamations montent par instants. Mais comme on est loin des fêtes révolutionnaires ! Le souffle républicain a déserté l'immense esplanade.

L'archevêque de Tours célèbre la messe, un *Te Deum* est chanté, des discours sont prononcés, puis Napoléon se signe et prend la parole : « Empereur, consul, soldat, je tiens tout du peuple. Dans la prospérité, dans l'adversité, sur le champ de bataille, au conseil, sur le trône, dans l'exil, la France a été l'objet unique et constant de mes pensées et de mes actions... »

Ces paroles n'ont pas provoqué une grande émotion. Pas davantage la prestation du serment par l'Empereur sur les Evangiles (!). Seule, la distribution des aigles provoqua un frémissement. Terrible interrogation de la guerre que chacun sentait pour demain. Sur la soie des drapeaux, après tant de noms glorieux, une nouvelle victoire définitive, triomphante, viendrait-elle s'inscrire ?... Pour nous c'est WATERLOO qui surgit en lettres géantes.

L'histoire de l'opposition (française) à Napoléon Bonaparte est close. Tout au plus signalerons-nous pour mémoire la volonté d'indépendance dont fit preuve la nouvelle Chambre des représentants. L'Empereur souhaitait voir Lucien porté à sa présidence, Lucien depuis peu réconcilié et rallié. Ce fut au contraire Lanjuinais qui fut élu par 277 voix, le 4 juin et le candidat en obtenant le plus après lui fut La Fayette (73). Furieux de ce qu'il considère comme un camouflet, — Lanjuinais, depuis son entrée au Sénat, avait voté avec les Idéologues — Napoléon s'écrie qu'il va dissoudre la Chambre ; son entourage n'a pas de peine à l'en dissuader... Le 12 juin à trois heures du matin, il part pour la Belgique. Le 21, tournant le dos au désastre et à la panique, il est déjà de retour à Paris pour tenter d'organiser la défense du territoire, et demander les pleins pouvoirs aux deux assemblées. Mais La Fayette « en vétéran de la cause sacrée de la liberté » s'y oppose, tous les députés l'applaudissent quand il qualifie de haute trahison toute tentative de dissoudre la Chambre. Même résolution chez les Pairs. Ultime démarche de Lucien au Palais-Bourbon. Mais il ne sauvera plus son frère comme à l'Orangerie de Saint-Cloud. Durement, La Fayette lui reproche le sang de trois millions de Français tombés de l'Egypte à la Russie. Lucien revient trouver Napoléon et lui dit : « Il n'y a que la dissolution ou l'abdication. »

Ces épisodes-là n'ont sur nos imaginations aucune résonance, assourdis qu'ils sont, étouffés, par les mots de Waterloo, de Sainte-Hélène. Sainte-Hélène : nom magique, légende sacrée, les saules pleureurs, l'horizon, les frégates anglaises, le baraquement de Longwood et le lit de camp, le plus illustre prisonnier de l'Histoire plaidant devant la postérité, dictant ses mémoires. Waterloo : mêlée hugolienne, « Gouffre où les régiments comme des pans de murs — Tombaient » —, scène d'enfer dominée par « les cris des mourants qu'on égorge ». Confusion horrible. Les Français, pourquoi mouraient-ils ? Pour l'Empereur ou la Liberté ? Où était la trahison en ce temps, où était la fidélité ? C'est ce que nous avons tenté d'éclaircir. Mais les Alliés, leur combat avait-il un sens ? N'est-ce pas pour anéantir une Révolution resurgie de ses cendres, pour défendre « les bases de l'ordre social », que les souverains ont décidé, une bonne fois pour toutes, d'abattre Napoléon ? Mais n'ont-ils pas l'appui de leurs peuples dont la domination française a surexcité le patriotisme et justifié le sursaut ?

Quel était l'enjeu de cette dernière bataille ? Dans l'Europe conquise, Bonaparte s'était-il comporté en libérateur ou en oppresseur ?

CHAPITRE IX

NAPOLÉON A-T-IL LIBÉRÉ L'EUROPE ?

Un des romans les plus célèbres qui soient, *La Chartreuse de Parme*, s'ouvre par l'évocation enthousiaste, lyrique, triomphale, de la première entrée de Bonaparte à Milan. Stendhal n'y décrit pas des cavalcades et des uniformes ; c'est l'ébranlement formidable imprimé aux idées et aux mœurs qu'il nous fait sentir, « la masse de bonheur et de plaisir qui fit irruption en Lombardie » avec les Français : « Un peuple tout entier s'aperçut, le 15 mai 1796, que tout ce qu'il avait respecté jusque-là était souverainement ridicule et quelquefois odieux. Le départ du dernier régiment de l'Autriche marqua la chute des idées anciennes (...) On était plongé dans une nuit profonde par la continuation du despotisme jaloux de Charles-Quint et de Philippe II ; on renversa leurs statues et tout à coup l'on se trouva inondé de lumière. Depuis une cinquantaine d'années, et à mesure que l'*Encyclopédie* et Voltaire éclataient en France, les moines criaient au bon peuple de Milan qu'apprendre à lire ou quelque chose au monde était une peine fort inutile... »

Stendhal, par des scènes touchantes, nous entraîne de l'histoire à la fiction : « Dans les campagnes, l'on voyait sur la porte des chaumières le soldat français occupé à bercer le petit enfant de la maîtresse du logis, et presque chaque soir, quelque tambour, jouant du violon, improvisait un bal. »

Dix-neuf ans s'écoulent ; sur les bords du lac de Côme

parvient la nouvelle : Napoléon vient de débarquer au golfe Juan. Alors des larmes de joie inondent les yeux du jeune Fabrice, un souffle pathétique l'anime, une résolution héroïque : « Tout à coup, à une hauteur immense et à ma droite j'ai vu un aigle, l'oiseau de Napoléon ; il volait majestueusement se dirigeant vers la Suisse, et par conséquent vers Paris. Et moi aussi, me suis-je dit à l'instant, je traverserai la Suisse avec la rapidité de l'aigle, et j'irai offrir à ce grand homme bien peu de chose, mais enfin tout ce que je puis offrir, le secours de mon faible bras. Il voulut nous donner une patrie (...) J'ai vu cette grande image de l'Italie se relever de la fange (...) ; elle étendait ses bras meurtris et encore à demi chargés de chaînes vers son roi et son libérateur... »

Et pour montrer que son héros incarne vraiment l'âme de l'Italie, Stendhal prend soin d'indiquer en note : « C'est un personnage passionné qui parle, il traduit en prose quelques vers du célèbre Monti » (1).

Mais le plus exalté et le plus connu des poèmes qu'un étranger ait écrit à la gloire du conquérant, c'est sans doute celui de Heine *Les deux grenadiers :*

> « ... *je sortirai tout armé du cercueil*
> *Pour le défendre, lui, l'Empereur, l'Empereur.* »

On pourrait également citer Mickiewicz, héraut de l'indépendance polonaise, et d'autres encore ; deux exemples suffisent. On a compris à quel degré de ferveur put s'élever la foi de certains européens en un Napoléon libérateur.

Voyons maintenant, afin de cerner le problème, à quelle extrémité put aller le sentiment opposé. Ouvrons les *Mémoires* du général Rapp aide-de-camp de Napoléon. Le 13 octobre 1809 — c'est-à-dire trois mois après Wagram et juste avant la signature du traité de Vienne — il se trouve à Schönbrunn avec l'Empereur qui se dispose à passer une grande revue. Un jeune allemand s'avance, demande à présenter une pétition au souverain, insiste tant et si bien

---

(1) Vers cités à l'appui par Henri Martineau :
Salva è la patria : un Nume entro le chiome
La man le pose, e lei dal fango ha tolta.
Bonaparte...

que Rapp le fait arrêter et qu'on le trouve porteur d'un couteau. Informé du fait, Napoléon se fit amener ce jeune homme nommé Staaps et l'interrogea personnellement :

— Que vouliez-vous faire de votre couteau ?

— Vous tuer.

— Vous êtes fou, jeune homme ; vous êtes illuminé.

— Je ne suis pas fou ; je ne sais ce que c'est qu'illuminé.

— Vous êtes donc malade ?

— Je ne suis pas malade, je me porte bien.

— Pourquoi vouliez-vous me tuer ?

— Parce que vous faites le malheur de mon pays.

— Vous ai-je fait quelque mal ?

— Comme à tous les Allemands.

— Par qui êtes-vous envoyé ? Qui vous pousse à ce crime ?

— Personne ; c'est l'intime conviction qu'en vous tuant je rendrai le plus grand service à mon pays et à l'Europe, qui m'a mis les armes à la main.

Et voici le plus significatif de l'affaire. Napoléon demande à Staaps, qui l'avait déjà vu à Erfurt, s'il n'avait pas eu l'intention de le tuer alors :

— Non, je croyais que vous ne feriez plus la guerre à l'Allemagne ; j'étais un de vos grands admirateurs.

Examiné par Corvisart, Staaps fut trouvé parfaitement bien portant. Napoléon lui offrit la vie à condition qu'il demandât pardon ; il refusa :

— Vous tuer n'est pas un crime, c'est un devoir...

— Mais enfin si je vous fais grâce, m'en saurez vous gré ?

— Je ne vous en tuerai pas moins.

Gardé au secret pendant plusieurs jours, privé de sommeil et de nourriture mais refusant de donner des noms de complices, Staaps fut enfin exécuté. Auparavant, on lui avait offert à manger : « il avait refusé, attendu, disait-il, qu'il lui restait encore assez de force pour marcher au supplice. On lui annonça que la paix était faite ; cette nouvelle le fit tressaillir. Son dernier cri fut : « Vive la liberté ! vive l'Allemagne ! mort à son tyran ! »

Et pourtant ce jeune fanatique avait d'abord cru en Napoléon et beaucoup de ses compatriotes avec lui.

Entre ces extrémités, définir ce que furent les sentiments

des peuples d'Europe n'est pas simple, non plus qu'apprécier équitablement le bien ou le mal que l'œuvre impériale
put leur faire.

*
**

La première réalisation du système napoléonien fut la
République cisalpine ; elle répondait aux aspirations des
éléments les plus éclairés de la population italienne, qui dès
1792 avaient mis leurs espoirs en la France. Et la création
de la République cispadane, prélude à celle de la cisalpine,
couronnait en quelque sorte un mouvement né de l'insurrection de Reggio (contre les princes d'Este) et se prolongeant
à Mantoue, Bologne et Ferrare ; c'est au congrès de Reggio
que fut adopté le drapeau vert-blanc-rouge ressemblant
comme un frère au nôtre (janvier 1797).

Bonaparte a été accueilli au-delà des Alpes en libérateur,
ce n'est pas une légende, c'est un fait. Toutefois l'éclairage
éblouissant donné par Stendhal à ce lieu commun de l'histoire empêche d'en prendre une vue exacte, en fausse les
dimensions ; les sentiments qu'il a prêtés au jeune Fabrice
sont loin de traduire ceux des Italiens dans leur ensemble.

A Milan, le 15 mai 1796, les Français entrèrent sous une
pluie de fleurs ; mais ce témoignage d'enthousiasme prove-
nait des seuls républicains, lesquels ne formaient qu'une
minorité. Et il s'en fallut de peu que l'affaire ne tournât
très mal.

Ecrivant au Directoire le surlendemain 17, Bonaparte
semblait éprouver quelque indécision quant aux institutions
à fonder : « Milan est très porté sur la liberté... si ce peuple
demande à s'organiser en république, doit-on le lui accorder ? » Il était un point, en revanche, qui ne lui posait pas
de problème : « Nous tirerons de ce pays vingt millions de
contributions. Cette contrée est une des plus riches de
l'univers, mais épuisée par cinq années de guerre. »

Vingt millions de contributions pour répondre aux besoins
pressants du Directoire. Sans compter les convoitises d'une
armée encouragée au départ à se payer sur l'habitant. Taxa-
tions, « extractions », spoliations, frappèrent la Lombardie ;
« une fièvre de vol et de pillage s'était abattue sur l'armée.
Les généraux eux-mêmes donnaient l'exemple », Masséna en

tête (1). Le très riche Mont-de-Piété de Milan fut déménagé par ordre de Bonaparte et Saliceti ; un commencement d'émeute s'ensuivit. Aux alentours un soulèvement des campagnes s'annonçait. Le 24 mai le tocsin sonna dans toutes les paroisses entre Milan et Pavie. Lannes prit la tête d'une colonne qui arrêta les insurgés au village de Binasco et ne leur fit pas de quartier. Bonaparte lui-même, après avoir fait fusiller un certain nombre de Milanais armés, marchait sur Pavie, précédé d'une proclamation menaçante : « ... ceux qui sous vingt-quatre heures n'auront pas posé les armes et n'auront pas de nouveau prêté serment d'obéissance à la République seront traités comme rebelles ; leurs villages seront brûlés. Que l'exemple terrible de Binasco leur fasse ouvrir les yeux » (25 mai). A Pavie, les portes furent défoncées à la hache et tous les résistants massacrés ; rendant compte à Paris de l'exécution de la municipalité, Bonaparte ajoutait : « Si le sang d'un seul Français eût été versé, je voulais faire élever des ruines de Pavie une colonne sur laquelle j'aurais fait écrire : Ici était la ville de Pavie. »

Occupant impitoyable, il prit soin de ne pas faire figure de barbare. A Pavie, il ordonna d'épargner l'université et les maisons des professeurs. Par la suite, les brutalités, exactions et malversations de ses subordonnés s'étant multipliées à proportion de ses victoires, il entreprit de réagir : « Nous avons conquis l'Italie pour améliorer le sort de ses peuples ; nous y avons établi des contributions pour (...) offrir à la patrie une juste indemnité et aux soldats une récompense due à leur valeur ; mais jamais il n'a été dans l'intention du gouvernement français d'autoriser (...) les extorsions scandaleuses que se sont permis plusieurs agents à la suite de l'armée » (Brescia 30 août 96).

Tout rentra à peu près dans l'ordre et, de gré ou de force, la population se rallia. Pour ne rien dire du parti jacobin extrémiste — des pamphlets frénétiquement anticléricaux foisonnaient dans la capitale lombarde — la bourgeoisie libérale n'eut pas à se repentir d'avoir donné sa confiance au chef de l'armée française ; c'est sur elle qu'il s'appuya pour mettre en train tout un programme de réformes : rénovation de l'administration, abolition de la dîme et des privilèges

(1) P. Gaffarel : *Bonaparte et les républiques italiennes.*

féodaux, ouverture à tous les citoyens des emplois publics.

Le 9 juillet 1797 une foule vraiment enthousiaste de quatre cent mille personnes se pressait aux fêtes d'inauguration de la République cisalpine. Deux ans plus tard nos troupes ayant été rejetées vers les Alpes par les victoires de Souvorov, et une réaction, une répression sauvages s'étant abattues sur le Piémont et la Lombardie, le patriote piémontais Botta adressait au Conseil des Cinq-Cents une pétition invitant la France à unifier l'Italie.

Ce vœu reçut un commencement de réalisation, au moins symbolique, après Marengo, à la Consulte de Lyon (début 1802). Plusieurs centaines de notables de la République cisalpine y approuvèrent le changement de son nom en celui de République *italienne* et la promulgation d'une Constitution analogue à celle de l'an VIII ; Bonaparte, élu son président, en confiait la vice-présidence au comte Melzi.

Une constitution du même genre fut donnée en 1802 à Gênes où Bonaparte avait remplacé par une République *ligurienne* dès 1797 la traditionnelle république aristocratique. Là aussi, l'appui des révolutionnaires et libéraux lui était acquis et un programme de réformes (relativement) démocratiques fut réalisé sous la direction de Saliceti devenu son commissaire général en Italie. Si bien qu'en 1805 la « réunion » à son Empire de cette République formant désormais trois départements français ne fit pas de difficultés : officiellement, Napoléon accédait à la requête du Sénat de Gênes. L'annexion du Piémont se fit par un procédé analogue.

Les choses se seraient donc assez bien passées en Italie du Nord si Bonaparte n'avait pas cédé Venise à l'Autriche par le traité de Campo-Formio. Contre la Sérénissime République et les habitants de la Vénétie, il nourrissait, certes, des griefs : à Vérone en avril, une populace fanatisée par les prêtres, mais exaspérée par les exactions des occupants, avait massacré des blessés français. Que ces « Pâques véronaises » aient servi de prétexte au général pour exiger l'abolition du Grand Conseil et son remplacement par un gouvernement démocratique (12 mai 1797), on ne trouve pas à y redire, non plus qu'à l'entrée des Français dans l'ex-cité des doges — encore qu'ils s'y soient livrés aux habituelles razzias d'argent et d'œuvres d'art. Mais que le chef de l'armée française n'ait fait occuper la République de Venise que pour la livrer avec ses territoires aux troupes de son ennemie héréditaire l'Autriche, comment qualifier cela ?

Il n'y avait pas à Venise qu'une aristocratie décadente, un clergé obscurantiste, une populace méprisable ; il y avait aussi d'ardents partisans de la liberté : il ne leur était laissé qu'une issue, l'exil. La preuve c'est que Bonaparte lui-même se vit obligé de faire offrir à ces patriotes de se réfugier en République cisalpine. Mais ces offres transmises aussitôt après la notification de Campo-Formio aux membres du gouvernement démocratique de Venise ne firent que redoubler leur indignation. Villetard, notre représentant là-bas en rendit compte à Bonaparte : « Ils iront chercher ailleurs un sol libre, mais ils préféreront l'indigence à l'infamie ». Le général lui répondit par des sarcasmes à l'adresse de cette nation vénitienne « qui n'existait pas ». D'ailleurs, « la France n'avait pas à faire la guerre pour les autres peuples. Quant à la poignée de bavards qui voulait la république universelle, elle n'avait qu'à venir faire une campagne d'hiver ».

La municipalité de Venise prit le général au mot en lui envoyant des délégués pour solliciter l'autorisation de se battre : il les fit arrêter. L'arsenal fut évacué, le fameux *Bucentaure* incendié, la place remise aux Autrichiens (8 janvier 1798). Contraint de leur prêter serment, l'ex-doge Manin s'avançant vers eux, chancela et s'évanouit.

Le Directoire peu scrupuleux quant au traitement à réserver aux pays occupés — il préférait les annexer plutôt que d'en faire des républiques — n'allait pourtant pas jusqu'à trouver bon qu'ils fussent livrés à l'ennemi. Hostiles à des concessions à l'Autriche et à une paix qu'ils jugeaient prématurée, les directeurs, on s'en souvient, avaient envoyé le 29 septembre à Bonaparte un ultimatum destiné à l'empereur ; ils insistaient pour que l'Italie libre s'étendît jusqu'à l'Isonzo : « ce serait une honte d'abandonner Venise », « une perfidie qui n'aurait pas d'excuse »... L'infamie de la chose, d'ailleurs, n'échappait pas au général : au cours de ses pourparlers avec Cobentzel, pour l'amener à un traité bilatéral plutôt qu'à un Congrès européen, ne lui avait-il pas fait ressortir comme à un complice le danger de « rendre l'Europe témoin d'un acte aussi scandaleux que celui de la République de Venise ? »

On conçoit que cet épisode ait tempéré l'enthousiasme de Stendhal : « A l'occupation de Venise par les Français finit la partie poétique et parfaitement noble de la vie de Napoléon ». Cet euphémisme ne se trouve pas dans la *Chartreuse*, mais à la fin de la *Vie de Napoléon* (que son auteur renonça à conduire plus loin que la guerre d'Italie).

On conçoit aussi le découragement, l'indignation de bien des patriotes italiens. Des sociétés secrètes s'organisèrent. Alfieri composa son *Misogallo* : « Le jour viendra, oui, il viendra le jour où les Italiens ressuscités, reparaîtront audacieux sur les champs de bataille, et non pas pour une lâche défense avec une épée empruntée, mais pour vaincre les Gaulois... » Apôtre passionné de l'affranchissement national, auteur d'un *Brutus* dédié en 1789 *Al popolo italiano futuro*, ce « tragédien de la liberté et de la volonté » était certainement plus qualifié que Monti pour parler au nom de la jeune Italie, Monti qui, devenu le poète officiel et infatigable du régime napoléonien, se ferait à partir de 1815 le thuriféraire non moins zélé de l'Autriche. Encore peut-on reprocher à Alfieri sa francophobie outrée, bien antérieure à la cession de Venise et son orgueil d'aristocrate fermé à l'idéal démocratique.

Plus dignes d'intérêt sont les réactions du troisième grand écrivain du temps, Ugo Foscolo. Patriote vénitien et patriote italien, immédiatement gagné aux idées françaises, il s'était engagé à dix-neuf ans dans l'armée de la République cispadane ; entré à Venise à la chute du régime des doges, il avait alors écrit un *Bonaparte liberatore* pour célébrer le triomphe de la démocratie. Bouleversé par Campo-Formio, vibrant de colère, il repartait pour Milan ; pendant plusieurs années il allait encore servir contre les Austro-Russes dans des formations attachées à l'armée française, il fut même blessé plusieurs fois ; mais dans un roman autobiographique publié en 1802, *le Ultime lettere di Jacopo Ortis*, il exhala toute son amertume :

« Ah ! pourquoi nous faire voir et sentir la liberté pour nous la ravir ensuite pour toujours et avec tant d'infamie ! »

En 1809 professeur d'éloquence à l'Université de Milan, Foscolo, malgré les insistances de Monti, se refusa à introduire dans ses cours la moindre louange à l'égard de Napoléon ; en 1815 il refusera de prêter serment à l'Autriche (1).

Cet épisode vénitien montre le cas que faisait Bonaparte des indépendances nationales dès l'an V de la République. Désormais et même s'il se préoccupe d'améliorer leur sort, les peuples seront toujours à ses yeux des objets de troc, des gages, des propriétés dont il disposera au gré de ses combinaisons ou de ses caprices pour en tirer des avantages politiques, pour arrondir son Empire ou pour doter sa famille. Retour pur et simple aux errements de l'Ancien Régime et du Moyen Age, à la morale des despotes primitifs.

En même temps que la Vénétie proprement dite, Bonaparte avait livré à l'Autriche la Dalmatie. Après Marengo il érigeait la Toscane en royaume d'Etrurie pour la donner aux Bourbons en échange des duchés de Parme et Plaisance. En mai 1805, transformant la République italienne en royaume, Napoléon ceignait la couronne de fer à Milan — *Dio mi l'ha data, guai a chi la tocca* — puis nommait vice-roi Eugène de Beauharnais son beau-fils. Il transformait aussi en principauté la petite république de Lucques pour en faire cadeau à Elisa Bacciochi sa sœur. Après la campagne d'Austerlitz il dépossédait les Bourbons de Naples, faisait proclamer Joseph roi des Deux-Siciles (mars 1806) et deux ans plus tard, estimant qu'il ferait mieux l'affaire à Madrid, le priait de céder son trône à Joachim Murat leur beau-frère (1808).

La victoire d'Austerlitz avait également permis à Napoléon de reprendre la Vénétie à l'Autriche pour l'incorporer à son royaume d'Italie. Si bien qu'avec l'annexion à l'Empire de la Toscane reprise aux Bourbons et de l'Etat pontifical — y compris Rome mais non les Marches réunies au royaume d'Italie — Napoléon en 1809 dominait plus ou moins directement toute l'Italie continentale (2).

Cet immense remue-ménage avait donc presque abouti à l'unification de la péninsule ; liée à l'aspiration à l'indépen-

(1) Maurice Vaussard : *De Pétrarque à Mussolini.*

(2) La péninsule comportait donc trois circonscriptions : 1° la zone divisée en départements et annexée à l'Empire français : Piémont, Ligurie, Parme, Plaisance et Rome ; 2° le royaume d'Italie : Lombardie, Vénétie, Reggio, Modène, Romagne et Marches ; 3° le royaume de Naples. A noter que les Bourbons de Naples avaient réussi à garder la Sicile, et la maison de Savoie la Sardaigne.

dance, l'idée d'unité nationale, simultanément, faisait son chemin chez les Italiens. Et l'introduction de la législation française, l'impulsion donnée à l'industrie, au commerce, la création de voies et canaux, les assèchements de marais, les encouragements aux sciences et aux arts, la promotion d'une bourgeoisie active, tout cela aurait dû représenter en fin de compte un très appréciable progrès ; mais sauf dans le Nord de fortes résistances compromirent cette œuvre, résistances dues tantôt aux maladroites rigueurs des méthodes napoléoniennes, tantôt aux préjugés enracinés par l'Eglise, à ses exigences, voire plus simplement aux réactions d'un patriotisme sauvage.

Dans le royaume de Naples, les couches inévoluées de la population étaient attachées à la dynastie bourbonienne ; l'éphémère République parthénopéenne créée par le Directoire n'avait pas laissé de bons souvenirs ; l'instauration de Joseph au printemps 1806 provoqua en Calabre une insurrection de paysans, prêtres, bergers et brigands (le fameux Fra Diavolo à leur tête). Un débarquement anglais fut le signal d'un soulèvement général qui préfigura la guerre d'Espagne par son acharnement, ses atrocités. Le drapeau blanc fut hissé sur les campaniles, les cloches carillonnèrent, les petits postes français furent « partout assaillis et les soldats prisonniers fusillés, égorgés, crucifiés, y compris les convalescents dans les hôpitaux, voire coupés en morceaux et cuits comme on en trouva vingt-huit à Strongoli » (1). Pour venir à bout de cette rébellion sauvage, il fallut l'énergie de Masséna. Fra Diavolo fut pendu, quantité de ses compagnons incarcérés ou envoyés aux galères. L'état de siège en Calabre ne fut levé qu'en 1808 à l'avènement de Murat... Joseph qui sera décidément un souverain malchanceux n'eut pas le loisir d'appliquer le considérable programme de réformes qu'il avait fait préparer par une équipe de Français (Saliceti, Miot, le fils de Roederer...) et d'Italiens. Après lui, l'effort porta surtout sur les finances et l'armée.

Moins sanglante mais plus gênante que celle du Mezzogiorno fut l'opposition de Rome, opposition s'aggravant à mesure des annexions de territoires pontificaux et culminant

(1) Maurice Vaussard : *Les résistances intérieures. L'Italie et la papauté* (dans *Napoléon et l'Empire*).

avec l'enlèvement du pape, son transfert à Savone, l'excom-
munication de l'Empereur. La même sanction ayant frappé
tous les collaborateurs de l'occupant, le désert se fit autour
des administrateurs comme Roederer (le fils) qui souhaitaient s'entourer de notables ouverts aux réformes. Réformes
ô combien nécessaires, depuis des siècles, et qui ne seront
pas encore accomplies cinquante ans plus tard : « Les Etats
de l'Eglise, écrira Gladstone, ont le plus mauvais gouvernement de tout le monde civilisé... L'imbécillité de la police,
la vénalité des fonctionnaires, la désolation des campagnes,
la bassesse du peuple... » Sans doute. Mais ce bas peuple
ne souhaitait pas tellement être élevé ni éclairé. La disper-
sion ou la sécularisation des moines dérangeait ses habi-
tudes de mendicité, de désœuvrement, l'arrêt des pèlerinages
tarissait une autre source de ses profits ; les menaces enten-
dues au confessionnal l'effrayaient, et il était sincèrement
indigné par les mesures de répression qui frappaient ses
prêtres.

C'est par centaines que furent déportés ou emprisonnés
les membres du clergé italien refusant le serment d'allé-
geance à l'Empereur, serment interdit par le pape. On peut
donc soutenir que les représentants de Napoléon, en particulier le préfet du Trasimène, Roederer, exercèrent en Italie
centrale une persécution religieuse comparable à celle dont
les catholiques de France avaient souffert sous la Révolution.
Mais nous ne ferons pas de Pie VII un martyr de la liberté :
dans le Concordat pour l'Italie conclu en septembre 1802
il avait réussi à faire admettre par Bonaparte ce qu'il n'avait
pu en obtenir pour la France, le catholicisme religion d'Etat ;
et dans ses propres territoires, naturellement, il interdisait
la pratique de leur culte aux protestants et aux juifs.

En Italie centrale, plus encore que la question religieuse,
la véritable pierre d'achoppement du régime impérial fut
comme partout ailleurs la conscription. Dans les départements romains, le nombre de conscrits répondant à l'appel
fut insignifiant ; et les insoumis prenant le maquis en masse,
la plaie traditionnelle du brigandage s'étendit démesurément.

Le bilan du système a été dressé avec une grande hauteur
de vues voici cent ans par l'historien Cesare Balbo :

« Il n'y avait pas d'indépendance, c'est vrai, mais jamais
l'espérance n'avait été si proche. Il n'y avait pas de liberté

politique, mais dans un grand centre italien [Milan] il y en
avait du moins les formes ; pas de liberté civile bien garantie,
mais au moins son principe légal ; et puis, il y avait cette
égalité qui, à tort ou à raison, pour beaucoup compense
le manque de liberté... » En revanche l'annexion du Piémont
à la France, suivie par l'extension continuelle du territoire
français en Italie, démontre « l'incapacité de Napoléon à
mener la vraie, la grande politique, celle qui fonde » (1).

Chose curieuse, Balbo témoigne de plus d'indulgence et
laisse percer une certaine fierté quant au sort de ses compatriotes incorporés à l'armée française : c'était de l'esclavage,
sans doute, mais qui participait de l'orgueilleuse vitalité des
maîtres ; non plus l'humiliation des temps antérieurs.

Il n'en reste pas moins — c'est maintenant un autre
Italien qui parle — que « la désastreuse campagne de Russie
souleva une tempête de haine contre l'homme qui pour
satisfaire son ambition avait sacrifié la vie de tant de milliers de soldats » (2). Le prince Eugène, pas plus que Murat,
ne put en 1814 s'appuyer sur rien de solide : à Milan, la
majorité de la population était devenue hostile aux Français,
une insurrection y éclatait menée par les éléments réactionnaires, le ministre des Finances, comte Prina était massacré. Même état d'esprit à Rome : « quand l'Empereur déçu
sévira par des mesures de plus en plus rigoureuses contre
une opposition grandissante qui atteint l'aristocratie si favorisée pourtant, c'est une véritable haine que nourrit la grande
masse des Romains contre un occupant qui ne voulait que
son bonheur, mais selon sa manière à lui » (3).

*
**

Etait-ce au bonheur des Espagnols que songeait l'Empereur en se mettant en route pour Bayonne au printemps de
1808 ? Joseph qu'il tire de Naples pour lui confier le trône
de Madrid va lui écrire à peine arrivé : « Votre gloire, Sire,

---

(1) « La incapacità di Napoleone nella politica vera, grande, fonda-
trice » (*Sommario della Storia d'Italia*).
(2) Pietro Orsi : *Histoire de l'Italie moderne*. Des 27 000 Italiens de
la Grande Armée, il ne revint que 233.
(3) Maurice Vaussard : *op. cit.*

échouera en Espagne. » Cet avertissement prophétique permet de penser que l'ami de Mme de Staël et des Idéologues, sans être un surhomme, était doué de plus de jugement, de plus de sens politique, que son frère... Quelques jours suffiront au « roi intrus » pour écrire encore : « Je ne suis point épouvanté de ma situation, mais elle est unique dans l'histoire : je n'ai pas ici un seul partisan. » Il lui faudra en somme gouverner des ennemis. Son pays est déjà en proie à la guérilla : guerre sans plan et sans chef, mais guerre d'un peuple entier, plus implacable que celle à laquelle les patriotes de 92 étaient résolus contre les Prussiens, guerre qui devait durer cinq ans et engloutir cinq cent mille hommes.

Comment avait-on pu en arriver là ? Pourquoi Napoléon s'était-il tourné vers l'Espagne ? Qu'est-ce qui justifiait la présence française au-delà des Pyrénées ?

Le Portugal uni à l'Angleterre par les liens économiques les plus étroits ayant refusé de rompre avec elle, l'Empereur avait décidé sa conquête. A l'automne 1807, il y envoyait un corps expéditionnaire, par la voie de terre naturellement, sous les ordres de Junot : d'où le passage et le séjour en nombre croissant de troupes françaises sur le sol espagnol, d'accord avec le gouvernement de Madrid qui adhérait au blocus continental et au projet de guerre contre le Portugal.

Etrange gouvernement que ce gouvernement de Madrid. Le roi Charles IV, colosse imbécile, avait remis les affaires de l'Etat depuis une quinzaine d'années au « favori » de la reine Marie-Louise, Manuel Godoy, dont il avait fait son meilleur ami. Ce Godoy avait obtenu le titre prestigieux de Prince de la Paix pour avoir signé le traité de Bâle avec la France et il en tirait une certaine popularité. Comblé d'honneurs, ajoutant la Toison d'or à sa grand-croix de Jérusalem, vénéré par le clergé, il avait acquis une telle puissance que Napoléon entretenait avec lui des relations secrètes. Il se prélassait dans ce rôle de véritable maître de l'Espagne que Marie-Louise, la « Messaline de son siècle » lui avait donné.

Quant au peuple espagnol peu à peu instruit et écœuré de cette situation, la famille royale reste néanmoins sacrée à ses yeux ; il reporte son amour aveugle sur Ferdinand prince des Asturies. Ferdinand ne vaut pas mieux que les siens. C'est un être veule, sournois, ignorant, ne s'intéressant à rien, entièrement sous la coupe de son ancien précepteur, le chanoine Escoiquiz. Mais qu'il soit l'adversaire de Godoy dont il rêve de se venger lui confère bien des vertus.

Par l'intermédiaire de l'ambassadeur Beauharnais, beau-frère de Joséphine, Ferdinand sollicitait l'honneur d'obtenir une épouse dans la maison impériale. Naturellement, Charles IV le sut. Outragé dans son orgueil de souverain, blessé dans son autorité de père, il faisait appel à Napoléon : « Je prie Votre Majesté de m'aider ici de ses lumières et de ses conseils. » D'autre part, Beauharnais écrivait à Talley-rand : « Toute l'Espagne désire un autre ordre de choses ; tout le monde souffre, patiente, espère que l'Empereur dai-gnera s'occuper un jour de ce pays pour remettre chaque chose à sa place. »

L'occasion était donc fournie à Napoléon d'intervenir en médiateur dans les affaires de cette nation : il put croire qu'elle s'offrait à lui, qu'elle était à prendre.

L'émeute qui éclata à Aranjuez, résidence royale, le 17 mars 1808 contre le Prince de la Paix, força enfin le roi à priver de ses charges le favori qu'on retrouva caché dans un grenier du palais. Le surlendemain, Charles IV abdiquait en faveur de Ferdinand.

Murat, grand duc de Berg, nommé commandant de l'armée d'Espagne — armée qui n'a cessé de s'accroître à cause des opérations du Portugal — Murat fait son entrée à Madrid le 23 mars. Il plastronne : « J'ai trouvé sur mon pas-sage, comme bordant la haie, tous les habitants des provinces que j'ai parcourues. La joie qu'ils faisaient éclater tenait du délire. » La capitale en liesse attend son nouveau roi Fer-dinand et, sans arrière-pensée, acclame Murat plus rutilant que jamais de broderies d'or. La présence des soldats fran-çais ne cause en effet aucun trouble. On tient Napoléon non pas pour un possible usurpateur, mais pour le soutien, l'allié, de Ferdinand. Il écrit du reste à Murat : « Rassurez tout le monde, tenez la balance égale entre tous les partis ; je veux rester l'ami de l'Espagne, mais être en état de sur-monter la résistance par la force ; dites aux Espagnols que j'arrive ; que j'ai les meilleures intentions pour leur pays ; envoyez-moi les princes à Burgos et à Bayonne si vous en apercevez la possibilité. » Bayonne... on sait ce que fut ce guet-apens.

Murat et Savary récemment arrivés encourageaient le jeune Ferdinand à se porter au devant de l'Empereur descendant vers cette Espagne qu'il aimait et voulait protéger. Malgré son peuple que ce voyage inquiète, Ferdinand se laisse convaincre. Il se met en chemin avec une faible escorte dont Escoiquiz et Savary qui l'accable de prévenances et de promesses. Le prince des Asturies pense trouver l'Empereur à Burgos. L'Empereur n'y est pas. A Vittoria. L'Empereur n'y est pas. C'est à Bayonne qu'il recevra le prince et, affirme Savary, le proclamera « roi d'Espagne et des Indes ». Ferdinand continue donc à avancer ; derrière lui les Français coupent les routes ; le piège se resserre.

A peu près dans le même temps, Murat informait l'Empereur que Charles IV protestait n'avoir abdiqué que sous la contrainte. Il lui transmettait une lettre de Marie-Louise suppliant Sa Majesté de leur donner au roi son époux, au Prince de la Paix et à elle-même, « de quoi vivre ensemble tous les trois dans un endroit bon pour nos santés ». Murat recevait l'ordre de libérer Godoy et de lui faire prendre ainsi qu'au vieux roi le chemin de Bayonne.

Napoléon s'est établi au château de Marrac qu'il a préféré au « palais du gouvernement ». Quand le prince des Asturies atteint la ville le 19 avril, et qu'il entend tonner les canons, il croit que c'est en son honneur, mais sa voiture s'arrête devant une maison de minable apparence qui a servi de logement à Junot et à Murat. On acclame à grands cris l'Empereur qui, non loin de là, assiste à la manœuvre de quelques bataillons et ne se hâte pas de venir saluer son hôte. Ferdinand l'embrasse. Napoléon lui donne froidement l'accolade et retourne à ses soldats, faisant inviter le prince des Asturies à dîner pour le soir même. Le faible Ferdinand prend peur. L'Empereur l'appelle Altesse et non Majesté... Savary ne tarde pas à lui en donner la raison : l'Empereur ne reconnaît pour roi que Charles IV. Ferdinand reste pour lui prince des Asturies. Le malheureux comprend enfin, la trahison ; il la crie lamentablement dans la nuit aux Espagnols de sa suite assemblés devant ses fenêtres : *Yo soy trahido !*

C'est au chanoine Escoiquiz que Napoléon fait la grâce d'exposer ses projets. Il ne veut plus de Bourbons en Espagne. Mais il respecterait l'indépendance du pays qu'il doterait d'une constitution libérale ; tout l'affaire a été examinée avec le tsar à Tilsitt. Ferdinand pourra recevoir en dédommagement le royaume d'Etrurie. Il y aura peut-être, çà et là, quelques mouvements de la « populace ». Ils seront vite réprimés. « Croyez-moi, chanoine, j'en ai fait l'expérience : les pays où il y a beaucoup de moines sont faciles à soumettre. » Avait-il oublié la Calabre ?

Le 30 avril, le vieux roi Charles IV est reçu à Bayonne avec la pompe due à son rang. Au château de Marrac, l'Empereur l'attend au bas des escaliers, il s'incline, il le soutient : « Appuyez-vous sur mon bras, je suis fort... »

Tout son monde est là, maintenant, pour cette comédie ou plutôt selon son mot cette tragédie, qu'il va mener à son dénouement. Il observe, après Goya, ces fantoches navrants dont la lâcheté égale la bassesse, il les décrit dans des notes à Talleyrand. Pour le roi, il montre un peu d'indulgence, lui trouvant « l'air d'un patriarche franc et bon ». La reine « a son cœur et son histoire sur sa physionomie ; cela passe tout ce qu'il est possible d'imaginer. » Godoy est une espèce de « taureau ». Quant à Ferdinand, il est « très bête, très méchant, très ennemi de la France ».

Ferdinand déclare qu'il n'a pas le droit de renoncer à la couronne que son père lui a donnée ; pour que cette restitution soit valable, il faut qu'elle soit faite à Madrid devant les Cortès... La reine le couvre d'injures, lui souhaite l'échafaud, le traite de... bâtard. Charles IV, dans sa colère, va jusqu'à lever sa canne sur son fils, puis, sous la dictée de l'Empereur, lui écrit : « Les conseils perfides qui vous environnent ont placé l'Espagne dans une situation critique, elle ne peut plus être sauvée que par Napoléon... » Cette lettre est datée du 2 mai. Incroyable coïncidence !

2 mai... *Dos de Mayo*, date inoubliable de la première grande insurrection contre les Français.

Sans rien savoir de ce qui se passe à Bayonne, on s'inquiétait à Madrid de l'absence prolongée de Ferdinand. L'Empereur l'empêchait-il de revenir ? Comment ne pas se méfier de cet empereur dont les moines dénonçaient l'impiété en révélant ses démêlés avec le pape ? Et pourquoi continuait-il, l'Empereur, à envoyer des troupes qui contrôlaient toutes les routes et occupaient les forteresses ? Madrid s'interrogeait, l'anxiété grandissait et la nouvelle se répandit que don Francisco et sa sœur, la reine d'Etrurie, allaient être, sur l'ordre de Murat, conduits en France. Ils étaient les derniers représentants de la famille royale. Il fallait coûte que coûte les garder.

Le dimanche 1er mai, les paysans venus pour le marché dans la capitale n'en repartent pas. Ils dorment sur les marches des églises, sous le porche des maisons, le long des rues. Dès l'aube, ils affluent vers le palais royal, suivis de badauds et de gueux affamés du spectacle. Les voitures attendent, prêtes pour le grand voyage. La foule gronde. La reine d'Etrurie paraît, puis l'Infant qui ne veut pas partir, qui dit-on, a pleuré. La foule devient menaçante. Soudain une vieille femme crie : « Ils l'enlèvent ». C'est comme un signal. Des couteaux tranchent les traits des attelages. L'officier français qui salue la reine d'Etrurie est malmené ; des grenadiers se précipitent à son secours. Coups de pistolet, coups de fusil, coups de canon, et tombant sur ce bruit de bataille, le tocsin. On tire des fenêtres grillagées, des balcons, des toits. Les mamelucks sabrent les insurgés qui se défendent contre ces barbares comme leurs ancêtres s'étaient défendus contre les Maures. Dans les faubourgs, des Français se font poignarder. Les Madrilènes se ruent vers le parc d'artillerie que leur ouvrent deux patriotes qui sont tués. Bien que la résistance ait trouvé des armes, elle ne pouvait tenir longtemps contre les forces de Murat. Il avait réprimé l'émeute en grand capitaine. On donna des chiffres : 400 morts du côté français, 7 ou 800 du côté espagnol ; l'important est que dans ce combat de rues on trouve des bourgeois, des domestiques, des marchands, des ouvriers... Apprenant l'affaire, Napoléon écrivait à Murat : « Je suis fort aise de la vigueur que vous avez mise. »

A la nouvelle du *Dos de Mayo* toute l'Espagne crie vengeance. Dans chaque province, dans chaque ville, dans chaque village, les habitants se groupent, s'arment comme ils peuvent, prêts à tout quitter, à tout perdre, pour sauvegarder l'indépendance de leur sol. La principauté des Asturies déclare même la guerre à Napoléon ; sa junte envoie deux députés en Angleterre pour demander l'aide de la grande puissance. A Murcie, à Carthagène, à Valence, la population répond aux Asturiens par les cris de « Vive Ferdinand ! Mort aux Français ! » Tout le pays est sur le pied de guerre.

A Bayonne, l'Empereur exprime sa stupeur et sa colère au vieux roi qui rejette toute la responsabilité sur Ferdinand, le fils indigne, le monstre, l'usurpateur. Napoléon somme Ferdinand de reconnaître son père pour roi légitime s'il ne veut pas être considéré comme un rebelle. Ferdinand n'est pas un lutteur. Et que ferait-il, loin des siens, en terre étrangère, à la merci du tout-puissant ? A la fin, il cède. Napoléon fait savoir à son ex-ministre des Relations extérieures, Talleyrand, qu'il lui confie le prince des Asturies et les Infants, espérant qu'ils seront traités « honnêtement » dans le château de Valençay, mais reçus sans éclat extérieur. Talleyrand, avec son habileté et son ironie habituelles, sait accepter ce rôle de chambellan-geôlier. Les vieux rois, eux, iraient continuer à vieillir dans le château de Compiègne.

Joseph avait quitté Naples à regret, quoiqu'ignorant encore ce qui l'attendait. Il allait pendant quelques jours pouvoir se croire roi d'Espagne. Son frère, veillant à tout, fit bien les choses. Arrivé à Pau le 7 juin, Joseph apprenait par un décret l'abdication de Charles IV. A Bayonne, écrit Miot de Melito(1), il se trouva « environné de toutes les séductions de la royauté... des promesses de dévouement et d'amour retentissaient de toutes parts autour de lui. » Napoléon se portant à sa rencontre le mena au château de Marrac où était rassemblée la junte. La junte, c'est-à-dire quelques membres de la « grandesse » qui avait accompagné les princes à Bayonne, certains qui portaient les plus grands noms d'Espagne et qui étaient venus par peur, d'autres avec le faible espoir d'un accommodement ; il y avait aussi des fonctionnaires de l'Inquisition, des Indes, de la Finance. Quatre archevêques sur dix s'étaient excusés... Joseph répondit aux paroles de politesse par des paroles de paix : Les Français mèneraient en Espagne une œuvre de progrès et de civilisation... Le 15 juin, les représentants des Cortès durent approuver le projet de Constitution ; Joseph jura d'y être fidèle ; les représentants jurèrent d'être fidèles à Joseph.

_____

(1) Miot avait été fait comte de Melito par son ami Joseph, à Naples.

L'archevêque de Burgos recevant ces serments avec solennité leur conférait une apparence de légalité.

Le 6 juillet, ayant composé son ministère, Joseph prenait la route avec une centaine de voitures transportant aussi les membres de la junte. Il pouvait encore pour un peu de temps, rêver qu'il apportait à la patrie des Rois Catholiques et de Charles-Quint les lumières et la sagesse de nos philosophes. Mais son royaume est étrangement silencieux ; pas un vivat ne salue son passage ; à l'approche du cortège, beaucoup de gens se détournent ; les villages se succèdent, vides, abandonnés. Après une halte à Saint-Sébastien, paré de guirlandes et jouant de la guitare dans une allégresse de commande, Joseph sait qu'il doit s'attendre au pire. Dans Burgos, il ne voit sur tous les visages que la même expression de haine. Madrid qu'il traverse dans toute sa longueur est désert ; les fenêtres sont closes ; au lieu de tapisseries des loques pendent des balcons. Le 12 juillet, Joseph écrit à son frère : « Personne n'a dit jusqu'à présent toute la vérité à Votre Majesté. Le fait est qu'il n'y a pas un Espagnol qui se montre pour moi, excepté le petit nombre de personnes qui ont assisté à la junte et qui voyagent avec moi. Les autres, arrivés ici, se sont cachés, épouvantés par l'opinion unanime de leurs compatriotes. »

Le 20 juillet il est proclamé roi ; le faste des cérémonies ne peut le leurrer. Il sait, lui qui voulait répandre les idées de ses amis français et être aimé de son peuple, qu'il doit faire face à la guerre, partout, aussi bien à Valence qu'à Valladolid, à Santander qu'à Saragosse. Il le sent si bien qu'il va encore écrire : « Il faut cent mille Français pour comprimer l'Espagne, et cent mille échafauds pour maintenir le prince qui sera condamné à régner sur eux. Sire, on ne connaît pas ce peuple : chaque maison sera une forteresse. »

De la férocité de cette lutte, aucun livre ne donne une idée aussi forte que les peintures et les dessins de Goya. Il montre des maisons qui brûlent, des gens qui s'enfuient, des cadavres tout frais, émasculés, pendus par les pieds et d'autres, abandonnés, qui pourrissent. Ses arbres de cauchemar balancent des corps découpés et saignants, semblables à ceux que le jeune Victor Hugo a vus, le jeune Victor que le général son père, nommé gouverneur de Madrid sous Jourdan, jugera plus prudent de renvoyer en France avec sa mère en 1812. « En rentrant à Vittoria, a raconté Mme Hugo, la voiture passa auprès d'une croix sur laquelle étaient cloués les membres d'un jeune homme coupé en morceaux ; on avait eu l'horrible attention de rajuster les morceaux et de refaire de ces lambeaux un cadavre. C'était le corps du frère de Mina pris par les Français. La voiture passa tout contre, et les enfants se rejetèrent en arrière pour ne pas recevoir les gouttes de sang » (1). Mina : un chef guerillero qui avait établi cette proportion : pour chaque soldat espagnol exécuté, vingt soldats français.

Cependant, de Bayonne, avant d'entreprendre une tournée dans le midi de la France, l'Empereur croyant que l'organisation de l'Espagne pacifiée serait facile, dictait ses instructions : « Il n'y a rien à craindre du côté du maréchal Bessières, ni dans le nord de la Castille, ni dans le royaume de Léon ; Saragosse tombera un jour plus tôt, un jour plus tard ; il n'y a rien à craindre en Catalogne ; il n'y a rien à craindre pour les communications de Burgos à Bayonne... »

Rien à craindre, rien à craindre, rien à craindre... Il avait donc oublié, ce fils de maquisards, ce que peuvent d'obscurs combattants défendant leur terre, leur indépendance, leur honneur ? Une ombre, pourtant, à ce tableau : « Le seul point qui menace, c'est du côté du général Dupont ; mais avec vingt-cinq mille hommes il a beaucoup plus pour avoir de grands résultats... » Or ce même jour, 21 juillet 1808, Dupont, un des héros d'Austerlitz, signait la capitulation de Baylen, défaite qui découvrait la capitale au sud. Neuf jours après ce que le *Moniteur* appelait une « joyeuse entrée », Joseph quittait Madrid pour s'établir à Miranda où se trouvait le maréchal Jourdan devenu son conseiller militaire. Le roi intrus ne devait rentrer dans « sa » capitale qu'au mois de janvier suivant. Au Portugal, Junot abandonnait Cintra à sir Arthur Wellesley (le futur Wellington).

C'était beaucoup plus que des désastres militaires. C'était le réveil des pays occupés ; tous allaient se remettre à espérer : le conquérant n'était plus invincible.

La perte de Baylen convainquit Napoléon que sa présence devenait indispensable en Espagne. Ayant assuré ses arrières

---

(1) Adèle Hugo : *Victor Hugo raconté par un témoin de sa vie.*

à Erfurt, il entraîna le meilleur de son armée au-delà des Pyrénées et, en trois victoires, accompagnées naturellement de pillages, atteignit Madrid. Il eût souhaité que cette grande ville, comme tant d'autres, l'accueillît en triomphateur. Il se trompait. Madrid capitula et ses troupes entrèrent dans une ville morte (4 décembre).

Trois jours plus tôt, de Chamartin, villa du duc de l'Infantado où il s'était établi, il avait promulgué une série de décrets : suppression de deux tiers des couvents, abolition du tribunal de l'Inquisition (dont Llorente va écrire l'histoire), des droits féodaux, des douanes provinciales. Ces réformes, en d'autres circonstances bien accueillies, n'atteignent pas leur but : la haine du Français est trop forte. Les Espagnols ne reconnaissent pas à l'étranger le droit de toucher aux moines qui prêchent la nouvelle croisade ; pour un peu ils défendraient le Saint-Office et justifieraient les autodafés.

O ironie ! Un catéchisme répond à celui de l'Empereur : « Quel est l'ennemi de notre bonheur ? — L'Empereur des Français — Quel homme est-ce ? — Un Seigneur nouveau... réceptacle de tous les vices et de toutes les malignités — Est-ce un péché de tuer un Français ? — Non, on gagne le ciel en tuant de ces chiens hérétiques. »

Ces mesures prises par Napoléon étaient si impopulaires que Joseph, le 8 décembre, lui écrit : « La honte couvre mon front devant mes prétendus sujets. »

Les intrigues de Talleyrand et de Fouché, les préparatifs de guerre de l'Autriche, hâtèrent le départ de l'Empereur. Il n'avait pas vaincu les Anglais qui pénétraient dans la péninsule, il n'avait pas gagné les Espagnols, cette « canaille » qu'il recommandait à Joseph de pendre et de fusiller. Parti de Valladolid le 17 janvier 1809, il arrivait aux Tuileries le 29. En Espagne la guerre continuait. La résistance chantait *Muera Napoleon !*

Saragosse, l'indomptable, après six mois se défendait encore. Le jeune don José Palafox, commandant en second de la garde royale, qui a pris le maquis après le *Dos de Mayo*, dirige les opérations. Le gouvernement de Madrid lui envoie son frère le marquis de Lasan pour le ramener, mais gagné par le délire des assiégés, il reste avec eux. Les habitants sont dans les rues, sur les murailles, sur les toits ; les femmes comme les hommes attendent l'assaillant — ils ont subi non pas un, mais des sièges — avec des pierres, des briques, des tuiles, des tessons. On se fera tuer, piétiner, écraser par les chevaux, on ne reculera pas. Du couvent de Santa Engracia le maréchal Lefebvre a fait passer un billet à Palafox : *Capitulation*. Palafox a répondu : *Guerre au couteau*, et la lutte a continué.

« Jamais, Sire, écrit le maréchal Lannes, à qui le second siège est confié en janvier 1809, je n'ai vu autant d'acharnement comme en mettent nos ennemis à la défense de cette place. J'ai vu des femmes venir se faire tuer devant la brèche (...) Le siège de Saragosse ne ressemble en rien à la guerre que nous avons faite jusqu'à présent (...) C'est une guerre qui fait horreur. »

Cette ville glorieuse, cette ville sainte, fière de ses reliques innombrables, il a fallu la prendre maison par maison comme Joseph l'avait prédit et quand le « vainqueur » y pénétra, difficilement à cause des cadavres, des chevaux morts, des ruines qui comblaient les rues, c'était un charnier livré à la peste. La moitié de ceux qui avaient voulu la garder, avaient péri. Palafox, trouvé mourant dans les décombres de cette Saragosse qu'il avait si chèrement défendue, était amené en France, enfermé au fort de Vincennes, d'où il ne sortit qu'à la chute de l'empire.

Joseph crut devoir rendre hommage à tant d'héroïsme. « Mon frère, lui écrivit Napoléon le 11 mars, j'ai lu un article de la *Gazette de Madrid* qui rend compte de la prise de Saragosse. On y fait l'éloge de ceux qui ont défendu cette ville. Voilà en vérité une singulière politique ! Certainement, il n'y a pas un Français qui n'ait le plus grand mépris pour ceux qui ont défendu Saragosse. » Du reste, le zélé *Moniteur* avait publié dès le 2 mars à propos de Palafox : « Cet homme est l'objet du mépris de toute l'armée ennemie qui l'accuse de présomption et de lâcheté. On ne l'a jamais vu dans les postes où il y avait du danger. »

Napoléon n'avait tout de même pas tué tout à fait Bonaparte. Ne se souvient-il pas de ces ignominies lorsqu'il dit à Sainte-Hélène : « Cette malheureuse guerre m'a perdu (...) J'embarquai fort mal cette affaire, je le confesse ; l'immoralité dut se montrer par trop patente, l'injustice par trop cynique... » (1).

Cette indomptable nation n'était-elle rien d'autre qu'une Calabre ou une Vendée ? Etait-ce la haine de la Révolution qui dressait les Espagnols comme un seul homme contre les Français ?

Que, l'Eglise ayant jeté toute son autorité dans la lutte, les prêtres et les moines se soient faits les prédicateurs farouches d'une croisade contre l'impiété, la tolérance, la franc-maçonnerie et le reste, cela n'était pas spécifiquement espagnol. Cela s'était vu dans le royaume de Naples peu auparavant, mais aussi douze ans plus tôt en Lombardie où, pour reprendre les termes de Bonaparte lui-même, « les prêtres, les moines, le poignard et le crucifix à la main, excitaient à la révolte et provoquaient l'assassinat » (2). Mais cette frénésie cléricale n'exprimait pas la totalité de l'Italie, celle de l'Espagne non plus.

L'intelligence espagnole s'était ouverte aux idées nouvelles sous le règne de Charles III, « despote éclairé » qui avait porté un coup à l'absolutisme catholique en autorisant l'expulsion des jésuites. Si bien que Voltaire exultait, Voltaire dont on applaudissait les pièces à Madrid et qui écrivait en mai 1768 : « Un nouveau siècle se forme chez les Ibériens... L'Inquisition d'Espagne n'est pas abolie, mais on a arraché les dents à ce monstre... Les Espagnols apprennent le français pour lire les ouvrages *nouveaux* qu'on proscrit en France. »

La xénophobie, la francophobie, n'avaient donc pas cours alors en Espagne... tant que Français et étrangers ne prétendaient pas y faire la loi. On comprend dans ces conditions qu'il ait été impossible à Joseph Bonaparte de gouverner ce pays, d'y faire appliquer la constitution de Bayonne et les réformes ultérieures. Rares furent les libéraux dignes de ce nom qui lui apportèrent leur concours. On peut citer il est vrai, le fameux historien de l'Inquisition, Llorente. Et Goya, ami de Llorente, accepte de faire le portrait de Joseph. « Mais il partage avec le peuple espagnol son âme d'insurgé » (3).

(1) *Mémorial*, chapitre **VI**.
(2) Lettre au Directoire datée de Milan, 1ᵉʳ juin 1796.
(3) Antonina Valentin : *Goya*.

Afrancesado sonne en espagnol comme *collabo* dans notre langue ; il n'était pas question qu'à Madrid un parti du progrès pût se déclarer allié de la France. Cela ne veut pas dire que ce parti n'existait pas en Espagne : à preuve les réformes administratives opérées par les juntes insurrectionnelles, la promulgation par les Cortès à Cadix, en 1812, d'une constitution ressemblant à la constitution française de 1791, et l'abolition, enfin, par ces mêmes Cortès, du Saint-Office, en février 1813, abolition réclamée quinze ans plus tôt par Henri Grégoire (alors évêque de Blois) (1).

Autre question : Joseph n'aurait-il pu, malgré tout, fléchir, à la longue, la farouche résistance de l'Espagne ? Un Joseph à qui son frère eût permis de poursuivre comme il l'entendait son expérience de gouvernement libéral ? Imprégné qu'il était d'humanisme philosophique et naturellement bienveillant, *Don José Primero* aimait la nation espagnole et se considérait tenu, en conscience, de travailler à son bonheur. Vit-on jamais autorité occupante manifester systématiquement une telle mansuétude envers des patriotes rebelles ? A la grande fureur de Napoléon — qui, auparavant, lui avait vertement reproché de ne pas fusiller suffisamment de Napolitains — il interdisait que fussent pendus les partisans pris les armes à la main ; il fit même défiler dix-huit mille prisonniers dans Madrid pour les libérer ensuite (2). Il ne manquait aucune occasion de témoigner de l'estime à ses ennemis, y compris dans la *Gazette de Madrid,* on vient de le voir, il s'efforçait d'empêcher les dilapidations inouïes commises par les militaires français ; enfin, ce rationaliste s'astreignait à assister à la messe tous les matins et à suivre les processions...

Tant de persévérance à gagner le cœur d'un peuple ne fut pas sans produire certains effets. Au début de 1810, la Junte de Séville ayant dû se replier sur Cadix, le roi Joseph entreprenait en Andalousie une tournée qui allait se révéler triomphale. L'année suivante, la foule madrilène fêtait bruyamment le retour du roi dans sa capitale. Une année encore s'écoulait et Madrid boudait à nouveau son souverain

(1) Dans une lettre du 17 février 1798 au Grand-Inquisiteur d'Espagne.
(2) Bernard Nabonne : *Joseph Bonaparte, le roi philosophe.*

étranger. Napoléon avait sapé l'autorité de son frère, encourageant contre lui l'insubordination des maréchaux Soult et autres. « Sans pouvoir, sans argent, sans commandement », le roi menaçait l'empereur de démissionner. Les déprédations des généraux, les pillages des soldats, avaient repris de plus belle ; les meilleures troupes étaient rappelées pour rejoindre la Grande Armée, Wellington remportait victoire sur victoire. Quant aux guerilleros, leurs bandes irréductibles faisaient plus que doubler l'armée britannique. L'humanité de Joseph, son immense bonne volonté, n'avaient pu désarmer l'opposition à Napoléon.

A la fin de 1813, cette armée anglo-espagnole ayant refoulé les Français et passé la Bidassoa, Napoléon rendit à Ferdinand sa couronne. Rentré dans son royaume en mars 1814, le triste personnage abolit la constitution votée à Cadix et toutes les institutions établies par les Cortès ; il réussit à faire arrêter les plus généreux des patriotes qui composaient cette assemblée et le conseil de régence. En un mot, Ferdinand liquida le gouvernement représentatif qui avait défendu ses droits en même temps que l'indépendance du pays.

*
**

La prophétie de Joseph ne fut pas longue à se réaliser : l'insurrection de l'Espagne encouragea la révolte de l'Allemagne.

Cette Allemagne, après Austerlitz et le traité de Presbourg, Napoléon avait cru pouvoir en disposer à son gré. Groupant dans une Confédération du Rhin seize princes qui le reconnaissaient pour leur « protecteur », il sommait l'empereur d'Allemagne François II de renoncer à son titre (1), abolissant ainsi le Saint-Empire romain germanique qui avait duré mille ans (juillet 1806).

Trois mois plus tard, Frédéric-Guillaume de Prusse, poussé par la reine Louise sa femme, adressait au conquérant un ultimatum exigeant le retrait de ses armées en-deçà

_____
(1) Ce monarque dut alors se contenter du titre d'empereur d'Autriche, sous le nom de François Iᵉʳ.

du Rhin. Mal lui en prit. De victoire en victoire — Iena, Auerstaedt, Eylau, Friedland — Napoléon allait au contraire les pousser jusqu'à la Vistule. Tilsitt, en juin 1807, consacre le triomphe du nouveau Charlemagne : il a reconstitué à son profit pour le souder à l'Empire français — qui comprend déjà la rive gauche du Rhin — un empire couvrant toute la Germanie sauf une Autriche diminuée et une Prusse réduite à quatre provinces. Alors, sous le coup de l'humiliation, une grandiose prise de conscience nationale s'accomplit au sein des élites allemandes ; la capitulation de Baylen relève les courages, l'Autriche recommence la guerre et la perd (Wagram) ; mais l'Etat prussien, qui a entrepris de se rénover, forge l'instrument militaire de la libération.

Exposé schématiquement ainsi par souci de clarté, cet enchaînement de faits ne nous semble guère contestable : sauf pour le mot « libération » qui préjuge de la réponse au problème posé : Napoléon a-t-il apporté à l'Allemagne la liberté ou l'oppression ?

Selon des auteurs comme Louis Madelin, les Allemands dans leur ensemble, en 1811, n'avaient qu'à se louer du règne de Napoléon. Thèse douce à l'amour-propre français, mais dont le défaut est de rendre la suite de l'histoire peu intelligible. Il fallait qu'ils fussent décidément bien ingrats, ces Allemands... De quoi donc se plaignaient-ils ?

Commençons par disjoindre le cas de la rive gauche du Rhin annexée par le traité de Bâle et ultérieurement divisée en quatre départements. La République y avait aboli la féodalité, libéré la paysannerie, et fait accéder à la propriété quantité de familles enfoncées dans la misère. Cette œuvre d'émancipation sociale, l'administration consulaire puis impériale la poursuivit et les Rhénans en gardèrent un bon souvenir : un Frédéric Engels sur ce point a donné raison aux nationalistes français : « Avons-nous oublié que toute la rive gauche du Rhin (...) était française d'esprit lorsque les Allemands y revinrent en 1814 ? (...) Que l'enthousiasme de Heine pour les Français et même son bonapartisme n'étaient pas autre chose que l'état d'esprit de tout le peuple sur la rive gauche du Rhin ? » (1).

(1) Cité par G. Cogniot dans ses *Pages choisies de Henri Heine*. — Rappelons que Heine n'avait pas encore l'âge d'homme sous le règne de Napoléon : aussi ne sera-t-il plus question de lui ici.

Impressionnés par cette expérience heureuse, beaucoup d'Allemands de la rive droite s'étaient d'abord montrés partisans de Napoléon : bourgeois impatients des entraves de l'Ancien régime, soucieux d'activité économique, de réformes centralisatrices, désireux de participer à l'administration ; intellectuels patriotes qui attendaient encore du soldat de la Révolution ce qu'ils avaient espéré d'elle, l'avènement des lumières, certes, et la réalisation de leur aspiration nationale.

L'admiration que le plus grand des écrivains d'outre-Rhin garda jusqu'au bout au grand Empereur fut d'une nature différente. Sans doute se sentait-il uni par un lien de parité et de parenté à l'artiste suprême, au démiurge qui, à Erfurt, lui décerna ce témoignage unique de sa part : « Vous êtes un homme, monsieur Goethe ». Et peut-être eut-il l'illusion que le conquérant créait une Europe. Peut-être aussi regardait-il comme barbare l'animosité que provoque une domination étrangère et répugnait-il à la partager. Mais cette sérénité goethéenne à l'égard des péripéties qui bouleversèrent l'Allemagne, on ne peut la considérer comme représentative des sentiments du peuple allemand.

Hegel fut également un des grands admirateurs de Napoléon, qu'il appelait l' « âme du monde », et le demeura. A ses yeux, le constructeur de l'Etat moderne réussissait ce que la Révolution française avait manqué, il levait la contradiction entre les volontés particulières des citoyens et la volonté générale. Là serait le remède à la décadence, à la désagrégation de la nation allemande. Passé au service de l'Etat bavarois et directeur d'un journal politique, Hegel prônait l'adoption des institutions françaises et du Code civil. Lors de la victoire des Alliés, il n'emploiera qu'avec ironie le terme de « délivrance » ; ainsi que Gœthe, il se détournera des ennemis de Napoléon comme d'une « tourbe honteuse » (1).

Mis à part ces deux noms illustres, il faut constater que tôt ou tard se retrouvèrent au sein de cette tourbe la plupart des Allemands cultivés qui croyaient aux principes de 89. Bien des libéraux, de bonne heure, éprouvèrent déception et ressentiment envers une France qui se livrait à un dicta-

(1) J. Droz : *Le romantisme allemand et l'Etat. Résistance et collaboration dans l'Allemagne napoléonienne.*

teur. Un journaliste prussien — et francophile — Posselt, directeur de l'*Allgemeine Zeitung* puis des *Europäische Annalen*, se tua en apprenant la condamnation de Moreau. Un Silésien, le comte von Schlabrendorff, publia en 1804 *Napoléon Bonaparte et le peuple français sous le Consulat,* ouvrage dénonçant le despotisme du nouveau régime et jugeant sévèrement le peuple français qui le subissait si volontiers après avoir proclamé la liberté. Un grand musicien berlinois, Reichardt, fervent de la Révolution française, ami des Idéologues, en particulier de Ginguené — il avait séjourné à Paris en 1792 et 1802-1803 — écrivit deux livres invitant ses compatriotes à quitter le camp de Napoléon, l'accusant d'avoir trahi la Révolution (1).

Le plus célèbre des penseurs allemands déçus puis indignés par le despotisme napoléonien, c'est Fichte. Professeur à l'universisté d'Iéna, il avait mené une vigoureuse campagne pour la Révolution française au temps de la Convention. Accusé de jacobinisme et d'athéisme, il avait projeté de se réfugier en France, de se mettre à son service : « Pour tout homme raisonnable, il est incontestable que les principes qui sont à la base de la République française et des Républiques qui se sont formées sur son modèle sont seules capables d'assurer la dignité de l'homme (...) Je me remets ici solennellement, avec tout ce que je puis avoir de moyens et de forces entre les mains de la République (...) pour la servir si je le puis (2). » L'offre ne fut pas transmise ou n'aboutit pas. Sous le Consulat, Fichte resté pro-français professa un patriotisme européen et anti-anglais puis la guerre de 1806 fit de lui un patriote allemand : « Jacobin impénitent, il souhaitait voir faire à l'Allemagne le même redressement qui naguère l'avait si fort enthousiasmé de la France révolutionnaire (3). »

A l'hiver 1807-1808, dans sa chaire de l'académie de Berlin, alors que les roulements des tambours français se faisaient entendre au-dehors, il prononça ses fameux *Discours à la nation allemande*. Ce n'était pas une attaque directe

---

(1) *Ibid.*
(2) Lettre de Fichte du 10 mai 1799 citée par Xavier Léon : *Fichte et son temps.*
(3) J. Droz : *op. cit.*

contre Napoléon, non plus qu'un appel à l'insurrection ; Fichte entendait révéler à ses compatriotes l'originalité de leur peuple et leur tracer leur devoir : « Nous sommes des vaincus : il dépendra de nous désormais de mériter le mépris ; il dépendra de nous de perdre, après tous nos malheurs, même l'honneur. Le combat avec les armes est fini ; voici que va commencer le combat des principes, des mœurs, des caractères. » Un leit-motiv de ces *Discours*, c'est la supériorité de la nation allemande, supériorité morale due à la pureté de sa race. Si dangereux pour l'avenir, ce patriotisme orgueilleux de Fichte ne tendait dans sa pensée ni à la domination ni à l'oppression. Fichte croyait au progrès, il voulait démontrer que la race allemande portait en elle le progrès, que sa vocation était humaine et universelle.

Un de ses disciples, Arndt, d'abord influencé comme lui par les idées françaises, devint un des propagandistes les plus ardents de la renaissance de l'Allemagne, de son redressement contre la France. Il se détacha complètement de la philosophie des lumières, son exaltation de la patrie germanique trouvant une plus forte inspiration dans le romantisme.

Du romantisme allemand, que nous ne prétendons pas analyser, disons simplement qu'en réaction contre le rationalisme de l'*Aufklärung*, contre la logique du progrès, il était lyrisme, religiosité, mysticisme. C'est dans le fonds médiéval, dans la littérature populaire, que les romantiques reconnaissaient l'âme de l'Allemagne, c'est de là que tirait sa sève leur poésie qui devait revigorer l'orgueil national. Ce romantisme poétique avait été préparé par la philosophie de l'histoire de Herder qui plaçait les valeurs de la civilisation dans l'originalité de chaque peuple, dans l'épanouissement de sa langue, de son instinct, de son génie propre : *volksgeist*. C'est ainsi que faisant appel au nationalisme, le romantisme allemand devint « une forme d'opposition patriotique à la France révolutionnaire et impériale ; il a été un des facteurs de la résistance nationale ; il a contribué à relever dans la nation le sentiment de sa dignité et de sa mission (1). »

Ces rêveurs et ces visionnaires, les Achim d'Arnim et

_____

(1) *Ibid.*

les Novalis, avaient aussi leur logique et leurs principes ; ils travaillaient consciencieusement, faut-il dire méthodiquement ? à la restauration des traditions battues en brèche par les idées françaises. Mort en 1801, l'auteur des *Hymnes à la nuit* avait enseigné le respect de la royauté (prussienne), appelé l'avènement d'un catholicisme idéal, voire d'une contre-révolution féodale et théocratique. Et à Heidelberg, Arnim redécouvrait la poésie, les récits, les légendes du passé, il entreprenait de définir l'individu par son appartenance à la communauté, approfondissait les notions d'âme populaire, de communion nationale. Si bien que Stein — dont il va être question plus loin — put écrire : « C'est surtout à Heidelberg, autour d'Arnim, que s'est allumé l'incendie qui devait chasser les Français. »

Plus encore qu'en ces poètes, le mouvement romantique trouva ses doctrinaires en la personne de penseurs fameux : un Prussien, Adam Müller, un Autrichien, Gentz, les deux frères Schlegel nés à Hanovre. Guillaume Schlegel avait initié Mme de Staël aux richesses de la culture allemande ; précepteur de ses enfants, en 1807-1808, il l'avait accompagnée, nous l'avons vu, à Vienne, où il avait donné une série de conférences : consacrées à l'art et à la littérature dramatique, elles servaient des fins politiques, et tout en opposant le génie germanique héritier de Shakespeare au classicisme froid des Français, elles dénonçaient le despotisme napoléonien, appelaient à l'union des Allemands autour des Habsbourg. Quant à Frédéric Schlegel, lorsque la guerre éclata en 1809, il rédigea des proclamations au peuple allemand, des poèmes, des articles. Après la défaite il donnera à son tour une série de conférences pour valoriser le rôle de l'Autriche dans l'histoire de l'Europe. Centre de haute culture, Vienne fut donc avant Berlin un foyer actif de la résistance allemande à Napoléon, résistance nationale, mais aristocratique et non populaire. Les Metternich et les Stadion, en utilisant le mouvement patriotique des étudiants pour pousser à la guerre, n'entendaient nullement sacrifier l'Ancien régime.

C'est le guet-apens de Bayonne, répétons-le, qui précipita le mouvement, encouragea le parti de la guerre, décida l'empereur François. En Hongrie aussi la fièvre belliqueuse montait, les écrivains attaquaient la France. Un autre centre d'action se formait à Prague. En cette année 1809 c'est vers l'empire habsbourgeois que se tournaient les espoirs des patriotes allemands. Autriche et Liberté ! Ce cri était lancé par un dramaturge prussien, Kleist, qui neuf ans plus tôt avait songé à s'engager dans l'armée française et que maintenant la haine de Napoléon dévorait ; en écrivant son *Chant de guerre des Allemands*, c'est à l'Autriche qu'il pensait. Et l'étudiant Staaps que nous avons vu à Schönbrunn s'approcher de Napoléon avec un couteau, sans doute obéissait-il aux deux vers de Kleist :

> *Tuez-le, le Tribunal du Monde*
> *Ne vous demandera pas vos raisons.*

Staaps fut-il le premier martyr de la résistance allemande à Napoléon ?

Le 25 août 1806, c'est-à-dire peu après la formation de la Confédération du Rhin, un libraire de Nüremberg, Palm, était traduit devant une commission militaire française et condamné à mort pour « haute trahison », sans avoir été assisté d'un défenseur. Il ne voulait pas croire qu'on l'exécuterait, beaucoup de démarches avaient été faites en sa faveur ; quand on vint le chercher dans sa prison pour le conduire au poteau, il pleura et obtint d'écrire à sa femme et à ses enfants. La population pleurait aussi au passage de la charrette à bœufs qui l'emmenait et bien des Français semblaient consternés. Comme il arrive en pareil cas, les mains des soldats qui le mirent en joue tremblèrent : il fallut trois salves pour qu'il expirât, le crâne fracassé. De retour au quartier, l'officier commandant le peloton dit qu'il quitterait l'armée plutôt que de recommencer chose pareille... Encore l'exécution avait eu lieu, si l'on peut dire, proprement. Mais l'arrestation ? La police impériale, pour repérer sa chambre, lui avait envoyé un petit garçon mal vêtu qui fit appel à sa pitié en lui parlant de sa mère veuve ; et le brave libraire lui donna quelque argent Sa lettre aux siens était du genre honnête père de famille chrétien, bien plutôt que foudre de guerre.

En quoi consistait donc son acte de haute trahison ? Il avait envoyé à un libraire d'Augsbourg un colis de brochures intitulées *Le profond abaissement de l'Allemagne*. Mais,

affirma-t-il à ses juges, faisant cet envoi il en ignorait et
le contenu et l'expéditeur (1).

Ce qui est certain, c'est que le jugement n'avait été
qu'un simulacre, le verdict ayant été ordonné de Paris. De
Saint-Cloud, plus exactement, où le 5 août l'Empereur avait
écrit à Berthier : « Mon cousin, j'imagine que vous avez
fait arrêter les libraires d'Augsbourg et de Nüremberg. Mon
intention est qu'ils soient traduits devant une commission
militaire pour être jugés et fusillés dans les vingt-quatre
heures (...) La sentence portera que (...) les individus tels
et tels convaincus d'avoir tenté de soulever les habitants
de la Souabe contre l'armée française sont condamnés à
mort (...) Vous ferez répandre la sentence dans toute l'Allemagne... » Ainsi « répandue », la sentence, au dire de M. Thiers
lui-même, fit plus de mal que les brochures incriminées.

Quelle apparence juridique Napoléon pouvait-il invoquer
en l'occurrence, quelle loi de la guerre, quel « droit d'occupant » ? La paix avait été conclue avec l'Autriche à Presbourg, la guerre n'était pas commencée contre la Prusse...
Mais passons et revenons à 1809.

C'est le 6 juillet que l'armée autrichienne était défaite
à Wagram ; le 14 octobre que la paix était signée à Schönbrunn. Mais, au Tyrol, la population montagnarde qui s'était
soulevée en avril en faveur de son empereur François, refusait de mettre bas les armes, une population incorporée de
force à la Bavière, privée de ses institutions et franchises
locales, exaspérée par la conscription, fanatisée par ses
prêtres et menée au combat par l'aubergiste Andreas Höfer,
une espèce de Cathelineau qui avait consacré ses hommes
au « très-cher cœur de Jésus ». Contre ces 20 000 insurgés
qui deux fois avaient reconquis Insbrück, Napoléon avait
dû envoyer Lefebvre, Drouet, Baraguay d'Hilliers. « Si le
but de leur révolte est de rester attachés à l'Autriche,
écrivit-il à Berthier, je n'ai plus qu'à leur déclarer une
guerre éternelle. » Höfer ayant repris la lutte après la signature de la paix à laquelle il refusait de croire, fut traqué,
sa tête mise à prix ; livré par trahison et conduit à Mantoue, il refusa de désavouer ses proclamations. Un conseil

(1) D'après Jules Barni qui résume l'ouvrage publié en 1814 par
la famille Palm.

de guerre ne le condamna qu'à la détention, deux des juges avaient même voté son acquittement ; un message de Napoléon au prince Eugène, daté du 10 février 1810 (1), ordonna son exécution : « Que tout cela soit l'affaire de vingt-quatre heures. » Il marcha à la mort avec fermeté, refusa de se laisser bander les yeux, refusa de s'agenouiller : « Je suis debout devant Celui qui m'a créé, et c'est debout que je veux lui rendre mon âme. » Puis il commanda lui-même le feu. Deux décharges furent nécessaires ; comme devant le libraire Palm, les fusils avaient tremblé.

Autre épisode de la résistance allemande en 1809, la tentative du major von Schill. Le 28 avril, donc dès le début de la guerre, cet officier prussien sortait de Berlin avec deux mille hussards, fonçait vers la Westphalie (royaume donné à Jérôme), puis obliquait vers la Baltique. Folie héroïque : cerné à Stralsund par les Français lancés à sa poursuite, Schill tomba le 31 mai. Le *Moniteur* du 18 décembre suivant évoqua cette affaire dans une chronique consacrée au royaume de Westphalie (et commençant par annoncer l'érection d'une statue de Sa Majesté l'Empereur à Cassel) : « Les hommes de la bande de Schill qui n'ont pas été passés par les armes (2) ont été conduits aux galères de Toulon au nombre de trois cent soixante (...) Il n'y a d'exemple légitime de la force des armes que celui qui est autorisé par les souverains et par le droit de la guerre qui n'appartient qu'à eux (...) Autant on doit d'estime et d'égards au courage malheureux et aux prisonniers avoués par leurs princes, autant on doit de mépris et de punitions à ceux qui (...) s'arment de leur propre autorité (...) Il n'a manqué à cet exemple que le supplice de leur chef : Schill s'en épargna la honte en se faisant tuer à Stralsund (...) mais sa mémoire sera justement en horreur, etc., etc. »

La doctrine du conquérant de l'Europe se confirme à l'égard des combattants de la Résistance. Oui, il est loin le temps où, petit officier au service du Roi, mais épousant secrètement le parti des peuples, il écrivait des pages brû-

(1) Reproduit dans les *Mémoires* du prince, mais absent de la *Correspondance* de Napoléon.
(2) Onze avaient été fusilllés, préalablement enchaînés l'un à l'autre. Ils crièrent « Vive l'Allemagne libre ! » avant de mourir.

lantes sur le Pacte Social, sur le droit des Corses à secouer le joug des Français ! Napoléon ordonne que Schill soit déshonoré comme quelques mois plus tôt le héros de Saragosse, Palafox, deux hommes qu'animait effectivement le même idéal. C'est influencé par l'exemple espagnol que Schill avait lancé le 2 mai un *Appel aux Allemands*, espérant provoquer un soulèvement national... Insulté par l'occupant, il fut désavoué et traité de déserteur par son gouvernement : Frédéric-Guillaume III, à l'époque, pratiquait l'attentisme et le double jeu.

D'autres initiatives isolées se produisirent, aucune ne put mettre le feu aux poudres. La cour de Vienne figée dans son immobilisme social ne tenait pas à ce que le conflit dégénérât en guerre de partisans. C'est bien en Prusse que se fera le grand sursaut ; mais, évacuée seulement en septembre 1808, elle n'était pas prête l'année suivante ; son roi était encore dominé par le parti de la défaite ; les patriotes ne pouvaient que travailler secrètement au relèvement national, encouragés par la reine Louise, dirigés par une pléiade d'hommes exceptionnels qui n'étaient pas tous des Prussiens, mais qui, pour libérer l'Allemagne, avaient entrepris la régénération de l'Etat prussien.

Le plus remarquable de ces réformateurs était un Rhénan, le baron von Stein. Personnage au nom prédestiné : *stein*, pierre, roc. Entré au service de la Prusse comme ministre des Finances, hostile aux privilèges des junkers et indisposé par leur arrogance, méditant une refonte radicale de l'administration, décidé à affranchir les paysans, souhaitant permettre aux citoyens (propriétaires) l'apprentissage des affaires publiques, Stein effrayait le roi qui le disgrâcia pour le remplacer par Hardenberg.

Chose curieuse, ce fut Napoléon qui, après Tilsitt, crut habile de faire rappeler Stein sans se douter qu'il favorisait un ennemi mortel. Loin de se réclamer des idées françaises, mais tirant de notre Révolution cette leçon que sans l'esprit de liberté il ne peut y avoir de grandeur dans un peuple, « Stein agit dans un temps éclair : littéralement en huit jours il jette les bases de l'Etat » (1), abolit le servage, les châtiments corporels, autorise bourgeois et pay-

_____
(1) **Emil Ludwig** : *Les Allemands.*

sans à acheter de la terre, accorde l'auto-administration aux
communes, simplifie les rouages du gouvernement. Survient
la capitulation de Baylen. Stein écrit alors à son roi pour
lui conseiller de feindre la conclusion d'une alliance avec
Napoléon, à la faveur de quoi il sera possible de « répandre
partout les idées insurrectionnelles, apprendre à chacun
comment on peut faire naître et diriger un soulèvement »
(11 août 1808). Sa lettre est interceptée par la police impériale ; Napoléon ordonne son renvoi, son arrestation. Stein
se réfugie en Russie. Mais un de ses collaborateurs est resté
en place, Scharnhorst.

Scharnhorst, Gneisenau : sous Guillaume II et sous Hitler,
ces deux noms brillèrent en lettres de bronze à l'arrière de
deux des plus puissants bâtiments de la Kriegsmarine. Mais
ces symboles de l'orgueil militaire allemand commencèrent
par incarner le pur et simple patriotisme, la volonté de résurrection d'une nation écrasée. Fils de paysans saxons, Scharnhorst entendait arracher aux nobles le monopole du commandement et transformer l'esprit de l'armée ; Gneisenau
le secondait efficacement, qui avait écrit : « La raison pour
laquelle la France est arrivée à ce degré de puissance, c'est
que la Révolution a éveillé les énergies. » Avec Stein, ces
deux officiers apprenant la révolte de l'Espagne avaient mis
au point le plan d'une insurrection du peuple allemand tout
entier, d'une véritable guerre de partisans comportant l'évacuation des non-combattants et la tactique de terre brûlée
qu'avaient préconisée Condorcet et Cloots seize ans plus
tôt, quand Brunswick menaçait la patrie française... Plan
rendu irréalisable par le refus du roi, l'opposition de la
noblesse, le renvoi de Stein, et à plus forte raison la défaite
de l'Autriche.

La reconstitution clandestine d'une armée puissante par
Scharnhorst et Gneisenau, l'action des sociétés de gymnas-
tique et des ligues secrètes (*Tugenbund*), la création de
l'Université de Berlin (1810) qui transférait de l'Autriche à
la Prusse le foyer intellectuel du patriotisme allemand, cela
ne sera pas rappelé ici. Personne n'ignore qu'en 1813, c'est
la Prusse qui conduisit l'Allemagne au combat. Ce qui nous
arrête, nous irrite, nous déconcerte, c'est d'être obligés de
reconnaître ceci : ces seigneurs de la guerre prussiens, flétris
et maudits par le XXᵉ siècle, ils ont d'abord servi une cause

juste, la dignité d'une nation devenue une réalité spirituelle même si sa formation politique prêtait encore à indécisions. Ce patriotisme-là, un historien français de l'Allemagne l'a souligné (1), n'était pas xénophobie : en 1812, les soldats français refluant de Russie en Prusse n'y furent pas molestés. « Au vrai, c'était contre le « tyran botté » célébré naguère comme le représentant le plus authentique du siècle des lumières que se manifestait surtout la fureur germanique. Et si la haine de Napoléon était si vive, c'était peut-être parce qu'il avait déçu les espérances du peuple allemand. »

Est-ce à dire que les habitants de l'Allemagne occupée ou contrôlée par Napoléon aient été soumis à un régime systématiquement tyrannique ? N'avait-il pas entrepris, au contraire, d'y introduire les mêmes bienfaisantes réformes qu'en Italie du Nord et dans les départements cisrhénans ?

Cette œuvre fut en effet au moins commencée un peu partout, mais avec des résultats très inégaux. Le royaume de Westphalie qu'il avait formé pour le donner à son frère Jérôme, fut organisé sur les mêmes principes que la France du Consulat : centralisation, Code civil et le reste. Incontestable progrès par rapport à l'Ancien régime, humanisation de la condition des juifs (déclarés citoyens) et des paysans (délivrés du servage). Les nobles s'estimant lésés reçurent en compensation des fonctions flatteuses ; certains bourgeois cultivés acceptèrent de collaborer. Le grand duché de Berg, d'abord donné à Murat, fut ensuite administré par Beugnot, Roederer, Villefosse, dans le même esprit, encore que les réformes y aient été lentes (2). Dans le royaume de Bavière, moins directement soumis à l'influence napoléonienne, une complète liberté religieuse fut accordée aux protestants ; les privilèges du clergé furent abolis, ceux de l'aristocratie en partie maintenus. Le Savoyard Montgelas y pratiquait un « despotisme éclairé », renforçait l'Etat, laïcisait le pays, modernisait les institutions. Toutefois, « le corps législatif ne fut pas convoqué et le régime demeura policier et absolutiste, avec emprisonnement arbitraire, cabinet noir, cen-

(1) Pierre Lafüe : *Histoire de l'Allemagne* (Flammarion).
(2) G. Lefebvre : *Napoléon*.

sure rigoureuse des journaux, interdiction de toute association » (1). C'est le régime que les Tyroliens de Höfer trouvèrent insupportable (et insuffisamment clérical !)... Passer
en revue tous les autres petits et moyens Etats de la Confédération, Bade, Wurtemberg, Saxe, Anhalt, etc., serait fastidieux. Demandons à Alfred Rambaud une impression d'ensemble :

« ... le servage avait été partout aboli (...) Le système
judiciaire français se substituait aux anciennes justices (...)
arbitraires prodigues de tortures et de supplices ; des impôts
mieux répartis remplaçaient les anciennes charges (...) Malheureusement Napoléon avait abusé de tout cela. Ces impôts
si équitables, il les avait rendus écrasants ; cette conscription perfectionnée, il en avait fait le fléau des familles allemandes (2). »

Oui, la conscription détestée en France, comment n'aurait-
elle pas été ressentie outre-Rhin comme intolérable ? Et sans
parler des milliers d'Allemands de la Confédération incorporés contre leur gré à la Grande Armée, n'était-il pas révoltant
d'obliger la Prusse, hier encore alliée de la Russie, à fournir
la moitié de son armée pour participer à l'invasion de la
Russie ? Comment cette exigence n'aurait-elle pas provoqué
une haine terrible dans ce pays qui de 1806 à 1808 avait
été rançonné, pressuré et presque affamé ? Et que dire de
la situation créée par le Blocus Continental ?

Reprenons les *Mémoires* de Rapp. A la veille de la guerre
de 1812, Rapp était gouverneur de Dantzig. Il se refusait
à appliquer certains ordres de l'Empereur, par exemple à
brûler les marchandises anglaises dans le port : « Le système
continental et les mesures de rigueur qu'employait Napoléon dans le nord de l'Allemagne indisposaient de plus en
plus. La population était exaspérée. On me demandait des
rapports sur sa situation morale : je la dépeignais (...) acca-
blée, ruinée, poussée à bout. Je signalai ces associations
secrètes où la nation s'initiait tout entière, où la haine préparait la vengeance, où le désespoir rassemblait, combinait
ses moyens. Mais Napoléon trouvait ces associations ridicules. Il connaissait peu les Allemands. *Il ne leur supposait*

(1) *Ibid.*
(2) *L'Allemagne sous Napoléon I*er.

*ni force ni énergie ; il les comparait avec leurs pamphlets
à ces petits chiens qui aboient et n'osent pas mordre* ».

Les avertissements et les critiques déplaisaient à l'Empereur : il fit témoigner son mécontentement par Davout à
Rapp lorsque celui-ci, dans un rapport, osa lui dire : « Si
Votre Majesté éprouvait des revers, elle peut être assurée
que Russes et Allemands, tous se lèveraient en masse pour
secouer le joug : ce serait une croisade ; tous vos alliés
vous abandonneraient. »

Défection des alliés, levée en masse, croisade. La renverse
de la marée commença après l'incendie de Moscou. Conseillé
par Stein, Alexandre refusait de traiter. Quand les survivants de la Grande Armée repassèrent la frontière prussienne, une vague de joie souleva l'Allemagne. En décembre,
à Tauroggen, le commandant du corps prussien fourni à
Napoléon, York, décidait de changer de camp et, rejoint
par Stein dans Königsberg libéré, se préparait à retourner
ses armes contre l'Empereur. *Maintenant ou jamais !* Ce mot
d'ordre enflammait les Allemands comme *La patrie en danger !* avait exalté les Français. Le peuple allemand à son
tour allait se dresser, grisé par les poèmes guerriers des
Uhland et des Koerner.

C'est le 19 mars que pressé par Stein, incapable de résister à l'entraînement général et d'accord avec Alexandre,
Frédéric-Guillaume, dans un « Appel à son peuple » établissait le service obligatoire, annonçait la guerre contre la
France, déclarait la Confédération du Rhin dissoute, sommait les princes de se déclarer contre l'Empereur. Il annonçait aussi la création de la Croix de Fer.

Cette guerre sainte était-elle vraiment une guerre pour
la liberté du peuple allemand ? Devons-nous refuser le nom
de guerre de Libération à ce qui fut appelé outre-Rhin
Befreiungskrieg ? Quel homme de cœur pourrait se sentir
libre dans un pays privé de son indépendance nationale ?
Le grand mal que Napoléon fit en Allemagne fut de susciter
un patriotisme enragé auquel le sentiment de liberté civile
fut presque fatalement sacrifié. Ce furent les éléments
conservateurs, voire réactionnaires, qui opposèrent les formes
de résistance les plus effectives à la domination napoléonienne, conclut M. Jacques Droz à la fin de la magistrale
étude à laquelle nous nous sommes maintes fois référés :

« Quant aux libéraux qui se sont voulus avant tout patriotes allemands, ils furent en fin de compte obligés d'accepter la tutelle des classes dirigeantes, donc de renoncer à leur libéralisme. Les guerres de délivrance (*Befreiungskriege*) n'ont pas été des guerres de liberté (*Freiheitskriege*) débarrassant l'Allemagne du poids de l'oppression absolutiste et féodale. »

Autrement dit, Napoléon a jeté les hommes de progrès sous un drapeau militariste et réactionnaire.

On ne peut cependant pas accuser tous les libéraux allemands de s'être laissé aveugler par la haine et la volonté de revanche. Fichte garda d'abord une attitude réservée après la proclamation du 19 mars ; ses cours reflétèrent des hésitations, des scrupules : s'agissait-il d'une guerre nationale ou d'une guerre dynastique ? Et à la fin de février, alors qu'une faible garnison française stationnait encore à Berlin, il intervint pour faire échouer un projet de la massacrer par surprise. Mais prêt au devoir patriotique et donnant l'exemple, il apprenait le maniement des armes. Ses leçons sur la théorie de l'Etat lui permettaient de mûrir sa pensée ; et en mai, dans *L'idée d'une guerre légitime*, il mettait Napoléon en accusation — au nom de la conscience humaine qu'il continuait à placer plus haut que les intérêts de la Prusse et de l'Allemagne. L'avenir qu'il découvrait à l'Allemagne n'était pas fait de domination, de vengeance ; c'est la mission de servir les valeurs universelles qu'il assignait à son peuple :

Les Allemands « offriront ainsi l'exemple d'un véritable empire du droit, tel qu'il n'en a jamais existé dans le monde : on y retrouvera cet enthousiasme pour la liberté du citoyen tel que nous l'apercevons dans le monde ancien (...). La liberté y sera fondée sur l'égalité de tous ceux qui ont une figure humaine... »

Et le disciple de Kant, loin de céder à la tentation du nationalisme vulgaire, témoignait dans son jugement de l'indépendance la plus noble :

« Il (Napoléon) séduit facilement des cœurs susceptibles d'enthousiasme mais qui ne sont point émus par le sentiment de la justice (...) s'il devait se dévouer à la liberté du genre humain, alors je devrais, ainsi que tous ceux qui envisagent le monde comme moi, me précipiter après lui dans la flamme sacrée... »

A la fin de cette année, le typhus décimait Berlin. Atteint à son tour à la mi-janvier 1814, Fichte avait presque perdu connaissance ; un jour, on vint lui apprendre que les Français avaient repassé le Rhin. « Laissez, je suis guéri » dit-il en repoussant la potion qu'on lui tendait. Puis il retomba dans le coma et mourut le 29 janvier.

Un autre témoignage, beaucoup plus connu, de fidélité allemande à la liberté, c'est le geste de Beethoven apprenant que Napoléon va se faire couronner empereur et déchirant la page de titre de sa *Troisième Symphonie* sur laquelle il avait écrit : *Buonaparte-Luigi van Beethoven :* « Quoi !... Celui-là aussi n'est qu'un homme comme les autres ! Maintenant il va fouler aux pieds les Droits de l'Homme... Il va se placer plus haut que tous les autres, devenir un tyran ! »

Emil Ludwig a vu dans cette scène un des grands moments de l'histoire allemande : « Quand il se fut calmé, Beethoven récrivit la première page, lui donna le nom de *Symphonie Héroïque* et écrivit au-dessous, en italien : « Pour honorer la mémoire d'un grand homme. » Sur l'autre exemplaire, il a gratté le nom de Napoléon (1). »

*
**

Par contre son nom est resté gravé dans le cœur de la Pologne — dont les malheurs nous touchent davantage, et pour cause, que ceux de la Prusse. « J'ai été élevé en Pologne, raconte Isaac Deutscher, un des pays satellites de Napoléon où, même de nos jours, la légende napoléonienne est si puissante qu'à l'école j'ai pleuré comme presque chaque enfant polonais des larmes amères sur la chute de Napoléon (2). » Et tous les Polonais interrogés là-dessus tiennent le même langage.

Chère Pologne, enthousiaste et folle ! Avant même de l'avoir vu, les Polonais adoraient Napoléon. C'est vrai qu'il représentait l'heureuse alliée lointaine des années terribles.

(1) E. Ludwig : *op. cit.*
(2) Isaac Deutscher : *Staline.*

Le sacrifice de l'armée improvisée de Kosciuzko, après le second partage, avait soulagé les armées de la République, permis Fleurus et la paix de Bâle. Et voici que le drapeau tricolore approchait de la Vistule, claquant au vent de la victoire, apportant dans ses plis la liberté. Les puissances de proie qui avaient écartelé la patrie allaient rendre gorge... L'entrée des Français à Posen (Posnan), à la fin de 1806, donnait le signal du soulèvement contre les Prussiens. Le 28 novembre, Murat, de Varsovie, écrivait à Napoléon : « Je suis entré dans cette ville aux cris mille fois répétés de « Vive l'Empereur Napoléon notre libérateur ! » (...) Je ne puis mieux vous rendre ce qui s'est passé qu'en vous priant de vous reporter au jour où Votre Majesté reconquit Milan et fit son entrée dans cette ville. Tous demandent des armes, des chefs et des officiers, Kosciuzko est appelé à grands cris. »

Non, Varsovie n'est pas ce que sera Madrid pour Murat, il n'aura pas à mitrailler la foule qui l'a acclamé. Il n'exagère pas : Varsovie est encore plus chaude que Milan. C'est une immense espérance qui fait irruption en Pologne avec les Français. Entrant à Posen à son tour, l'Empereur passe sous un arc de triomphe portant ces mots : AU LIBÉRATEUR DE LA POLOGNE. Le 1er janvier 1807, sur la route de Varsovie, sa berline s'est arrêtée au relai de Bronie ; une jeune femme insiste pour l'approcher, réussit à lui parler, couvre sa main de baisers : « Sire, soyez le bienvenu en Pologne. Vous foulez une terre de héros et de martyrs qui vous bénissent du ciel. Sauvez-nous de nos tyrans !... Sire, les Polonais sont prêts à donner leur sang pour vous, et le cœur de toutes les Polonaises est à vous ! »... Napoléon ordonne au cocher de repartir, non sans avoir laissé un bouquet entre les mains de la belle comtesse Marie Walewska.

Quelques jours plus tard, à Varsovie, le prince Ponia-towski, donnant un bal en l'honneur de l'Empereur, y invi-tait le comte et la comtesse Waleswki. « J'ai un rôle à vous confier, dit-il discrètement à Marie. Il consiste à agir sur l'Empereur pour qu'il reconstitue la Pologne... Sachez être aimable et gracieuse (1). »

(1) Comte d'Ornano : *Marie Walewska, « l'épouse polonaise »* de *Napoléon*.

Elle le fut, non sans résistance, elle se rendit aux raisons qu'on lui imposait, à la Raison d'Etat polonaise, elle se donna corps et âme au puissant, au généreux, au tendre Empereur qui lui affirmait : « Tous vos désirs seront remplis. Votre patrie me sera plus chère quand vous aurez pitié de mon pauvre cœur (1). » Touchant roman d'amour dont le dernier épisode se situa dans le parc de la Malmaison au lendemain de Waterloo. Tenant leur petit garçon par la main, Marie pleurait, elle aurait voulu partir avec l'Empereur vaincu, partager son exil. Rarement personnage féminin aura incarné la cause de son pays avec une fidélité aussi émouvante.

Mais considérons maintenant l'autre aspect de cette histoire, c'est-à-dire ce que Napoléon fit ou ne fit pas pour la Pologne, et d'abord ses dispositions réelles à son égard.

A la fin de 1806, l'Empereur s'étant transporté à Posen, l'insurrection reprit une force nouvelle et des députations affluèrent, demandant que l'indépendance de la Pologne fût proclamée. Napoléon dit à Rapp : « Je le voudrais bien ; mais la mèche allumée, qui sait où s'arrêtera l'incendie ? Mon premier devoir est envers la France ; je ne dois pas la sacrifier à la Pologne. »

Aux Polonais eux-mêmes, cependant, il promettait l'indépendance, à condition qu'ils vinssent grossir les légions de leurs compatriotes qui combattaient déjà pour lui. Le 19 novembre, répondant à Dzyalinski, il déclara : « Lorsque je verrai trente ou quarante mille Polonais armés, je proclamerai à Varsovie votre indépendance. » Activement, il faisait pousser la formation de ces nouveaux régiments. Et dès le 3 novembre, il avait écrit à Fouché de faire venir Kosciuzko (qui habitait en France), Kosciuzko héros de la guerre d'Amérique et compagnon de La Fayette, Kosciuzko qui, en 1794 avait su unir ses compatriotes paysans et nobles dans un combat farouche et désespéré contre Souvorov. Le retour du plus glorieux des Polonais eût été un atout considérable dans le jeu de Napoléon. Mais Kosciuzko refusa. Fouché fit alors insérer dans le *Publiciste* une fausse procla-

(1) *Napoléon amoureux : des lettres inconnues* (André Castelot, *Paris-Match,* 9 mars 1968.)

mation de Kosciuzko invitant les Polonais à s'enrôler sous
la bannière de Napoléon. Kosciuzko protesta et se dit prêt
à partir si l'Empereur acceptait de donner publiquement et
par écrit une triple garantie relative à la forme démocratique du gouvernement polonais, à l'affranchissement des
paysans, aux frontières de la nouvelle Pologne. Conditions
jugées inacceptables, naturellement, ainsi que celles récla-
mées par les grands aristocrates. Dans le 36e Bulletin de
la Grande Armée (1er décembre) après avoir décrit l'enthousiasme de la Pologne dont le « premier désir est de redevenir
nation », Napoléon fait miroiter l'éventualité de cette renaissance pour la dérober aussitôt derrière un nuage de fumée :
« Du fond de son tombeau renaîtra-t-elle à la vie ? Dieu seul
qui tient dans ses mains les combinaisons de tous les événements, est l'arbitre de ce grand problème politique. »

Ces équivoques provoquent du flottement dans la noblesse
polonaise. Un petit groupe se forme autour de Czartoryski
qui, n'espérant plus rien de « la conscience parjure de Napoléon », préfère tout attendre du Tsar ; un autre, avec Radzi-
will, mise sur la Prusse ; un troisième se cantonne dans
l'abstention ; mais la majorité, conduite par Poniatowski,
garde sa confiance à Napoléon.

Napoléon... Il a bien d'autres soucis en tête à présent.
La résurrection de la Pologne ! Soyons sérieux. Le roi de
Prusse a refusé de capituler, et les forces du Tsar, son
allié, se massent du côté de Königsberg... Laissant derrière
lui Varsovie et la tendre Marie en larmes, l'Empereur se
porte à l'attaque. 7 février, Eylau, pertes des Français 18 000
hommes, des Russes 24 000. Le lendemain, sous un ciel
sombre, le vainqueur, incapable de poursuivre, parcourt
lentement à cheval une étendue neigeuse, bosselée de
cadavres, rougie de sang. C'est lugubre et surtout c'est grave.
Sa décision est prise : obtenir de la Prusse une paix séparée.

Le 13, il envoie Bertrand à Memel où se trouve Frédéric-
Guillaume, pour lui offrir la restitution de ses Etats jusqu'à
l'Elbe. Ce n'est pas tout. Dans ses instructions écrites il
ajoute : Laisser « entrevoir que *quant à la Pologne, depuis
que l'Empereur la connaît, il n'y attache plus aucun prix* ».
Bertrand s'acquitta exactement de sa mission : « L'Empereur, disait-il au roi le 16, était maintenant convaincu que

ce pays ne devait point obtenir une existence indépendante (1). »

Que ces ouvertures aient échoué, que Napoléon, après sa campagne d'été et sa victoire, décisive celle-là de Friedland, ait traité avec le Tsar sur le dos du roi de Prusse, qu'il ait constitué un grand-duché de Varsovie (en le donnant au roi de Saxe), cela ne pourra plus changer notre opinion quant à sa façon de considérer la Pologne. Il y voyait d'abord une vaste réserve de matériel humain : « Un Polonais n'est pas un homme, c'est un sabre. » Elle présentait un autre intérêt aux yeux de Napoléon : elle était « alliée pour la guerre ou gage de la paix, nation à délivrer ou à dépecer selon les circonstances » (2).

Le 18 mai 1807, il dicta des notes sur un projet d'exposé de la situation de l'Empire : « Ne pas parler de l'indépendance de la Pologne et supprimer tout ce qui tend à en montrer l'Empereur comme le libérateur, attendu qu'il ne s'est jamais expliqué à ce sujet. »

On ne s'étonnera pas que Kosciuzko, à la fin de 1807, ait dit à un compatriote : « Ne pense pas qu'il va restaurer la Pologne ; il ne pense qu'à soi-même, il déteste toute grande nationalité et plus encore l'esprit d'indépendance. C'est un tyran, son seul but est la satisfaction de sa propre ambition. Il ne créera rien de durable, j'en suis sûr. »

Resté l'ami de La Fayette, et vivant en France, Kosciuzko n'était pas tenté d'idéaliser le personnage.

Deux ans plus tard, une cynique proposition de Napoléon à Alexandre allait apporter à cette défiance une nouvelle justification : le 4 janvier 1810, Caulaincourt signait un engagement réciproque de ne jamais rétablir la Pologne et de supprimer son nom de tous les actes publics et privés. Il est vrai qu'au bout d'un mois, l'Empereur annulait cette convention, la remplaçant par une autre prêtant à équivoque.

Versons encore une pièce au dossier. En 1812, pendant la campagne de Russie, Napoléon laissait entendre que le sort du pays en question le préoccupait encore : comment « relever la Pologne sans l'émanciper, assurer l'indépendance

(1) Handelsman : *Napoléon et la Pologne.*
(2) Albert Sorel : *L'Europe et la Révolution française,* t. VII.

de l'Europe occidentale sans y ramener aucun ferment républicain. C'est là tout le problème. »

Etait-ce le fond de sa pensée ? Il disait cela à Narbonne dont il allait faire son ambassadeur à Vienne, Narbonne ancien monarchiste constitutionnel qui était après tout le fils de Louis XV : « Vous-même vous avez été embabouiné de toutes ces idées-là (...) et vous avez eu ce tremblement de terre où a péri mon pauvre oncle Louis XVI (1). »

*
**

Italie, Espagne, Allemagne, Pologne... Pour être complet il aurait fallu ajouter la Belgique, la Suisse, la Hollande ; la Hongrie où une proclamation lancée par Napoléon resta sans écho (2) ; la Dalmatie (Illyrie) où l'administration impériale introduisit, certes, des progrès dont le souvenir n'est pas oublié. Mais il est temps de nous résumer ; un texte récent d'Arnold Toynbee nous y aidera (3) : « Grâce aux conquêtes de la Révolution et de l'Empire, une foule de Français cultivés rationalisèrent la loi et l'administration publique (...) en Italie, aux Pays-Bas, en Allemagne occidentale, en Suisse. Heine, le juif, pour qui le régime français signifiait l'émancipation, a exprimé un sentiment qui fut partagé par des millions de non-Juifs dans ces pays. »

Rationalisèrent. Napoléon a rationalisé et modernisé ce qui était arbitraire, absurdité, féodalité et anachronisme, il a clarifié, transformé, uniformisé, des législations disparates, créé de toutes pièces ou simplifié des administrations. Ce faisant, il agissait en militaire épris d'ordre, respectueux des hiérarchies fondées sur le mérite, tendant à l'efficacité.

---

(1) Villemain : *Souvenirs contemporains.*

(2) C'était le 13 mai 1809, lors de son entrée à Vienne. Le texte en question avait été traduit par Bacsanyi, un des rares « jacobins hongrois » ayant survécu à la répression de 1795. Bacsanyi qui devait suivre les Français dans leur retraite, fut le seul intellectuel hongrois à se déclarer pour Napoléon. Napoléon ne figure pas dans la tradition patriotique et libératrice des Magyars. (Indications dont nous remercions Tibor Meray, prix Kossuth.)

(3) Dans la *Table Ronde* d'octobre-novembre 1967.

> *Les mortels sont égaux, ce n'est pas la naissance*
> *C'est la seule vertu qui fait la différence.*
> *Il est de ces esprits favorisés des cieux*
> *Qui sont tout par eux-mêmes et rien par leurs aïeux.*

La déclaration des droits professée par Napoléon, c'est cette tirade du *Mahomet* de Voltaire qu'il fit déclamer à Erfurt par Talma devant un « parterre de rois » — lesquels durent ne la goûter que modérément.

Oui, l'égalité, la chance donnée au mérite, la prime à l'efficacité et l'émulation. Cette égalité oui, c'est vrai qu'il la fit accorder aux juifs un peu partout en Europe ; c'est en ce sens qu'il les affranchit.

Mais la liberté, non. Il n'en voulait ni pour les individus ni pour les peuples. Les peuples, il les méprisait. Nous avons vu le cas qu'il faisait du courage des Allemands. L'Italie, pourtant berceau de sa famille avant la Corse, ne lui inspirait pas un moindre dédain : « efféminé et corrompu, aussi lâche qu'hypocrite, le peuple d'Italie et spécialement le peuple vénitien, est peu fait pour la liberté » (1). De ses frères, il exigeait le sacrifice des intérêts de leurs sujets : et jugeant Louis trop indocile, qui répugnait à ruiner la Hollande, il le déposséda et annexa ce royaume à son empire (1810). Aucun souverain, pas même Frédéric, ne piétina plus cyniquement le droit des collectivités humaines à disposer de leur sort ; jamais on ne décida avec autant d'immoralité de l'avenir des nations qu'au cours des négociations menées par Napoléon à l'apogée de sa puissance. A l'hiver 1808 il avait offert au Tsar de partager avec lui l'empire ottoman. « La Russie s'avancerait jusqu'aux Balkans ; l'Autriche prendrait la Serbie et la Bosnie, la France l'Egypte et la Syrie (2). » Et à Tilsitt, n'avait-il pas offert au même Alexandre les dépouilles polonaises de la Prusse, à condition de s'approprier la Silésie ?
Ensuite ce fut Erfurt : à toi la Finlande et les provinces moldo-valaques, à moi l'Espagne et le Portugal. L'énoncé des tractations de ce genre, tout au long de l'histoire napoléonienne, vous étourdit, vous donne la nausée. Difficile de

---

(1) Lettre à Villetard, du 26 octobre 1797, déjà citée.
(2) G. Lefebvre : *op. cit.*

s'y reconnaître ; impossible de garder tout cela en mémoire.
Avouons-le : c'est trop compliqué. Et c'est écœurant... On
découpe des territoires, on se les attribue ou on les extorque,
on fait du chantage à la guerre et des surenchères ; comme
les agioteurs qui jonglent avec des paquets d'actions, on se
jette des chiffres à la figure, et des millions d'*âmes* passent
de main en main. On appelle cela des « cessions de populations ».

Voilà, grâce à l'Empereur des Français, le style des
relations internationales à l'aube du XIXe siècle. Maquignonnage crapuleux, loi du crime. Dans les années 1830, Lamennais en criera l'horreur :

« Les hommes d'iniquité ont mesuré la terre au cordeau ;
ils en ont compté les habitants comme on compte le bétail,
tête à tête...

« Il y a eu des achats, des ventes, des trocs ; des hommes
pour la terre, de la terre pour des hommes, et de l'or pour
appoint.

« Et chacun a convoité la part de l'autre, et ils se sont
mis à s'entrégorger pour se dépouiller mutuellement, et avec
le sang qui coulait, ils ont écrit sur un morceau de papier :
Droit, et sur un autre : Gloire...

« Malheur ! malheur ! le sang déborde : il entoure la
terre comme une ceinture rouge (1). »

On nous dira : il faut juger avec plus de sérénité. Ces
marchandages diplomatiques, ces annexions et ces guerres
servaient un vaste dessein qui anticipait sur notre avenir : ce
grand rassembleur de terres voulait faire l'Europe.

Mais l'Europe à laquelle aspirent aujourd'hui les Européens, c'est un ensemble économique, une communauté spirituelle, une fédération politique. Or en premier lieu, on
ne sache pas que les conceptions de Napoléon, ses préoccupations, aient été orientées comme celles d'un Robert Schu-
man ou d'un Jean Monnet. En second lieu tandis que Mme de
Staël, avec les Idéologues et à la suite des Encyclopédistes,
œuvrait pour la libre confrontation, pour l'interprétation des
génies nationaux, Napoléon faisait pilonner *De l'Allemagne*

(1) *Paroles d'un croyant*, XXX.

et pourchasser son auteur (1). Troisième point et ici nous citerons encore l'impartial Cesare Balbo : « Napoléon fut incontestablement le plus grand capitaine de ce temps et de tous les temps (...) Mais il se montra un bien médiocre politique quant à l'organisation du régime intérieur des Etats, et pire encore dans sa façon d'organiser leur ensemble, de refaire cette carte d'Europe que pourtant il ne cessa de méditer, de refaçonner. A l'intérieur il sacrifiait la liberté, à l'extérieur les nationalités ; nulle part il ne prêtait attention aux désirs, aux volontés, à la puissance de l'opinion universelle. En aucun des remaniements qu'il fit de l'Europe, il ne tint compte des frontières, des races, des langues, de la nature ; jamais il n'eut l'idée (...) de constituer des nations. Ici il ne pensa pas à constituer l'italienne qui était sinon la sienne, du moins celle de ses père et mère... (2) »

Inutile d'insister. Il n'a évidemment pas cherché à faire une Europe des patries. Les intentions et les conceptions qu'il souhaitait (après coup) qu'on lui prêtât, il les dicta comme suit à Las Cases : « Une de mes plus grandes pensées avait été l'agglomération, la concentration des mêmes peuples géographiques qu'ont dissous, morcelés, les révolutions et la politique. Ainsi l'on compte en Europe, bien qu'épars, plus de trente millions de Français, quinze millions d'Espagnols, quinze millions d'Italiens, trente millions d'Allemands : j'eusse voulu faire de chacun de ces peuples un seul et même corps de nation (...) Je me sentais digne de cette gloire ! (...) Quel grand et magnifique spectacle ! (...) Je ne pense pas qu'après ma chute (...) il y ait en Europe d'autre grand équilibre possible que l'agglomération et la confédération des grands peuples... »

Le creuset idéal pour commencer cette fusion était l'armée. La Grande Armée fut une juxtaposition d'unités fournies par tous les pays annexés ou vassalisés : régiments,

---

(1) Lorsqu'il fut question chez certains intellectuels allemands francophiles, de fonder en accord avec l'Institut une revue qui ferait connaître la culture germanique, l'Empereur s'y opposa, déclarant « qu'on pouvait fort bien se passer de la littérature allemande, et qu'au surplus les Allemands étaient incapables de parler de quoi que ce fût, même de chimie ou de physique, sans y mêler la politique, la liberté ou la révolution ». (J. Droz, *op. cit.*)

(2) *Op. cit.*

corps ou légions ; il y eut aussi une légion irlandaise (1), un bataillon grec. Exceptionnellement, certaines unités réalisèrent un amalgame total. On en trouve un exemple dans les souvenirs (déjà cités) de Adèle Hugo. Son beau-père, le « héros au sourire si doux » avait été chargé (avant de gouverner Madrid) de pacifier Avila. Pour ce faire, il avait reçu le commandement d'un régiment formé par ordre de l'Empereur sous le nom de Royal-étranger et composé d'Espagnols, de Suisses, de Wallons, de Français (récupérés après la capitulation de Baylen), de Hongrois, Bohémiens, Polonais, Russes, Danois, Egyptiens et même d'Anglais.

Commencement d'Europe si l'on veut, ce régiment international de répression était encore loin d'offrir le « grand et magnifique spectacle » dont Napoléon rêvait pour sa gloire. Mais au fait, si cette idée européenne lui tenait tellement à cœur, pourquoi diable ne la lançait-il pas dans son siècle ?... Objection si manifeste qu'il l'a prévue : « Que si on me demandait maintenant pourquoi je ne laissais pas transpirer alors de pareilles idées ? pourquoi je ne les livrais pas à la discussion publique ? »... Parce que « livrer de si hauts objets à la discussion publique, c'était les livrer à l'esprit de coterie, aux passions, à l'intrigue, au commérage et n'obtenir pour résultat infaillible que discrédit et opposition (2). »

L'opposition, c'est-à-dire la peste, la démocratie.

Ni une Europe des patries, ni une Europe unie dans la liberté. Une Europe unie par la force, étape vers une dictature universelle. « Qu'y puis-je si un excès de puissance m'entraîne à la dictature du monde ?... Il faut que je fasse de tous les peuples de l'Europe le même peuple (3). »

---

(1) Bien des Irlandais servirent en volontaires dans l'armée ou la marine impériale. Pour les Irlandais, comme pour les Polonais, Napoléon était un libérateur.

(2) *Mémorial de Sainte-Hélène*, ch. XI.

(3) *Mémoires* de Fouché, t. II : Réplique de Napoléon à Fouché qui lui remettait un mémoire concluant à l'abandon du projet de guerre en Russie ; il faudrait pouvoir la citer en entier : « L'Europe n'est qu'une vieille p... pourrie dont je ferai tout ce qui me plaira avec huit cent mille hommes (...) regardez la guerre de Russie comme celle du bon sens, des vrais intérêts, du repos et de la sécurité de tous. »

CONCLUSION

« *Bonaparte inventeur de l'Etat totalitaire moderne* » :
tel est le titre donné par l'auteur d'un manuel juridique
classique à un paragraphe de ce livre (1). Nous avons été
tentés, pour finir, d'approfondir cette question : l'Empire
français fut-il, comme on l'a écrit par ailleurs (2), « le précurseur des modernes Etats policiers », quels traits du
régime napolénien retrouve-on dans ces monstrueux systèmes d'oppression, en quoi ce rapprochement est-il, au
contraire, injustifié ? Mais l'opinion du lecteur se sera déjà
formée là-dessus à partir du simple exposé des faits. Qu'on
nous permette seulement de citer ces mots d'André Suarès :
« Aux yeux de Napoléon, il n'est pas de personne privée.
Tout individu est dans l'Etat. »

En revanche, aux libéraux qui persistent à célébrer l'Empereur comme le missionnaire botté de la Révolution, il ne
nous semble pas superflu d'opposer une fois pour toutes les
démentis émanant de Napoléon lui-même :

— A Miot, 1803 :

« Il n'y aura de repos en Europe que sous un seul chef,
sous un empereur qui aurait pour officiers des rois, qui
distribuerait des royaumes à ses lieutenants, qui ferait l'un

(1) Joseph-Barthélemy : *Précis de Droit Public*.
(2) J. Godechot : *Les institutions de la France sous la Révolution et
l'Empire*.

roi d'Italie, l'autre de Bavière, celui-ci landamman de Suisse, celui-là stathouder de Hollande, tous ayant des charges de la maison impériale, avec les titres de grand échanson, grand-panetier, grand-écuyer, grand-veneur, etc., etc. »

— A Fouché, 1809 :

« Mon intention est de prendre un décret pour envoyer à l'Ecole militaire de Saint-Cyr les jeunes gens appartenant à ces familles (...) Si l'on fait quelque objection, il n'y a pas d'autre réponse à faire, sinon que *cela est mon bon plaisir.* »

— A Molé, 1813 :

« Ces doctrines, ce qu'on appelle les principes de 1789, seront à jamais une arme menaçante à l'usage des mécontents, des ambitieux et des idéologues de tous les temps... »

— A Beugnot, en 1813, après Lützen et Bautzen :

« Vous êtes de l'école des idéologues (...) qui soupirent au fond de l'âme pour la liberté de la presse, la liberté de la tribune, qui croient à la toute-puissance de l'esprit public. Eh ! bien vous allez savoir mon dernier mot. » Portant la main droite à la garde de son épée, l'Empereur ajouta : « Tant que celle-là pendra à mon côté, et puisse-t-elle y pendre encore longtemps ! vous n'aurez aucune des libertés après lesquelles vous soupirez... »

— A Gourgaud, le 1ᵉʳ décembre 1815 :

« J'ai peut-être eu tort de former des Chambres (...) J'ai eu tort de perdre un temps précieux en parlant de constitution, d'autant plus que mon intention était d'envoyer promener les Chambres une fois que je me serais vu vainqueur et hors d'affaire. »

Et le tempérament foncièrement antidémocratique de Napoléon n'apparaît pas qu'à propos des institutions. Ce qui n'est pas moins frappant, osons le dire, c'est l'indigence de ses vues sur le social et l'économique. Le mal social à ses yeux existe, mais le remède aussi, fort peu compliqué : « Qu'est-ce qui fait que le pauvre trouve tout simple que dix cheminées fument dans mon palais, tandis qu'il meurt de froid, que j'ai dix habits dans ma garde-robe, tandis qu'il va nu, que l'on serve sur ma table à chaque repas de quoi nourrir une famille pendant une semaine ? C'est la religion qui lui dit que dans une autre vie je serai son égal, que même il a plus de chances pour y être heureux que moi (1). »

Comment aurait-il le loisir de s'inquiéter vraiment des plaies de la société ? Il n'est pas le prophète d'une humanité meilleure. Il fait la guerre. « Mon pouvoir tient à ma gloire, et ma gloire aux victoires que j'ai remportées. Ma puissance tomberait, si je ne lui donnais pour base encore de la gloire et des victoires nouvelles. La conquête m'a fait ce que je suis ; la conquête seule peut me maintenir (2). »

Il nous a légué le Code civil, les préfets et les sous-préfets ; mais n'est-il pas aussi et surtout le grand promoteur du militarisme français et par contre-coup du militarisme allemand ? N'a-t-il pas enfermé l'avenir des deux pays dans le cycle infernal : revanche, contre-revanche ?

En guerre ! en guerre ! Les démons de la vengeance nous poussent
Debout, peuple d'Allemagne, en guerre !
Pas de quartier ! Et si votre main ne peut soulever l'épée
Egorgez sans ménagement...
... si on vous demande ce que veut dire ce sang rouge,
répondez : Cela veut dire : le sang des Français (3).

Ces strophes incendiaires n'auraient pas jailli outre-Rhin si la France était restée une République, le chapitre précédent l'établit. Certes, les Girondins avaient été imprudents, les soldats de l'an II s'étaient laissé griser par l'odeur de la poudre ; mais leur élan était généreux, ils partaient pour donner, non pour prendre, ils rêvaient de liberté, non d'hégémonie. Cette guerre de libération, il est vrai, dégénérait en guerre d'annexions sous la Convention puis le Directoire prétendant agrandir la France jusqu'à ses « frontières naturelles ». Avec Bonaparte, la « déviation militaire de la Révolution » s'accentue et marque un tournant brutal ; son ambition personnelle, qui se substitue aux intérêts du pays, ne connaît plus de limites ; il communique à l'armée et à la nation un appétit dévorant de conquêtes et la soif d'une gloire éclipsant tout autre idéal. L'engrenage des conflits qui mettront le XXe siècle à feu et à sang, il lui a imprimé sinon l'impulsion première, du moins la plus violente, et

(1) Propos tenus au Conseil d'Etat le 4 mars 1806.
(2) *Mémoires* de Bourrienne.
(3) *Chanson des Chasseurs Noirs* de Kœrer.

déterminante. Oui, lourde est sa responsabilité si l'histoire
des peuples régresse vers un nouvel âge de barbarie.

Et pourtant son culte n'a guère faibli : il ne fait pas
horreur, il fascine. Et ce n'est pas l'homme du Code civil
qui exalte les imaginations, c'est l'homme de guerre qui
laissa derrière lui une Europe jonchée de morts. Les noms
de victoires masquent les charniers. Un seul mot suffit à
aveugler, mot étincelant, Austerlitz.

La conscience humaine, ici, est en échec. Devant cette
grandeur qui désarme la raison, Chateaubriand lui-même,
finalement s'inclina : le 5 mai 1821, « Bonaparte rendit à
Dieu le plus puissant souffle de vie qui jamais anima l'argile
humaine... La moitié du firmament éclaira son berceau, l'autre
était réservée à la pompe de sa tombe (1). »

*
**

En regard de cette immensité fulgurante, bien falote
pourrait paraître la petite société groupée autour de Mme Helvétius, bien frêle la voix de cette vieille dame disant au
jeune conquérant : « Vous ne savez pas, général, le bonheur
qu'on peut trouver dans trois arpents de terre. » Peut-on
dire que ces philosophes qu'il appelait dédaigneusement *les
boudeurs d'Auteuil* aient été de vrais résistants ?

Alors qu'un Grégoire, ostensiblement, ne cessa d'opposer
à l'Empereur un refus irréductible, et tandis qu'une Germaine de Staël menait contre lui une lutte toujours plus
active, fomentant des coalitions, nous avons vu les Cabanis,
les Volney et autres brumairiens mécontents se cantonner
dans une réserve généralement réprobatrice, mais passive.
Modeste, sans doute, est la trace laissée dans l'histoire par
ces penseurs, mais fait remarquable, ayant par leur intelligence et leurs travaux devancé leur temps, ils ne seraient
pas dépaysés dans le nôtre, alors que Napoléon, ce surhomme, ne nous laisse aucun message valable, aucune idée
répondant à nos aspirations, à nos besoins.

Sans parler de la paix, les grands problèmes d'aujourd'hui
sont le développement économique des pays arriérés, la

(1) *Mémoires d'O.T.*, t. IV.

promotion des peuples de couleur, la lutte contre la faim, la maladie, l'analphabétisme. Or Napoléon, en France même, semble ignorer qu'il y a des malades et qu'il faut des hôpitaux ; l'instruction du peuple, il s'en méfie ; ce membre de l'Institut, si fier auparavant de son titre, néglige l'enseignement supérieur ; le meilleur ouvrage d'économie politique du temps est interdit sous son règne ; enfin, répétons-le, puisque tant d'historiens préfèrent pudiquement l'ignorer, ce fils de la Révolution a rétabli l'esclavage dans nos colonies et la traite des Noirs. Comme en outre son système avait exclu toute liberté, on pourrait aller jusqu'à le taxer de racisme et de fascisme. Contentons-nous de dire que Napoléon prit exactement le contre-pied du programme d'amélioration de la condition humaine tracé par Condorcet, programme qui demeura l'objectif des Idéologues, fidèles disciples du philosophe.

Jeune lieutenant à Valence, il s'était cru tenu de faire un travail sur les idées et les sentiments qu'il convient d'inculquer aux hommes pour leur bonheur. Consul et empereur, il n'a plus sur ce sujet ni idée ni sentiment. Sa doctrine se réduit à imputer tous les malheurs de la France aux « métaphysiciens » devenus sa mauvaise conscience. Réfractaires aux entraînements puérils de la gloire, il les dénonçait comme des esprits faux. Le recul du temps permet de les qualifier d'esprits *justes* au plein sens du terme, pour leur générosité et leur clairvoyance ; dans leur effort d'approfondissement des sciences humaines, leur désir de les appliquer aux transformations de la société, ils se montrèrent des précurseurs. Faut-il rappeler les vues si lucides, si avancées, sur le problème colonial par exemple, de leur chef d'école Destutt de Tracy ?

Assurément, et même s'ils annoncent le saint-simonisme et le socialisme, même si Marx rendit hommage à Cabanis (1), il n'y eut pas de génies parmi eux. Mais le génie qu'ils refusèrent de servir serait aujourd'hui sans emploi. A moins que la guerre ne se déchaîne encore sur le monde, auquel cas Waterloo serait une Apocalypse.

Poussé vers l'abîme par la plus formidable volonté de domination qui jamais ait animé « l'argile humaine », Napo-

(1) Maxime Leroy : *Histoire des idées sociales en France*, t. II.

léon ne cessa d'obéir à ce démon. Mais l'honneur de l'homme, sa plus haute victoire, n'est-ce pas de soumettre l'irrationnel à la puissance de l'esprit ? A l'anxiété du XXᵉ siècle finissant, à la menace latente d'anéantissement pesant sur une planète où se multiplient les foyers de violence, aux interrogations soulevées par le travail qui s'opère dans les sociétés, mutations, révolutions, et métamorphoses, l'ombre gigantesque de l'Empereur n'apporte pas de réponse.

Non, décidément, ce n'est pas le respect du droit qu'il a enseigné à l'Europe, c'est la religion de la force.

L'opposition à Napoléon, Bonaparte la justifie quand, appelé à l'Institut par la société d'Auteuil, il dit :

« Les vraies conquêtes, les seules qui ne donnent aucun regret, sont celles faites sur l'ignorance. L'occupation la plus honorable, comme la plus utile pour les nations, c'est de contribuer à l'extension des idées humaines. »

BIBLIOGRAPHIE

I. SUR NAPOLEON

Adolphe THIERS, *Histoire du Consulat et de l'Empire* (20 vol.).

Jules BARNI, *Napoléon I*ᵉʳ *et son historien M. Thiers* (1869).

P. LANFREY, *Histoire de Napoléon I*ᵉʳ (5 vol., 1875).

Louis MADELIN, *Histoire du Consulat et de l'Empire* (5. vol.).

G. PARISET, *Le Consulat et l'Empire* (T. III de l'*Histoire de France contemporaine* d'E. Lavisse, 1921).

S. CHARLÉTY, *La Restauration* (T. IV de la même collection, 1921).

Georges LEFEBVRE, *Napoléon* (1953).

Frédéric MASSON, *Napoléon et sa famille* (T. II, 1898) — *Napoléon inconnu. Papiers inédits (1786-1793)* (2 vol., 1895) — *Napoléon dans sa jeunesse (1769-1793)* (1907).

Arthur CHUQUET, *La jeunesse de Napoléon* (3 vol., 1897-1899).

Albert VANDAL, *L'avènement de Bonaparte* (2 vol., 1915).

STENDHAL, *Vie de Napoléon*.

Emil LUDWIG, *Napoléon* (tr. par Mlle Stern, 1930).

André CASTELOT, *Bonaparte* (1967).

Arthur LÉVY, *Napoléon intime* (1893).

Louis GARROS, *Itinéraire de Napoléon Bonaparte* (1947).

Claude MANCERON, *Napoléon reprend Paris* (1965) — *L'épopée de Napoléon en 1 000 images* (1964).

Jean TULARD, *L'Anti-Napoléon. La légende noire de l'empereur* (1964).

Jean THIRY, *Le Concordat et le Consulat à vie* (1956).

Ernest d'HAUTERIVE, *Napoléon et sa police* — *Napoléon et la presse* (*Revue des Deux-Mondes*, 1ᵉʳ janvier 1940).

G. LACOUR-GAYET, *Bonaparte membre de l'Institut* (1921).

II. SUR L'OPPOSITION INTELLECTUELLE ET PARLEMENTAIRE

Fr. PICAVET, *Les Idéologues* (1891).

Antoine GUILLOIS, *Le salon de Mme Helvétius, Cabanis et les Idéologues — La marquise de Condorcet, sa famille, son salon, ses amis* (1896).

Amédée FAYOL, *Auteuil au cours des âges* (1954).

Janine BOUISSOUNOUSE, *Condorcet, le philosophe dans la Révolution* (pr. de Louis de Villefosse, 1962).

Gilbert STENGER, *La société française pendant le Consulat* (3e série) — *Bonaparte et sa famille. Le monde et les salons* (1905).

Henri GUILLEMIN, *Mme de Staël, Benjamin Constant et Napoléon — Benjamin Constant muscadin (1795-1799)* (1958).

Benjamin CONSTANT, *Ecrits et Discours politiques* (présentation, notes et commentaires par Olivier Pozzo di Borgo, 2 vol., 1964). — *Mémoires sur les Cent Jours en forme de lettres avec des notes et documents inédits* (1829). — *Journal intime* (1895).

Maurice LEVAILLANT, *Les amours de Benjamin Constant* (1958).

Charles du BOS, *Grandeur et misère de Benjamin Constant* (1946).

Paul BASTID, *Benjamin Constant et sa doctrine* (2 vol., 1967).

Revue *Europe*, mars 1968 : Numéro consacré à Benjamin Constant.

Mme de STAEL, *De la littérature considérée dans ses rapports avec les institutions sociales* (Intr. par P. Van Tiegem, 1959). — *Delphine* (1802). — *Corinne* — *De l'Allemagne* (Pr. par X. Marmier, 1839) — *Dix Années d'exil* — *Considérations sur la Révolution française* (3 vol., 1818).

Paul GAUTIER, *Mme de Staël et Napoléon* (1903).

J. Christopher HEROLD, *Germaine Necker de Staël* (Tr. par Michelle Maurois, 1962).

Csse Jean de PANGE, *Mme de Staël et la découverte de l'Allemagne* (1929).

Pierre de LACRETELLE, *Mme de Staël et les hommes* (1939).

Françoise d'EAUBONNE, *Une femme témoin de son siècle, Germaine de Staël* (Flammarion, 1966).

Edouard CHAPUISAT, *Necker (1732-1804)* (1938).

Cl. VERMEIL de CONCHARD, *Trois études sur Cabanis d'après des documents inédits* (1914).

Albéric NETON, *Sieyès d'après des documents inédits.*

Jean GAULMIER, *Un grand témoin de la Révolution et de l'Empire, Volney* (1959).

VOLNEY, *Voyage en Syrie et en Egypte* (1787).

CABANIS, *Serment d'un médecin* (1783). — *Journal de la maladie et de la mort d'Honoré-Gabriel-Victor Riquetti Mirabeau* (1791). — *Rapports du physique et du moral de l'homme* (avec l'extrait raisonné de Destutt de Tracy et une notice biographique par le Dr Cerise, 1843).

DESTUTT de TRACY, *Discours de réception à la classe de langue et littérature française de l'Institut de France* (1808). — *Commentaire sur l'Esprit des Lois,* suivi d'observations inédites de Condorcet sur le 29ᵉ livre du même ouvrage et d'un *Mémoire sur les moyens de fonder la morale d'un peuple* (1819).

DAUNOU, *Essai historique sur la puissance temporelle des papes, sur l'abus qu'ils ont fait de leur ministère spirituel,* etc. (1810) *.

Cl. RULHIÈRE, *Histoire de l'anarchie de Pologne et du démembrement de cette république* (préface — anonyme — de Daunou, 1807).

Marie-Joseph CHÉNIER, *Œuvres diverses et inédites,* en particulier *Epitre à Voltaire* et lettre relative à cette épître, adressée à Napoléon Bonaparte (1816). — *Tibère* (1819). — *La Promenade à Auteuil, élégie composée sous la régime impérial,* etc. (1817) *.

A.-H. TAILLANDIER, *Documents biographiques sur P.C.F. Daunou* (1847).

MIGNET, *Notices et mémoires historiques* (notamment sur Destutt de Tracy et Daunou, 1843). — *Portraits et notices historiques et littéraires* (sur Cabanis, 1852).

Ch. LABITTE, *Marie-Joseph Chénier* (*Revue des Deux-Mondes,* janv. 1844).

P. LANFREY, *Etudes et Portraits politiques* (Daunou, Carnot, etc., 1864).

SAINTE-BEUVE, *Causeries du Lundi, Chroniques parisiennes, Portraits contemporains* (sur Sieyès, Daunou, Rœderer, etc.)

Cousin d'AVALON, *Gregoireana ou résumé général de la conduite, des actions et des écrits de M. le comte Henri Grégoire* (1822).

Charles LYON-CAEN, *Notice sur la vie et les travaux de l'abbé Grégoire* (1922).

GRUNEBAUM-BALLIN, *Henri Grégoire, l'ami des hommes de toutes les couleurs* (1948).

Revue *Europe,* août-septembre 1956 : Numéro consacré à l'abbé Grégoire.

Jean TILD, *L'Abbé Grégoire d'après ses Mémoires recueillis par Hippolyte Carnot* (1946).

Gilbert CHINARD, *Jefferson et les Idéologues, d'après sa correspondance inédite avec Destutt de Tracy, Cabanis, J.-B. Say et Auguste Comte* (1925).

Maxime LEROY, *Histoire des Idées sociales en France* (T. II de Babeuf à Tocqueville, 1951).

CHATEAUBRIAND, *Napoléon par Chateaubriand* (Présentation et introduction par Chr. Melchior-Bonnet, 1949).

CHATEAUBRIAND, *Génie du Christianisme* (éd. de l'an XI). — *De Buonaparte et des Bourbons* (1814). — *Mémoires d'Outre-Tombe* (6 vol., notamment T. II, III, IV).

Albert CASSAGNE, *La vie politique de Chateaubriand, Consulat, Empire, Restauration* (1911).

* Ouvrage publié sans le nom de l'auteur.

Camille JORDAN, *Vrai sens du vote national sur le Consulat à vie* *.

P. GAFFAREL, *L'opposition républicaine sous le Consulat* (Revue la *Révolution française*, T. XIII, 1887 et XIV, 1888).

Adrienne GOBERT, *L'opposition des assemblées pendant le Consulat (1800-1804)* (Thèse de doctorat, 1925).

Jean THIRY, *Le Sénat de Napoléon (1800-1804)* (1949).

Discours du Tribunat : Documents Le 51.1 à 799 de la B.N.

LAINÉ, *Rapport fait au Corps Législatif le 28 décembre 1813 suivi de la réponse faite le 1ᵉʳ janvier 1814 par Napoléon* (1814).

III. *SUR L'OPPOSITION MILITAIRE ET LES CONSPIRATIONS*

Jean THIRY, *La machine infernale* (1952).

Henri GAUBERT, *Conspirateurs au temps de Napoléon Iᵉʳ* (Flammarion, 1962).

Edouard GUILLON, *Les complots militaires sous le Consulat et l'Empire* (1894).

P. GAFFAREL, *L'opposition militaire sous le Consulat* (Revue la *Révolution française*, T. XII, 1887).

Louis GARROS, *Le général Malet conspirateur* (1936).

Alain DECAUX, *La conspiration du général Malet, d'après des documents inédits* (1951).

Frédéric MASSON, *La vie et les conspirations du général Malet*.

Ct E. PICARD, *Bonaparte et Moreau* (1903).

MOREAU, *Discours prononcé par le général Moreau au Tribunal criminel spécial du Département de la Seine* (1804).

LECOURBE (juge en la Cour de Justice criminelle de Paris), *Opinion sur la Conspiration de Moreau, Pichegru et autres* (1814).

Procès instruit par la Cour de Justice criminelle spéciale du département de la Seine, séante à Paris, contre Georges Pichegru et autres prévenus de conspiration contre la personne du Premier Consul — recueilli par des sténographes, 8 vol. (1804).

FLEURIOT DE LANGLE, *Moreau contre Napoléon* (*Miroir de l'Histoire*, juin 1966).

IV. *SUR LA RESISTANCE EN EUROPE*

P. GAFFAREL, *Bonaparte et les républiques italiennes* (1894).

Jean BOREL, *Gênes sous Napoléon Iᵉʳ* (1929).

Maurice VAUSSARD, *Les résistances intérieures. L'Italie et la papauté* (pages destinées au *Napoléon et l'Empire* de Jean Mistler et aimablement communiquées par l'auteur avant la parution de cet ouvrage,

1968). — *De Pétrarque à Mussolini : Evolution du sentiment national italien* (1961).

DANDOLO, *Rapporto del cittadino Dandolo alla Municipalità provvisoria* (anno I della libertà italiana).

S. ROMANIN, *Storia documentata di Venezia* (1860).

P. DARU, *Histoire de la République de Venise* (T. VIII, 1819).

Cesare BALBO, *Sommario della Storia d'Italia* (1846).

Pietro ORSI, *Histoire de l'Italie moderne* (1750-1910, tr. par H. Bergmann, 1911).

Geoffroy de GRANDMAISON, *L'Espagne et Napoléon de 1805 à 1809* (1908).

Antonina VALLENTIN, *Goya* (1951).

Arthur RAMBAUD, *La domination française en Allemagne* (1874).

Xavier LÉON, *Fichte et son temps* (2 vol., 1922-1924).

FICHTE, *Discours à la nation allemande* (Tr. par Léon Philippe, préf. de Picavet, 1895). — *De l'idée d'une guerre légitime, trois leçons faites à Berlin en mai 1813* (Tr. par M. Lortet, 1831).

Th. KOERNER, *Les poésies de Koerner* (Trad. par le capitaine Hughes).

Jacques DROZ, *Le romantisme allemand et l'Etat. Résistance et collaboration dans l'Allemagne napoléonienne* (1966).

M. HANDELSMAN, *Napoléon et la Pologne (1806-1807)* (1909).

Comte d'ORNANO, *Marie Walewska « L'épouse polonaise » de Napoléon* (1938).

V. MEMOIRES ET CORRESPONDANCE

NAPOLÉON, *Correspondance de l'empereur Napoléon I*^{er} *publiée par ordre de Napoléon III* (28 vol., 1857-1869).

LAS CASES, *Mémorial de Sainte-Hélène.*

Gl Bon GOURGAUD, *Sainte-Hélène. Journal inédit de 1815 à 1818* (1889).

O'MEARA, *Napoléon en exil à Sainte-Hélène. Relations concernant les opinions et réflexions de Napoléon sur les événements les plus importants de sa vie* (1822).

MARCHAND, *Mémoires, publiés par Jean Bourguignon et le Ct Henry Lachouque : Napoléon à Sainte-Hélène* (1955).

Général BERTRAND (Grand Maréchal du Palais), *Cahiers de Sainte-Hélène, janvier-mai 1821, déchiffrés et annotés par P. Fleuriot de Langle* (1950).

Vie de Napoléon par lui-même, rétablie d'après les textes, lettres, proclamations, écrits (1930).

NAPOLÉON, *Vues politiques. Avant-propos de Adrien Dansette* (1939).

Maximilien VOX, *Conversations avec Bonaparte* (1967).

Joseph BONAPARTE, *Mémoires et correspondance politique et militaire du roi Joseph* (1853).

Thomas JUNG, *Lucien Bonaparte et ses Mémoires, 1775-1840* (3 vol., 1882-1883).

Comte P.L. ROEDERER, *Œuvres* (1854). — *Mémoires sur la Révolution, le Consulat et l'Empire.* (Textes choisis et présentés par Octave Aubry, (1942).

BOURRIENNE, *Mémoires de M. de Bourrienne, ministre d'Etat, sur Napoléon, le Directoire, le Consulat, l'Empire et la Restauration* (10 vol., 1829).

THIBAUDEAU, *Mémoires sur le Consulat, 1799 à 1804, par un ancien Conseiller d'Etat* (1827). — *Le Consulat et l'Empire ou Histoire de la France et de Napoléon Bonaparte de 1799 à 1815* (10 vol., 1834-1835).

MIOT de MELITO, *Mémoires du comte Miot de Melito* (1858).

FOUCHÉ, *Mémoires de Joseph Fouché, duc d'Otrante, ministre de la police générale* (2 vol., 1824).

Stanislas de GIRARDIN, *Journal et souvenirs. Discours et opinions* (4 vol., 1828). — *Mémoires, Journal et souvenirs* (1829).

SAVARY duc de ROVIGO, *Mémoires* (8 vol., 1828).

Général RAPP, *Mémoires du Général Rapp (1772-1821) aide de camp de Napoléon* (1823).

FABRE de l'AUDE, *Histoire secrète du Directoire* (4 vol., 1832)*. — *Mémoires et souvenirs d'un Pair de France ex-membre du Sénat Conservateur* (4 vol., 1829) *.

Marquis de NOAILLES, *Le comte Molé 1781-1855. Sa vie. Ses Mémoires* (1922).

CAULAINCOURT, *En traîneau avec l'empereur* (Introduction et notes de Jean Hanoteau, 1943).

VILLEMAIN, *Souvenirs contemporains d'histoire et de littérature* (T. I, 1854).

Comte CHAPTAL, *Mes souvenirs sur Napoléon* (1893).

Le comte REMACLE, *Relations secrètes des agents de Louis XVIII à Paris sous le Consulat, 1802-1803* (1819).

BEUGNOT, *Mémoires du comte Beugnot, ancien ministre 1783-1815* (T. II, 1866).

FAURIEL, *Les derniers jours du Consulat* (1886).

Paul-Louis COURIER, *Mémoires, correspondance et opuscules inédits* (T. I, 1828).

LA FAYETTE, *Mémoires, correspondance et manuscrits publiés par sa famille* (T. V, 1838).

TALLEYRAND, *Mémoires* (présentées par P.L. et P.J. Couchoud, T.I, 1957).

MAINE de BIRAN, *Journal intime 1792-1817* (Intr. de A. de la Valette-Monbrun, 1927).

Pierre-Marie DESMAREST, *Quinze ans de haute police sous le Consulat et l'Empire* (1833).

THUROT, *Mélanges de feu François Thurot, professeur au Collège de France*, etc. (1880).

Mme RÉCAMIER, *Souvenirs et correspondance tirés des papiers de Mme Récamier* (1859).

CARETTE, *Madame la Comtesse de Genlis* (Mémoires de Mme de Genlis précédés d'une notice biographique de Mme C., 1893).

Mme Victor HUGO, *Victor Hugo raconté par un témoin de sa vie* * (1863).

VI. *DIVERS*

Alph. AULARD, *Histoire politique de la Révolution française. Origines et développement de la Démocratie et de la République (1789-1804)* (1901). — *Paris sous le Consulat* (4 vol., 1909). — *Paris sous l'Empire* (3 vol., 1923).

DUVERGIER DE HAURANNE, *Histoire du Gouvernement Parlementaire en France*, T. I *(1789 à 1813)* ; T. II *(1813 à 1815)* (1857).

H. TAINE, *Les origines de la France contemporaine. Le régime moderne* (T. I, 1895).

L. de LANZAC DE LABORIE, *Paris sous Napoléon. Ier Consulat provisoire et consulat à temps* (1905).

Albert SOREL, *L'Europe et la Révolution française* (T. V et VII, 1903, 1904).

F. GUIZOT, *L'Histoire de France racontée à mes petits-enfants de 1789 jusqu'en 1848. Leçons recueillies par Mme de Witt* (2 vol., 1878, 1879).

Albert SOBOUL, *Le Directoire et le Consulat* (1967).

Bernard NABONNE, *Joseph Bonaparte, le roi philosophe* (1949).

J. GODECHOT, *Les institutions de la France sous la Révolution et l'Empire* (1951).

André LATREILLE, *Le catéchisme impérial de 1806* (1935).

Joseph BARTHÉLEMY, *Précis de Droit public* (1937).

Eugène HATIN, *Histoire politique et littéraire de la presse en France* (T. VII, 1861).

Albert OLLIVIER, *Le Dix-Huit Brumaire* (1959).

Jean BOURDON, *La Constitution de l'an VIII* (1942).

SIMONDE de SISMONDI, *Examen de la Constitution française* (1815).

Vte de GROUCHY, *La presse sous le Premier Empire* (1896).

Jean DESTREM, *Les déportations du Consulat* (1878). — *Les déportations du Consulat et de l'Empire, d'après des documents inédits* (1885).

Victor SCHOELCHER, *Vie de Toussaint-Louverture* (1889).

P.I.R. JAMES, *Les Jacobins Noirs. Toussaint-Louverture et la révolution de Saint-Domingue* (tr. de P. Naville, 1949).

Georges BERTIN, *La campagne de 1812 d'après des témoins oculaires.*

Erckmann-Chatrian, *Romans nationaux : Histoire d'un conscrit de 1813.*

Henri Houssaye, *1814* (1888).

H. Gaubert, *Le sacre de Napoléon Iᵉʳ* (Flammarion, 1964).

G. Lacour-Gayet, *Les origines de l'expédition d'Egypte* (*Revue de Paris*, 15 juillet 1922).

P. Lorson, S.J., *Un chrétien peut-il être objecteur de conscience ?* (1950).

Conseil des Cinq-Cents (P.V. des séances) — *Commission des Cinq-Cents* (*id.*).

Miroir de l'Histoire, janvier 1959, numéro consacré à *La légende napoléonienne* (Fleuriot de Langle : Les évangiles de Ste-Hélène ; Romi : Bibelots de propagande ou de souvenir).

Collections de la *Décade Philosophique, Littéraire et Politique* et du *Moniteur universel.*

INDEX

TABLE DES MATIÈRES

ACHEVE D'IMPRIMER
LE 12 FEVRIER 1969 SUR LES
PRESSES DE L'IMPRIMERIE
R. MOURRAL A PARIS

Dépôt légal : 1ᵉʳ trimestre 1969. — Flammarion et Cie, éditeur. (Nº 6510.)
Nº d'imprimeur : 3580.